CUENTOS DE HISPANOAMÉRICA
EN EL SIGLO XX
I

D1282417

clásicos castalia

COLECCIÓN FUNDADA POR
DON ANTONIO RODRÍGUEZ-MOÑINO

DIRECTOR
DON ALONSO ZAMORA VICENTE

Colaboradores de los volúmenes publicados:

CUENTOS
DE HISPANOAMÉRICA
EN EL SIGLO XX

TOMO I

Edición,

introducción y notas

de

FERNANDO BURGOS

clásicos castalia

Madrid

Copyright © Editorial Castalia, S.A., 1997
Zurbano, 39 - 28010 Madrid - Tel. 319 89 40 - Fax. 310 24 42

Cubierta de Víctor Sanz

Impreso en España - Printed in Spain

I.S.B.N.: 84-7039-759-1
I.S.B.N.: 84-7039-762-1 (Obra completa)
Depósito Legal: M. 11.962-1997

CRÉDITOS

La reproducción de los cuentos incluidos en esta antología ha sido debidamente autorizada. Al pie de cada cuento se da el crédito correspondiente en el caso de las editoriales y/o representantes que así lo indicaron.

Agradecemos a los autores que autorizaron la inclusión de sus cuentos así como a quienes nos ayudaron en esta tarea, en especial a Carmen Naranjo, Angélica de Icaza, Eduardo Castro Le Fort, Silda Cordoliani, Andrea Esteban Carpentier, Luis Arturo Ramos, Isabel Castellanos, Augusto Guzmán Martínez, Melita y Rosalba Guzmán, Sofía Soriano vda. de Guzmán, Carmen Beatriz Ramos Otero, Dra. Perla Rozencvaig, Gracia de Aburto, Dra. Mirta Arlt, Neus Espresate, Luz Bono de Di Benedetto, Gustavo Zalamea Traba, Andrea Lihn Mingram, Camilo Restrepo Guzmán, Luciano Martinis, Eliodoro Yáñez, Sara Luisa del Carril, Dr. Luis Merino Montero, Autilia S. vda. de Alfonseca, Altagracia Alfonseca de García, Muriel A. Alfonseca, Rogelio Sinán Domínguez, Irene Menocal, Ricardo Bada, Ingeniero Marcos Amador, Dr. Jaime Lavado Montes y Erika Seidman.

Nuestro agradecimiento a las siguientes editoriales, agencias e instituciones: Monte Ávila Editores, Caracas, Venezuela; Fondo de Cultura Económica, México; Editorial Universitaria Centroamericana, EDUCA, San José Costa Rica; Ediciones Era, México; Casa de la Cultura Ecuatoriana Benjamín Carrión, Quito, Ecuador; Le Parole Gelate, Roma, Italia; Agencia Literaria Balcells, Barcelona, España; Universidad de Chile, Santiago, Chile.

4

SUMARIO

*Dedico este libro a mis maestros Ivan
A. Schulman y Pedro Lastra. A mis
amigos Enrique Pupo-Walker, Alexis y
Mercedes Márquez Rodríguez.*

RECONOCIMIENTOS

E S P E C I A L reconocimiento merece el Dr. Ralph Albanese, Chairman, Department of Foreign Languages, University of Memphis, quien apoyó este proyecto con vitalidad y entusiasmo desde su inicio hasta su publicación. Quisiera agradecer también el apoyo del Dr. Ralph Faudree, Dean of the College of Arts & Sciences, de la Dra. Linda Brinkley, Vice Provost for Research and Dean of the Graduate School, del Dr. Don Franceschetti, Interim Associate Vice President for Research, y del Dr. John Haddock, Director of Graduate Studies and Research de la University of Memphis.

Mis agradecimientos asimismo para Enrique Pupo-Walker, cuyos sabios consejos hicieron posible la realización de este libro; Eugenio Suárez Galbán, quien me alentara, hace ya años, al estudio del cuento hispanoamericano; Myron I. Litchblau de Syracuse University, por su admirable erudición; Enrique Meyer, Profesor del Departamento de Antropología de Yale University, quien facilitó mi estadía en centros de estudios latinoamericanos; Thomas Collins y Michael Gootzeit, profesores de antropología y economía respectivamente de la Universidad de Memphis, por su constante estímulo; Edelmiro Salas, profesor de lingüística de la Universidad de Memphis, por su estupenda ayuda lexicográfica; Nelly S. González, directora de la Biblioteca Latinoamericana de la Universidad de Illinois en Urbana-Champaign, por la valiosísima asistencia bibliográfica; Rubén González, amigo y colega, a quien le debo muchísimo por su magnífico conocimiento de la literatura puertorriqueña.

Extiendo este agradecimiento a los autores incluidos en esta antología con quienes me mantuve en comunicación por varios años. Muchos me enviaron sus libros y cuentos. De ellos recibí, asimismo, una extraordinaria y actualizada fuente de información sobre su propia obra y la del cuento hispanoamericano en general, a través de correspondencia, fax, teléfono y el correo electrónico. Me estimularon además a seguir y completar esta obra, comprendiendo muy bien las enormes dificultades de su realización. A todos los escritores —con cuya presencia se fue haciendo este libro—, mi gratitud.

F. B.

INTRODUCCIÓN

I. EL CUENTO HISPANOAMERICANO EN EL SIGLO XX

1. Inicios de la renovación moderna: Horacio Quiroga y Leopoldo Lugones

La presente antología cubre la extensa producción del cuento hispanoamericano en el siglo XX desde el relato "Los caballos de Abdera", de Leopoldo Lugones, perteneciente a la colección *Las fuerzas extrañas,* de 1906, hasta el cuento "Moraleja para ángeles" de la escritora chilena Sonia González Valdenegro, incluido en el volumen *Matar al marido es la consigna,* de 1994. Como en toda antología se trata de una propuesta selectiva, conscientemente alejada del propósito omniabarcante de la historia literaria. La lectura que ofrece esta obra atiende a la experiencia de la modernidad hispanoamericana tal como se manifestó en el cuento.[1] La atención global a este espacio moderno se corresponde con la percepción de que el cuento hispanoamericano del siglo XX se presenta como una pieza polifónica relacionante, ejecutada con la intertextualidad plural de lo diverso, rehecha constantemente, y procesada por la materia flexible de las construcciones y reconstrucciones

---

[1] Las fuentes de tal discurso provienen de reflexiones sobre diversas obras en torno a la modernidad y de mis libros *La novela moderna hispanoamericana: un ensayo sobre el concepto literario de modernidad* (Madrid: Orígenes, 1985 1990) y *Vertientes de la modernidad hispanoamericana* (Caracas: Monte Ávila, 1995).

con que cada uno de los modos y fases de la modernidad ha confrontado el modelo cambiante de su escritura.

En los inicios de esta trayectoria moderna, la cuentística de Horacio Quiroga surge como una de la grandes inspiradoras del espíritu de renovación en la producción literaria hispanoamericana. Quiroga fue el primer expositor de una teoría del cuento en la América Hispana; definió con precisión los contornos del género, poniendo énfasis en el imperativo de tecnificación y control de los elementos estilísticos del cuento. No se trataba exclusivamente de depuración técnica; el "duende", esa otra dimensión misteriosa de la creación, era absolutamente necesaria para el escritor uruguayo, pero tenía conciencia de que la falta de dominio técnico en el cuento podía malograr la más alta visión creativa. Su aproximación a los elementos claves en la diferenciación del escritor cuentista y del escritor novelista ejemplifica el tesón con que Quiroga perseguía identificar los mecanismos del relato: "Luché porque no se confundieran los elementos emocionales del cuento y de la novela, pues si bien idénticos en uno y otro tipo de relato, diferenciábanse esencialmente en la acuidad de la emoción creadora, que, a modo de corriente eléctrica, manifestábase por su fuerte tensión en el cuento, y por su vasta amplitud en la novela".[2]

Un profundo conocimiento de los elementos estilísticos y estéticos configuradores del género le permitió transmitir con acierto literario temas filosóficos, y complejos aspectos existenciales en un espacio narrativo reducido. Quiroga utilizó la brevedad fortificando el concepto de tensión en el cuento y llevándolo a un nivel de excelencia que lo colocaría como el maestro del género en la literatura hispanoamericana. En el elaborado manejo de esos componentes tensivos se puede apreciar tanto la originalidad de la prosa quiroguiana como la profundidad en el tratamiento de temáticas que por su complejidad e impacto en la conciencia humana suponían un espacio de desarrollo amplio en el discurso narrativo. El enfrentamiento existencial a la dimensión de la muerte corresponde a uno de esos aspectos y, en verdad, es

[2] Horacio Quiroga. *Cuentos*. 13.ª ed. México: Porrúa, 1985, p. XXXVI.

el que Quiroga tocó con más fuerza expresiva. Entre los cuentos memorables del autor uruguayo se encuentra "El hijo", reproducido en esta antología. El relato plasma una fuerte visión existencial acerca de los tejidos de la comunicación entre vida y muerte. A los elementos mínimos del escenario, el de la creación (padre-hijo), el del espacio del suceso y centro de observación (la naturaleza) y el de la interrupción de la vida y activador del azar (la escopeta), se agrega lo alucinatorio con una función anticipatoria (y por tanto de padecimiento psicológico) sobre la posibilidad de la tragedia para el hijo. La otra función que cumple lo alucinante es, paradójicamente, el de alivio o escape respecto de la realidad de la muerte. Mientras el hijo está muerto, el padre recupera su compañía y regresa con él por efecto de la alucinación.

Este doble y antitético uso del elemento alucinatorio crea una dimensión muy original en la cuentística de Quiroga y bastante cercana a la escritura vanguardista hispanoamericana, especialmente a la del escritor ecuatoriano Pablo Palacio. Lo alucinatorio disipa las circunstancias, los hechos y el espacio al punto de imponerse como el elemento crucial del cuento: la muerte, plasmada desde una visión delirante, generada precisamente desde el mismo terror de su enfrentamiento.

La obra cuentística de Leopoldo Lugones se coloca a la vanguardia del modernismo hispanoamericano. La original ejecución de sus relatos ilustra sobre lo moderno asumido como práctica de la modernidad: una fascinación absorbente por nuevas y poderosas formas de encuentro con el "medio", es decir, con el cuerpo de la escritura, primer receptor de las renovaciones buscadas en el logro de un arte que iniciaría el desenlace de la diferencia en el siglo XX. Refiriéndose a la ubicación estética del autor de *Las fuerzas extrañas*, Jorge Luis Borges indicaría sabiamente que "La historia de Leopoldo Lugones es inseparable de la historia del modernismo, aunque en su obra, en conjunto, excede los límites de esta escuela".[3]

---

[3] *Leopoldo Lugones*. 2.ª ed. Buenos Aires: Editorial Pleamar, 1965, p. 15.

Al ver la producción del modernismo como el punto de arranque de la modernidad hispanoamericana en lugar de una escuela, el comentario de Borges sugiere que la obra de Lugones trascendía la etapa modernista, colocándose dentro de las manifestaciones preliminares de la vanguardia hispanoamericana. La lúcida percepción borgiana apuntaba así al carácter moderno (más que modernista) de Lugones, quien junto con Darío señalarían rumbos cruciales en el inicio de la modernidad en Hispanoamérica. Lugones exploró en las "fuerzas extrañas" del conocimiento, dimensión que el escritor argentino buscaba abrir con otro misterio, obsesionante en su caso, el poder del lenguaje: "Escéptico de tantas cosas, Lugones no lo fue jamás del lenguaje... Moore observó que, desde Shakespeare, sólo Kipling escribió con todo el idioma; también Lugones abrigó alguna vez este desaforado propósito".[4]

Los cuentos de Lugones "La lluvia de fuego", "La estatua de sal" y "Los caballos de Abdera" son tres clásicos de la narrativa breve hispanoamericana. Los dos primeros comparten la visitación del texto bíblico, pero mientras en "La lluvia de fuego" el personaje narra directamente la destrucción de la ciudad en el curso de una contemplación placentera, en "La estatua de sal" el monje Sosístrato surge como el protagonista de una narración enmarcada que va a desafiar la transformación de una de las consecuencias del castigo bíblico de las ciudades de Sodoma y Gomorra. En "Los caballos de Abdera" el abismal espectro de un conocimiento milenario no revelado vuelve a inquietar con su carga de temores y sorpresas. En ese espacio, Lugones, retrata con magnífica prosa, la pasión, el exceso, la lujuria al tiempo que los pasos de la soledad y la desesperación.

2. Tradición y modernidad:
   la oralidad en el cuento de Carmen Lyra

La obra de la escritora costarricense Carmen Lyra participa de la dialéctica suscitada por el intento de universalizar

---

[4] Borges, *Leopoldo Lugones*, p. 94.

los elementos míticos de la tradición oral. Lyra, consciente de la dificultad comprometida en el control de este proceso, sabía que el canon emergente de lo moderno con el que se encontraba su escritura no debía alterar la naturalidad de esa tradición, reflejada en la leyenda y otras expresiones provenientes del folklore en general. En este respecto su obra se acerca a la de la escritora cubana Lydia Cabrera, cuya extraordinaria cuentística está representada en esta antología con el cuento "Los compadres". Otro aspecto significativo en el caso de la autora costarricense fue la fuerte impronta social que le dio a su actividad literaria; nos referimos, específicamente a la enorme responsabilidad que Lyra sentía como intelectual, cuestión que le llevaba a tomar posiciones frente a los acontecimientos históricos de la época y a la contingencia de la dinámica social de su país; lo hacía abiertamente y con determinación, lo cual le costó muchos sinsabores.

Alfonso Chase relata la exoneración del cargo docente de Carmen Lyra: "En 1935 es destituida de su puesto de maestra, por razones políticas, al escribir un artículo en donde ridiculiza la función política costarricense y también publica, en la revista *Liberación*, que dirigía Vicente Sáenz, uno de los pocos artículos teóricos sobre la función del escritor en el momento —Guerra Civil Española inminente, avances del nazi-fascismo, dictaduras latinoamericanas—. El artículo se titula: *¿Qué camino tomarán los escritores latinoamericanos ante la situación actual del mundo?* y lo hace con motivo del Congreso de Escritores celebrado en París en el año 1935".[5] Este aspecto resaltante en la trayectoria de Carmen Lyra nos indica que la polémica en los sesenta y setenta en Europa y Latinoamérica sobre la función del escritor y la idea del intelectual comprometido encontraba tempranamente una destacada exponente en la autora costarricense. En la conocida colección *Los cuentos de mi tía Panchita*, Lyra

---

[5] Prólogo a *Relatos escogidos* de Carmen Lyra. San José: Editorial Costa Rica, 1977, p. 19.

formula inventivamente para Hispanoamérica la tradición de historias narradas por un familiar, cuya oralidad centenaria desciende ahora a la escritura: "Mi tía Panchita era una mujer bajita, menuda, que peinaba sus cabellos canosos en dos trenzas, con una frente grande y unos ojos pequeñines y risueños. Iba siempre de luto, y entre la casa protegía su falda negra con delantales muy blancos... *Ella fue quien me narró casi todos los cuentos que poblaron de maravillas mi cabeza*".[6]

En el relato "La suegra del diablo", incluido en esta antología, cada uno de los personajes principales se corresponde con una imagen derivada del folklore: el diablo es la picardía; la suegra, la experiencia y el dominio; la hija, la ingenuidad; y el leñador, la síntesis de la astucia popular. El trasfondo narrativo sigue la estructura de la literatura infantil, ya en relación con los formulismos de iniciación y término ("Había una vez", "Desde entonces"), ya con los sostenidos ritmos de peligro y salvación, armonía y ruptura propios de este género. Registro complejo cuyo destinatario no son necesariamente los niños como ha clarificado muy apropiadamente Alfonso Chase: "Algunas de las historias parecieran haber sido hechas, contadas, para los niños. Pero esto es engañoso. El mundo que las puebla, los personajes que viven en ella, las situaciones no son *exclusivamente* para niños sino que guardan un sustrato de antiguas historias populares europeas, adaptadas a la vida costarricense".[7]

El tratamiento del personaje del diablo concuerda con el de las "Tradiciones" en Hispanoamérica, género divulgado por el escritor peruano Ricardo Palma (1833-1919). Al diablo se le llama distanciadamente en el cuento "el Demonio", "el Malo", pero también —y muy familiarmente— "Puisicas"; aspecto coherente con el generalizado tono del relato oral y de la leyenda que permea esta narración.

---

[6] *Los cuentos de mi tía Panchita*. 7.ª ed. San José, Costa Rica: Editorial Universitaria Centroamericana, 1988, pp. 7-8.

[7] "Prólogo" a *Relatos escogidos* de Carmen Lyra. San José: Editorial Costa Rica, 1977, p. 23.

3. Comienzos del cuento vanguardista:
   Teresa de la Parra

   La producción vanguardista del cuento hispanoamericano
intensifica las innovaciones alcanzadas por los modernistas y
lleva la idea de cambio o transformación artística a un estado
que para la estética de ese período podría haberse considerado el límite de su realización. Prosperó durante dos décadas,
entre 1917 y 1937, aproximadamente. En esta antología lo más
representativo de esa producción la encontrará el lector en los
textos de Rafael Arévalo Martínez, Julio Garmendia, Pablo
Palacio, Efrén Hernández, Juan Emar, Héctor Barreto y Julio
Torri. También pueden considerarse dentro de ese espíritu
vanguardista los cuentos de Ricardo Güiraldes, Roberto Arlt,
María Luisa Bombal y Felisberto Hernández.[8] En este apartado nos referiremos a la escritora venezolana Teresa de la
Parra, quien cumple cabalmente con la provocación e intensidad del cambio artístico, asociadas a la realización vanguardista, pero cuya figuración en lo que respecta al cuento
es tardía ya que tres de sus textos más importantes (escritos
en 1915) no se dan a conocer hasta la década de los ochenta.
   La fina expresión de lirismo que representa la cuentística
de Teresa de la Parra puede apreciarse nítidamente en su

---

[8] Para una discusión amplia sobre la vanguardia hispanoamericana
se pueden consultar los siguientes ensayos: Óscar Collazos. *Los van-
guardismos en la América Latina.* La Habana: Casa de las Américas,
1970; Nelson Osorio. *El futurismo y la vanguardia literaria en América
Latina.* Caracas: Centro de Estudios Latinoamericanos Rómulo Galle-
gos, 1982; Hugo Verani. *Las vanguardias literarias en Hispanoamérica:
manifiestos, proclamas y otros escritos.* Roma: Bulzoni, 1986; Nelson
Osorio, ed. *Manifiestos, proclamas y polémicas de la vanguardia literaria hispanoamericana.* Caracas: Biblioteca Ayacucho, 1988. Harald
Wentzlaff-Eggebert, ed. *La vanguardia europea en el contexto latinoamericano: actas del coloquio internacional de Berlín, 1989.* Frankfurt
am Main: Vervuert, 1990; Harald Wentzlaff-Eggebert. *Las literaturas
hispánicas de vanguardia: orientación bibliográfica.* Frankfurt am
Main: Vervuert Verlag, 1991; Jorge Schwartz. *Las vanguardias latinoamericanas.* Madrid: Cátedra, 1991; Fernando Burgos. "Transformaciones vanguardistas" en *Vertientes de la modernidad hispanoamericana.*
Caracas: Monte Ávila, 1995, pp. 105-198.

cuento "El genio del pesacartas", seleccionado en esta antología. Para entender el modo renovador con que la escritora venezolana cultivó el género, debemos referirnos primeramente a la actualidad moderna que proyecta la totalidad de su narrativa. Su novela *Ifigenia* sigue apelando al lector contemporáneo con una vigencia que refleja no sólo el ángulo moderno de sus planos narrativos sino el inteligente y dialógico enfoque de dos mundos, de dos mentalidades y de los forzosos cambios a que se ven enfrentados los discursos culturales. En las ideas de Teresa de la Parra podría explorarse alguna conexión con la intensa discusión del feminismo en las décadas de los setenta y ochenta, aunque en su caso, más que la instalación de una teoría, se trataba de una búsqueda en los nuevos modos culturales así como en la irresistible transgresión con aquellos que formaban parte del pasado.

La literatura abre para Teresa de la Parra una necesidad de conocimiento de sí misma, de la mujer y de la escritora. En el texto de su primera conferencia, indicaba: "Mi feminismo es moderado. Para demostrarlo y para tratar, señores, ese punto tan delicado, *el de los nuevos derechos que la mujer moderna debe adquirir,* no por revolución brusca y destructora, sino por evolución noble que conquista educando y aprovechando las fuerzas del pasado".[9] El intelecto penetrante, lúcido de Teresa de la Parra respondía con el rápido disparo de una flecha cuando se le provocaba con críticas injustas o con gestos paternalistas. Dos instancias al respecto se registran en los artículos con los que la escritora contestó a la recepción negativa de *Ifigenia*. La primera es una clarificación sobre las connotaciones culturales del lenguaje, hecha con una ironía que desportilla fingimientos y paternalismos: "Una vez, por ejemplo, me dijo uno (con aire de protección naturalmente) que mi novela *Ifigenia* estaba llena de 'feminidades'. Yo creí sinceramente, que se trataba de un gran elogio, e iba a dar las gracias con la más amable de mis sonrisas. Pero aún a tiempo me di cuenta de

[9] *Obra escogida*, vol. II. Caracas y México: Monte Ávila y Fondo de Cultura, 1992, p. 19.

que las 'feminidades' no constituían una cualidad, sino un grave defecto. Entonces con la misma sonrisa con que iba a dar las gracias por el elogio las di por la advertencia y ofrecí que en adelante no volvería a cometer ninguna otra 'feminidad'".[10] La segunda ocasión se refiere a la defensa de la autonomía de la obra artística, cuestión que para la época y sociedad en que la escritora vivía resulta en una anticipación de principios discutidos décadas después con el advenimiento del estructuralismo: "Una persona sensata sabe que un novelista no puede ser responsable de todo cuanto digan sus personajes puesto que en general no debe tener con ellos opiniones comunes. La habilidad del novelista por el contrario consiste en apartarse lo más posible de sus personajes... El pensamiento del novelista, la tesis que sostiene, flota invisible por encima del mundo que ha creado. El lector debe llegar a ella por deducción o porque la idea estalla y se revela en el momento culminante de la crisis".[11]

Los datos autobiográficos de la escritora, sumamente significativos para comprender el trasfondo novador de su escritura, revelan que la primera etapa formativa de Teresa de la Parra dispondría de un trasfondo sociocultural sumamente tradicional, regido por una mentalidad conservadora. Sobre este contexto la escritora entregaría una visión social y personal crítica, radicalmente transformadora de la continuidad del pasado, de sus modelos y direcciones. Su obra engloba dialécticamente las marcas del pasado y las aperturas ofrecidas por nuevas dinámicas socioculturales. Ese ambiente conservador —registro del discurso colonial— constituiría por tanto un importante elemento de contraste para la aguda observación que la escritora hacía de la sociedad moderna que despuntaba y de las contradicciones que experimentaba la mujer de su tiempo. Las propias reflexiones de Teresa de la Parra exponen este crucial aspecto: "Observé el conflicto continuo que existía entre la nueva mentalidad de las mujeres jóvenes despiertas al

[10] *Obra escogida*, vol. I, p. 468.
[11] *Obra escogida*, vol. I, p. 480.

modernismo por los viajes y las lecturas, y la vida real
que llevaban, encadenadas por prejuicios y costumbres
de otra época. Sin fe en tales prejuicios se dejaban sin
embargo a todas horas dominar por ellos, suspirando,
sólo en deseo, por la independencia de vida y de ideas,
hasta que llegaba el matrimonio que las hacía renunciar y
las entregaba a la sumisión acabando por convertirlas a
las viejas ideas gracias a la maternidad. Este continuo
conflicto femenino con su final de renunciamiento me
inspiró la idea de mi primera novela, *Ifigenia*. La crítica
que encierra contra los hombres y ciertos prejuicios hizo
que en mi país la recibieran con algún mal humor. Algunos círculos ultracatólicos de Venezuela y de Colombia
creyeron ver en ella un peligro para las niñas jóvenes que
la celebraban al verse retratadas en la heroína con sus
aspiraciones y sus cadenas".[12]

La cuentística de la escritora venezolana aunque desarrolla temáticas distintas a las de sus dos novelas tiene la misma
base estética moderna y de amplitud renovadora. El relato
"El genio del pesacartas" se dirige a lo trascendental con
refrescante desenvoltura metafórica. El resultado estético
es polivalente y textualmente expresivo de los vínculos y
separaciones entre el creador y la actividad de lo creado.
Esto explica que el desenlace narrativo más visible de este
cuento sea la visión sardónica del castigo de la soberbia.
Utilizándose las acciones mismas de la vanidad, el protagonista es arrojado de su pedestal de importancia aunque sin
quitarle enteramente la suficiencia del ego. El simbolismo
que permite el espacio de los objetos que acompañan al
poeta ahorra la mirada indulgente a la que impulsaría el tratamiento directo de la existencia humana. Este relato es un
paradigma de renovación de los registros narrativos del
género cuento; aspecto al que se añade la novedad estética
de exploración en lo microcósmico, encuentro de un nuevo
universo desde el que se proyectan revelaciones de orden
metafísico.

---

[12] *Obra escogida*, vol. II, p. 106.

4. Dos sistemas cuentísticos peculiares:
   Borges y Lezama Lima

La obra de Jorge Luis Borges erradica la noción del cuento como género menor. Su obra cuentística —que ocupa varias décadas de gravitación en la literatura hispanoamericana y cuya influencia continúa en la literatura universal— nos enseña a encontrar la esencia del poder significacional del cuento, descubriendo su amplitud plural, ilimitada a veces; laberíntica en otras instancias como lo fuera, hasta cierto punto, el propio diseño cuentístico del escritor argentino. Después de Borges no sería necesario confrontar la noción del cuento como derivación de la novela o la idea de que el relato se emprende cuando falta el aliento de una obra narrativa extensa; la compleja visión que proyecta la realización del cuento borgiano desmentiría tales percepciones. Con Borges se impone la conciencia de que la autonomía de los mecanismos que gobiernan lo cuentístico supone un conocimiento profundo de lo literario; por ello, asimilar la experiencia borgiana del cuento es comprender la dificultad de su escritura, lo que constituye un verdadero desafío creativo sobre el poder de la concentración y el conocimiento de la palabra. Penetrar a su vez en esta visión es entender la proximidad del cuento con otras artes, la pintura entre ellas. Contar, evocar la anécdota, articular la emoción, narrar expresivamente son modos insuficientes del relato y abandonables. El cuento se encuentra con el arte, reconociéndose en un espacio de máximo aprovechamiento, ocupado por la energía del lenguaje, la movilidad de perspectivas y la multiplicidad metafórica.

En el relato "Funes el memorioso", incluido en la antología, Borges explora en las vertientes de aproximación y aprehensión de la realidad del hombre, específicamente, el pensar y el memorizar. Mientras el potencial de este último ilustra sobre la riqueza enorme como también inaprehensible de lo real —es decir, una hoja debería tener tantas denominaciones como variedades de hojas existan y transformaciones temporales experimente— la necesidad del primero impone la anulación de todo aquello, razón del motivo guía del cuento, "pensar es olvidar diferencias". Borges nos maravilla con la prodigiosa memoria del personaje Ireneo Funes haciendo ostensible el sarcástico tono dubitativo del paréntesis "creo". El verbo *recordar* nos lleva al umbral del conocimiento con la humildad impuesta por su desacralización.

La mayoría de los cuentos de José Lezama Lima se fueron publicando en revistas en la década de los cuarenta. Pocas antologías del cuento hispanoamericano han incluido su cuentística. Omisión que debe rectificarse dado el gran poderío verbal del escritor cubano y la enorme significación de su obra. La cuentística de Lezama propone un paso prácticamente imperceptible entre la linealidad anecdótica y la complejidad simbólica; desde este sistema, sus cuentos penetran en la imaginación con un dominio majestuoso de la palabra y una exquisita fluidez lírica. Diversos gestos narrativos permiten esa transición en "Cangrejos, golondrinas", el relato incluido en esta antología, texto en el que personajes tan dispares como el herrero y el filólogo coexisten por su capacidad de actuar como inscriptores del signo.

Un elemento simbólico central del cuento es la marca que se apodera del cuerpo, el cangrejo que no deja ser golondrina. Esta dirección metafórica de cuerpos e inscripciones integra en el relato las interpretaciones de la superstición y la filología, el remedio de los curanderos negros, las imprecisiones de la ciencia y los mecanismos de la sabiduría popular. La escritura es tejida así por una red codificada de signos en un espacio sincrético al que se agregan además toda clase de reminiscencias. Un ejemplo de la trascendencia que cumple el sistema de códigos en el relato es el movimiento del escorpión que abandona el territorio poseído sólo cuando se cumple la descodificación de ciertos rituales: el sueño derivado de la literatura y la palabra reventada en imagen.

5. La preocupación social y existencial:
   el cuento de José Luis González y José Revueltas

Difícilmente podrá verse en la cuentística hispanoamericana del siglo xx la utilización de una estética puramente realista, aspecto que cierta crítica trató de hacer demostrable con el establecimiento de tendencias tales como el "criollismo", el "regionalismo" y el "indigenismo". Esta denominaciones perdieron vigencia eventualmente frente al hecho de que no representaban verdaderamente categorías estéticas y cuya producción dentro de ese marco exclusivo que indicaba el término (criollista, regionalista, indigenista) era en el mejor de los casos discutible. La cuentística de preocupación social en estos escritores —tomemos como ejemplo a Mario Benedetti, Julio Ramón Ribeyro y los dos autores que tratamos a continuación— será siempre tamizada por otros componentes del discurso moderno predominante en el siglo XX. La primera fase de la cuentística de José Luis González comprende la publicación de los libros *En la sombra* (1943), *5 cuentos de sangre* (1945), *El hombre en la calle* (1948) y *Paisa* (1950). Etapa sumamente significativa, especialmente en el contexto de la tradición de la literatura puertorriqueña. Ángel Rama indicó que los cuentos del escritor puertorriqueño lo colocaban como uno de los iniciadores de la modernidad literaria en su país: "Los cuentos que José Luis González escribió en la década que va de 1943 a 1953 implican la transformación de la narrativa puertorriqueña, incorporándola a los temas urbanos, a un populismo estilizado y sensible, modernizando los planteos sociales y dotándola de una escritura pulida, limpia y esencial que dará la tónica del nuevo realismo hispanoamericano. Uno de esos cuentos, 'En el fondo del caño hay un negrito', ya es cita obligatoria en las antologías del género".[13] Rama se refería no sólo a los cuentos de ambientación neoyorquina sino a una producción cuentística de diez años, lo cual es importante hacer notar para no dejar la idea de que la narrativa de González sobresale sólo en los relatos que se ocupan de ese espacio. La producción posterior a 1953 es igualmente vigorosa. Una buena idea de ese talento lo da la lectura de las últimas compilaciones de González: *Antología personal* (1990) y *Todos los cuentos* (1992).

---

[13] *En Nueva York y otras desgracias.* México: Siglo XXI Editores, 1973, p. 3.

La enorme presencia del escritor dominicano Juan Bosch en la literatura hispanoamericana sería decisiva en la etapa formativa de José Luis González. Cuando Bosch se exilia en Puerto Rico en 1938, González tiene la oportunidad de conocerlo: "Muy joven aún se dio a conocer como el mejor cuentista de su país, y cuando llegó a Puerto Rico, a los treinta años, era ya un maestro del género. Con él aprendí, como he dicho en otra ocasión, que la mejor literatura es aquella que logra recrear la vida en su expresión más concreta. Con él también aprendí que el destierro, en ciertas circunstancias, puede ser forma muy eficaz de servicio al propio país".[14] El exilio del propio González se extiende unos veinte años desde que sale de Puerto Rico en 1953, pero en México sigue siendo un escritor esencialmente puertorriqueño, razón por la cual González se refiere a su experiencia como la de "transtierro" en lugar de destierro.

La ambientación del cuento que seleccionáramos, "La noche que volvimos a ser gente", es la ciudad de Nueva York, donde el autor vivió alrededor de tres años. De esta experiencia, impacta en José Luis González el entonces creciente fenómeno de emigración del puertorriqueño a la urbe, la condición marginal de su existencia, la explotación en el trabajo, la falta de leyes laborales, la incipiente formación de sindicatos, la cuestión de la discriminación, la formación de comunidades hispanoparlantes en Estados Unidos junto con las alteraciones de la lengua materna, la constante evocación del espacio natal y sobre todo ese tremendo sentido de soledad en la metrópoli. Sobre su estadía en esta ciudad como fuente de algunos de sus relatos, indica González: "De mi experiencia neoyorquina nacieron, cuando menos, cuatro textos literarios: el relato *Paisa* y los cuentos "En Nueva York", "El pasaje" y "La noche que volvimos a ser gente".[15] José Luis González prepara en este sentido el advenimiento de otros escritores puertorriqueños

[14] José Luis González. *El país de cuatro pisos*. Río Piedras, Puerto Rico: Ediciones Huracán, 1980, p. 107.
[15] *El país de cuatro pisos*, p. 108.

que se enfocarían en esta preocupación. Pedro Juan Soto publicaría *Spiks* en 1956 y señalaría al respecto: "Con tal obra [*Spiks*] intenté vengarme de mi desconocido maestro González y, a la vez, pagarle algo de la deuda contraída. *Spiks* es intento de venganza porque de los siete cuentos de *El hombre en la calle* sólo uno ocurre en Nueva York, mientras que los siete míos corresponden a siete maneras de contemplar esa ciudad. *Spiks* es abono contra mi deuda con González porque allí está mi/su empleo de la unidad temática para hilar narraciones, allí mi/sus escrúpulos respecto a la adjetivación, allí nuestros respetos para con la 'mala' palabra".[16]

"La noche que volvimos a ser gente", a diferencia del cuento "En Nueva York" (1948), se resuelve sin el dramatismo denso de éste. El viaje desesperado del padre para estar con la esposa en el momento del nacimiento del hijo es temporalmente bloqueado por un apagón que trastorna la dependencia tecnológica de la ciudad moderna al tiempo que permite la convocación de imágenes del país natal, el lugar desalienante de ritmos, músicas y comunicaciones. No se trata del encuentro feliz sino de un cruce más de la tensión alternante que estructura al cuento, esta vez, conseguida en la mirada al cielo estrellado (apertura permitida por la falla tecnológica, el apagón) y fuente de la evocación esperanzada frente a la situación del interior del apartamento en el que silenciosamente gravita el futuro incierto del hijo recién nacido.

El nivel existencial que alcanza la narrativa de José Revueltas y en particular la complejidad de su tratamiento, puede verse sobre todo en la colección de cuentos *El material de los sueños* (1974) aunque ya había surgido con una dimensión muy profunda en su novela *El luto humano* (1943), galardonada con el Premio Nacional de Literatura. Por lo demás la crítica sobre su obra ha indicado que este discurso existencial del que se impregna su obra se encuentra ya en colecciones como *Dormir en tierra,* de 1960, la

---

[16] *Veinte cuentos y Paisa.* Río Piedras, Puerto Rico: Editorial Cultural, 1973, p. 11.

cual incluye cuentos escritos entre 1946 y 1947. El título de la colección *Material de los sueños* ofrece ya un indicador de la conformación narrativa de los cuentos recogidos en este libro. En la medida que los sueños son un fenómeno de acontecer diario en la existencia del hombre, su materialidad real convoca una integración natural con el proceso de la escritura. No sólo los sueños. La escritura dispone de tantas fuentes materiales como exploraciones se proponga la imaginación. José Revueltas no fue un adepto del realismo sino un escritor que no separó la imaginación de la materialidad que la provoca. Hacerlo era artificial en su concepción estética y una manera antidialógica de concebir la creación artística.

El cuento "Hegel y yo", seleccionado aquí, se nutre de esa dialéctica en la que pueden girar sin sorpresas las especulaciones de la filosofía y el lenguaje soez de la cárcel. Sería inútil tratar de imponer un nivel de significación de los muchos que ofrece este cuento; su construcción no descansa tanto en las connotaciones de una metáfora sino más bien en la sobrecarga semántica de cada uno de sus signos. Hegel es el apodo del compañero de celda del narrador a la vez que el substrato del pensamiento occidental en el que la realización de la Historia se mueve sin miramientos respecto de la intrahistoria personal. Esto explica que en el cuento puedan coexistir, sin preámbulos ni justificaciones, la reflexión pura de Hegel y el intento de asesinar al narrador. La cifra del cuento es por tanto su condición escatológica, con toda la ambigüedad que implica el término: trascendencia y degradación; un discurso especulativo no dista mucho de las pesadillas que originan el vómito que cubre el cuerpo del narrador. La cárcel no es la metáfora que representa el escenario de la vida sino una llamada de atención al discurso abstracto creado por el propio hombre.

La Historia ahorra el sitio de la cárcel; es un detalle, pero esa insignificancia es lo más verdadero de los sueños que agobian a ese "yo", anónimo, el contrapunto de las nominaciones reservadas sólo para el hacerse de la Historia. El narrador trata de reconstruir su historia personal, tarea que el otro yo hegeliano se encarga de confundir en los laberintos de la dialéctica o en la declarada anticipación de que "el lenguaje *es un rodeo, un extravío pernicioso*". El "lenguaje de nadie", como se titula uno de sus cuentos, es el que Revueltas quería hacer literario, es decir, social, y por consiguiente, verdaderamente humano.

6. La cuentística de los narradores del "boom"

A mediados del siglo XX comienzan a publicar cuentos autores cuya obra narrativa constituiría en el decenio siguiente un fenómeno único de producción literaria y sin precedentes en el mundo hispánico. Se les llamaría los narradores del "boom" hispanoamericano, escritores que habían publicado notables libros de cuentos entre 1948 y 1962, años en los que aparecen los volúmenes *Esta mañana* (1949) y *El último viaje y otros cuentos* (1951), de Mario Benedetti; *Bestiario* (1951), de Julio Cortázar; *Un sueño realizado y otros cuentos* (1951), de Juan Carlos Onetti; *El patio* (1952), de Jorge Edwards; *El llano en llamas* (1953), de Juan Rulfo; *Mundo animal* (1953), de Antonio Di Benedetto; *El trueno entre las hojas* (1953), de Augusto Roa Bastos; *Los días enmascarados* (1954), de Carlos Fuentes; *Veraneo y otros cuentos* (1955), de José Donoso; *Guerra del tiempo: tres relatos y una novela* (1958), de Alejo Carpentier; *Los funerales de la Mamá Grande* (1962), de Gabriel García Márquez.

Por estas fechas publican también cuentos autores cuyo ingreso era fenómeno del "boom" no sería inmediato o cuya dedicación a la novela era muy restringida o inexistente (Hernando Téllez no llega a publicar novela y Juan José Arreola publica una sola). Entre estos significativos libros de cuentos en el desarrollo del género figuran *La mujer, el as de oros y la luna (6 cuentos y 2 sketchs)* (1948), de Guillermo Meneses; *Varia invención* (1949) y *Confabulario* (1952), de Juan José Arreola; *Ceniza para el viento y otras historias* (1950), de Hernando Téllez; *Cuentos de Pueblo Chico* (1954), de Augusto Guzmán; *Los gallinazos sin plumas* (1955), de Julio Ramón Ribeyro; *Victorio Ferri cuenta un cuento* (1958), de Sergio Pitol; *La sangre de Medusa* (1958), de José Emilio Pacheco.

El dominio de ambos grupos de autores en el género —junto con el de Jorge Luis Borges, quien ya había publicado *Historia universal de la infamia* (1935) y *Ficciones* (1944)— colocaría en ellos la responsabilidad de ser citados como maestros del cuento contemporáneo hispanoamericano: habían encontrado no sólo nuevos y más desafiantes caminos relativos al fondo y forma de la narrativa breve sino también un diálogo real y efectivo de universalización de lo autóctono. Relatos de Borges, García Márquez, Rulfo, Meneses, Di Benedetto, Roa Bastos, Fuentes, Arreola, Carpentier, Benedetti, Pacheco y de otros grandes autores de esta época terminarían por erradicar completamente la percepción de este arte como el de una expresión peculiar o regionalista caracterizadora del "estilo" del suelo americano, originándose así un interés a nivel continental por el conocimiento de una producción única para el acervo cultural occidental.

Algunos ejemplos de la nueva conformación del cuento en la década de los cincuenta lo ofrecen autores como Antonio Di Benedetto, quien demostró las posibilidades de un vanguardismo poético en el relato y la formación de textualidades pictóricas irreales a la vez que fuertemente telúricas. Juan Rulfo ejecutaría de manera magistral el poder de tensión del cuento con vistas a la creación de una atmósfera narrativa que entrecruzaba de un modo único lo real y lo irreal. Alejo Carpentier, quien utilizaría el barroco para su estética de lo real-maravilloso en un redescubrimiento de lo americano, del poder del lenguaje y de las superposiciones culturales. Juan José Arreola, escritor que fusionaba en su cuentística la ironía y el existencialismo, arribando a una visión crítica de lo moderno. Julio Cortázar cuya obra cuentística transgrediría bloques culturales y artísticos, rompiendo convenciones y ofreciendo alternativas diversas a una comprensión racionalista de lo artístico. Su cuento "Carta a una señorita a París", que incluimos en la antología, ejercita la creación como un acto especial de comunicación con la realidad, simulándose una ruptura del *orden* del departamento en el que se encuentra temporalmente el narrador. Mario Benedetti, maestro inigualable en la creación de una cuentística sumergida en las debilidades del individuo y la enajenación social. Su cuento "El altillo", seleccionado para esta antología, se enfoca en la normalidad como medida de lo convencional y lo arbitrario. Las gradaciones imperceptibles entre una actitud autista y otra de extraversión son recorridas con poder inventivo en el excelente relato de Benedetti. Este cuento germina en un movimiento de verticalidad provisto de imágenes múltiples y soluciones personales para acceder eventualmente al espacio abierto de la azotea desde donde se puede acercar el cielo a la soledad o asegurar el puesto vigía desde el cual las intimidades ajenas nos pertenecen. Juan Carlos Onetti, autor de fuerte arraigo existencialista y de una cuentística permeada por una visión terriblemente desesperanzada sobre el ser humano. El cuento onettiano crea sobre mundos destruidos, llegando a la desolación.

Finalmente, nos referiremos a Gabriel García Márquez, cuya obra cuentística representa el movimiento de una escritura de la imaginación en una trayectoria que abarca la totalidad de su producción, desde los primeros cuentos escritos hacia fines de la década de los cuarenta —"La tercera resignación" (1947)— hasta los concluidos a principios de la década de los noventa, *Doce cuentos peregrinos*. Entre los últimos, tómese como ejemplo el relato "La luz es como el agua" en el que dos hermanos, Totó y Joel (de nueve y siete años) han decidido emprender la aventura de la imaginación a través de la luz. Este nuevo medio que inunda y transporta como el agua rompe el encierro de un piso en Madrid y los conecta con el territorio perdido, "Cartagena de las Indias [donde] había un patio con un muelle sobre la bahía, y un refugio para dos yates grandes".[17] La ausencia de un elemento de transmisión (el agua) y de su uso como transportación y viaje (la navegación) es suplantada por la

---

[17] *Doce cuentos peregrinos*. Argentina: Editorial Sudamericana, 1992, p. 209.

propiedad instantánea de comunicación proveniente de la irradiación de la luz. Este desplazamiento entre elementos que tienen un común denominador ocurre en el espacio de total libertad y fluidez que ofrece el discurso poético del cuento. El origen de la conexión entre uno y otro signo es establecido por la intromisión tangencial de un narrador enigmático en el contexto de una afirmación aparentemente ingenua, lo cual acentúa la importancia de la utilización de esa síntesis más que la determinación de su procedencia. El cumplimiento de viajes en que se utiliza la luz ofrece una nueva alternativa frente a la acción reminiscente de la memoria, vinculando en el juego de los niños, invadido por la fuerza de la imaginación, el espacio de la ciudad europea a la que ha llegado una pareja con sus dos hijos y la vivencia del suelo americano que se ha perdido. En este punto se abre una delicada alusión al trasfondo de cuestiones sociales y de su impacto en el individuo: el exilio, el deseo de regreso, el sentido de extrañamiento y extrañeza, la integración a otro medio. La navegación que los niños emprenden a través de la luz fluvial es parte de un ludismo de compensaciones al tiempo que el mejor recurso de la imaginación para abordar y remontar la realidad.

El libro de cuentos de más alta expresividad artística de García Márquez es *La increíble y triste historia de la cándida Eréndira y su abuela desalmada* (1972), colección de donde proviene el cuento seleccionado "Un señor muy viejo con unas alas enormes". El tema del ángel que desciende o cae en territorio humano ha sido tratado con diversos ángulos en el curso del arte occidental. En lo que concierne a la literatura hispanoamericana, el motivo del ángel que participa del acontecer de la sociedad se encuentra tanto antes del relato del escritor colombiano (en la cuentística de Amado Nervo, para citar un caso) como después de la década de los setenta (en la cuentística de Cristina Peri Rossi, por ejemplo). No hay que perder de vista, sin embargo, que la reiteración de una temática determinada en la historia del arte no asegura ni el éxito ni el fracaso de su plasmación. Es mucho más significativo atender a la novedad de los procesos y elementos encontrados para su realización en cada obra artística. En este sentido, la elaboración de la temática del "ángel caído" en el cuento citado de García Márquez destaca entre las más inventivas de la literatura universal.

Los escritores del denominado "boom" de la narrativa hispanoamericana continuarán su producción cuentística en las décadas siguientes con perdurables contribuciones como *El infierno tan temido* (1962), *Las botellas y los hombres* (1964), *El baldío* (1966), *El perseguidor y otros cuentos* (1967), *Las máscaras* (1967), *La muerte y otras sorpresas* (1968), libros de Onetti, Ribeyro, Roa Bastos, Cortázar, Edwards y Benedetti. A esta significativa obra, de la cual hemos mencionado sólo una muestra mínima, se sumaba el aporte de nuevos escritores que publicaban su primer libro de cuentos en los decenios de los sesenta y de los setenta.

7. Reacción crítica hacia la modernidad en el cuento
   de los sesenta y setenta

Los procesos de modernización en el siglo veinte crearían una serie de contradicciones relativas al desenvolvimiento social del hombre. El desfase entre la vasta acumulación del conocimiento y la posibilidad de su aprehensión, la utilización de tecnologías de efecto negativo para el ser humano y el ambiente, el creciente sentido de alienación, violencia, incomunicación y absurdo en la urbe moderna, la experiencia de incertidumbre frente a la inmensidad de las zonas anunciadas por la celeridad del nuevo conocimiento son tan sólo algunos ejemplos de las contradicciones captadas por los artistas del siglo XX. En este apartado ponemos el énfasis en los años sesenta y setenta porque en estas dos décadas se produce una considerable obra cuentística que registra enérgicamente esta problemática, pero como indicáramos anteriormente su desplazamiento corresponde al de la época moderna en su totalidad ya que la actitud de crítica es inherente a la modernidad misma y no supone una negación de ésta. Interesantísimo resulta ver la enorme pluralidad de modos con que el cuento hispanoamericano aborda esta actitud.

Nos referiremos primeramente a la escritora argentina Marta Traba, quien fue una intelectual de intensa pasión por la defensa de principios de justicia social; su utopía era la realización plena del potencial humano en una sociedad comunitaria, ideal que persiguió con una pasión romántica que le costó duros enfrentamientos y marginalidad. Dos obras importantes en este sentido y que señalan algunas de las preocupaciones importantes de la autora son *Conversación al sur* y *En cualquier lugar*. Su primera novela, *Las ceremonias del verano* fue galardonada con el Premio Casa de las Américas. La siguiente valoración de Elena Poniatowska da una buena idea de la enorme dimensión ética que había en cada una de las acciones de Marta Traba como también de la gran estatura intelectual de una escritora que defendió sus principios sin temores: "Marta no miente y por lo tanto demuele. Basta una sola frase verdadera. Descarnada y directa, la temen por sus juicios lapidarios. Sin embargo, esa mujer endiablada es un torrente de compasión por la gente llamada 'insignificante'. Ser Juana de Arco, blandir una espada flamígera, atravesar el dragón, Marta todo lo intenta. Se vuelve una agitadora cultural en una época en que la cultura es un círculo cerrado. No sólo divulga un tema desconocido en América Latina como el arte moderno sino que promueve y elogia a aquellos que han sido calificados de locos. Es vanguardista y por lo mismo revolucionaria".[18]

Razón tiene M. Victoria García Serrano cuando se refiere a la falta de crítica sobre la cuentística de la escritora: "La cuentística (y poesía) de la escritora argentina Marta Traba ha recibido, en contraste con sus novelas *Las ceremonias del verano* (1996) y *Conversación al sur* (1981), escasa atención crítica. La bibliografía de *Pasó así* (1968) se limita a un artículo de Celia Correas de Zapata y a algunas referencias tangenciales en otros estudios. En cuanto a sus

[18] "Marta Traba o el salto al vacío", prólogo a la novela *En cualquier lugar*. México: Siglo XXI, 1984, pp. 8-9.

cuentos póstumos, *De la mañana a la noche* (1986), las únicas reflexiones críticas proceden del prologuista del libro,
Fernando Alegría. El desinterés por la narrativa breve de
Traba y en concreto *Pasó así*, probablemente haya que atribuirlo a su falta de contigüidad artística e ideológica con las
obras más celebradas de la autora latinoamericana".[19]
Cualquiera que sean las razones de la carencia crítica anotada, queda en tierra firme la calidad de la cuentística de
Marta Traba y el tono original de su narrativa.

En el cuento seleccionado en esta antología, el "edificio"
aparece como la marca de identidad de la ciudad donde se
empieza a perder la noción de individuo. La reacción hacia la
modernidad reviste en la obra de Marta Traba una crítica al
desarrollo de una modernidad burguesa, es decir, a la sobrevaloración del progreso como también a la noción de que
éste suponía un mejoramiento de la comunicación social.
Hay una plasmación amarga del ser humano como el ser desposeído de trascendencia; razón por la que el sentimiento de
lo absurdo es penetrante en este cuento. Por otra parte la
contemplación que el protagonista hace del edificio también
está hecha desde la distancia aséptica como si los sucesos
señalaran el transcurso de una película en lugar del acontecimiento real que reclama el compromiso de la acción.

En los años que aparecen los primeros cuentos de Marta
Traba, se publican otros dos sobresalientes aportes al
cuento hispanoamericano. Se trata de los libros *En cuerpo
de camisa* (1966), de Luis Rafael Sánchez, y *Huerto cerrado*
(1968), de Alfredo Bryce Echenique. El volumen *En
cuerpo de camisa* recibe algunas reseñas poco después de
su publicación y recién en 1969 un artículo en la *Revista del
Instituto de Cultura Puertorriqueña*. En 1978 la *Revista de
Estudios Hispánicos* de la Universidad de Puerto Rico
viene a llenar esta carencia con un número dedicado a Sánchez. Los estudios de este número —junto con otros inéditos— se publican en forma de libro en 1985, donde se

---

[19] "Incompatibilidades: existencialismo y feminismo en 'La identificación' de Marta Traba". *Inti. Revista de Literatura Hispánica* 34-35
(1992): 131.

establece claramente la importancia de la obra cuentística del autor puertorriqueño.[20]

En 1993, en un número de *Revista Iberoamericana* dedicado a la literatura puertorriqueña, se incluyen cuatro ensayos sobre la obra narrativa de Luis Rafael Sánchez. Uno de estos estudios ofrece nuevas e interesantísimas perspectivas analíticas sobre el cuento de Sánchez que incluimos en la antología: "Pescaíto, el personaje que en 'Que sabe a paraíso' le vende la droga al 'tecato', mantiene un sentido paródico a través de todo el cuento. Es un ente absurdo, casi teatral, arquetipo de los elementos humanos que subsisten vendiendo drogas en los márgenes más empobrecidos de la sociedad puertorriqueña... Lo que hace más interesante este cuento, además del uso de la alegoría a la realidad puertorriqueña, es el carácter heteróclito de las imágenes cristianas que presenta. Tiene un vocabulario que asocia al lector a la idea de un goce espiritual que en forma de letanía, católica-mariana por definición, describe a Delia. Sirve también para conducir el texto hasta el monte de la crucifixión, parodia final del cuento, donde las imágenes del 'tecato' y su mundo son indicios claves para remitir al lector a una conciencia casuística de la realidad nacional: la puya es santa, la entrega de Delia a Pescaíto es vista 'desde el piso de la crucifixión', y la relación de los tres personajes es 'un triángulo irrompible con resumen de *eternidad*'".[21] Única es la manera en que el escritor puertorriqueño configura a los personajes de sus cuentos, penetrando en el alma de seres movidos por su acercamiento a un estado triádico que los separa transitoriamente de la marginalidad.

Los cuentos de Alfredo Bryce Echenique de *Huerto cerrado* (1968) y *La felicidad ja ja ja* (1974) renuevan con

---

[20] Véase por ejemplo el artículo de Mariano A. Feliciano Fabre, "Luis Rafael Sánchez y sus cuentos de seres marginados" en *Luis Rafael Sánchez: crítica y bibliografía*. Nélida Hernández Vargas y Daisy Caraballo Abréu, eds. Río Piedras, Puerto Rico: Editorial de la Universidad de Puerto Rico, 1985, pp. 50-61.

[21] Manuel Cachán. "*En cuerpo de camisa* de Luis Rafael Sánchez: la antiliteratura alegórica del otro puertorriqueño". *Revista Iberoamericana* 59 (1993): 182-183.

brillante originalidad la perspectiva de crítica social a través de un envolvente humor narrativo que acerca la risa y el dolor. Aspecto que nos hace meditar sobre la visión personal del escritor peruano: "He vivido siempre con la sensación de pertenecer a un mundo vencido y de que el vencedor es cruel".[22] El pesimismo, sin embargo, no es la dirección final de los cuentos de Bryce Echenique. Lo central está en la revelación misma, en la franqueza descarnada con que se ve lo social y el rol diminuto, teatral del hombre. En "Antes de la cita con los Linares", el relato que incluimos en la antología, un estudiante viaja en el verano desde París a Barcelona, ciudad en la que se va a encontrar con los Linares. El Café Terminus, lugar de la cita, es el espacio donde ocurre la escritura del cuento mientras el narrador espera a esta pareja. Con ironía personalísima, Bryce Echenique sugiere un ingenioso recurso paratextual: un diálogo con el psiquiatra al cual se le va a contar las peripecias del viaje. El marco de esa sesión es el mismo café en el que Sebastián, el estudiante que narra, está pendiente del posible ingreso de las personas con las que él se va a encontrar. La idea de inventar la introspección nace así de la práctica de la escritura, fuente de crítica, humor, mordacidad y liberación.

Esta equilibrada dimensión artística sobre las contradicciones de la sociedad moderna se encuentra también en los cuentos de Poli Délano, Sylvia Lago y Sergio Ramírez, autores cuya producción cuentística alcanza plena madurez en la década de los setenta. Poli Délano ha publicado hasta ahora once libros en el género. Su primera colección de cuentos, *Gente solitaria*, es de 1960, pero no es hasta la publicación del volumen *Cambio de máscara* en 1973 cuando el escritor chileno encuentra una voz de nuevos registros para el cuento. El trasfondo de impronta fotográfica en los cuentos de Délano nos lleva a pensar en la postulación de una estética realista en su caso. Sin embargo, el primer plano de esa narrativa está ocupado

[22] Alfredo Bryce Echenique. *Permiso para vivir. (Antimemorias)*. Barcelona: Editorial Anagrama, 1993, p. 178.

por la fuerte relación comunicativa del hombre. Desde este acercamiento, vitalmente existencialista, que resalta las vivencias diarias del ser humano, aparece críticamente el retrato de una sociedad burguesa que hace más evidente aún la marginalidad de los protagonistas de sus cuentos. La aventura catártica que algunos de estos personajes emprenden, difícilmente remueve la constante imposición de máscaras sociales.

La escritora uruguaya Sylvia Lago ha aportado al cuento hispanoamericano las excelentes colecciones *Detrás del rojo* (1967), *Las flores conjuradas* (1972) y *El corazón de la noche* (1987). De su obra, reproducimos "Días dorados de la señora Pieldediamante", relato que refleja una preocupación central de su cuentística: la representación artística de la falsedad, depositada en el fondo de la condición humana. La carencia de valores sólidos constituye la nota del mundo en que se mueven los personajes sin que éstos traten de dignificar su integridad atribuyendo la culpabilidad a la sociedad. Son personajes que reconocen su propia degradación, conscientes de que al desenmascararse se expondrá el examen crítico de lo social. Cada uno de los movimientos de los protagonistas descubre el carácter subordinado de las relaciones humanas dadas en un contexto social burgués. En el cuento citado, la utilización irónica del lenguaje remueve los pedestales de arrogancia de la clase alta: "el Doctor Linceagudo Gerifalte", "la señorita Aurora Grullaparda", "la Granmofeta carnicera", "Chuñazancuda", "Tiranosauro". Vocablos de referencia ornitológica o zoológica destinados a emplazar la sátira; sarcasmo, proveniente de ese punto en que la apariencia ha dejado de importar.

Los libros *De tropeles y tropelías* (1972), *Charles Atlas también muere* (1976) y *Clave de sol* (1992) destacan en la obra cuentística del escritor nicaragüense Sergio Ramírez. Su cuento "El centerfielder" que incluimos en la antología retrata la fría realidad de un presente en el cual la sociedad ha sido totalizada por el atropellamiento de los derechos humanos. Visión que también expone la arbitrariedad con que un sector social puede decidir el destino de un individuo: ausencia de leyes y estamentos sociales. El orden social viene a ser el arbitrio de un sector que ha desatado la violencia como respuesta a la idea de cambio. La indagación social —injusticia, violencia, alienación, formación de mitos— presente especialmente en los volúmenes publicados en los setenta es penetrante y expansivamente universal en los cuentos de Ramírez.

Otra forma de actitud crítica hacia lo moderno en el cuento hispanoamericano publicado en las décadas de los sesenta y setenta corresponde a los textos que impugnan directa o indirectamente las repercusiones de la modernización social. Aquí cabe, por ejemplo, la temática de lo ecológico, a través de la cual se manifiesta una preocupación artística por el desarrollo ilimitado de la tecnología, la ocupación contaminante de ésta en la naturaleza y sus negativos efectos socioculturales. Importante es, sin embargo, puntualizar que esta visión preocupante y anticipatoria sobre las consecuencias destructivas de una sociedad moderna aferrada a principios de activa y continua transformación no es plasmada con la simplicidad de una protesta ni el tono de una aflicción exclusivamente pesimista. El lector atento a este conflicto disfrutará del cuento "La hora de los équidos", del escritor salvadoreño Álvaro Menén Desleal, publicado a principios de los setenta en el libro *Revolución en el país que edificó un castillo de hadas y otros cuentos maravillosos*.

"La hora de los équidos" es la hora de la rebelión hacia la utilización de tecnologías que en lugar de mejorar el bienestar social lo deterioran. Específicamente, en este caso, una reacción dirigida a los estragos que el excesivo crecimiento de automóviles y consiguiente congestión del tráfico urbano han causado en el ambiente. Se busca poner término a la contaminación del aire por medio de una protesta que desemboca en soluciones extremas tales como fusilamientos de conductores, incendios de vehículos y organización de guerrillas urbanas destinadas a eliminar por la violencia el uso del automóvil. El aspecto descrito corresponde al contexto social que reporta el cuento. Artísticamente, el relato no concluye en la defensa de un movimiento social determinado puesto que la otra dimensión sobresaliente del cuento es la presencia de una mordacidad que se va intensificando progresivamente hasta ocupar la totalidad del espacio narrativo; el texto desemboca en una sátira sobre la ilusión de desarrollo social.

La idea de progreso, por lo tanto, supone en última instancia un sentido de retroceso histórico que incluye el lenguaje y la comunicación social: el vocablo motor es reemplazado por el de caballo y el término automóvil es olvidado por la omnipresencia de transportes de carruaje. Burla moderna sobre la modernización en una sobresaliente ejecución de la capacidad autocrítica para retratarse. Función radar del arte moderno, atento a la aniquilación de la autocomplacencia.

8. El cuento fantástico en la década de los setenta:
   Rosario Ferré y Angélica Gorodischer

La rica tradición del relato fantástico —cuya amplia trayectoria en Hispanoamérica se extiende desde las expresiones literarias coloniales— encuentra en la década de los setenta una notable exponente en la escritora puertorriqueña Rosario Ferré, quien publica su primera colección, *Papeles de Pandora*, en 1976. Ferré ha subrayado el hecho de que como escritora, el cuento le ofrece una comunicación ideal de ejecución artística, género que al vincularlo a la poesía le sirve además en la exploración de lo subconsciente: "Me considero fundamentalmente cuentista... En realidad todas mis obras son cuentos: mis poemas son cuentos en verso, mi novela *Maldito amor* son cuatro novelas cortas o cuentos largos unidos por varios temas, mis ensayos tienen siempre un hilo narrativo que resulta más interesante que el análisis técnico, etc. Me gusta llamarme a mí misma 'cuentista' en lugar de escritora precisamente porque el término es andrógino. Da igual ser 'la cuentista' que 'el cuentista' pero no 'la escritora' o 'el escritor'... Creo que la poesía como el cuento, tiene una comunión directa con el mundo del subconsciente".[23]

Esta reveladora preferencia por el cuento en el caso de Ferré ha fructificado en ocho colecciones, algunas de ellas dedicadas a la literatura infantil en vistas al potencial de su registro maravilloso. Aparte del libro de 1976 mencionado anteriormente, la escritora puertorriqueña ha publicado *El medio pollito: siete cuentos infantiles* (1970), *La caja de cristal* (1978), *La mona que le pisaron la cola* (1981), *Los cuentos de Juan Bobo* (1981), *Sonatinas* (1989), *La cucarachita Martina* (1990), *Las dos Venecias* (1992). Su novela corta *Maldito amor* incluye además los relatos "El regalo", "Isolda en el espejo" y "La extraña muerte del capitancito Candelario". Ferré experimenta nuevas operaciones en el cuento fantástico destinadas a revitalizar el fondo inventivo del género.

Su conocido cuento "La muñeca menor"—publicado originalmente en 1970 en el primer número de la revista *Zona de Carga y Descarga*— plantea una interesante intersección entre el discurso social y el fantástico en el tratamiento de desmitificaciones. Al primer discurso corresponde la visión negativa de una clase social que es la aristocracia cañera, representada como un mundo estático en el que los personajes no buscan modificarse. Uno de estos caracteres, el hijo del doctor, se casa con la sobrina menor sólo por aprovecharse del dinero de la familia y el deseo arribista de acercarse a la aristocracia. Otro personaje, la tía, fabrica muñecas en un afán de detener la edad de las niñas como si hubiera un ansia por apresar el tiempo y estancarlo. El segundo discurso es la necesaria intromisión de un elemento fantástico que viene a ser el símbolo de la intranquilidad, la mordida de la "chágara" (especie de camarón de río) que altera el orden de ese mundo. La utilización de lo fantástico es así un elemento de dinámica social, de caos que permite el cambio o al menos la conciencia de su práctica.

[23] Miguel Ángel Zapata. "Rosario Ferré: la poesía del narrar". [Entrevista] *Inti* 26-27 (1988): 133-134.

El fervor de Rosario Ferré por el cuento y el tratamiento de lo fantástico la llevaría a una concienzuda dedicación por la obra de Felisberto Hernández y Julio Cortázar, dos grandes clásicos del cuento hispanoamericano sobre quienes publica los ensayos *"El acomodador": una lectura fantástica de Felisberto Hernández* (1986) y *La filiación romántica en los cuentos de Julio Cortázar* (1987/1990). Con respecto a la utilización de lo fantástico en sus cuentos, Ferré ha expresado las siguientes ideas: "Mi interés por Cortázar tiene que ver con mi interés por el cuento fantástico, y porque a mi parecer este tipo de cuento tiene una relación muy directa con el análisis del subconsciente... Tengo varios cuentos fantásticos; "La muñeca menor", "El cuento envenenado" y "El regalo" son todos cuentos que tienen que ver con la manera en que el poeta se relaciona analógicamente con el mundo exterior *metamorfoseándose en aquello que canta*. Es sólo por medio de este procedimiento mágico, gracias al cual el poeta se transforma en chamán, que podemos ofrecerle al lector una manera de entender mejor el mundo, de reconciliarse con él".[24] Lo fantástico en la obra cuentística de Ferré no se cumple por la simple experiencia de una estadía en lo "irreal" ni por la creación de una zona paralela a la realidad. Su aproximación a lo fantástico consiste en retomar la tradición de cuentistas como Hernández y Cortázar, y conducirla a un punto de simbiosis creativa en la que intervendrán elementos socioculturales enfocados críticamente; un manejo altamente expresivo del lenguaje es asimismo fundamental en esta perspectiva.

El poder del lenguaje en los cuentos de Ferré se obtiene por su comprensión de signo contaminado con todos los componentes culturales. Este renovador aspecto aparece en el cuento "Maquinolandera" que incluimos en la antología. El texto penetra en el mundo de la cultura negra, evitando la tentación de un enfoque analítico de sus componentes. En lugar de una construcción focal sobre la

---

[24] Miguel Ángel Zapata. "Rosario Ferré: la poesía de narrar". [Entrevista] *Inti* 26-27 (1988): 136.

inscripción social de una cultura, el texto induce una experiencia artística dirigida a captar los elementos de expresividad cultural. La dificultad en el alcance de esta zona reside en el hecho de que debe cumplirse desde una aprehensión dinámica del lenguaje, proceso que el cuento logra exitosamente. La narración surge así como comunicación expresiva de ritmos, instrumentos musicales, canciones, para crear una pintura expresionista sobre una cultura que desea ávidamente intimar su identidad. La narración transcurre desde la celda, símbolo en el que ha ingresado un cuerpo que sintetiza "el llanto de los siglos, en los sollozos de todos los descastados y de todos los oprimidos, de los destituidos y de todos los ajusticiados, de los abandonados para siempre por la esperanza, supurada de sangre por todas las heridas, empantanada de pus, encenegada de semen y enlodada de heces, parida con terror por entre feces et urinae".[25]

"Maquinolandera" propone una inmersión total en la esencia expresiva de la cultura negra a través de dos ejes: el primero es la dimensión social de la injusticia, acentuada por referencias tales como "Ismael Nazareno", "los perseguidos por los agentes de la ley", "el cristo negro del pueblo"; el segundo es la conducción musical de la escritura del cuento sin la cual la narración devendría una exposición anecdótica o explicativa. El cuento denuncia la injusticia sin lamentos; su recurso es más bien el de una vivencia llamada a revivificar la energía de esa cultura. El lector notará en este cuento de Ferré un ritmo narrativo muy particular, mezcla de tonos musicales, poéticos, invocaciones, letras de canciones; en suma una modalidad sensual de la palabra, colindante con los motivos de sexualidad que aparecen en el texto.

En esta última dirección de su cuentística se notará un punto de similitud con la de Cristina Peri Rossi, es decir, el hecho de que la ductilidad de la escritura admite la intercomunicación de géneros literarios. En la obra de la escritora

puertorriqueña se puede apreciar que su poesía dispone del
mismo sentido de sensualidad musical logrado en el cuento
que antologamos. La cita que sigue proviene de su texto
"Rumbo del poema":

> Este poema se rumba cogitándolo,
> taconeándolo en un frenético no me
> toques, tongoneándolo en un
> simétrico sí te toco,
> saliendo y llegando del tingo al tango
> tecleando tereques por entre nalgas,
> en romántica delectación morosa.
> Se rumba cogiéndolo por el pomo
> y por la poma, sacudiéndolo por hombros
> y por pechos, y también por el antepecho,
> agitando el cojitranco nazarino
> por el condenado babalú del vino.
> Se rumba coqueteándolo, computándolo,
> la rima apretadita en una losetita,
> en una sola teclita,
> que nos marca el paso al sexto verso,
> o a lo mejor el sexo inverso,
> que nos frunce el ritmo y nos alitera
> y también nos aligera,
> hasta la penúltima desdicha del olvido,
> hasta el último des dicho del dolor.[26]

En el texto "Epifanía del cuento", Ferré apunta sugesti-
vamente que "El escritor escribe porque le tiene más
miedo al silencio que a la palabra",[27] observación que nos
acerca a la necesidad social de representación de "Maquinolandera", el de un vasto e impactante retrato cultural.

El original tratamiento de la escritura fantástica y una
nueva visión en el universo imaginante de la ciencia ficción
colocan a la escritora argentina Angélica Gorodischer
entre los autores de sólida eficacia narrativa en el género.[28]

---

[26] *Las dos Venecias*. México: Joaquín Mortiz, 1992, p. 129.

[27] *Las dos Venecias*, p. 133.

[28] Para una discusión sobre los aspectos estéticos de estos dos discursos conviene ver el artículo de Angélica Gorodischer, "Narrativa
fantástica y narrativa de ciencia-ficción". *Plural* 188 (1987): 48-50.

Su contribución al acervo de la cuentística hispanoamericana se registra en sobresalientes relatos entre los que cabe mencionar "Retrato del emperador" incluido en la colección *Kalpa imperial*; "Bajo las jubeas en flor" y "Los embriones del violeta", pertenecientes a *Bajo las jubeas en flor*; "A la luz de la casta luna electrónica", "De navegantes" y "Sensatez del círculo", del libro *Trafalgar*.

El cuento "De navegantes" nos participa de un sui géneris modo narrativo, unificado por el mantenido diálogo entre la autora y el viajero: "En *Trafalgar* un rosarino socarrón, levemente machista pero buen tipo, fumador y tomador de café, tanguero, metafísico y desconfiado, me cuenta sus aventuras. Lo único que yo hago es escribirlas".[29] Esta técnica narrativa permite la interacción de dos espacios disímiles. Uno de ellos es el ambiente real, reconocible, y cotidiano en el que puede suceder el paso de un animal doméstico, la invitación a servirse café, y las preguntas de la narradora sobre interrogantes planteadas por los relatos de Trafalgar. El otro espacio es la propuesta de una aventura hacia lo imaginario, proveniente de los viajes que el mismo Trafalgar Medrano ha realizado por diversas galaxias en una máquina, "cacharro", que desafía la abundante información tecnológica encontrada en el género de la ciencia ficción. Decimos aventura hacia lo imaginario en lugar de aventura hacia lo fantástico o hacia planos sugeridos por los relatos de ciencia ficción puesto que así como ocurre en el cuento incluido en esta antología, el viaje nos traslada a un momento del devenir histórico reconocible en lugar del descenso en un espacio fabuloso. Se elimina además la idea de viaje en el tiempo hacia el pasado por su fijación tópica y desgastada frente al objetivo de renovación del relato fantástico.

En éste y otros cuentos, Gorodischer llega al alma del arte narrativo breve. Conoce la distancia entre narrar y explicar, maneja con pericia la conducción narrativa y sobre todo sabe llegar a todos los rincones donde se oculta

---

[29] Angélica Gorodischer. "Autobiografía en pocas páginas". Rosario, Argentina. Marzo de 1989, pp. 3-4.

el "azul" del arte: "Narrar, contar, no explicar nunca nada. Iluminar el yelmo y la boca y dejar los ojos en la sombra: Rembrandt. Hacer que brille la orla de un vestido de baile y que atrás se desmorone la banca y las mujeres se vuelvan locas: Balzac. Insinuar un tema monocorde que de pronto estalla en el huracán de los vientos, en el oro de las cuerdas: Haydn. Eso era la vida y todo lo demás era pretexto".[30]

Aunque nos hemos ocupado sólo de dos representantes del cuento fantástico en los setenta, es necesario señalar su abundante producción en este decenio. En esta antología incluimos, por ejemplo, al escritor panameño Enrique Jaramillo Levi quien publica tres importantes colecciones orientadas hacia lo fantástico: *Duplicaciones* (1973), *El búho que dejó de latir* (1974) y *Renuncia al tiempo* (1975). El primero de los libros citados de Jaramillo Levi es particularmente significativo en la trayectoria del cuento fantástico y bastante difundido a través de una segunda edición en México y una tercera en Madrid.

También es oportuno indicar aquí que en las décadas de los ochenta y de los noventa se seguiría cultivando el cuento fantástico, reafirmándose la idea de su continuidad en la cuentística hispanoamericana. Mencionaremos dos libros de representantes de este género que hemos incluido en la antología: *Las viejas fantasiosas* (1981), de Elvira Orphée, y *Los infiernos de la mujer y algo más* (1992) de Rima de Vallbona. Para darse una idea sobre el modo que asume lo fantástico en el libro de Orphée me parece oportuno citar un comentario de la autora al respecto: "*Las viejas fantasiosas* es una colección de cuentos que se desarrolla en pueblos. Ni fantasía ni realidad pura. Tal como un crítico lo dijera se trata de una 'intrarrealidad'. Es decir, una realidad interna que se impone sobre aquel que la vive. En todos los pueblos latinoamericanos se sabe acerca de acontecimientos que ingresan en un plano más allá de la realidad en la imaginación de la gente que carece de vida externa. Es decir la manera en que se invalida el hastío y tedio de una existencia en la cual el mañana es lo

---

[30] "Autobiografía en pocas páginas", p. 3.

mismo que el presente y se tiene éxito en derrotar la monotonía del tiempo con malicia, abominación o encanto."[31]
Otros dos libros de cuentos de la escritora argentina son *Su
demonio preferido* (1973) y *Ciego del cielo* (1991). Su novelística comprende seis obras, publicadas entre 1956 y 1989,
y las inéditas *Basura y luna* y *Amada Clodia*.

El cuento "La tejedora de palabras" de la escritora costarricense Rima de Vallbona revela un particular abordaje
de lo fantástico. El relato nos lleva a una comprensión de
que toda literatura actual (la de ahora y la del porvenir)
puede visitar los mitos que fundan nuestro desarrollo cultural e instalarlos en la ciudad moderna/futura, conectán-
dose así a una red intemporal de los tejidos que posibilita
el diseño de la palabra. Se trata de superposiciones así
como en el cuento se sucede la belleza a la fealdad, la
juventud a la vejez, la cabellera radiante al pelo marchito,
la diosa a la bruja. Por otra parte, hay una significativa
situación de trasfondo al cautiverio que la profesora de clá-
sicas (la Circe moderna) hace del personaje Rodrigo: la trayectoria de los progenitores de Rodrigo muestra el carácter
"imperial" del padre (el conquistador, el infiel) frente al
carácter "sumiso" de la madre (la resignada, la fiel). Sutil
sugerencia sobre las posibilidades de inversión de bloques
sociales y conductas humanas. Este cuento se encuentra en
el volumen *Los infiernos de la mujer y algo más*. Vallbona
ha publicado siete libros de cuentos; su primera colección,
Polvo del camino, es de 1971.

9. Comunión poética y deconstrucción textual:
   Reinaldo Arenas y Marcio Veloz Maggiolo

Un sentimiento de poderosa comunión con la poesía, en
el sentido amplio de creación, y una admirable naturalidad
en la entrega de la escritura cautivarán al lector de los

---

[31] Evelyn Picon Garfield. *Women's Voices from Latin America:
Interviews with Six Contemporary Authors*. Detroit: Wayne State University Press, 1985, p. 113. [La traducción es nuestra.]

cuentos del escritor cubano Reinaldo Arenas. Su cuentística nos hace ingresar en el territorio pasional del arte, en ese eje vertiginoso de recreación comprometida, absorbente y única de la experiencia humana. Es difícil aventurar un acercamiento evolutivo que establezca divisiones precisas en la obra de Reinaldo Arenas, pero sería el mismo autor el encargado de iluminarnos sobre una interesante manera de abordar su producción al referirse a cuatro fases que se corresponderían con los espacios en que tomó lugar su escritura. "No las llamo etapas sino resurrecciones. La primera es el campo: *Celestino antes del alba*. La segunda es la provincia, Holguín: *El palacio de las blanquísimas mofetas*. La tercera es la Habana: *Otra vez el mar*, *Termina el desfile*, *El central*, *Arturo, la estrella más brillante*. La cuarta es el exilio en Nueva York, donde estoy haciendo la novela del desarraigo con *El portero* y *La loma del ángel*".[32] Reinaldo Arenas se refirió también a la continuidad de un ciclo narrativo formado por la pentagonía de las novelas *Celestino antes del alba*, *El palacio de las blanquísimas mofetas*, *Otra vez el mar*, *El color del verano* y *El asalto*.

La experiencia del exilio a la que se refiere anteriormente Arenas tuvo muchos ángulos para el autor; uno de ellos fue el logro de una visión más íntima de sus orígenes, la adquisición de una percepción más profunda de lo suyo: "En uno de mis ensayos hablo de cómo a veces la lejanía produce un acercamiento a las cosas que uno más quiere: nos las descubre. Por ejemplo, en el caso de la novela que acabo de terminar, *La loma del ángel*, tal vez nunca la hubiese escrito de haber vivido en Cuba, porque ahí lo tenía todo muy cercano".[33] Este aspecto aparentemente positivo del exilio no fue, sin embargo, predominante para el escritor cubano. Arenas puntualizó enfáticamente la amargura de la persona forzada a vivir fuera de su país:

[32] "Reinaldo Arenas: aquel mar, una vez más". *Rojo y naranja sobre rojo*. Entrevista de Nedda G. de Anhalt. México: Editorial Vuelta, 1991, p. 167.
[33] "Reinaldo Arenas: aquel mar, una vez más". *Rojo y naranja sobre rojo*, p. 133.

"Me doy cuenta de que para un desterrado no hay ningún
sitio donde se pueda vivir; que no existe sitio, porque aquel
donde soñamos, donde descubrimos un paisaje, leímos el
primer libro, tuvimos la primera aventura amorosa, sigue
siendo el lugar soñado; en el exilio uno no es más que un
fantasma, una sombra de alguien que nunca llega a alcanzar su completa realidad; yo no existo desde que llegué al
exilio; desde entonces comencé a huir de mí mismo".[34] Nos
referimos a la situación del exilio en el caso de Reinaldo
Arenas por la significación enorme que tuvo en su última
producción literaria y por la consiguiente diferencia con la
obra que publicó en los sesenta y setenta.

"Bestial entre las flores", el cuento que seleccionamos
para la antología, pertenece a la producción anterior al exilio; se incluyó en su primer libro de cuentos *Con los ojos
cerrados* (1972) y su estética es cercana a la de sus primeras
novelas, *Celestino antes del alba* (1967) y *El mundo alucinante* (1969), en términos de la libertad poética de su prosa
y del encuentro enérgico y sensual con la naturaleza frente
a su visión pesimista de la institucionalidad social. Las densas relaciones entre madre e hijo (este último es el narrador), retratadas en el cuento "Bestial entre las flores", son
puestas en la catarsis de la imaginación, materia que admite
la creación de dobles. Los nuevos personajes inventados
—Bestial y la abuela (espejos del hijo y de la madre)—
podrán ahora confrontarse sin las limitaciones emocionales
de lo maternal o de lo filial. El amor maternal y la respuesta afectiva filial nunca han existido. Pero la imaginativa creación de Bestial promete el encuentro de la amistad
con la que se descubre la infancia en toda su expresión
de libertad y el anuncio de la adolescencia con su carga de
revelaciones y profundos cambios.

La matizada constitución estilística de la obra cuentística
del escritor dominicano Marcio Veloz Maggiolo debe
entenderse desde sus postulaciones téoricas sobre el arte
narrativo; aspecto, que por lo demás se relaciona a una
visionaria comprensión sobre el desenlace del arte literario

[34] *Antes de que anochezca*. Barcelona: Tusquets Editores, 1992, p. 314.

en el siglo XX: "Narrar no es escribir una historia lógica. No. Nada de lógicas... Una cosa es cierta: cuando el escritor está cansado sólo puede producir materia prima. Cuando el escritor está borracho, o desvelado y escribe como ejercicio, esta materia prima se convierte en fuente de posible futuro. Lo deforme tiene derecho a la vida. Narrar sobre la narrativa es una manera de vencer la soledad. Narrar y dejar. Narrar e ir sucumbiendo ante la incapacidad de terminar "lógicamente" lo narrado cuando la enfermedad te tiene acorralado y percibes la muerte en cada objeto".[35] También importa conocer sus reflexiones sobre la dialéctica entre creatividad pura, original (si acaso existente) e imitación, es decir, la realización, o "recreación" del arte a través de una red cultural de diversos textos: "Mi vida es como una moderna pieza musical: sonidos por aquí, ruidos más allá, papeles de este lado, y del otro una profunda desidia: la del público que aplaude sin entender y la del sabihondo que no aplaude porque entiende las cosas demasiado bien. Soy una imitación, lo que escribo es también imitación. *Yo creo que quien mejor imita mejor recrea*. Que nadie se atreva a negar esta sentencia capitular, decisiva, hecha con todo el profundo navegar de mi sangre cuajada de volteretas y desmayos".[36]

Las ideas contenidas en ambas citas nos ponen en directa relación con la estética del cuento que seleccionáramos: "Carta a un ser imaginario", de su libro *Cuentos, recuentos y casicuentos* (1986). En este texto coexisten un polo de atracción y otro de distanciamiento: signos imantados en contienda con otros que huyen del universo que los contiene. Tensión que sirve de contexto al descenso interrogativo sobre el fenómeno de la productividad artística. Para dirigirse a lo imaginario se procede a la utilización de la escritura bajo la forma de una carta, pero la visibilidad de la imaginación, el ansia de ser tangible que se le busca es una imposibilidad conocida antes del intento. Vestir a la

[35] *Materia prima: protonovela*. Santo Domingo, República Dominicana: Fundación Cultural Dominicana, 1988, pp. 22-23.
[36] *Los ángeles de hueso*. Santo Domingo, República Dominicana: Ediciones de Taller, 1985, p. 6.

imaginación, darle nombre, hacerla corpórea es buscar el rebote del silencio. En ese desafío de silueta, de humo, de forma a punto de desaparecer se encuentra la verdadera atracción hacia lo creativo.

A diferencia de la teoría cuentística de Horacio Quiroga, expuesta como un manifiesto artístico, Veloz Maggiolo integra estas reflexiones a su propia creación (dos novelas), en línea con la modernidad de otras obras neovanguardistas como *Rayuela*, novela en la que Cortázar construye y deconstruye internamente la función narrativa. El autor dominicano deja abierta las puertas de una realización cuentística posmoderna en la que el escritor interroga su propia productividad, loando la carencia de conexiones lógicas y de respuestas definitivas; apartándose, además, de la preocupación de originalidad ante la evidencia de que la creación es siempre una *imitatio*, una re-conexión de textualidades.

10. Aportaciones al cuento
    en la década de los ochenta

Entre los escritores que hicieron sólidas contribuciones al cuento en la década del ochenta figuran los argentinos Marco Denevi, Elvira Orphée, Luisa Valenzuela, Mempo Giardinelli, Marcial Souto, Ana María Shua y Cristina Siscar; los chilenos Poli Délano, Myriam Bustos Arratia, Sonia González, Marco Antonio de la Parra, Carlos Iturra, Pía Barros, Ramón Díaz Eterovič y Ana María del Río; el colombiano Armando Romero; los costarricenses Carmen Naranjo, Fernando Durán Ayanegui y Rima Vallbona; los ecuatorianos Raúl Pérez Torres, Iván Egüez y Marco Antonio Rodríguez; el hondureño Roberto Castillo; los mexicanos Sergio Pitol, Luis Arturo Ramos y Guillermo Samperio; los panameños Enrique Jaramillo Levi y Bertalicia Peralta; los paraguayos Rubén Bareiro Saguier y Renée Ferrer; los peruanos Alfredo Bryce Echenique y Adolfo Cáceres Romero; los puertorriqueños Juan Antonio Ramos y Luis López Nieves; los uruguayos Mario Levrero, Fernando Ainsa, Sylvia Lago, Teresa Porzecanski y Tomás de Mattos.

En el panorama de este decenio, particularmente productiva resulta la obra cuentística de la escritora uruguaya Cristina Peri Rossi, radicada en España desde 1972. Se publican sus colecciones *El museo de los esfuerzos inútiles* (1983), *Una pasión prohibida* (1986) y *Cosmoagonías* (1998); se reeditan además sus libros de cuento *La rebelión de los niños* (1980/1987/1988), *Indicios pánicos* (1981) y *La tarde del dinosaurio* (1985). Peri Rossi había comenzado a publicar a principios de los sesenta, pero no sería hasta los ochenta con la publicación de las colecciones anotadas y su novela *La nave de los locos* (1984) cuando se da a conocer internacionalmente. Un sumario de su producción da como resultado un total (hasta ahora) de ocho colecciones de cuentos, cuatro novelas, siete de poesía, textos de prosa varia y ensayos. Junto a la diversidad de géneros y cantidad de su producción literaria está el calibre indudable de una obra sobresaliente y reconocida a nivel mundial.

La cuentística de Cristina Peri Rossi figura entre las que asumieran de modo más absorbente la realización de la modernidad literaria. En una entrevista realizada en 1986, Peri Rossi describía su pasión por lo moderno: "Estoy totalmente de acuerdo con Rimbaud: para escribir hay que ser completamente moderno. A mí me parece que el escritor tiene que dar una respuesta, tiene que expresar lo que es el ambiente de su momento. Y el fenómeno éste nuevo de las grandes concentraciones urbanas, de las ciudades como Barcelona, ciudades hipertrofiadas por un lado, y por otro lado donde no queda lugar para lo sacro".[37] Otros dos aspectos importantes en el acercamiento a la cuentística de Peri Rossi y conectados al sentido de modernidad indicado previamente, son el de la ductilidad y ludismo que reporta la fusión del lenguaje narrativo y poético, y la negativa a identificarse con una escuela, estilo o arte específicos. Su escritura abraza la condición plural que ofrece lo moderno: "Estoy muy en contra de lo de que 'el escritor es un estilo'. Me parece que un estilo siempre es reductivo. Tener un

---

[37] Gustavo San Román. "Entrevista a Cristina Peri Rossi". *Revista Iberoamericana* 58 (1992): 1042.

estilo es tener un solo ángulo para mirar la realidad... no todo es contable narrativamente, y hay que escribir poesía también, porque la poesía es otra manera de ver las cosas... Yo diría que, cuando son simbólicos los cuentos, tienen una sola posibilidad. Ya están escritos. En cambio, si son líricos, por ejemplo, te permiten todo tipo de juego. Y lo lírico y lo lúdico están muy cercanos".[38]

El traspasamiento intercomunicativo de poesía y prosa funciona así como un dispositivo multirreferencial en el cuento, una clave lúdica de apertura metafórica. Peri Rossi ha cultivado el género lírico con la misma audacia con que se dirige a lo narrativo. Su libro de poesía *Babel Bárbara* obtuvo el Premio Ciudad de Barcelona en 1991 y fue traducido al año siguiente al inglés en *Quarterly Review of Literature* donde se indica que "La originalidad de este libro reside en haber encarnado el mito bíblico en el cuerpo y psique de una mujer: *Babel* es un personaje lleno de fascinación que habla en diversas lenguas, tiene dos sexos, y es imposible reducir... El cuerpo femenino es un texto en *Babel bárbara* y la voz poética (el humilde amante) es un lector que lee a la mujer para leerse a sí mismo".[39]

De la riquísima obra cuentística de Peri Rossi, escogimos para esta antología el relato "El efecto de la luz sobre los peces" de la colección *El museo de los esfuerzos inútiles*. Nada extraordinario sugiere, en principio, la observación atenta de un acuario en el imaginativo texto de la escritora uruguaya. En realidad, si necesitáramos acudir a alguna formación subconsciente predominante para caracterizar este ambiente marino artificial de la narración de Peri Rossi, desprenderíamos posiblemente una imagen relativa al desplazamiento grácil del pez junto con el asombroso despliegue del color. La repetida intromisión, sin embargo, de un breve subtexto es el primer signo perturbador de esa caracterización armónica. Son giros abruptos, intervenciones de lenguaje, externos a la conformación de la fluidez narrativa

---

[38] "Entrevista a Cristina Peri Rossi". *Revista Iberoamericana* 58 (1992): 1043-1044.

[39] 31 (1992): 52. [La traducción es nuestra.]

esperada, pero de gran eficacia y alto poder sugestivo. Este subtexto —llevado a través de pausadas aunque constantes interrupciones— condensa los verdaderos signos de la narración, transmitiendo un mensaje de incomunicación y desesperanza. Por expansión de la imagen subtextual, obtenemos el retrato de una sociedad moderna adicta al individualismo de la observación aislada: la pecera, cuyas características —"rectangular, iluminada por una luz de neón"— semejan el espectáculo de una cultura televisiva alienante; también, el signo moderno del voyeurismo. La observación —inicialmente pasiva— se transformará pronto en participación y manipulación del entretenimiento que ofrece el ejercicio de la violencia.

La nueva lectura que exige la atención en el subtexto hace visible el poder referencial de éste y la integración del lector en el nivel metafórico del cuento que se desprende de la destructividad de los peces. En el mirador alienante, el espectáculo absorbente y aniquilante de *"la pecera grande, rectangular, iluminada por una luz de neón"* se impone sobre el conocimiento de lo humano. La entrega rimbaudiana hacia lo moderno en la cuentística de Peri Rossi es la condición necesaria y paradójica para revelar un horror casi apocalíptico en la observación íntima del incierto futuro de la modernidad.

11. El cuento posmoderno

Confrontar directamente en el texto el hecho creativo es una de las notas que identifica a la literatura vanguardista y neovanguardista hispanoamericana. Obras como las de Pablo Palacio, Julio Garmendia, Juan Emar, Julio Cortázar, y José María Méndez ejemplifican esa dirección de lo moderno. Confrontar la realización artística introduciéndose en plena maquinaria del proceso creativo con los imprevisibles resultados derivados de los modos deconstructivos o transformacionales de lo literario es un signo de lo posmoderno con el que se identifican plenamente los cuentos "Ella habitaba un cuento", de Guillermo Samperio,

"Anapoyesis", de Salvador Elizondo; "Descenso a los infiernos de la imaginación", de Marco Denevi, y "Leopoldo (sus trabajos)", de Augusto Monterroso, relatos incluidos en nuestra antología. Otra vertiente posmoderna es la realización de una textualidad en la que juegan dinámicamente la figura del escritor y la figuración de la escritura o la conjunción paródica de intertextos, aspecto que representan los cuentos "La muñeca reina", de Carlos Fuentes; "Para Eva", de Enrique Lihn; "Carta a un ser imaginario", de Marcio Veloz Maggiolo, y "La Celestina (Fernando de Rojas)", de Juan Antonio Ramos", textos que también ofrecemos en esta antología.

El cuento "Nuestro iglú en el Ártico" del escritor uruguayo Mario Levrero señala a uno de los representantes más sólidos del cuento posmoderno en Hispanoámerica. El brillante genio literario de Levrero ha contribuido con una obra cuentística excelente entre las que se encuentran las colecciones *La máquina de pensar en Gladys* (1970/1995); *Todo el tiempo: relatos* (1982/1995); *Aguas salobres* (1983); *Los muertos* (1986); *Espacios libres* (1987); *El portero y el otro* (1992).

Sobresaliente es asimismo la cuentística del escritor cubano Antonio Benítez Rojo, autor que muy tempranamente anticiparía la estética de lo posmoderno en el cuento en colecciones como *Tute de reyes* (1967), *El escudo de hojas secas* (1969) y *Heroica* (1976). El cuento suyo que incluimos, "Estatuas sepultadas", se aventura magistralmente en el territorio conflictivo abierto por el encuentro ruptural de pasado y futuro, desde el cual surge la oposición de la generación joven a la adulta. El universo del movimiento —juego, lozanía, descubrimiento erótico, intranquilidad, vigor contrasta con el del estancamiento, expresado por los elementos de opacidad, vejez y deterioro, o por las actitudes de indiferencia e hipocresía. Otra conformación contrastante es de tipo espacial: los confines de la mansión frente al mundo exterior. La verja es el límite entre ambos mundos; cruzarla (lo cual es la tentación de los caracteres jóvenes) supone la transgresión del código de aislamiento impuesto por la familia de la casa. El pasado

reviste la trampa del refugio en ciertos valores, el rechazo
o distanciamiento de nuevas alternativas y la imposición de
códigos frente a la necesidad de actuación y desplazamiento.

En el caso del innovador tratamiento del género cuento
del escritor argentino Marco Denevi, se observa una particular concepción de la construcción artística, entendida
como *proceso* que bucea en los elementos y recursos más
íntimos con que la escritura crea un cuerpo de significaciones. La primera incursión de Marco Denevi en la narrativa
breve ocurre en 1966 con el inventivo volumen *Falsifica-
ciones*. Entre esta fecha y 1993, cuando aparece su libro *El
amor es un pájaro rebelde*, el escritor argentino publica
otros nueve originales libros de cuentos.

La obra cuentística de Luisa Valenzuela, Luis Arturo
Ramos, Teresa Porzecanski y Cristina Peri Rossi es particularmente renovadora de las direcciones del relato finisecular, al punto, muchas veces, de prever modos novísimos
que trascienden la actitud posmoderna. El cuento "Historia de la locura", de Porzecanski, ejemplifica esta última
afirmación. En el relato, el cuerpo junto con todo lo orgánico es visto como construcción de variables micro y
macrocóspicas. Tal visión busca justificarse en el carácter
indivisible del cuerpo y del signo así como en el de su siste-
mática productividad imaginante. En ese reino propio
—alejado de rutinas y edificaciones culturales— la locura
se utiliza como una dimensión de autoanálisis y autocom-
prensión. Transformarse mueve las equivalencias de nacimiento y muerte, anulando la diferencia entre insania y
cordura. La sorprendente cuentística de la escritora uruguaya se inicia en 1967 con la publicación de *El acertijo y
otros cuentos*.

Cabe mencionar aquí, asimismo, la obra de autores jóvenes que publican libros de cuentos en la década de los
noventa. Entre estas publicaciones destacan *Gente al acecho*
(1992), de Jaime Collyer; *Casa de Geishas* (1992), minicuen-
tos de Ana María Shua; *Masticar una rosa* (1993), de Ángela
Hernández Núñez; *Matar al marido es la consigna* (1994), de
Sonia González; *Los efectos personales,* de Cristina Siscar;

Gato por liebre (1995), de Ana María del Río; *El mar de la tranquilidad* (1995), de Rafael Courtoisie. Hemos incluido asimismo el cuento "Aunque me lavase con agua de nieve", texto publicado en 1993 y el primero en este género de la escritora chilena Diamela Eltit. La lograda ejecución del cuento de Eltit corrobora la originalidad de una autora cuyas siete novelas publicadas hasta ahora han transformado los modos narrativos con que se operaba hasta principios de los ochenta.

La producción cuentística anotada indica que la fase posmoderna ha creado ya su propia tradición en el cuento hispanoamericano de las tres últimas décadas; tradición caracterizada tanto por la rápida irrupción del cambio literario como por la enorme variedad de enfoques narrativos y aperturas estéticas. Uno de esos veneros lo representa la cuentística del costarricense Rafael Ángel Herra y la del mexicano Guillermo Samperio; obra en la que se favorece el soporte de una escritura que asalta los límites narracionales del género y en la que el azar puede devenir un factor omnipresente del mundo narrativo. Los relatos "Había una vez un tirano llamado Edipo", de Herra, y "Ella habitaba un cuento", de Samperio, exponen rasgos significativos sobre uno de los modos en que se plasma la sensibilidad posmoderna en la producción de los años ochenta.

Un aspecto que no se le escapará al lector de la cuentística de Herra es el ingenio con que su escritura se recrea en lo imaginario, entendido como un pozo devorante de toda condición creativa y liberador de toda energía artística.[40] Lo imaginario es cosmos y procreación a la vez que despliegue entrópico, necesario caos por el que la palabra renace y el arte vuelve a ser novedad. Original aproximación posmoderna a la idea de fantasía, la que ha sido expuesta reflexivamente por el propio autor: "Como primera ruptura de la

---

[40] Rafael Ángel Herra ha publicado los libros de cuentos *Había una vez un tirano llamado Edipo: seis cuentos y un monólogo* (1983), *El soñador del penúltimo sueño* (1983), *El genio de la botella: relato de relatos* (1990) y las novelas *La guerra prodigiosa* (1986) y *Viaje al reino de los deseos* (1992).

creatividad, la fantasía propone, dispone, rehace, crea de lo descreado, corrige el caos, cambia cuanto disgusta. La fantasía ensancha en imperio de lo posible, en las artes, en la historia, en la materia. Más en general, la fantasía es un *principio de mutaciones: reemplaza causas, remodela fenómenos, se transfigura infinitamente como Proteo*, el dueño mítico de sus metamorfosis, remodela ficciones y realidades, vaga sobre la inexorable necesidad del tiempo, se eleva por encima del sol y desciende hasta lo insondable. La fantasía es el desorden creativo, la fuerza del nuevo mundo. La fantasía no está condicionada ni por los genes, ni por las determinaciones de la materia ni por la historia: el hombre es un animal fantasioso. Su originalidad biológica es ese espacio imponderable de imaginación, la posibilidad perpetua de un algo más que se inventa. La fantasía rompe el poder de la palabra, el poder de la necesidad, el poder".[41]

Esta base estética se manifiesta de diversos modos en la obra de Herra. En su novela *Viaje al reino de los deseos* (1991) el reino de la ficción totalizante es el verdadero viaje deseante, por ejemplo, la inversión: "En Daduic se hablaba al revés, es decir, comenzando las frases por el final, se caminaba de manos, los espejos reflejaban caras desconocidas, los lagartos volaban junto a los zorros por los cielos, las grandes raíces de los árboles se hinchaban hacia arriba como cabelleras atraídas por el imán infinito de los planetas... Las mariposas perseguían a los perros entre polvaredas".[42] En el cuento "Salmo del Juicio Final" de la colección *El soñador del penúltimo sueño* (1983), el lenguaje deviene barroco y delirante: "y así salieron las almas del infierno y del purgatorio... y encarnaron por error en dragones y en libélulas y volaron y nadaron y gotearon y soplaron y mordieron y odiaron y torturaron y gritaron y rompieron huesos y arrancaron cabellos y mataron con hachas de acero y acompañaron

[41] *Lo monstruoso y lo bello*. San José, Costa Rica: Editorial de la Universidad de Costa Rica, 1988, p. 95.
[42] *Viaje al reino de los deseos*. San José, Costa Rica, 1991, pp. 16-17.

el hecho y la palabra una y otra vez en un valle de lágrimas rojas".[43]

En el cuento incluido en la antología "Había una vez un tirano llamado Edipo", la acción de lo imaginario se dirige al mito de Edipo para encontrar esa lectura pertinente a la Historia del hombre moderno, finalmente deshecha por la oscura soberbia del poder. Los personajes Yocasta, Creón, Tiresias, el nuncio de Corinto, el pastor de Layo conforman en este nuevo formato literario instancias del fluir de conciencia de Edipo. El drama es releído a través del discurso de la narración, utilizándose el elemento condensador del cuento para conocer paso a paso las revelaciones de los sucesos y el cumplimiento del mito. El éxito de la relectura narrativa del arte dramático en el espacio comprimido que permite la tecnificación cuentística es sólo uno de los aspectos de la difícil tarea propuesta por el escritor costarricense. Otro desafío es la articulación del cuento en los procesos de una conciencia posmoderna, fase que Herra cumple a través de una restauración artística que entrelaza el pasado y la modernidad de la Historia como un solo devenir alucinante, entregado al ejercicio del poder. Admite el autor en el "Postcriptum al Edipo": "Reconozco mis deudas: en 'Había una vez un tirano llamado Edipo' convergen lamentos e ideas de autores muy diversos. Además de *Oidipous tyrannos*, sin embargo, su fuente principal emana del carácter de las dictaduras, no tanto y no sólo porque los gobernantes brutales signifiquen un ejercicio excepcional o una usurpación del poder entre los hombres, sino porque revelan trágicamente la esencia misma del poder".[44]

En el caso de Guillermo Samperio se advierte una clara preferencia por las vanguardias narrativas hispanoamericanas; en particular aquellas que acuden al signo alegórico

[43] *El soñador del penúltimo sueño*. San José, Costa Rica: Editorial Costa Rica, 1983, p. 13.
[44] *Había una vez un tirano llamado Edipo: seis cuentos y un monólogo*. San José, Costa Rica: Editorial Universidad Estatal a Distancia, 1983, p. 61.

del espejo como espacio de asimilación entre realidad e imaginación.[45] En su libro *Manifiesto de amor* el 'narrador-ensayista' indica: "ahora entiendo mi gusto por autores como Roberto Arlt, Guillermo Meneses, o los Hernández: Felisberto y Efrén, sin hablar de Borges y Monterroso y otros pocos; también los Julio: Garmendia, Torri y Cortázar, para no dejar de mencionarlos. Ellos narran desde una dimensión poco conocida de los espejos; la mayoría —si no es que todos— se han visto en la necesidad de rendirle homenaje, quizás a pesar del dolor que les cause hacerlo. Quiero contradecirme: estos escritores no narran desde *una* dimensión, sino que tal vez cada uno ha descubierto un segmento ignoto del infinito no reflejado que contienen los espejos, o la capacidad ininterrumpida de los espejos de reflejar otra cosa distinta que los meros bustos".[46]

El relato de Samperio que incluimos en la antología, "Ella habitaba un cuento" (1986), se encuentra entre los más singulares del autor. Se activa en este texto el principio de que el producto ficticio es habitable en la medida que su creador —el escritor en el caso de la literatura— se va separando del universo inventado. Aserción fundamentada en el cuento a través de una comparación entre la relación arquitecto-construcción y artista-creación: "Desde el punto de vista de la creatividad, el diseño de una casa-habitación se encuentra invariablemente en el espacio de lo ficticio; cuando los albañiles empiezan a construirla, estamos ya

---

[45] La riquísima producción cuentística de Guillermo Samperio comprende los libros *Cuando el tacto toma la palabra* (1974), *Fuera del ring* (1975), *Cruz y cuernos* (1976), *Tomando vuelo y demás cuentos* (1976), *Medio ambiente* (1977), *Textos extraños* (1981), *Gente de la ciudad* (1986), *Medio ambiente y otros miedos* (1986), *Cuaderno imaginario* (1990) y *Cualquier día sábado* (1992). Ha publicado además las compilaciones de cuentos *Lenin en el fútbol* (1978), *Antología personal 1971-1990: ellos habitaban un cuento* (1990) y *El hombre de la penumbra* (1991). En 1980 publica el libro de prosa *Manifiesto de amor* y en 1982 el libro de poemas *De este lado y del otro*. Participa en la novela colectiva *El hombre equivocado* (1988). En 1993 aparece *Beatle Dreams and Other Stories* y en 1994 la novela *Anteojos para la abstracción*.

[46] *Manifiesto de amor*. México: Ediciones El Tucán de Virginia, 1980, p. 8.

ante la realización de lo ficticio. Una vez terminada, el propietario habitará su casa y la ficción del arquitecto".[47] La narración que se nos invita a leer no es un texto definitivo, hecho. Es un cuento que se va postulando como proceso de ficción. Se lee el proceso de la escritura en lugar de su resultado. Por ello, podemos asistir a la teorización de lo que sea el cuento: "En un relato, la movilidad necesita fluidez"[48] y a la problematización de lo que sea ficción: "La idea de habitar los vocablos lo maravillaba; quería escribir de pronto un cuento sobre esa idea".[49] Nuestra lectura en este texto pretende ser prediseñada por los pasos y dudas del personaje/escritor Guillermo Segovia quien recién va a comenzar a escribir su cuento para demostrar la idea de "habitación" como el espacio de múltiples movimientos desde lo real a lo ficticio y viceversa. Al desmontarse la mecánica de este proceso, el personaje, el autor y el lector pueden darse cuenta de que son observados por la red de una configuración imaginaria que ya no pertenece a ninguno de los tres. Cada movimiento de la escritura crea un complejo laberinto que hace imposible la diferenciación: "Escribo que escribe un relato donde yo habito".[50] Por otra parte, mirar el poder de la imaginación trae el castigo de tal atrevimiento. La mirada de la lectura, la reflexión del escritor, y el intento de corporeidad del personaje son devorados por los componentes calidoscópicos de lo ficticio.

Guillermo Samperio ve la producción de los mecanismos literarios como una especie de fuente universal en la que han participado y siguen participando todos los escritores. No hay una creación enteramente privada ni dueños en materia de recursos artísticos. Es un proceso de aprendizaje entrelazado. Refiriéndose a su propia formación como escritor, Samperio hace un comentario muy significativo al respecto: "debo reconocerme como un lector obsesivo por algunos grupos de textos, hasta agotarlos. Y de beber esta

---

[47] *Antología personal (1971-1990)*. Xalapa, México: Universidad Veracruzana, 1990, p. 78.
[48] *Antología personal*, p. 79.
[49] *Antología personal*, p. 79.
[50] *Antología personal*, p. 88.

literatura, me di cuenta de que *los recursos literarios no eran propiedad privada*, sino una herencia del escritor del porvenir".[51] Los estilos que conforman la cuentística de Samperio son variados y promueven modos literarios diversos que van desde discursos realistas a fantásticos dentro de esa amplia coordenada posmoderna a la que nos hemos referido.

II. EL CUENTO HISPANOAMERICANO MODERNO

1. Una época moderna

La necesidad de *confabular*, es decir, de narrar fábulas, conectada a los orígenes más remotos del cuento, cedería en la época moderna a la de *confabularse*: tramar en contra para volver a inventarse en la novedad del cambio. Actitud rebelde, dirigida a la prolongada regularidad de modelos literarios y a la autocomplacencia del canon artístico establecido. *Confabularse* vino a hacerse sinónimo de subvertir la noción de estabilidad para promover la diferencia. Este poderoso agente de la modernidad seduce la realización del cuento hispanoamericano en el siglo XX, creando una producción que junto con renovar lo que pudiera llamarse género cuento sería fundamental en el encuentro de modos que transformarían la fisonomía misma del arte de narrar.[52] Verdadera conmoción en el territorio de lo narrativo de la cual esta antología intenta participar al lector con un registro amplio de la trayectoria del cuento de este siglo en Hispanoamérica.

La tentativa de proporcionar un esquema clasificatorio para visualizar la totalidad de un acontecimiento literario contempla la pretensión de exponerlo secuencial y organizadamente como si se tratara de una unidad divisible en componentes, susceptible de mostrarnos de un modo clari-

---

[51] *Antología personal*, p. 13.
[52] Renovación que ya puede verse en la cuentística de Rubén Darío, Manuel Gutiérrez Nájera, Carlos Reyles y otros escritores modernistas. Véase al respecto la edición de Enrique Marini-Palmieri, *Cuentos modernistas hispanoamericanos*. Madrid: Editorial Castalia, 1989.

ficador una definida trayectoria evolutiva de segmentos de producción artística. La idea de lo moderno en el espectro de la literatura hispanoamericana se resiste, sin embargo, a una demostración compartimentada del arte; de hecho, el establecimiento de tales simetrías está reñido con el concepto fluctuante y antilineal de lo moderno. En esta obra, el evento al que nos referimos corresponde a un siglo de producción del cuento en Hispanoamérica, desde su apropiación moderna y vanguardista en las tres décadas iniciales del centenio hasta la propensión posmoderna finisecular.

Se trata de una época moderna, término este último que no es sinónimo del de modernista puesto que si habláramos de "era modernista" extenderíamos desmesuradamente los cambios más visibles del revolucionario movimiento gestado en las dos últimas décadas del siglo XIX en Hispanoamérica por escritores como Rubén Darío, Manuel Gutiérrez Nájera, José Martí, José Asunción Silva, Manuel Díaz Rodríguez, Carlos Reyles y otros. La época moderna no logra aprehenderse a través de un conjunto de características determinadas como las que podrían definir a un movimiento literario; su mejor aproximación se encuentra en la detección de la visión o espíritu artístico dominante en el siglo XX. Esa fuerza condicionante es la modernidad, una de cuyas claves reside en la habilidad de autotransformarse, cambiando una y otra vez los modos de su realización dentro de un sistema ilimitado de escrituras.

2. Los vasos comunicantes de lo moderno

En las selecciones de esta antología se podrá apreciar el funcionamiento anticonvencional con el que se realiza lo moderno y la condición relacionante de los textos, rebelde a una codificación cronológica. Así, un cuento de Pablo Palacio (1906-1947) o de Juan Emar (1893-1964) podría leerse junto a uno de José María Méndez (1916), Antonio Di Benedetto (1922-1986), Enrique Lihn (1929-1988), Álvaro Menén Desleal (1931), Salvador Elizondo (1932) y Mario Levrero (1940); textos de visiones distintas, pero articulados con la misma expresividad vanguardista. Un cuento de Teresa de la Parra (1889-1936) podría yuxtaponerse en el hechizo de una misma fantasía onírica con los relatos de María Luisa Bombal (1910-1980), Héctor Barreto (1916-1936), Luisa Mercedes Levinson (1914-1987), Elvira Orphée (1930), Carmen Naranjo (1931), Myriam Bustos Arratia (1933), Armando Romero (1944) y Teresa Porzecanski (1945). La ostensible diferencia en la visión de mundo de la cuentística de Horacio Quiroga (1878-1937), Hernando Téllez (1908-1966), Julio Cortázar (1914-1984), Juan Rulfo (1918-1986), Juan José Arreola (1918) y Marcial Souto (1947) parece disminuir al identificarse el tratamiento similar de la forma del cuento: un espacio mínimo a la vez que multisignificante, comparable —como Quiroga y Cortázar lo indicaran— al arco en tensión, el formato compacto y veloz de la fotografía.

Notable es también la comunicación espacio-temporal que abre la energía del discurso poético en los cuentos de Julio Torri (1889-1970), Aída Cartagena (1918-1994), Amparo Dávila (1928), Rubén Bareiro (1930), Rima de Vallbona (1931), Marcio Veloz Maggiolo (1936), Renato Prada Oropeza (1937), Marosa Di Giorgio (1939), Pedro Shimose (1940), Cristina Peri Rossi (1941), Enrique Jaramillo Levi (1944), Renée Ferrer (1944), Luis Arturo Ramos (1947) y Cristina Siscar (1947). Cuentos como los de Juan Carlos Onetti (1909-1994), Augusto Monterroso (1921), Marco Denevi (1922), Carlos Fuentes (1928), Guillermo Samperio (1948) y Juan Antonio Ramos (1948) intersectan por el concepto de una literatura que se persigue a sí misma o que convoca la parodia textual, literaria. Textos como los de Leopoldo Lugones (1874-1938), Alejo Carpentier (1904-1980), Lizandro Chávez Alfaro (1929), Fernando Ainsa (1937) y Luis Arturo Ramos (1947) reafirman el diseño voltaico de lo moderno, jugando con la historicidad y derrotando las fijaciones temporales de ésta.

El ritual de la teatralidad individual y social es expuesta con igual tono cáustico en los relatos de Julio Garmendia (1898-1977), Felisberto Hernández (1902-1964), Julio Cortázar (1914-1984), Marta Traba (1930-1983), Jorge

Edwards (1931), Luis Rafael Sánchez (1936), Alfredo Bryce Echenique (1939) y Mempo Giardinelli (1947). El tratamiento emblemático de lo literario y la conjunción de paratextos históricos, bíblicos, míticos o de expresiones culturales populares reaparece en los cuentos de Leopoldo Lugones (1874-1938), Jorge Luis Borges (1899-1986), José Lezama Lima (1910-1976), Antonio Benítez Rojo (1931), Diamela Eltit (1949), Marco Antonio de la Parra (1952) y Jaime Collyer (1955). La revelación cíclica de una condición apocalíptica desde la que oscilan la soledad y el poder amalgama la perspectiva narrativa en los relatos de Lino Novás Calvo (1905-1983), Gabriel García Márquez (1928), Sergio Pitol (1933), Luisa Valenzuela (1938), Rosario Ferré (1942), Rafael Ángel Herra (1943), Iván Egüez (1944) y Carlos Iturra (1956).

El cruce de estéticas y de ejecuciones anotado —fondo y forma— se registra en una espacialidad visitada por el apremio del cambio, la desprogramación de tradiciones, el tratamiento anticonvencional del género cuento, la convergencia de lo barroco, y el desencanto de la modernidad como noción de progreso. Aparte del hallazgo de similitudes como las sugeridas, otras posibilidades relacionantes son la intensificación de ciertas escrituras o el paralelismo inicial de vertientes que luego encuentran rutas creativas autónomas. En todo caso, superposiciones, sorprendentes como el proceso evasivo de lo moderno e insinuación a que la lectura de esta antología podría armarse con su propia red de invenciones.

3. Fases de la modernidad:
   hacia un criterio de aproximación

Frente a este sistema de vasos comunicantes de la modernidad en cuyo interior se desplazan ininterrumpidamente las fuerzas de la tradición y del cambio no nos parece adecuada la utilización de un modelo cronológico, generacional o de tendencias literarias para entender la complejidad del fenómeno relativo a la modernidad artística hispanoamericana. La función pragmática de tal

modelo se queda en el didactismo operativo del esquema
—producción de diversas agrupaciones—, sin penetrar en
la esencia de lo estético. Por lo demás, la demarcación de
períodos no asegura necesariamente una comprensión
cabal y profunda del cambio literario ni es productivo tampoco medirlo de un modo tan estático. En la realización de
esta antología pudimos confirmar el hecho de que una cap-
tación anticronológica de lo moderno no niega la producción del cambio literario; más bien, lo revive como un
proceso de gran dinamismo, muchas veces desatado por
una pulsión incontrolable que parece acomodarse a la propia silueta indefinible que persigue lo moderno. Una
opción preferible es la distinción de las fases constituyentes
de la escritura moderna, es decir, la particular dialéctica del
cambio que dinamizó la creatividad de esa visión que
abarca toda una época.

No hemos adoptado de un modo ilustrativo esta opción
—por ejemplo, agrupando los cuentos que cubre la antología en distintas etapas— aunque constituyera un aspecto
de nuestro criterio selectivo. Visualizamos fundamentalmente cuatro fases: 1) La modernista, que iniciada en el
siglo XIX logra extenderse hasta 1920; 2) La vanguardista,
que ocupa las décadas de los veinte y de los treinta; 3) La
neovanguardista, que va desde los cuarenta hasta los setenta,
incorporando toda la literatura del denominado "boom"
latinoamericano; 4) La posmodernista, que cierra las últimas tres décadas del siglo XX. La postulación precedente
debe entenderse como un método de trabajo del investi-
gador en lugar de la formulación de un procedimiento
mecánico y válido como sistema de aplicación uniforme;
asimismo, las cronologías que engloba cada fase son sólo
referentes espaciales, registros de funcionamiento histórico dentro de los cuales se puede identificar autores, un
corpus de obras o cualquiera de las denominaciones usuales de la crítica para una producción determinada. Como
herramienta del proceder metodológico, la propuesta
sobre las fases de la época moderna permite aproximarse
distributivamente a la compleja naturaleza global de lo
moderno, aspecto en el que reside su verdadera función.

Como modo, en cambio, de comprensión estética sobre el concepto de la modernidad, la separación en cuatro etapas podría resultar en limitaciones de perspectiva. Por esta razón conviene insistir en el hecho de que al referirnos a diversas fases estamos todavía frente a la presencia de modos de acción o modos de escritura interactivos de lo moderno; esfera en la que no sería insólito ver que la manifestación del cambio artístico contiene en su dinámica ruptural el cruce de diversas textualidades, incluyendo aquellas de las que supuestamente se busca distanciarse.

En la hechura de esta antología no entra la proyección de compilaciones definitivas. Hemos preferido trabajar en la mostración operativa del cuento hispanoamericano en el curso de su modernidad, pensando en la apertura de otros posibles procesos que tal aproximación entraña. En cuanto a la selección de los relatos no dejó de cautivarnos la atractiva imagen cortazariana que encuentra aquel cuento resistente a los vientos de la moda, el "cuento perdurable [que] es como la semilla donde está durmiendo el árbol gigantesco. Ese árbol [que] crecerá en nosotros, [y] dará su sombra en nuestra memoria".[53] Pero no ha sido éste nuestro compás orientador puesto que escoger en efecto ese cuento perdurable es otra cosa. Un desiderátum desafiado por la temporalidad de nuestra estética, formación literaria e historicidad de la lectura. Hemos preferido la seducción del texto, la subjetividad de la lectura provocada por la apertura de imágenes, la sensación de fruición inmediata, de vínculo hacia la esfera de poéticas y ebullición creativa, el descontento de escrituras fijas, la emisión de conductividad artística, el signo de aromas rupturales, la intuición de lo cambiante, la interposición de silencios comunicativos, el escenario de nuestros sueños, el anuncio de imposibles, la transición creativa traspasada por ese texto que empieza a leernos.

FERNANDO BURGOS

---

[53] "Algunos aspectos del cuento", *La casilla de los Morelli*. Julio Ortega, ed. Barcelona: Tusquets Editor, 1973, p. 142.

BIBLIOGRAFÍA

(Selección de antologías del cuento latinoamericano)

Almoina de Carrera, Pilar. *El cuento popular venezolano: antología*. Caracas, Venezuela: Monte Ávila Editores, 1990.

Ansaldo Briones, Cecilia. *Cuento contigo: antología del cuento ecuatoriano*. Guayaquil: Universidad Católica de Santiago de Guayaquil. Quito: Universidad Andina Simón Bolívar, Subsede Quito, 1993.

Antología del cuento clásico centroamericano. Guatemala: Editorial "Piedra Santa", Biblioteca Letras Centroamericanas, 1975.

Antología del cuento nicaragüense. Managua, Nicaragua: Ediciones del Club del Libro Nicaragüense, 1957.

Arango, Arturo. *Panorama del cuento cubano contemporáneo*. Montevideo, Uruguay: Ediciones de la Banda Oriental, 1986.

Arango, Luis Alfredo y Rolando Castellanos. *De Francisco a Francisco: 50 años de narrativa guatemalteca*. Guatemala: Grupo Literario Editorial RIN-71, 1998.

Así escriben las mujeres. Buenos Aires: Ediciones Orión, 1975. [Prólogo y notas de María Elena Togno.]

Balza, José. *El cuento venezolano: antología*. Caracas: Universidad Central de Venezuela, 1985.

Barba Salinas, Manuel. *Antología del cuento salvadoreño, 1880-1955*. 2.ª ed. San Salvador: Ministerio de Educación, Dirección de Publicaciones, 1976.

Barrera Linares, Luis. *Memoria y cuento: 30 años de narrativa venezolana 1960-1990*. Caracas: Editorial Pomaire, 1992.

——. *Recuento: el relato breve venezolano 1960-1990*. Caracas: FUNDARTE/Alcaldía de Caracas, 1994.

Bastardo, Antonio. *Narradores de* El Nacional *1946-1992*. Caracas: Monte Ávila Editores, 1992. [Prólogo de Domingo Miliani].

Bazán, Armando. *Antología del cuento peruano*. Santiago de Chile: Empresa Editora Zig-Zag, 1942.

Becco, Horacio Jorge. *Cuentistas argentinos*. Buenos Aires: Ediciones Culturales Argentinas, 1961.

Belevan, Harry. *Antología del cuento fantástico peruano*. Lima: Universidad Nacional Mayor de San Marcos, 1977.

Betancourt, Ignacio. *El cuento es un sueño de ámbar*. México: Instituto Nacional de Bellas Artes y Editores Asociados Mexicanos, 1992. [Antología del XVII Concurso Latinoamericano de Cuento 1988, convocado por la Casa de Cultura de Puebla, el Gobierno del Estado y el Instituto Nacional de Bellas Artes, México].

Breve antología del cuento guatemalteco contemporáneo. 2.ª ed. Ciudad Universitaria, Guatemala: Editorial Universitaria de Guatemala, 1980.

Bueno, Salvador. *Cuentos cubanos del siglo XX*. La Habana: Editorial Arte y Literatura, 1975.

Carballo, Emmanuel. *Cuentistas mexicanos modernos*. 2 tomos. México: Biblioteca Mínima Mexicana, Libro-Mex. Editores, 1956.

——. *Cuento mexicano del siglo XX/1: breve antología*. 1.ª reimpresión. México: Coedición de Universidad Nacional Autónoma de México y Premià Editora de Libros, 1989.

Cardoso, Heber. *El cuento uruguayo contemporáneo*. Buenos Aires: Centro Editor de América Latina, 1978.

Carrillo, Francisco. *Cuento peruano 1904-1971*. 2.ª ed. Lima: Ediciones de la Biblioteca Universitaria, 1971.

Carter, E. Dale. *Antología del realismo mágico: ocho cuentos hispanoamericanos*. New York: The Odyssey Press, 1970.

Castro Arenas, Mario. *El cuento en Hispanoamérica*. Lima: Librería Studium Editores, 1974.

Catorce cuentistas. La Habana: Casa de las Américas, 1969. *14 narradores rioplatenses de hoy*. Montevideo/Buenos Aires: Ediciones La Urpilla/Ediciones Pla, 1989.

Cerda, Martín. *Nuevos cuentistas chilenos: 23 relatos*. Santiago de Chile: Editorial Universitaria, 1985. [El libro proviene del Taller Literario "Huelén" que se reunía en la sede del Goethe Institut dirigido por Martín Cerda.]

Cócaro, Nicolás. *Cuentos fantásticos argentinos*. 2.ª impresión. Buenos Aires: Emecé Editores, 1963.

Cocco de Filippis, Daisy. *Antología de cuentos escritos por mujeres dominicanas*. Santo Domingo, República Dominicana: Editora Taller, 1992.

Colchie, Thomas. *A Hammock Beneath the Mangoes: Stories from Latin America.* New York: Dutton, 1991.

Congrains Martín, Enrique. *Antología contemporánea del cuento mexicano.* México: Instituto Latino Americano de Vinculación Cultural, 1963.

Cooke, Paul J. *Antología de cuentos puertorriqueños.* Godfrey, Illinois: The Monticello College Press, 1956.

Cornejo Polar, Antonio y Luis Fernando Vidal. *Nuevo cuento peruano: antología.* Lima: Mosca Azul Editores, 1984.

Cuentistas jóvenes de Centroamérica y Panamá, s.f. [Recopilación del Concurso ESSO de Cuentistas Jóvenes, realizado en 1966.]

Cuentistas rioplatenses de hoy. Buenos Aires: Vértice, 1939. [Prólogo de Julia Prilutzky Farny de Zinny.]

Cuentos del continente. Buenos Aires: Editora del Ángel, 1977.

Cuentos nuevos de Centroamérica. San José, Costa Rica: Consejo Superior Universitario Centroamericano (CSUCA), 1969.

Cuentos y narraciones de Hispanoamérica. Valencia, España: Ediciones Prometeo, 1969.

Dávila Franco, Rafael. *Cuento peruano contemporáneo.* Perú: Ediciones San Gabriel, 1991.

Délano, Poli, ed. *Latinos: narrativa contemporánea desde 14 países.* Buenos Aires: Desde la Gente. Ediciones Instituto Movilizador de Fondos Cooperativos, 1992.

——. *Adán visto por Eva: relatos de narradoras latinoamericanas.* Buenos Aires: Ediciones Instituto Movilizador de Fondos Cooperativos, 1996. [Relatos de Luisa Valenzuela, Ana María Shua, Nélida Piñón, Fanny Buitrago, Carmen Naranjo, Lourdes Casal, Micaelina Campos, Sonia González, María Isabel Taulis, Gilda Holst, Gloria Velázquez Treviño, Josefina Estrada, María Luisa Puga, María Teresa Sánchez, Bertalicia Peralta, Ana Lydia Vega, María Inés Silva Villa, Stefanía Mosca. Presentación de Poli Délano, pp. 3-4.]

——. *Grandes cuentos de América Hispana.* Buenos Aires: Ediciones de GenteSur, 1990.

Díaz Eterovič, Ramón y Diego Muñoz Valenzuela. *Andar con cuentos: nueva narrativa chilena (1948-1962).* Santiago, Chile: Mosquito Editores, 1992.

Díaz Valcárcel, Emilio. *17 del taller: antología de cuentos y relatos.* San Juan, Puerto Rico: Instituto de Cultura Puertorriqueña, 1978.

Díaz Vasconcelos, Luis Antonio. *Antología del cuento guatemalteco: cincuenta cuentistas guatemaltecos*. Guatemala: CENALTEX, Ministerio de Educación, 1984.

17 cuentos colombianos. Bogotá: Instituto Colombiano de Cultura, División de Publicaciones, 1980.

12 mujeres cuentan. Buenos Aires: Ediciones La Campana, 1983.

Domínguez, Mignon. *Cuentos fantásticos hispanoamericanos*. Buenos Aires: Editorial Crea, 1980.

El cuento argentino: contribución de los escritores nuevos a la literatura nacional. Buenos Aires: Club de Difusión del Libro Americano, 1944.

El cuento argentino 1959-1970: antología. Buenos Aires: Centro Editor de América Latina, 1981. [Selección, prólogo y notas por los integrantes del Seminario de Crítica Literaria Raúl Scalabrini Ortiz.]

El cuento en la revolución. Antología. La Habana: Unión de Escritores y Artistas de Cuba, 1975.

El cuento venezolano en El Nacional. *Premios del Concurso Anual 1943-1973*. Caracas: Tiempo Nuevo, 1973.

El libro de los premiados. Congreso Nacional de Cuentos, desde la gente, 1995. Buenos Aires: Ediciones Instituto Movilizador de Fondos Cooperativos, 1996.

El presente es perpetuo: concurso latinoamericano de cuento (1972-1980). México: Casa de la Cultura de Puebla y Premià Editora, 1981.

Encuentro de narradores: perspectivas para una narrativa de los noventa. Lima: APPAC Ediciones (Asociación Peruana de Promotores y Animadores Culturales, 1990). [Presentación breve de Jorge Cornejo Polar. Introducción "Lectura y apuntes sobre la narrativa peruana joven de los años 90" de César Toro Montalvo, pp. 9-14. Selección de cuentos proveniente del "Primer Encuentro de Narradores Jóvenes 89" realizado en Lima entre el 23 de mayo y el 27 de junio de 1989. Reúne cuentos de narradores jóvenes peruanos nacidos entre 1963 y 1971.

Epple, Juan Armando y James Heinrich. *Para empezar: cien micro-cuentos hispanoamericanos*. Concepción, Chile: Ediciones Literatura Americana Reunida, 1990.

Erasto Cortés, Jaime. *Dos siglos de cuento mexicano*. México: Promociones Editoriales Mexicanas, 1979.

Fabbiani Ruiz, José. *Antología personal del cuento venezolano 1933-1968*. Caracas: Universidad Central de Venezuela, 1977.

Fernández-Marcané, Leonardo. *Cuentos del Caribe*. Madrid: Editorial Playor, 1978.

Filippi, Emilio. *Cuentos de La Época: antología 1989*. Chile: Ediciones La Época y Editorial Atenea, 1989.

Franco, Jean, ed. *Cuentos americanos de nuestros días/Ten Spanish American Short Stories*. London: George G. Harrap, 1965.

Fuente, José Luis de la y Carmen Casado. *Antología del cuento hispanoamericano contemporáneo*. Valladolid: Ámbito, 1993. [Selección de diez autores.]

Gandolfo, Elvio E. *Cuentos fantásticos y de ciencia ficción en América Latina. Adolfo Bioy Casares, Alejo Carpentier y otros*. Buenos Aires: Centro Editor de América Latina, 1981.

García Aguilar, Eduardo. *Veinte ante el milenio: cuento colombiano del siglo XX*. México: Universidad Nacional Autónoma de México, 1994.

González Vigil, Ricardo. *El cuento peruano 1920-1941*. Lima, Perú: PETROPERU, Ediciones Copé, 1990.

———. *El cuento peruano 1942-1958*. Lima, Perú: PETROPERU, Ediciones Copé, 1991.

Hahn, Óscar. *Antología del cuento fantástico hispanoamericano, siglo XX*. Santiago, Chile: Editorial Universitaria, 1990.

Jiménez Emán, Gabriel. *Relatos venezolanos del siglo XX*. Caracas, Venezuela: Biblioteca Ayacucho, 1989.

Jofré Rodríguez, Javier. *Antología del cuento minero chileno*. Chile: Instituto de Ingenieros de Minas de Chile, 1991.

Lagos, Belén. *Nosotras y ellos: antología de cuentos hispanoamericanos*. San José, Costa Rica: Editorial Nueva Década, 1988.

Lagos, Belén, María Luisa López y Estrella Cartín. *Antología de cuentos hispanoamericanos*. San José, Costa Rica: Editorial Nueva Década, 1985. [Selecciones de cuatro autores.]

Laguerre, Enrique A. *Antología de cuentos puertorriqueños*. México: Editorial Orión, 1979.

Lasplaces, Alberto. *Antología del cuento uruguayo*. Montevideo: C. García y García, 1943.

Leal, Luis. *Cuento hispanoamericano contemporáneo*. México: Coedición de la Universidad Nacional Autónoma de México y Premià Editora de Libros, 1988.

Lewald, Ernest H. *Diez cuentistas argentinas*. Buenos Aires: Ediciones Riomar, 1968.

Libertella, Héctor. *El nuevo relato argentino*. Caracas: Monte Ávila Editores Latinoamericana, 1996.

Lindo, Hugo. *Antología del cuento moderno centroamericano*. 2 vols. El Salvador: Universidad Autónoma de El Salvador, 1949.

López Sancha, Francisco. *La isla contada. El cuento contemporáneo en Cuba*. Madrid: Tercera Prensa, 1996.

Llarena, Elsa de. *14 mujeres escriben cuentos*. México: Federación Editorial Mexicana, 1975.

Mancini, Pat McNess. *Contemporary Latin American Short Stories*. Greenwich, Connecticut: Fawcett Publications, 1974.

Mancisidor, José. *Cuentos mexicanos de autores contemporáneos*. México: Editorial Nueva España, s.f.

Mata, Humberto. *Distracciones: antología del relato venezolano 1960-1974*. Caracas: Monte Ávila Editores, 1974.

Meneses, Guillermo. *Cuentos hispanoamericanos*. México: Editorial Orión, 1967.

Molina, Alfonso. *Antología del cuento revolucionario del Perú*. 2.ª ed. Lima: Ediciones Peisa, 1970.

Monges, Hebe y Alicia Farina de Veiga. *Antología de cuentistas latinoamericanos*. Buenos Aires: Ediciones Colihue, 1986.

Novo, Salvador. *Antología de cuentos mexicanos e hispanoamericanos*. México: Editorial Cultura, 1923.

Nueve cuentistas. La Habana: Casa de las Américas, 1970, Colección Premio Casa de las Américas, 1970.

Ocampo, Aurora M. *Cuentistas mexicanas. Siglo XX*. México: Universidad Nacional Autónoma de México, 1976.

Oviedo, Jorge Luis. *Antología del cuento hondureño*. 2.ª reimpresión. Tegucigalpa, Honduras: Editores Unidos, 1990. [La primera edición es de 1988].

Oviedo, José Miguel. *Antología crítica del cuento hispanoamericano del siglo XX (1920-1980)*. 2 vols. Madrid: Alianza Editorial, 1992.

Pachón Padilla, Eduardo. *Antología del cuento colombiano. De Tomás Carrasquilla a Eduardo Arango Piñeres. 39 autores*. Bogotá: Biblioteca de Autores Colombianos, 1959.

Padura, Leonardo. *El submarino amarillo: cuento cubano 1966-1991. Breve antología*. México: Ediciones Coyoacán/UNAM, 1993.

Panorama del cuento centroamericano. Lima, Perú: Editora Latinoamericana, s.f. [Esta obra es el resultado del Primer Festival del Libro Centroamericano.]

Perea, Héctor. *De surcos como trazos, como letras: antología de cuento mexicano finisecular.* México, D. F.: Consejo Nacional para la Cultura y las Artes, 1992.

Pérez, Emma *et al. Cuentos cubanos. Antología.* La Habana: Cultural, 1945.

Pérez Maricevich, Francisco. *Panorama del cuento paraguayo.* Asunción, Paraguay: Tiempo Editora, 1988.

Portugués de Bolaños, Elizabeth. *El cuento en Costa Rica. Estudio, bibliografía y antología.* San José, Costa Rica: Antonio Lehmann, Librería e Imprenta Atenea, 1964.

Primera antología de la ciencia-ficción latinoamericana. Buenos Aires: Rodolfo Alonso Editor, 1970. [Incluye cuentos como "La doble y única mujer" de Pablo Palacio, "Misión cumplida" de Álvaro Menén Desleal.]

Primera Bienal del Cuento Ecuatoriano "Pablo Palacio": obras premiadas. Quito: Centro de Difusión Cultural, 1991.

Quijano, Aníbal, ed. *Los mejores cuentos americanos.* Lima: Juan Mejía Baca y D. L. Villanueva Editores, s.f.

Quince cuentistas. La Habana: Casa de las Américas, 1974, Colección Premio Casa de las Américas, 1974.

Rama, Ángel, ed. *Primeros cuentos de diez maestros latinoamericanos.* México: Editorial Mosaico, 1977.

Ramírez, Sergio. *Cuento nicaragüense.* 3.ª ed. Managua, Nicaragua: Editorial Nueva Nicaragua, 1986.

Raviolo, Heber. *Panorama del cuento costarricense.* Montevideo: Ediciones de la Banda Oriental, 1985.

———. *Panorama del cuento mexicano.* 2 vols. Montevideo: Ediciones de la Banda Oriental, 1980.

Rela, Walter. *'70/90': antología del cuento uruguayo.* Montevideo: Librería Linardi y Risso, 1991.

Reyes, Chela. *Mujeres chilenas cuentan.* Santiago, Chile: Empresa Editora Zig Zag, 1978.

Reyes Tarazona, Roberto. *Nueva crónica: cuento social peruano 1950-1990.* Lima: Editorial Colmillo Blanco, 1990.

Rodríguez Barilari, Elbio. *Más vale tarde que nunca: cuentos.* Montevideo: Ediciones de la Banda Oriental, 1990.

Rojas González, Francisco. *Antología del cuento americano contemporáneo.* México: Secretaría de Educación Pública, Ediciones de América, 1952.

Rosa Nieves, Cesáreo y Félix Franco Oppenheimer. *Antología general del cuento puertorriqueño.* 2 tomos. San Juan, Puerto Rico: Editorial Campos, 1959.

Sáinz, Gustavo. *Los mejores cuentos mexicanos*. México: Ediciones Océano, 1986.

Santa Cruz, Adriana y Viviana Erazo. *Antología Fempress: el cuento feminista latinoamericano*. Santiago, Chile: Fempress, [1988]. [Selecciones del concurso de cuentos feministas organizado por Fempress; prólogo de Diamela Eltit.]

Santos, Rosario. *And We Sold the Rain: Contemporary Fiction from Central America*. New York: Four Walls Eight Windows, 1988.

Sarlo, Beatriz. *El cuento argentino contemporáneo*. Buenos Aires: Centro Editor de América Latina, 1976.

II Bienal del Cuento Ecuatoriano "Pablo Palacio": cuentos premiados. Ecuador: Abrapalabra Editores. Quito: CEDIC, 1993.

Silva, José Enrique. *Breve antología del cuento salvadoreño*. San Salvador: Editorial Universitaria, (entre) 1962-1975.

Silva Muñoz, Fernando. *Encuentro Nacional de Arte FEUC: Literatura. Cuento-Poesía Premiados*. Chile: Editorial Atena FEUC, 1990. [Selección de concurso organizado por la FEUC, Federación de Estudiantes de la Universidad Católica. Incluye cuentos y poesía.]

Skármeta, Antonio. *Santiago, pena capital*. Santiago de Chile: Ediciones Documentas, 1991.

Soriano Badani, Armando. *Antología del cuento boliviano*. 2.ª ed. La Paz: Editorial Los Amigos del Libro, 1991.

Sorrentino, Fernando. *30 cuentos hispanoamericanos: siglo XX (1875-1975)*. Buenos Aires: Plus Ultra, 1976.

Sorrentino, Fernando. *35 cuentos breves argentinos. Siglo XX*. 9.ª ed. Buenos Aires: Editorial Plus Ultra, 1979.

Steimberg, Alicia, *et al. Salirse de madre*. Buenos Aires: Croquiñol Ediciones, 1989.

Ubidia, Abdón. *El cuento popular ecuatoriano*. Quito: Libresa, 1993.

Uslar Pietri, Arturo y Julián Padrón. *Antología del cuento moderno venezolano (1895-1935)*. 2 tomos. Caracas: Biblioteca Venezolana de Cultura, Colección "Antologías", Taller de Artes Gráficas, 1940.

Vallejo, Raúl. *Una gota de inspiración, toneladas de transpiración: antología del nuevo cuento ecuatoriano*. Quito, Ecuador: Libresa, 1990.

Varela, Benito. *El cuento hispanoamericano. Antología*. Tarragona, España: Ediciones Tarraco, 1976.

Vásquez, Alberto M. *Antología de cuentos hispanoamericanos*. New York: Regents Publishing Company, Inc., 1976.

Vélez Dossman, Hernán y Miriam Torres Aparicio. *Selección del cuento latinoamericano*. Bogotá: Taller Gráfico Editores, 1981.

Venezuelan Short Stories/Cuentos venezolanos. Caracas: Monte Ávila Editores, 1992. [Selección bilingüe. Prólogo de Lyda Aponte de Zacklin.]

Visca, Arturo Sergio. *Nueva antología del cuento uruguayo*. Montevideo: Ediciones de la Banda Oriental, 1976.

Viscarra Fabre, Guillermo. *Antología del cuento chileno-boliviano*. Santiago de Chile: Empresa Estalsa/Editorial Universitaria, 1975.

Zavala, Lauro. *La palabra en juego: el nuevo cuento mexicano*. Toluca, Estado de México: Universidad Autónoma del Estado de México, 1993.

Entre los libros dedicados al estudio del cuento hispano, publicados a partir de 1980, debemos mencionar los utilísimos ensayos de Peter Fröhlicher y Georges Güntert, David Lagmanovich, Luis E. Lasso, Gabriela Mora, Carmen de Mora Valcárcel, Carlos Pacheco, Enrique Pupo-Walker, Ana Rueda, Edelweis Serra, Graciela Tomassini, Stella Maris Colombo, y Catharina Vanderplaats que citamos a continuación:

Fröhlicher, Peter y Georges Güntert, eds. *Teoría e interpretación del cuento*. Berlin/New York: Peter Lang, 1995. [Incluye estudios teóricos sobre el cuento de Luis Beltrán Almería, Peter Fröhlicher, Julio Peñate Rivera, Elsa Dehennin, Irene Andrés Suárez, José Romera Castilla. Estudios sobre el cuento español en el Siglo de Oro de Georges Güntert, Aldo Ruffinatto, María Caterina Rita, Pedro Ruiz Pérez. Estudios sobre el cuento español, siglos XIX y XX de Leonardo Romero Tobar, María Paz Yáñez, Ángeles Ezama Gil, Rafael Rodríguez Marín, Alan Smith, Túa Blesa, Milagros Cristóbal, Irene Andrés-Suárez, Sibylla Laemmel Serrano, Darío Villanueva. Estudios sobre el cuento hispanoamericano de Jaime Alazraki, Pier Luigi Crovetto, Catharina V. de Vallejo, Giovanna Minardi, José María Pozuelo Ivancos.]

Lagmanovich, David. *Estructura del cuento hispanoamericano*. Xalapa, México: Universidad Veracruzana, 1989.

Lasso, Luis Ernesto. *Señas de identidad en la cuentística hispanoamericana*. Bogotá: Universidad Nacional de Colombia, 1990.

Mora, Gabriela. *En torno al cuento: de la teoría general y de su práctica en Hispanoamérica*. (Versión corregida y aumentada.) Buenos Aires: Editorial Danilo Alberto Vergara, 1993. [La primera edición publicada en Madrid es de 1985.]

Mora Valcárcel, Carmen de. *Teoría y práctica del cuento en los relatos de Cortázar*. Sevilla: Publicaciones de la Escuela de Estudios Hispanoamericanos de Sevilla, 1982. [En particular los capítulos I y II, "El cuento literario" y "Consideraciones sobre la teoría del relato fantástico".]

Pacheco, Carlos y Luis Barrera Linares, comps. *Del cuento y sus alrededores: aproximaciones a una teoría del cuento*. Caracas: Monte Ávila Editores Latinoamericana, 1993. [Recopilación de ensayos de críticos y escritores.]

Pupo-Walker, Enrique, Coord. *El cuento hispanoamericano*. Madrid: Editorial Castalia, 1995. [Este volumen recoge ensayos de Enrique Pupo-Walker, J. Montague Bonington, José Miguel Oviedo, Aníbal González Pérez, Carmen Ruiz Barrionuevo, Carlos J. Alonso, René Prieto, Roberto González Echevarría, Alonso Cueto, Marta Morello-Frosch, Harry L. Rosser, Carmen de Mora, Sharon Magnarelli, Robin Fiddian, David Lagmanovich, Fernando Burgos, Efraín Barradas, Julia Cuervo Hewitt, Ana Rueda y Julio Ortega. Los ensayos dedicados al análisis de la cuentística de autores seleccionados en nuestra antología se anotan en la bibliografía que se incluye al final de este libro. Los ensayos que siguen discuten aspectos teóricos relativos al cambio, desarrollo y direcciones del cuento hispanoamericano, desde sus orígenes hasta la época actual: 1) Enrique Pupo-Walker, "Prólogo. El cuento hispanoamericano", pp. 11-53; 2) Enrique Pupo-Walker, "El relato virreinal", pp. 55-77; 3) Enrique Pupo-Walker, "El relato costumbrista", pp. 79-109; 4) J. Montague Bonington, "El cuento romántico en Hispanoamérica", pp. 111-132; 5) Aníbal González Perez, "Crónica y cuento en el modernismo", pp. 155-170; 6) Julia Cuervo Hewitt, "El cuento afrohispano y sus modalidades, pp. 493-519; 7) Ana Rueda, "Parábola de la tejedora: la poética femenina", pp. 521-550; 8) Ana Rueda, "Los perímetros del cuento hispanoamericano actual" pp. 551-571; 9) Julio Ortega, "El nuevo cuento hispanoamericano" pp. 573-585.

Rueda, Ana. *Relatos desde el vacío: un nuevo espacio crítico para el cuento actual*. Madrid: Orígenes, 1992.

Serra, Edelweis, Graciela Tomassini y Stella Maris Colombo. *Poética del cuento hispanoamericano*. Rosario, Argentina: Universidad Nacional de Rosario, 1994.

Vanderplaats de Vallejo, Catharina. *Teoría cuentística del siglo XX: aproximaciones hispánicas*. Miami: Ediciones Universal, 1989. [Compilación de ensayos.]

——. *Elementos para una semiótica del cuento hispanoamericano del siglo XX*. Miami: Ediciones Universal, 1992.

Al cierre de este libro, se realizaba en Caracas —entre el 24 y el 29 de junio de 1996— el XXXI Congreso Internacional de Literatura Iberoamericana. En este notable encuentro dirigido por Alexis Márquez Rodríguez tuvimos la oportunidad de informarnos sobre diversos enfoques dedicados al cuento hispanoamericano desde la época colonial hasta hoy. Entre estas ponencias, anotamos las siguientes: 1) Carmen de Mora (Universidad de Sevilla), "El relato intercalado en la prosa hispanoamericana colonial"; 2) László Scholz (Universidad Eovos Loránd, Hungría), "La presencia de la vanguardia en la cuentística contemporánea"; 3) María Nieve Araujo (ULA, Venezuela), "La invención del sentido (A propósito de *Un hombre muerto a puntapiés,* de Pablo Palacio); 4) Carmen Ruiz Barrionuevo (Universidad de Salamanca), "Algunos rasgos de la poética del cuento en la obra de José Balza"; 5) José Miguel Oviedo (University of Pennsylvania) "Eduardo Wilde y el cuento no argumental"; 6) Yanira Yáñez Delgado (Universidad Simón Bolívar, Venezuela), "Rituales, desenfados y otros andiamajes en la cuentística de Manuel Ramos Otero); 7) Mabel B. Yonson (Universidad Nacional de San Juan, Argentina), "Aproximaciones a 'La luz es como el agua', de Gabriel García Márquez"; 8) Heloisa Costa Milton (Universidad Estadual Paulista, Brasil), "La búsqueda como estilo: 'Viaje a la semilla'"; 9) Víctor Bravo (ULA, Venezuela), "Jorge Luis Borges: el relato más allá del sentido"; 10) Mercedes Rivas (Universidad de Salamanca), "Las paradojas del deseo en tres cuentos de Rosario Ferré); 11) Serge I. Zaitzeff (The University of Calgari, Canadá), "La modernidad literaria en Julio Torri y Augusto Monterroso"; 12) Dolores M. Koch (New York), "El microrrelato en Venezuela"; 13) Laura Pollastri (Universidad Nacional de Comahue, Argentina), "El cuento breve: rupturas y continuidades"; 14) Roger Carmosino (Providence College, Estados Unidos), "Orígenes y teoría del cuento 'Las babas del diablo', de Julio Cortázar"; 15) Gisell Ruiz C. (ULA, Vene-

zuela), "Desde 'El balcón' de Felisberto Hernández"; 16)
Roberto Castillo (Universidad Nacional Autónoma de Honduras), "Idea de Honduras en tres cuentistas: Julio Escoto,
Marcos Carías y Eduardo Bahr"; 17) Jorge Marbán (College of
Charleston, Estados Unidos), "Realismo mágico y técnicas
narrativas en los relatos de *Red,* de Arturo Uslar Pietri"; 18)
Hanna Wirnsberger A. (Universidad de Concepción, Chile),
"Espejito... espejito... Procesos de concienciación en el cuento
femenino contemporáneo"; 19) David A. Gómez (Brown University, Estados Unidos), "La configuración del cuerpo femenino en tres cuentos de Juan Bosch: 'El indio Manuel Sicuri',
'En un bohío' y 'La muchacha de La Guaira'"; 20) Martha
Elena Munguía Zatarain (El Colegio de México), "Las teorías
sobre el cuento en Hispanoamérica"; 21) Mónica Bueno (Universidad Nacional de Mar del Plata, Argentina), "Macedonio
Fernández: simultaneidad, discontinuidad y genealogía en su
teoría del cuento"; 22) Dante Medina (Universidad de Guadalajara, México), "De contar con la escritura a escribir con el
cuento"; 23) Giovanna Minardi (Universidad de Palermo, Italia), "Julio Ramón Ribeyro: el arte del perfecto cuentista"; 24)
Laura Cázares Hernández (Universidad Autónoma Metropolitana, México), "De la realidad a la ficción, de la ficción a la
realidad: *Nocturno de Bujara,* de Sergio Pitol"; 25) Herlinda
Hernández (Indiana University, Estados Unidos), "Finales
sorprendentes: tensión narrativa en dos cuentos de María
Luisa Puga"; 26) Myrna Solotorevsky (Universidad Hebrea
de Jerusalén, Israel), "Estrategias narrativas en cuentos latinoamericanos contemporáneos"; 27) Fernando Burgos (The
University of Memphis, Estados Unidos), "Modernidades del
cuento hispanoamericano"; 28) José Luis Novoa Santacruz
(Universidad Nacional, Colombia), "Líneas maestras para
una historia del cuento colombiano"; 29) Antonio López
Ortega (Fundación Bigot, Venezuela), "Razón y sinrazón del
relato venezolano". Los estudios citados (o una selección
de ellos) se publicarán en las actas del XXXI Congreso Internacional de Literatura Iberoamericana.

NOTA PREVIA

POR razones de diversa índole, en este libro no pudimos incluir cuentos de las escritoras mexicanas Rosario Castellanos y Elena Garro, de los escritores venezolanos Arturo Uslar Pietri y Salvador Garmendia, de la escritora uruguaya Armonía Somers, del escritor cubano Virgilio Piñera, del escritor dominicano Juan Bosch y del escritor guatemalteco Miguel Ángel Asturias, a quienes habíamos seleccionado inicialmente.

La información que proveemos sobre la obra de cada autor está actualizada hasta finales de 1996. En muchos casos, especialmente en el de escritores que comenzaron a publicar hacia 1975, nos comunicamos personalmente con ellos con el objeto de obtener los datos más completos y precisos posibles, incluyendo los relativos a obras que se encontraban en preparación. La bibliografía sobre los autores es tan sólo un punto de partida para el estudio de su obra. La bibliografía relativa a antologías y teoría del cuento es una selección breve de un material amplísimo que hemos venido revisando desde 1985.

F. B.

CUENTOS
DE HISPANOAMÉRICA
EN EL SIGLO XX

TOMO I

HORACIO QUIROGA

(El Salto, Uruguay, 1878 - Buenos Aires, Argentina, 1937)

LA producción literaria del escritor uruguayo incluye la novela, el cuento, el teatro, la poesía y el ensayo literario, pero es en el cuento donde sobresale por la sustancial renovación estilística que logró darle a éste y por la solidez teórica que le infundió al género. Horacio Quiroga es uno de los grandes fundadores del cuento moderno (en el sentido de modernidad) en la América Hispana. "No abuses del lector. Un cuento es una novela depurada de ripios" (*Cuentos*. 13.ª ed. México: Porrúa, 1985, p. XXXIV), indicaba con énfasis Quiroga en el octavo principio propuesto sobre el cuento —en el "Manual del perfecto cuentista" publicado en 1925— y expandido en su publicación "Ante el tribunal", de 1930.

La tragedia es la compañera cercana y continua en la vida de Quiroga: muerte accidental de su padre, suicidio de su padrastro, muerte accidental de un amigo causada por el mismo Quiroga con un arma, muerte de sus dos jóvenes hermanos, suicidio de su esposa. Estos sucesos son significativos en el contexto biográfico del autor, aunque no son suficientes para explicar la compleja percepción de la muerte que hay en la obra de Quiroga. La visión del mundo sobre la relación muerte-vida que se levanta desde los cuentos de Quiroga se constituye a través de poderosas imágenes sobre la fragilidad de la existencia y sobre el hecho de la muerte como una instancia omnipresente desde la cual se puede capturar reflexivamente la vida. En este estadio la existencia deviene el proceso de transcurso hacia el inevitable fluir de la muerte.

El cuento "El hijo" se incluyó en el volumen *Más allá* publicado en 1935; este relato se había dado a conocer anteriormente con el título "El padre", en el diario *La Nación* en 1928.

EL HIJO

E s un poderoso día de verano en Misiones, con todo el sol, el calor y la calma que puede deparar la estación. La naturaleza, plenamente abierta, se siente satisfecha de sí.

Como el sol, el calor y la calma ambiente, el padre abre también su corazón a la naturaleza.

—Ten cuidado, chiquito —dice a su hijo abreviando en esa frase todas las observaciones del caso y que su hijo comprende perfectamente.

—Sí, papá —responde la criatura mientras coge la escopeta y carga de cartuchos los bolsillos de su camisa, que cierra con cuidado.

—Vuelve a la hora de almorzar —observa aún el padre.

—Sí, papá —repite el chico.

Equilibra la escopeta en la mano, sonríe a su padre, lo besa en la cabeza y parte.

Su padre lo sigue un rato con los ojos y vuelve a su quehacer de ese día, feliz con la alegría de su pequeño.

Sabe que su hijo, educado desde su más tierna infancia en el hábito y la precaución del peligro, puede manejar un fusil y cazar no importa qué. Aunque es muy alto para su edad, no tiene sino trece años. Y parecería tener menos, a juzgar por la pureza de sus ojos azules, frescos aún de sorpresa infantil.

No necesita el padre levantar los ojos de su quehacer para seguir con la mente la marcha de su hijo. Ha cruzado la picada roja y se encamina rectamente al monte a través del abra[1] de espartillo.

[1] *abra:* claro en un monte o bosque.

Para cazar en el monte —caza de pelo— se requiere más paciencia de la que su cachorro puede rendir. Después de atravesar esa isla de monte, su hijo costeará la linde de cactus hasta el bañado,[2] en procura de palomas, tucanes[3] o tal cual casal[4] de garzas, como las que su amigo Juan ha descubierto días anteriores.

Solo ahora, el padre esboza una sonrisa al recuerdo de la pasión cinegética[5] de las dos criaturas. Cazan sólo a veces un yacútoro, un surucuá[6] —menos aún— y regresan triunfales, Juan a su rancho con el fusil de nueve milímetros que él le ha regalado, y su hijo a la meseta con la gran escopeta Saint-Etienne, calibre 16, cuádruple cierre y pólvora blanca.

Él fue lo mismo. A los trece años hubiera dado la vida por poseer una escopeta. Su hijo, de aquella edad, la posee ahora —y el padre sonríe.

No es fácil, sin embargo, para un padre viudo, sin otra fe ni esperanza que la vida de su hijo, educarlo como lo ha hecho él, libre en su corto radio de acción, seguro de sus pequeños pies y manos desde que tenía cuatro años, consciente de la inmensidad de ciertos peligros y de la escasez de sus propias fuerzas.

Ese padre ha debido luchar fuertemente contra lo que él considera su egoísmo. ¡Tan fácilmente una criatura calcula mal, sienta un pie en el vacío y se pierde un hijo!

El peligro subsiste siempre para el hombre en cualquier edad; pero su amenaza amengua si desde pequeño se acostumbra a no contar sino con sus propias fuerzas.

De este modo ha educado el padre a su hijo. Y para conseguirlo ha debido resistir no sólo a su corazón, sino a sus tormentos morales; porque ese padre, de estómago y vista débiles, sufre desde hace un tiempo de alucinaciones.

---

[2] *bañado:* terreno húmedo o pantanoso.
[3] *tucán:* ave americana de plumaje negro con vivos colores en el pecho y cuello.
[4] *casal:* pareja.
[5] *cinegética:* arte de la caza.
[6] *yacútoro-surucuá:* vocablos guaraníes. Aves. La voz del yacútoro repite el sonido yac.

Ha visto, concretados en dolorosísima ilusión, recuerdos de una felicidad que no debía surgir más de la nada en que se recluyó. La imagen de su propio hijo no ha escapado a este tormento. Lo ha visto una vez rodar envuelto en sangre cuando el chico percutía en la morsa[7] del taller una bala de parabellum, siendo así que lo que hacía era limar la hebilla de su cinturón de caza.

Horribles cosas... Pero hoy, con el ardiente y vital día de verano, cuyo amor su hijo parece haber heredado, el padre se siente feliz, tranquilo y seguro del porvenir.

En ese instante, no muy lejos, suena un estampido.

—La Saint-Etienne... —piensa el padre al reconocer la detonación. Dos palomas de menos en el monte...

Sin prestar más atención al nimio acontecimiento, el hombre se abstrae de nuevo en su tarea.

El sol, ya alto, continúa ascendiendo. Adonde quiera que se mire —piedras, tierra, árboles—, el aire, enrarecido como en un horno, vibra con el calor. Un profundo zumbido que llena el ser entero e impregna el ámbito hasta donde la vista alcanza, concentra a esa hora toda la vida tropical.

El padre echa una ojeada a su muñeca: las doce. Y levanta los ojos al monte.

Su hijo debía estar ya de vuelta. En la mutua confianza que depositan el uno en el otro —el padre de sienes plateadas y la criatura de trece años—, no se engañan jamás. Cuando su hijo responde:

—Sí, papá, haré lo que dice. Dijo que volvería antes de las doce, y el padre ha sonreído al verlo partir.

Y no ha vuelto.

El hombre torna a su quehacer, esforzándose en concentrar la atención en su tarea. ¡Es tan fácil, tan fácil perder la noción de la hora dentro del monte, y sentarse un rato en el suelo mientras se descansa inmóvil...!

Bruscamente, la luz meridiana, el zumbido tropical y el corazón del padre se detienen a compás de lo que acaba de pensar: su hijo descansa inmóvil...

---

[7] *morsa:* torno.

El tiempo ha pasado: son las doce y media. El padre sale de su taller, y al apoyar la mano en el banco de mecánica sube del fondo de su memoria el estallido de una bala de parabellum, e instantáneamente, por primera vez en las tres horas transcurridas, piensa que tras el estampido de la Saint-Etienne no ha oído nada más. No ha oído rodar el pedregullo bajo un paso conocido. Su hijo no ha vuelto, y la naturaleza se halla detenida a la vera del bosque, esperándolo...

¡Oh! No son suficientes un carácter templado y una ciega confianza en la educación de un hijo para ahuyentar el espectro de la fatalidad que un padre de vista enferma ve alzarse desde la línea del monte. Distracción, olvido, demora fortuita: ninguno de estos nimios motivos que pueden retardar la llegada de su hijo, hallan cabida en aquel corazón.

Un tiro, un solo tiro ha sonado, y hace ya mucho. Tras él el padre no ha oído un ruido, no ha visto un pájaro, no ha cruzado el abra una sola persona a anunciarle que al cruzar un alambrado, una gran desgracia...

La cabeza al aire y sin machete, el padre va. Corta el abra de espartillo, entra en el monte, costea la línea de cactus sin hallar el menor rastro de su hijo.

Pero la naturaleza prosigue detenida. Y cuando el padre ha recorrido las sendas de caza conocidas y ha explorado el bañado en vano, adquiere la seguridad de que cada paso que da en adelante lo lleva, fatal e inexorablemente, al cadáver de su hijo.

Ni un reproche que hacerse, es lamentable. Sólo la realidad fría, terrible y consumada: ha muerto su hijo al cruzar un...

¡Pero, dónde, en qué parte! ¡Hay tantos alambrados allí, y es tan tan sucio el monte...! ¡Oh, muy sucio...! Por poco que no se tenga cuidado al cruzar los hilos con la escopeta en la mano...

El padre sofoca un grito. Ha visto en el aire... ¡Oh, no es su hijo, no...! Y vuelve a otro lado, y a otro y a otro...

Nada se ganaría con ver el dolor de su tez y la angustia de sus ojos. Ese hombre aún no ha llamado a su hijo. Aunque su corazón clama por él a gritos, su boca continúa muda. Sabe bien que el solo acto de pronunciar su nombre, de llamarlo en voz alta, será la confesión de su muerte.

—¡Chiquito! —se le escapa de pronto. Y si la voz de un hombre de carácter es capaz de llorar, tapémonos de misericordia los oídos ante la angustia que clama en aquella voz.

Nadie ni nada ha respondido. Por las picadas rojas de sol, envejecido en diez años, va el padre buscando a su hijo que acaba de morir.

—¡Hijito mío...! ¡Chiquito mío...! —clama en un diminutivo que se alza del fondo de sus entrañas.

Ya antes, en plena dicha y paz, ese padre ha sufrido la alucinación de su hijo rodando con la frente abierta por una bala al cromo níquel. Ahora, en cada rincón sombrío del bosque ve centelleos de alambre; y al pie de un poste, con la escopeta descargada al lado, ve a su...

—¡Chiquito...! ¡Mi hijo...!

Las fuerzas que permiten entregar un pobre padre alucinado a la más atroz pesadilla tienen también un límite. Y el nuestro siente que las suyas se le escapan, cuando ve bruscamente desembocar de un pique lateral a su hijo.

A un chico de trece años básteles ver desde cincuenta metros la expresión de su padre sin machete dentro del monte, para apresurar el paso con los ojos húmedos.

—Chiquito... —murmura el hombre. Y exhausto, se deja caer sentado en la arena albeante, rodeando con los brazos las piernas de su hijo.

La criatura, así ceñida, queda de pie; y como comprende el dolor de su padre, le acaricia despacio la cabeza:

—Pobre papá...

En fin, el tiempo ha pasado. Ya van a ser las tres. Juntos, ahora, padre e hijo emprenden el regreso a la casa.

—¿Cómo no te fijaste en el sol para saber la hora...? —murmura aún el primero.

—Me fijé, papá... pero cuando iba a volver vi las garzas de Juan y las seguí...

—¡Lo que me has hecho pasar chiquito!

—Piapiá... —murmura también el chico.

Después de un largo silencio:

—Y las garzas ¿las mataste? —pregunta el padre.

—No.

Nimio detalle, después de todo. Bajo el cielo y el aire candentes, a la descubierta por el abra de espartillo, el hombre vuelve a casa con su hijo, sobre cuyos hombros, casi del alto de los suyos, lleva pasado su feliz brazo de padre. Regresa empapado de sudor, y aunque quebrantado de cuerpo y alma, sonríe de felicidad...

....

....

Sonríe de alucinada felicidad... Pues ese padre va solo. A nadie ha encontrado, y su brazo se apoya en el vacío. Porque tras él, al pie de un poste y con las piernas en alto, enredadas en el alambre de púa, su hijo bien amado yace al sol, muerto desde las diez de la mañana.

CARMEN LYRA (María Isabel Carvajal)
(San José, Costa Rica, 1888 - México, 1949)

C A R M E N Lyra destacó en el género novelístico y cuentístico, pero también publicó algunas obras de teatro. La audaz fantasía encontrada en los motivos de la tradición popular fue sabiamente aprovechada por la escritora costarricense, al lograr trascender el espacio local de esos elementos. La dimensión del humor es la más penetrante del relato que sigue, perteneciente a la colección *Los cuentos de mi tía Panchita*. En este cuento, la caracterización usual de lo temible se ha invertido, el diablo puede ser dominado y amedrentado. Junto al difícil control que este tipo de escenario supone para la tecnificación literaria, Carmen Lyra logra un encuentro dichoso con la sabiduría del folklore, diálogo en el que se puede dar salida a un lenguaje propio que dinamiza la literatura con la gestualidad de la risa.

Además de sus dotes de narradora, Carmen Lyra desarrolló una activa labor educacional y social. La escritora fue forzada al exilio en 1948 por sus ideas políticas y militancia en el partido comunista de su país. Tuvo que viajar a México, donde murió al año siguiente.

LA SUEGRA DEL DIABLO*

H A B í A una vez una viuda de buen pasar, que tenía una hija. La muchacha era hermosota y la madre quería casarla con un hombre bien rico. Se presentaron algunos pretendientes, todos hombres honrados, trabajadores y acomodados, pero la viuda los despedía con su música a otra parte porque no eran riquísimos.

Una tarde se asomó la muchacha a la ventana, bien compuesta y de pelo suelto. (Por cierto que el pelo le llegaba a las corvas y lo tenía muy arrepentido). No hacía mucho rato que estaba allí, cuando pasó un señor a caballo. Era un hombre muy galán, muy bien vestido, con un sombrero de pita finísimo, moreno, de ojos negros y unos grandes bigotes con las puntas para arriba. El caballo era un hermoso animal con los cascos de plata y los arneses de oro y plata. Saludó con una gran reverencia a la niña, y le echó un perico. La niña advirtió que el caballero tenía todos los dientes de oro. El caballo al pasar se volvió una pura pirueta. Desde la esquina, el jinete volvió a saludar a la muchacha, que se metió corriendo a contar a su madre lo ocurrido.

A la tarde siguiente, madre e hija bien alicoreadas, se situaron en la ventana. Volvió a pasar el caballero en otro caballo negro, más negro que un pecado mortal, con los

* Reproducido con autorización de Editorial Universitaria Centroamericana, EDUCA, San José, Costa Rica. *Cuentos de mi tía Panchita.* 7.ª ed., San José, Costa Rica: Editorial Universitaria Centroamericana, EDUCA, 1988, pp. 71-76.

cascos de oro, frenos de oro, riendas de seda y oro y la montura sembrada de clavitos de oro. La viuda advirtió que en la pechera, en la cadena del reloj y en el dedito chiquito de la mano izquierda, le chispeaban brillantes. Se convenció de que era cierto que tenía toda la dentadura de oro. Las dos mujeres se volvieron una miel para contestar el saludo del caballero.

Al día siguiente, desde buena tarde, estaban a la ventana, vestidas con las ropas de coger misa, volando ojo para la esquina. Al cabo de un rato, apareció el desconocido en un caballo que tenía la piel tan negra como si la hubieran cortado en una noche de octubre; las herraduras eran de oro y los arneses de oro, sembrados de rubíes, brillantes y esmeraldas.

Las dos se quedaron en el otro mundo cuando lo vieron detenerse ante ellas y desmontar. Las saludó con grandes ceremonias. Lo mandaron pasar adelante, y la vieja que era muy saca la jícara cuando le convenía, llamó al concertado para que cuidara del caballo.

El desconocido dijo que se llamaba don Fulano de Tal, presentó recomendaciones de grandes personas, habló de sus riquezas, las invitó a visitar sus fincas y por último, pidió a la niña por esposa. No había terminado de hacer la propuesta cuando ya estaba la madre contestándole que con mucho gusto y llamándolo hijo mío.

Desde ese día las dos mujeres se volvieron turumba;[1] cada día visitaban una finca del caballero; cada noche bailes y cenas; no volvieron a caminar a pie, sólo en coche, y regalos van y regalos vienen.

Por fin llegó el día de la boda. El caballero no quiso que fuera en la iglesia sino en la casa y nadie se fijó en que al entrar el padre, el novio tuvo intenciones de salir corriendo.

Los recién casados se fueron a vivir a otra ciudad en donde el marido tenía sus negocios. Desde el primer día que estuvieron solos, el marido dijo a la esposa a la hora del almuerzo que él sabía hacer pruebas que dejaban a todo el

---

[1] *se volvieron turumba:* variante de *tarumba;* atolondrarse, comportarse irreflexivamente.

mundo con la boca abierta y que las iba a repetir para entretenerla; y diciendo y haciendo se puso a caminar por paredes y cielo con la facilidad de una mosca; se hacía del tamaño de una hormiga, se metía dentro de las botellas vacías y desde allí hacía morisquetas a su mujer; luego salía y su cuerpo se estiraba para alcanzar el techo. Y esto se repetía todos los días al almuerzo y a la comida. En una ocasión vino la viuda a ver a su hija y ésta le contó las gracias de su marido. Cuando se sentaron a la mesa, la suegra pidió a su yerno que hiciera las pruebas de que le había hablado su hija. Éste no se hizo de rogar y comenzó a pasearse por cielo y paredes y a repetir cuantas curiosidades sabía hacer. La vieja se quedó con el credo en la boca y desde aquel momento no las tuvo todas consigo.

A los pocos días volvió a hacer otra visita a sus hijos, trajo consigo una botijuela de hierro, con una tapadera que pesaba una barbaridad. A la hora del almuerzo rogó a su yerno que las divirtiera con sus maromas. Después que éste se dio gusto con sus paseos boca abajo por el techo, le presentó la botijuela y le dijo. —¿Apostemos a que aquí no entra Ud?

El otro de un brinco se tiró de arriba y se metió en la botijuela como Pedro por su casa. La suegra hizo señas a unos hombres que tenía listos con la tapadera, tras una cortina y éstos se precipitaron y taparon la botijuela. El yerno se puso a dar gritos desaforados y a hacer esfuerzo por salir. La esposa quiso intervenir para que le abrieran, pero la madre le dijo: —¿pues no ves que es el mismo Pisuicas? Desde la otra vez que estuve, eché de ver que tu marido no era como todos los cristianos. Le consulté a un sacerdote, quien me acabó de convencer de que mi yerno no era sino el Malo. Dale infinitas gracias a Nuestro Señor de que a mí se me ocurriera este medio de salir de él.

Luego se fue en persona para la montaña, seguida de los hombres que cargaban la botijuela. Se hizo un hoyo profundo y allí dejó enterrada la botijuela con su yerno dentro. Este se quedó bramando de rabia y diciendo pestes contra su suegra.

En efecto, aquél era el Diablo y desde el día en que la

vieja lo enterró, nadie volvió a cometer un pecado mortal, sólo pecados veniales, aconsejados por los diablillos chiquillos. Y toda la gente parecía muy buena, pero sólo Dios sabía cómo andaba el frijol.

Pasaron los años y pasaron los años en aquella bienaventuranza, y el pobre Pisuicas enterrado, inventando a cada minuto una mala palabra contra su suegra. Un día pasó por aquel lugar un pobre leñador que tenía por único bien una marimba de chiquillos, y tan arrancado que no tenía segundos calzones que ponerse. Le pareció oír bajo sus pies algo así como retumbos; se detuvo y puso el oído. Una voz que salía de muy adentro decía: —¡Quien quiera que seas, sacame de aquí...! El hombre se puso a cavar en el sitio de donde salía la voz. Al cabo de unas cuantas horas de trabajar, dio con la botijuela. De ella salía la voz que ahora decía: —Ñor hombre, sacame de aquí y te tendré en cuenta.

Él preguntó: —¿Qué persona, por más pequeña que sea, puede caber dentro de esta botijuela?

El que estaba en ella contestó: —Sacame y verás. Soy alguien que puede hacerte inmensamente rico.

Esto era encontrarse con la Tentación y el pobre al oír lo de las riquezas, hizo un esfuerzo tan grande que levantó solo la tapadera. Cierto es que por dentro el Diablo empujaba a su vez con todas sus fuerzas. La tapadera saltó, con tal ímpetu, que desapareció en los aires; el Demonio salió envuelto en llamas y la montaña se llenó de un humo hediondo a azufre. El pobre leñador cayó al suelo más muerto que vivo. Cuando fue volviendo en sí, se le acercó el Diablo y le contó la historia de su entierro.

—Para pagarte tu favor —le dijo— nos vamos a ir a la ciudad. Yo me voy a ir metiendo en diferentes personas, de las más ricas y sonadas, para que se pongan locas. Vos aparecerás en la ciudad como médico y ofrecerás curarlas. No tenés más que acercarte al oído del enfermo y decirme: "Yo soy el que te sacó de la botijuela", —y al punto saldré del cuerpo. Eso sí, cuando te acerqués y yo te diga que no, es mejor que no insistas porque será inútil. Ya te lo advierto.

Y así fue. Partieron para la ciudad, el leñador se hizo

anunciar como médico y a los pocos días cátate que un gran conde se puso más loco que la misma locura. Lo vieron los más famosos medicos del reino, y nada. De pronto se supo que un médico recién llegado ofrecía devolverle la salud. Llegó donde el enfermo y para disimular, se puso a darle cada hora una cucharada de lo que traía en una botella y que no era otra cosa que agua del tubo con anilina. A las tres cucharadas se acercó al oído del conde y dijo: —"Soy el que te sacó de la botijuela". Inmediatamente salió el Diablo y el conde quedó como si tal enfermedad no hubiera tenido. Toda la familia estaba agradecidísima, no hallaban donde poner al médico y lo dejaron bien pistudo.

Siguieron presentándose casos de locura de diferentes aspectos y casi todos eran en el duque don Fulano de Tal, en la duquesa doña Mengana, en el marqués don Perencejo. Y todos fueron curados por el médico, que ya no tenía donde guardar el oro que ganaba. Por fin se puso mala la reina y ¡el Señor me dé paciencia! Aquello sí que fue el juicio. La reina no tenía sosiego un minuto y ya el rey iba a coger el cielo con las manos y últimamente tuvieron que amarrarla porque ya no se aguantaba. Aconsejaron al rey que llamara al famoso médico y cuando llegó, le ofreció hacerlo su médico de cabecera y darle muchas riquezas si sanaba a su esposa. El otro, por rajón,[2] le contestó que ya podía hacerse de cuentas de que la reina estaba curada y que si no sucedía así, le cortara la cabeza.

Se acercó con su botella de agua y le dio las tres cucharadas. A la tercera le dijo al oído de la enferma: —"Soy yo, el que te sacó de la botijuela".

El diablo respondió: —¡No!

Al oír esto, el hombre se achucuyó.[3] ¿Y ahora qué iba a hacer? Se acercó otra vez al oído de la enferma a suplicarle: —¡Salí por lo que más querrás! ¡Mirá que si no acaban conmigo! Por vida tuyita...

Pero de nada le servían las súplicas: el otro seguía

---

[2] *rajón:* fanfarrón.
[3] *se achucuyó:* se acobardó.

emperrado en que no y en que no. Estaba, por lo que se veía, muy a gusto entre los sesos de la reina.

Pidió al rey tres días de término y entre tanto, no hizo otra cosa que suplicar al Diablo que saliera, dar cucharadas de agua con anilina a la pobre reina y sobarse las manos. Cuando estaba para terminarse el plazo, se le ocurrió una idea: pidió al rey que hiciera traer la banda, que comprara triquitraques y cohetes, que a cada persona del palacio le diera una lata o algún trasto de cobre y la armara de un palo y que a una señal suya, la banda rompiera con una tocata bien parrandera, todos gritaran y golpearan en sus latas y se diera fuego a la pólvora.

Y así se hizo. En este momento se acercó el leñador al oído de la reina y suplicó al Diablo: —¡Salí por vida tuyita...!

En vez de contestar, el Diablo preguntó: —Hombré, ¿qué es ese alboroto? El otro respondió: —Aguardate, voy a ver qué es.

Inmediatamente volvió y dijo: —¡Qué Dios te ayude! Es tu suegra que ha averiguado que estás aquí y ha venido con la botijuela para meterte en ella de nuevo.

—¿Quién le iría con la cavilosada a la vieja de mi suegra? —dijo el Diablo. ¿Y patas para qué las quiero? Salió corriendo y no paró sino en el infierno. La reina se puso buena y el leñador, que ya era don Fulano y muy rico, mandó por su mujer y su chapulinada[4] y todos fueron a vivir a un palacio, regalo del rey. Desde entonces la pasaron muy a gusto.

---

[4] *chapulinada:* prole; hijos.

LEOPOLDO LUGONES
(Córdoba, Argentina, 1874 - Buenos Aires, Argentina, 1938)

E S T A figura fundamental de las letras hispanoamericanas
produjo una renovadora obra poética, narrativa y ensayística.
La obra de Lugones señalaría la presencia de una tradición
literaria ineludible para los escritores hispanoamericanos. Tal
como otros intelectuales de la época, combina su dedicación a la literatura con la actividad periodística. La ficción
narrativa en el caso del escritor argentino tuvo una clara preferencia en la producción cuentística. Lugones publicó alrededor de ciento cincuenta "cuentos-piezas", según señala
Pedro Luis Barcia (*El espejo negro y otros cuentos*. Buenos
Aires: Editorial Abril, 1988, p. 9.)

El cuento que incluimos es de la colección *Las fuerzas
extrañas*. Lo fantástico en la cuentística de Lugones funciona como una apertura hacia la diversidad de encuentros
que ofrece la realidad. El conocimiento es así la puerta de
lo fantástico en su obra narrativa, lo cual explica la diversidad de discursos y soportes que utiliza una ficción que intenta
explorarlo todo, incluyendo la seductora senda imaginaria del mito.

LOS CABALLOS DE ABDERA

A B D E R A , la ciudad tracia del Egeo, que actualmente es Balastra y que no debe ser confundida con su tocaya bética, era célebre por sus caballos.

Descollar en Tracia por sus caballos, no era poco; y ella descollaba hasta ser única. Los habitantes todos tenían a gala la educación de tan noble animal, y esta pasión cultivada a porfía durante largos años, hasta formar parte de las tradiciones fundamentales, había producido efectos maravillosos. Los caballos de Abdera gozaban de fama excepcional, y todas las poblaciones tracias, desde los cicones hasta los bisaltos, eran tributarios en esto de los bistones, pobladores de la mencionada ciudad. Debe añadirse que semejante industria, uniendo el provecho a la satisfacción, ocupaba desde el rey hasta el último ciudadano.

Estas circunstancias habían contribuido también a intimar las relaciones entre el bruto y sus dueños, mucho más de lo que era y es habitual para el resto de las naciones; llegando a considerarse las caballerizas como un ensanche del hogar, y extremándose las naturales exageraciones de toda pasión, hasta admitir caballos en la mesa. Eran verdaderamente notables corceles, pero bestias al fin. Otros dormían en cobertores de biso;[1] algunos pesebres tenían frescos sencillos, pues no pocos veterinarios sostenían el gusto artístico de la raza caballar, y el cementerio equino ostentaba entre pompas burguesas, ciertamente recargadas, dos o tres obras maestras. El templo más hermoso de la ciudad estaba

---

[1] *biso:* tela (del italiano *bisso*).

consagrado a Arión, el caballo que Neptuno hizo salir de la tierra con un golpe de su tridente; y creo que la moda de rematar las proas en cabezas de caballo, tenga igual proveniencia: siendo seguro en todo caso que los bajos relieves hípicos fueron el ornamento más común de toda aquella arquitectura. El monarca era quien se mostraba más decidido por los corceles, llegando hasta tolerar a los suyos verdaderos crímenes que los volvieron singularmente bravíos; de tal modo que los nombres de Podargos y de Lampón figuraban en fábulas sombrías; pues es del caso decir que los caballos tenían nombres como personas.

Tan amaestrados estaban aquellos animales, que las bridas eran innecesarias, conservándolas únicamente como adornos, muy apreciados desde luego por los mismos caballos. La palabra era el medio usual de comunicación con ellos; y observándose que la libertad favorecía el desarrollo de sus buenas condiciones, dejándolos todo el tiempo no requerido por la albarda o el arnés en libertad de cruzar a sus anchas las magníficas praderas formadas en el suburbio, a la orilla del Kossínites para su recreo y alimentación.

A son de trompa los convocaban cuando era menester, y así para el trabajo como para el pienso eran exactísimos. Rayaba en lo increíble su habilidad para toda clase de juegos de circo y hasta de salón, su bravura en los combates, su discreción en las ceremonias solemnes. Así, el hipódromo de Abdera tanto como sus compañías de volatines; su caballería acorazada de bronce y sus sepelios, habían alcanzado tal renombre, que de todas partes acudía gente a admirarlos; mérito compartido por igual entre domadores y corceles.

Aquella educación persistente, aquel forzado despliegue de condiciones, y para decirlo todo en una palabra, aquella humanización de la raza equina iban engendrando un fenómeno que los bistones festejaban como otra gloria nacional. La inteligencia de los caballos comenzaba a desarrollarse pareja con su conciencia, produciendo casos anormales que daban pábulo al comentario general.

Una yegua había exigido espejos en su pesebre, arrancándolos con los dientes de la propia alcoba patronal y destruyendo a coces los de tres paneles cuando no le hicieron el gusto. Concedido el capricho daba muestras de coquetería perfectamente visible. Balios, el más bello potro de la comarca, un blanco elegante y sentimental que tenía dos campañas militares y manifestaba regocijo ante el recitado de hexámetros heroicos, acababa de morir de amor por una dama. Era la mujer de un general, dueño del enamorado bruto, y por cierto no ocultaba el suceso. Hasta se creía que halagaba su vanidad, siendo esto muy natural, por otra parte, en la ecuestre metrópoli.

Señalábase igualmente casos de infanticidio, que aumentando en forma alarmante, fue necesario corregir con la presencia de viejas mulas adoptivas; un gusto creciente por el pescado y por el cáñamo cuyas plantaciones saqueaban los animales; y varias rebeliones aisladas que hubo de corregirse, siendo insuficiente el látigo, por medio del hierro candente. Esto último fue en aumento, pues el instinto de rebelión progresaba a pesar de todo.

Los bistones, más encantados cada vez con sus caballos, no paraban mientes en eso. Otros hechos más significativos produjéronse de allí a poco. Dos o tres atalajes habían hecho causa común contra un carretero que azotaba su yegua rebelde. Los caballos resistíanse cada vez más al enganche y al yugo, de tal modo que empezó a preferirse el asno. Había animales que no aceptaban determinado apero; mas como pertenecían a los ricos, se defería a su rebelión comentándola mimosamente a título de capricho.

Un día los caballos no vinieron al son de la trompa, y fue menester constreñirlos por la fuerza; pero los subsiguientes no se reprodujo la rebelión.

Al fin ésta ocurrió cierta vez que la marea cubrió la playa de pescado muerto, como solía suceder. Los caballos se hartaron de eso, y se les vio regresar al campo suburbano con lentitud sombría.

Medianoche era cuando estalló el singular conflicto.

De pronto un trueno sordo y persistente conmovió el ámbito de la ciudad. Era que todos los caballos se habían puesto en movimiento a la vez para asaltarla, pero esto se supo luego, inadvertido al principio en la sombra de la noche y la sorpresa de lo inesperado.

Como las praderas de pastoreo quedaban entre las murallas, nada pudo contener la agresión; y añadido a esto el conocimiento minucioso que los animales tenían de los domicilios, ambas cosas acrecentaron la catástrofe.

Noche memorable entre todas, sus horrores sólo aparecieron cuando el día vino a ponerlos en evidencia, multiplicándolos aún. Las puertas reventadas a coces yacían por el suelo dando paso a feroces manadas que se sucedían casi sin interrupción. Había corrido sangre, pues no pocos vecinos cayeron aplastados bajo el casco y los dientes de la banda en cuyas filas causaron estragos también las armas humanas.

Conmovida de tropeles, la ciudad oscurecíase con la polvareda que engendraban; y un extraño tumulto formado por gritos de cólera o de dolor, relinchos variados como palabras a los cuales mezclábase uno que otro doloroso rebuzno, y estampidos de coces sobre las puertas atacadas, unía su espanto al pavor visible de la catástrofe. Una especie de terremoto incesante hacía vibrar el suelo con el trote de la masa rebelde, exaltado a ratos como en ráfaga huracanada por frenéticos tropeles sin dirección y sin objeto; pues habiendo saqueado todos los plantíos de cáñamo, y hasta algunas bodegas que codiciaban aquellos corceles pervertidos por los refinamientos de la mesa, grupos de animales ebrios aceleraban la obra de destrucción. Y por el lado del mar era imposible huir. Los caballos, conociendo la misión de las naves, cerraban el acceso del puerto.

Sólo la fortaleza permanecía incólume y empezábase a organizar en ella la resistencia. Por lo pronto cubríase de dardos a todo caballo que cruzaba por allí, y cuando caía cerca era arrastrado al interior como vitualla.

Entre los vecinos refugiados circulaban los más extraños rumores. El primer ataque no fue sino un saqueo. Derribadas las puertas, las manadas introducíanse en las habitaciones, atentas sólo a las colgaduras suntuosas con que intentaban revestirse, a las joyas y objetos brillantes. La oposición a sus designios fue lo que suscitó su furia.

Otros hablaban de monstruosos amores, de mujeres asaltadas y aplastadas en sus propios lechos con ímpetu bestial; y hasta se señalaba a una noble doncella que sollozando narraba entre dos crisis su percance: el despertar en la alcoba a la media luz de la lámpara, rozados sus labios por la innoble jeta de un potro negro que respingaba de placer el belfo enseñando su dentadura asquerosa; su grito de pavor ante aquella bestia convertida en fiera, con el resplandor humano y malévolo de sus ojos incendiados de lubricidad; el mar de sangre con que la inundara al caer atravesado por la espada de un servidor.

Mencionábase varios asesinatos en que las yeguas se habían divertido con saña femenil, despachurrando a mordiscos a las víctimas. Los asnos habían sido exterminados, y las mulas subleváronse también, pero con torpeza inconsciente, destruyendo por destruir, y particularmente encarnizadas contra los perros.

El tronar de las carreras locas seguía estremeciendo la ciudad, y el fragor de los derrumbes iba aumentando. Era urgente organizar una salida, por más que el número y la fuerza de los asaltantes la hiciera singularmente peligrosa, si no se quería abandonar la ciudad a la más insensata destrucción.

Los hombres empezaron a armarse; mas, pasado el primer momento de licencia, los caballos habíanse decidido a atacar también.

Un brusco silencio precedió al asalto. Desde la fortaleza distinguían el terrible ejército que se congregaba, no sin trabajo, en el hipódromo. Aquello tardó varias horas, pues cuando todo parecía dispuesto, súbitos corcovos y agudísimos relinchos cuya causa era imposible discenir, desordenaban profundamente las filas.

El sol declinaba ya, cuando se produjo la primera carga. No fue, si se permite la frase, más que una demostración, pues los animales se limitaron a pasar corriendo frente a la fortaleza. En cambio, quedaron acribillados por las saetas de los defensores.

Desde el más remoto extremo de la ciudad, lanzáronse otra vez, y su choque contra las defensas fue formidable. La fortaleza retumbó entera bajo aquella tempestad de cascos, y sus recias murallas dóricas quedaron, a decir verdad, profundamente trabajadas.

Sobrevino un rechazo, al cual sucedió muy luego un nuevo ataque.

Los que demolían eran caballos y mulos herrados que caían a docenas; pero sus filas cerrábanse con encarnizamiento furioso, sin que la masa pareciera disminuir. Lo peor era que algunos habían conseguido vestir sus bardas de combate en cuya malla de acero se embotaban los dardos. Otros llevaban jirones de tela vistosa, otros, collares, y pueriles en su mismo furor, ensayaban inesperados retozos.

De las murallas los conocían. ¡Dinos, Aethon, Ameteo, Xanthos! Y ellos saludaban, relinchaban gozosamente, enarcaban la cola, cargando en seguida con fogosos respingos. Uno, un jefe ciertamente, irguióse sobre sus corvejones, caminó así un trecho manoteando gallardamente al aire como si danzara un marcial balisteo, contorneando el cuello con serpentina elegancia, hasta que un dardo se le clavó en medio del pecho...

Entre tanto, el ataque iba triunfando. Las murallas empezaban a ceder.

Súbitamente una alarma paralizó a las bestias. Unas sobre otras, apoyándose en ancas y lomos, alargaron sus cuellos hacia la alameda que bordeaba la margen del Kossínites; y los defensores, volviéndose hacia la misma dirección, contemplaron un tremendo espectáculo.

Dominando la arboleda negra, espantosa sobre el cielo de la tarde, una colosal cabeza de león miraba hacia la ciudad. Era una de esas fieras antediluvianas cuyos ejemplares, cada vez más raros, devastaban de tiempo en tiempo los montes Ródopes. Mas nunca se había visto nada tan monstruoso, pues aquella cabeza dominaba los más altos árboles, mezclando a las hojas teñidas de crepúsculo las greñas de su melena.

Brillaban claramente sus enormes colmillos, percibíase sus ojos fruncidos ante la luz, llegaba en el hálito de la brisa su olor bravío.

Inmóvil entre la palpitación del follaje, herrumbrada por

el sol casi hasta dorarse su gigantesca crin, alzábase ante el horizonte como uno de esos bloques en que el pelasgo, contemporáneo de las montañas, esculpió sus bárbaras divinidades.

Y de repente empezó a andar, lento como el océano. Oíase el rumor de la fronda que su pecho apartaba, su aliento de fragua que iba sin duda a estremecer la ciudad cambiándose en rugido.

A pesar de su fuerza prodigiosa y de su número, los caballos sublevados no resistieron semejante aproximación. Un solo ímpetu los arrastró por la playa, en dirección a la Macedonia, levantando un verdadero huracán de arena y de espuma, pues no pocos disparábanse a través de las olas.

En la fortaleza reinaba el pánico. ¿Qué podrían contra semejante enemigo? ¿Qué gozne de bronce resistiría a sus mandíbulas? ¿Qué muro a sus garras...?

Comenzaban ya a preferir el pasado riesgo (al fin en una lucha contra bestias civilizadas), sin aliento ni para enflechar sus arcos, cuando el monstruo salió de la alameda. No fue un rugido lo que brotó de sus fauces, sino un grito de guerra humano, el bélico "¡alalé!" de los combates, al que respondieron con regocijo triunfal los "hoyohei" y los "hoyotohó" de la fortaleza.

¡Glorioso prodigio!

Bajo la cabeza del felino, irradiaba luz superior el rostro de un numen; y mezclados soberbiamente con la flava piel, resaltaban su pecho marmóreo, sus brazos de encina, sus muslos estupendos.

Y un grito, un solo grito de libertad, de reconocimiento, de orgullo, llenó la tarde:

—¡Hércules, es Hércules que llega!

RICARDO GÜIRALDES

(Buenos Aires, Argentina, 1886 - París, Francia, 1927)

L A publicación en 1926 de la obra más conocida de Güiraldes, *Don Segundo Sombra*, trae una gran atención crítica y una magnífica recepción de lectura. El mismo año de su publicación aparece una segunda edición y hacia 1929 contaba ya con seis. Entre 1926 y 1960, por lo menos dieciocho casas editoriales se encargan de publicar la novela y algunas de ellas como Editorial Losada, reeditan continuamente esta obra con tiradas que fluctuaban entre los seis mil y los quince mil ejemplares. Entre 1932 y 1940 se traduce al francés, alemán, inglés e italiano. Acontecimiento poco común en esa época para una novela hispanoamericana. Tal éxito impone la relectura y análisis de la obra total de Güiraldes: *El cencerro de cristal*, *Cuentos de muerte y de sangre*, *Raucho*, *Rosaura*, *Xaimaca*, *Poemas místicos*, *Seis relatos*, *Pampa*. Empieza a verse así la enorme aportación del escritor argentino a las letras hispanoamericanas en el contexto no sólo de su novela más leída sino de su producción entera, en la que se hacía visible un encuentro de lo autóctono, universalizado por la dimensión espiritual del mundo creativo y por la convocatoria metafísica del espacio literario. Güiraldes supo asimilar creativamente las lecturas de escritores europeos e hispanoamericanos llegando a una manera propia de hacer literatura. Dialéctica que sitúa la realización de su obra en la perspectiva de una estética atenta al curso de las cambiantes formas asumidas por la modernidad hispanoamericana en el siglo XX.

En el género cuentístico, Güiraldes añadiría a la concisión otros elementos distintivos de su escritura, vinculados al emplazamiento del discurso poético con el que se desenvolvía su prosa y al levantamiento de una metafísica de la soledad que envolvía a los personajes en una desgarradora silueta de intemporalidad y vacío. Los cuentos "El pozo" y "Nocturno" son dos relatos paradigmáticos de lo anteriormente señalado y deben figurar entre los más acabados en el cuento del siglo XX en Hispanoamérica. El relato seleccionado pertenece al volumen *Cuentos de muerte y de sangre*.

Ricardo Güiraldes ingresa en 1903 en la Facultad de Arquitectura y al año siguiente en la Facultad de Derecho. El total desinterés del escritor por ambas carreras universitarias es descrito por el mismo Güiraldes en los trazos autobiográficos que preparara en 1925 para Guillermo de Torre: "Entré a la facultad de arquitectura, donde estuve un año sin estudiar casi nada. Al año siguiente ingresé en derecho, donde ocurrió lo mismo... No pensaba sino en escribir, leer, irme a Europa y correr tras las mujeres" (*Obras completas*. Buenos Aires: Emecé Editores, 1962, p. 35). En Europa aprendió francés y alemán. Visitó también Chile, Perú, Cuba y Jamaica en 1916. Muere en París, un año después de la publicación de *Don Segundo Sombra*; era el cuarto viaje del escritor a Europa.

NOCTURNO

L A amenaza había quedado en Roberto como un presagio de desgracia.

—Sí, humílleme; pero algún día, si Dios quiere, nos hemos de encontrar cara a cara.

Bah, no era el primer caso... fanfarronadas de paisano.

Roberto era hombre de afrontar un peligro, y no hizo caso del consejo: "Mire, patroncito, que es mal bicho".

Volvía del pueblo: dos leguas cortas.

La noche era obscura, agujereada de mil estrellas.

El caballo galopaba libremente, depositada la confianza del jinete en instinto seguro.

A treinta cuadras de las casas los cardos dejan un estrecho espacio; es el mes de noviembre y se alzan, rígidos, mirando al cielo con sus flores torturadas de espinas.

Algo se movió en el camino.

Abrióse el cardal y un bulto ágil saltó hacia el caballo, que, desesperadamente, trató de esquivarse con estrépito de cardos pisoteados.

Se debatió queriendo desasirse de la mano que, hacia atrás, le empujaba venciendo sus garrones; pero perdió apoyo en una zanja, arrastrando en su caída al jinete, que quedó aprisionado: una pierna apretada por su peso.

Palabras de injuria vibraron en el tropel producido por la lucha.

Roberto tiró al bulto, que retrocedió con una imprecación.

Había tocado: tenía ahora que ganar tiempo, salir de la posición en que se hallaba.

El caballo, libre un momento, se levantó, proyectando su jinete a distancia. Éste quiso recobrar el equilibrio, pero fue tarde.

El bulto, que no había hecho sino retroceder, volvía a la carga con mayor impulso.

Recibió el golpe en pleno vientre.

Se supo muerto; un gesto de dolor le dobló como gusano partido por la pala, largó el revólver, asiendo de ambas manos la que le hundiera el hierro hasta la guarda y la retuvo para evitar un segundo encontronazo, ya aterrorizado, la cabeza vaga, sintiendo la muerte en el vientre.

Un chorro de sangre los bañaba, uniéndolos en su viscosidad roja.

Hubo el ruido de dos respiraciones, entremezcladas en esfuerzo de angustiosa lucha.

El hierro ahondó la herida con el movimiento, despedazó la carne, abrió un boquete como cloaca que bañó de inmundo vómito cuatro manos crispadas sobre la misma empuñadura.

Y el cuerpo de Roberto tambaleó vacío de vida, cayó con un son fláccido, los ojos inmensos de terror, la boca abierta en aullido prolongado como un canto.

No humano, el vengador miró esos ojos sin vida y gruñó con voz que era estertor:

—Te la había jurao.

Y fue la dureza del hierro que choca entre los dientes, con ruido repetido y mate, la última convulsión desesperada hacia la vida, una explosión sorda y el sonido blando de una cabeza que cae sobre la tierra.

La sombra corrió hacia el cardal, luego volvió adherida a otra más grande.

El cadáver yacía, inerte en actitud de descanso.

Sobre su vientre, el enorme desgarro de ropa y carne, mientras una mancha negruzca hacía, en torno a su cabeza, como una aureola de martirio.

Tembloroso, el caballo del matador olfateaba la tragedia; pero fue tranquilizado por las palabras sarcásticas:

—No se asuste, amigo, que ése ya no ofiende a naides.

Y el silencio, por breve tiempo roto, impuso su eternidad.

Un rebencazo sonó seco, y el matador, en brusca carrera, fue desapareciendo como diluido en la obscuridad.

Al poco quedaba un movimiento de sombra en la sombra; pronto, nada.

Y del golpe sobre el camino endurecido, un eco llegó sonoro.

RAFAEL ARÉVALO MARTÍNEZ
(Guatemala, Guatemala, 1884 - 1975)

L A intensa producción literaria de Rafael Arévalo Martínez abarcó la novela, el cuento, la poesía y el teatro. También cultivó el ensayo de discurso filosófico-literario, sociológico, y político-documental. Muere a los noventa y un años, dejando un enorme legado estético para la literatura hispanoamericana. El autor guatemalteco se desempeñó en cargos directivos importantes relacionados con la actividad cultural de su país, incluyendo un puesto diplomático en Washington. "El hombre que parecía un caballo" y "El hechizado" están entre sus relatos más conocidos; el primero de ellos inaugura el acceso a una nueva dimensión de conocimiento, conocida como lo "psicozoológico".

La narrativa de Rafael Arévalo Martínez, especialmente el cuento, siembra la estética del vanguardismo en Hispanoamérica. Su cuentística es radicalmente innovadora en lo que concierne al tratamiento de la imagen literaria. El relato que se incluye aquí, publicado en marzo de 1933, explora en la naturaleza dual del artista y en la visión de lo femenino como el elemento atractivo y voluptuoso asociado a la creación artística. El discurso introspectivo de esta narración celebra la conjunción de todos los elementos contradictorios y misteriosos que se dan en la invención del arte.

EL HECHIZADO *

> ¡Insondable y sagaz Naturaleza
> que por llenar tu aspiración te esfuerzas!
>
> Tú cuidas en los autos de la vida,
> de la especie Petrarca, madre mía,
>
> porque en esa mujer de sus encantos
> él engendró la raza de sus Cánticos...
>
> Peter Altenberg.— Trad. G. Valencia.

U N día, después de narrar "La Signatura de la Esfinge", Cendal dijo a Elena, su radiante protagonista:

—Ya le referí su propia historia, la de la Dominadora. Yo hoy necesito que también escuche la mía, la del Profesor Cendal, el Hechizado. Y la narró así:

"Conocí a la mujer que es su heroína en la ciudad de Los Ángeles, hace seis u ocho años. Ella entonces ya era una pintora de mérito, pero aún desconocida. Muy joven, tendría apenas unos diez y ocho años. Acudí a la exposición de sus cuadros en una modesta sala de la bella ciudad yanqui. Un amigo de la colonia hispanoamericana me había llevado a ella y no me arrepentí de visitarla. Enamorado de una de sus obras, quise comprarla y así entré en relaciones —¿cómo la llamaremos?— con Miss Incógnita, la protagonista de mi historia.

* Reproducido con autorización de Editorial Universitaria Centroamericana, EDUCA, San José, Costa Rica. *El hombre que parecía un caballo*. 2.ª ed., San José, Costa Rica: Editorial Universitaria Centroamericana, EDUCA, 1970, pp. 71-90.

"No me interesó mucho; me defraudó; la sentí brusca hasta la dureza; franca hasta la ofensa. Me dio la impresión de una mujer cualquiera, vulgar, simpática sin duda, atrayente, pero no hasta esos límites que salvan del olvido. A los pocos meses era famosa. Se disputaban sus cuadros a precio de oro. Después yo me vine de Los Ángeles y supe poco de ella. Sólo de cuando en cuando, con los amigos de allá, me llegaban noticias espectaculares de Miss Incógnita. Se la veía de pronto, teatral y violenta, realizando hechos insólitos. Así supe de su casamiento con una estrella de cine, es decir, con un galán joven, muy bello, de apariencia felina. Así supe de su divorcio, apenas al año de haber casado; de su divorcio ruidoso y muy explotado por la prensa toda del mundo; de aquella violenta acción suya, en que llevó a su marido a los tribunales y lo obligó a entregarle una gruesa suma de dinero. Supe también, así, sin muchos detalles, de otras cosas violentas que por inusitadas llegaban hasta mí, a pesar de la distancia, en alas de las hojas callejeras o de una maledicencia internacional. Otros procesos escandalosos fijaron en ella la atención del público de los grandes diarios. Siempre entonces ganaba su causa y convencía a los jurados o a sus jueces. Extraña fascinación parecía acompañarla. Todos los suyos eran actos de fuerza y de violencia. Naturalmente, acabó por serme poco simpática. Murmuraciones femeninas para actos menos trascendentales, también me fueron muy penosas. Se creyera que doquier iba causaba daños u ofensas. Un día, fue otra pintora la que me dio no sé qué quejas de injurias recibidas de Miss Incógnita. Otro día, un conocido escritor hispanoamericano me habló de ella con indignación. Más tarde, un viajero guatemalteco, que había visitado Los Ángeles, me refirió penosas escenas conyugales, de cuando estaba unida a la estrella de cine. Me acuerdo de que fue, por cierto, una reyerta de ferrocarril, con su marido, en la que enfocaba a los dos cónyuges una luz muy desfavorable, la que me contó mi compatriota. Llegué a sentir por ella esa imprecisa enemistad que sentimos por las personas que no nos importan, pero que nos desagradan vagamente.

"Otro día, se supo que venía a Guatemala. Fui comisionado por centros culturales de mi país para ir a su encuentro. Acepté, porque por aquella época me encontraba muy cansado y me venía bien el alivio de un viaje por ferrocarril. La comisión de la que formaba parte estaba compuesta por muchas personas, porque Miss Incógnita era ya una celebridad mundial y despertaba profundo interés. También ella venía con un largo cortejo. Naturalmente, en el tren no pudimos hablar mucho. Sólo me acuerdo de la viva atracción que sentí al verla atravesar el carro, como una soberana, entre las dos filas de los que habíamos ido a encontrarla, seguida, como fieles cortesanos, de su secretaria y de otras personas de su séquito, majestuosa, alta, fuerte, dominadora, con paso largo y rápido, parecido al tranco; con paso extrañamente firme y elástico. Me favorecieron las circunstancias y hubo de sentarse a mi lado. Tuvo la cortesía de rigor. Hablamos de sucesos mundiales, de política extranjera, de Estados Unidos, de su arte pictórico... Parecía la nuestra una conversación de diplomáticos, impersonal, cortesana hasta el exceso hasta llegar a ser casi una insolencia de salón, fría y orgullosa. Tal vez aquella mujer venía cansada. De repente sonreía y se iluminaba su rostro; pero esta sonrisa siempre era prodigada de algún alto señor, que detentaba el poder. A su llegada a Guatemala, y después que la acompañé hasta el Palace Hotel, nos dejamos de ver mucho tiempo. A mí me absorbían mis ocupaciones universitarias. A ella su arte. Parecía que aquella trágica visitante había derrochado su fortuna y pasaba en Guatemala, por vía de tránsito, mientras conseguía dineros para seguir. Adelante. Creí que en nuestra patria faltaría el aire respirable de un gran público y de una gran cultura para su celebridad; pero se fue quedando. Algo ata en nuestro Istmo Central a los huéspedes excelsos. Prolongó su estancia en Guatemala. Estableció una Academia de pintura, arrendó y alhajó una vivienda muy presentable, y nos olvidamos de que era una personalidad mundial, ruidosa, violenta y excesiva. Parecía adormecida. Tal vez era la edad. Aunque joven aún, ya no estaba en la primera juventud. Tendría unos treinta años. O la maternidad. Porque traía con ella una preciosa niña, Alicia, de cinco años, único fruto de su frustrado matrimonio. Seguía siendo bastante bella, pero con una belleza que no me interesaba. Era demasiado alta para mí. A mí no me gustaban las mujeres altas. Un día la encontré en la calle y me invitó para acompañarla al cine. Fui con ella. Hasta entonces había sido para mí indiferente. En aquella noche empecé a darme cuenta de su terrible atracción, de que era una circe peligrosa que convertía en bestias o en ángeles a los hombres que la amaban. Esta atracción allí, en público, no pudo ser muy honda; pero bastó para que me interesase por la bella mujer. Desde entonces visité su casa, cada mes, con más frecuencia. Tomé la dulce costumbre de ir a pasar largos ratos a su lado; hasta llegar a visitarla todos los días a la misma hora."

—Pero está usted contando mi propia historia...

—No. La de Miss Incógnita. Prosigo.

"Voy a contarle sencillamente cómo me atrajo Miss Incógnita. Cómo busqué a Miss Incógnita. Cómo me hizo mercedes imponderables Miss Incógnita. Cómo necesité para vivir de Miss Incógnita.

"Como le iba diciendo, fui a visitarla todos los días. Pronto mi cuerpo salía por la puerta de su casa, al transcurrir el breve tiempo concebido a las diarias entrevistas; pero mi corazón quedaba adentro. Me iba a esperar la hora propicia para volver a verla. Y ya lejos de ella seguía viviendo para ella. Y trabajaba para ella, porque al trabajar me preguntaba si Miss Incógnita gustaría de mi obra..."

—Pero estaba usted sencillamente enamorado de Miss Incógnita. ¡Qué modo de desfigurar la verdad y de complicar la sencillez!

—Por imposible que le parezca yo no amaba a Elena —digo— a Miss Incógnita, en el sentido que comúnmente se da a este verbo amar. Mas deje que prosiga. Tomé, decía, el dulce hábito de visitarla todos los días. Y así empezó el hechizo, porque es la historia de un hechizo la que yo le voy a referir; y su título puede ser muy bien "El Hechizado".

"Pronto toda mi vida tuvo por centro la personalidad de Miss Incógnita. Todo estaba subordinado a ella. Puede en verdad decirse que vivía para ella; pero debe con más propiedad decirse que vivía por ella; que empezaba a vivir gracias a ella: que mi vida antes de conocerla más parecía muerte.

"El hechizo, que empezó casi inmediatamente, a raíz de nuestras primeras entrevistas, fue en aumento día por día. Cuando llegó a su mayor intensidad, se convirtió en algo tan extraordinario que a pesar de su difícil expresión merece referirse, porque envuelve la idea de una gran esperanza y de un gran consuelo para los hombres: la esperanza de que la dicha bien puede aguardarnos en la mañana de cada día; el consuelo de que no conocemos sino una pequeña parte de nuestro reino y de nuestras posibilidades: de que cada momento acaso nos entregue la llave que abre la puerta del paraíso terrenal.

"El turbador influjo de la presencia de Miss Incógnita de tal modo fue cada vez más grande; de tal modo creció su atracción irresistible, que muchas veces, cuando, en nuestras diarias entrevistas, se separaba de mí un momento, para cumplir cualquier ocioso y sagrado rito del culto femenino, quemar una esencia aromada, velar una luz, traer un libro o asistir a Alicia, yo me sorprendía componiendo y recitando el verso inicial de una composición que no proseguía nunca y que gemía así suavemente:

> Pero si apenas te vas
> ya mi corazón te llama.

"Y entonces entreveía vagamente que Miss Incógnita podía ser algo más que la leona, magnífica y terrible, de su misteriosa signatura: que podía muy bien ser la esfinge de mi primera visión, pues este símbolo obscuro, este símbolo egipcio del terror y de la voluptuosidad, era el de un vampiro femenino, que atraía hasta la muerte a sus víctimas, y que, a pesar de ser un mito solar, representaba un demonio maléfico. Y yo, que temía y adoraba a Elena al mismo tiempo, comprendía que gran parte de mi amor era producido por mi miedo."

—¿A Elena otra vez?...

—Digo, a Miss Incógnita.

—Una Miss Incógnita que era también una leona como yo...

—Perdone: su terrible signo me llena de vagas obsesiones.

"Mi divina amiga —le contaba— pronto me enriqueció tanto la vida, me colmó de tantos dones, que no exageraría si le dijese que llegué a considerarme como la mitad de mí mismo; y a creer que la otra mitad era ella. Su opulenta naturaleza artística, llena de sombría magnificencia y de terrífica belleza, de tal modo estimulaba en mí al creador de arte; su alma grande de tal modo despertaba mi alma dormida, también grande, y la hacía surgir de su marasmo; que todas mis posibilidades humanas parecían multiplicarse; y que cada una de ellas alcanzaba su misteriosa y plena realización. Al mismo tiempo todo en torno de mí cobraba sentido y crecía en valor. Como ve, el fenómeno consistía en ese acrecentamiento de la vida que produce todo placer; en una intensidad de la vida, tal como la que nos da momentáneamente el alcohol, el *hashish* o cualquier droga embriagante. Miss Incógnita me abría las puertas de felicidad; pero no con ganzúa sino con las llaves apropiadas; no me llevaba a paraísos artificiales, sino al singular paraíso terrenal de que antes hablé.

"Me duelo de expresar lo inexpresable. ¿Cómo contar lo que no tiene nombre? ¿Cómo referir ahora, en lengua de los hombres, aquel misterio que por entonces vi encerrado en tantas cosas?, en los paisajes que no podía admirar si ella no estaba a mi lado; en el pan que me sabía mejor si lo comía a su mesa; en la música que, si la escuchaba en su presencia, prolongaba sus melodías hasta más allá de la tierra; en el color que multiplicaban matices antes no vistos y turbadores a fuerza de belleza insospechada. Yo era más receptor y, naturalmente, el mundo se agrandaba para mí: la medida de mi vaso había crecido hasta hacerme recordar aquella frase de Teresa, urgida del amor divino; y que casi parece que se profana al traerla a este amor humano: Señor, dilataste mi corazón.

"Y luego, como amor es sabiduría, yo a su contacto sabía muchas cosas. Sabía el misterio de la oruga que se arrastra;

el del pájaro que vuela; el del árbol que crece; el de la estrella que pasa; el del brote de la hoja en el seno del árbol; y el de la hojuela tierna que rompe la tierra; el misterio del loco y el del genio; el de la bestia y el del ángel; el del dolor y el de la alegría; el de la pena y el del disfrute; el misterio de las materias embriagantes: el alcohol, el tabaco... y su necesidad... ¿Por qué cansarla con una lista que tendría que contener el mundo entero?

"Llegué a considerarme como una bombilla de una lámpara eléctrica. Mi destino era arder e iluminar; pero ni ardía ni iluminaba; y sin embargo no estaba muerto; aquel filete que creó Edison y que era como mi misteriosa naturaleza lumínea, no se había roto; pero yacía en la obscuridad. De pronto unos dedos divinos movían un conmutador invisible, que daba paso a la corriente misteriosa, y yo me encendía e iluminaba como un sol. La corriente, el conmutador y los dedos invisibles provenían de ella, la maga celeste, Miss Incógnita. El fluido que encendía las almas era el que animaba su propia vida encendida. Si ella se iba, yo volvía a mi opaca vida de cristal apagado y a mi pena de recordar la luz de su presencia."

—Siga. Estoy ávida de oírlo. ¡Oh qué divino mito solar está refiriendo!

—¡Encontraba en Miss Incógnita tantas cosas! En ella buscaba, entre otras, un medio artístico, en mi ciudad natal, mortífero desierto para el arte... ¡Era una naturaleza artística tan ricamente dotada la de mi amiga!...

—...

—Y luego, la compañía necesaria. Robinson de una extraña isla desierta, buscaba también en ella alguien más que un loro y que Domingo para poder hablar, para poder conversar. ¡Oh una conversación humana! Antes de conocerla me moría de mudez y de sordera. Estaba hambriento de oír una voz humana. Y más si era una voz de mujer. ¡Qué inefable es la voz de la mujer! ¡Qué maravillosa es su voz, Elena!

—¿Por qué lo dice?

—Porque me llena de dulzura.

—¡Cendal!...

—Pero prosigo. ¡Ah! ¿Qué le iba diciendo? A veces me conturba tanto su voz, Elena, que apenas puedo proseguir. ¡Ah! Sí: ya sé. Contaba que estaba solo, solo hasta la muerte. Desesperadamente solo. Solo en una isla desierta. Sediento del trato humano. Rodeado únicamente de animales y de niños. Miss Incógnita era para mí la compañía humana, imprescindible. Miss Incógnita era un ser de mi altura espiritual y moral. Un ser de mi misma evolución y de mi misma jerarquía. Un ser hecho a mi imagen y semejanza. La hubiera perdonado un crimen. La hubiera buscado aunque fuese homicida o ladrona. Ramera, hubiera seguido siendo un ser humano en mi terrible soledad. Incendiaria, hubiera besado sus voraces manos destructoras. Asesina, sus bellas manos cubiertas de sangre...

"Y además de un ser humano, era algo aún más grande para un hombre: era una mujer...

—...

—¡Una mujer! Hemos llegado ya, en nuestra historia, hasta hablar de la mujer... ¡El tema eterno! Todo conduce a ella, porque es el ápice del mundo. Toda obra de magia no enseña sino el camino que lleva a la mujer. Aladino es un símbolo. *Las mil y una noches* lo mismo.

"¿Cuándo sabremos lo que es una mujer? Todo el tesoro de la cultura humana, toda la civilización, no ha hecho sino procurar enseñárnoslo. Toda novela, toda obra de arte, toda obra científica, procura hacérnoslo entender. Y así seguiremos durante siglos, hasta el fin de las edades, esforzándonos por entender a la mujer. Cuando al fin la entendamos habremos aprendido la lección final y el mundo ya no tendrá objeto.

"Toda la Historia no es sino la historia de la redención de la mujer. Empieza en la esclavitud; va emancipándose poco a poco. Cuando más progresan los pueblos más se la respeta. En nuestros días ya casi es igual al hombre; después será superior; después su soberana.

—¡Sutil adulador, cuánto veneno encierran sus palabras perfumadas!

—Miss Incógnita fue para mí esta Isis desvelada. ¡Oh tesoro de la amistad de una mujer! No me canso de repetir esta frase, como quien da vueltas a la misma noria, porque no puede libertarse con un concepto claro. ¿Cómo explicarle lo que yo recibía de Miss Incógnita? La mujer en cada instante de la vida puede hacernos una dádiva infinita. Es la dispensadora celeste, la dadora suprema, la fuente divina. Es la administradora de esos "tesoros de mi Padre" de que habló el Cristo. Todas las suyas son dádivas imponderables, sin sombra de la tierra. Aun en el dolor y en la muerte nos regala. En el dolor es Verónica. En la muerte, María. Miss Incógnita tenía su regalo siempre pronto para mí. Su regalo de las horas matinales. Su regalo del mediodía. Su regalo de la tarde. Su regalo nocturno. Su regalo para la ausencia. El inenarrable regalo de su presencia.

"Le explicaré a trozos algunas de estas dádivas para que usted conjeture las demás. Al parecer pequeñas, para mí encerraban el mundo. Así voy a hablarle de sus continuos cambios de traje. Miss Incógnita unas veces era verde como la primavera, y otras roja como un crepúsculo de los trópicos; y otras negra como la noche... Con su traje verde usaba un listón amarillo en el cabello. Con su traje rojo se ponía un inmenso rubí en el dedo anular. Con su traje negro ceñía a su garganta un collar de piedras negras. Y con todos estos trajes vestía un alma nueva...

—Toda mujer...

—Amiel[1] dijo que cada estado de alma equivale a un paisaje diferente. Yo le podría decir, recordándolo, que cada cambio de traje de Miss Incógnita equivalía no sólo a que adquiriese un espíritu distinto sino a que me ofreciese un nuevo aspecto de la naturaleza, lleno de singular magnificencia.

"Otras veces me enseñaba encajes, telas preciosas, joyas, raras alfombras, objetos únicos que descubría no sé dónde. Un día me pareció cosa de encantamiento cuando, con ademán misterioso y andando de puntillas, como quien teme despertar a un niño, me llevó hasta su alcoba. Allí, en un ángulo escondido, me descubrió cualquier objeto bello; y

---

[1] *Amiel:* Enrique Federico Amiel. Filósofo y escritor suizo (1821-1881). Autor de *Diario íntimo.*

digo cualquiera, porque no necesitaba para que yo lo admirase más que estar en su poder.

—Al fin lo veo a usted algo ponderado.

—La intimidad de una mujer entraña un goce turbador. La mujer lleva la divina canasta con todos los dones de la tierra. Se nos deshace en los labios la melífica pulpa de sus frutos. ¿Comprende ahora por qué al permitirme disfrutar de su intimidad: al concederme aquella indecible gracia de penetrar al huerto sellado de su casa, su presente excedía al más regio que pudo otorgar soberano alguno? Yo vivía agradecido y humilde, como un siervo regalado con exceso por su señor. El misticismo tiene un aspecto humano y otro angélico, los dos por naturaleza puros. El misticismo del amor terreno ya sé que está muy alejado y muy por bajo del misticismo del amor divino; pero los dos son de la misma esencia. La escala de Jacob principia, así, con eslabones de atracciones humanas, para acabar en los brazos del padre celestial, que la sostiene. Depurad un amor cualquiera y empezaréis a subir por ella. ¡Y era tan pura mi amistad por Miss Incógnita!... Yo estoy escribiendo mis moradas humanas, así como Teresa escribió sus moradas divinas. ¡Subsuelos de moradas celestiales!

"Cada vez que entraba en su casa me parecía profanar algo sagrado. Así es de augusta la intimidad de una mujer querida. Hubiera deseado descalzarme, como los creyentes en los templos musulmanes. Guardar silencio. Observar los ritos de un culto desconocido. Saber ostentar los más puros signos de respeto. Todo esto y algo más fue Miss Incógnita para mí. Pero basta ya. Me resigno a no poder expresar nunca lo que deseaba. ¡Que el tesoro de la amistad de una mujer quede secreto y sellado, sin más llaves que las del iniciado! ¡Que no se profane nunca la intimidad de una mujer con una revelación antes de tiempo!

—¡Cuántas cosas bellas pone el genio de la especie en las palabras de los hombres! Puro apetito sexual. ¡Con qué bello poema usted ha envuelto su amor! Su historia es un poema de amor y nada más...

—Dura es usted hoy, Elena. Pero no importa. Déjeme proseguir.

"Yo entendí con la amistad de Miss Incógnita la suprema elección que es el amor entre seres superiores; y por qué no se puede amar más a una sola mujer, con exclusión de otra alguna. El amor único es un amor total: el cuerpo y el alma. El cuerpo es mercancía de poco precio, que se vende en muchas tiendas. El alma no se vende jamás. Yo buscaba un alma en Miss Incógnita; y creo haber elegido la mejor parte. Sólo que el alma puede entregarse a todos sin reservas y no se pierde ni se amengua. Es como una llama, más grande mientras más se comunica y se prodiga. En cambio el cuerpo es prohibición. Pero no para el profesor Cendal. Aquel bello cuerpo de Miss Incógnita pudo haber sido de cualquiera sin dolerme...

"Y así pasaron los días para mí, prisionero en la cárcel de un hechizo; paciente de una dolencia divina. Así compuse mi obra de arte. No era preciso ya que Miss Incógnita estuviese inmediatamente a mi lado para encenderme: bastaba que me conmutase. Me entregué a labores maravillosas. El mundo volvió a rendírseme en aquella temporada triunfal. Afluyó a mí el dinero, la fama, el buen éxito, el poder. Y lo mismo le pasaba a Elena. Parecía que juntos polarizábamos la energía. ¿Comprende? Polarizábamos una fuerza extraña, que era el substratum arcano de la vida y que se desenvolvía en riqueza, abundancia, poder, goce, disfrute... Captábamos una fuerza extraña.

"¡Ah, pero usted sabe que estas cosas no son duraderas! Yo vivía presa de un miedo inenarrable, en medio de mi goce. No sabía de qué modo propiciar al destino y aplacar a los hados inclementes; y comprendía que aquella celeste dicha tocaba a su fin. Había robado el licor de los dioses y tenía que purgar mi crimen...

—¿Y bien? Ha llegado usted al momento culminante de su narración...

—Y en él me quedo. No tengo nada que añadir. ¿No ha comprendido usted que en este mismo instante y a su lado vivo mi hora triunfal? La vivo, lleno de miedo de que se me arrebate...

—Sí; ya lo sabía. Desde el principio de su historia. Ya lo interrumpí antes varias veces para decirle que estaba usted contando mi propia historia, al contar la suya. ¿Por qué esa mistificación pueril? Miss Incógnita soy yo.

—Sí, usted, Elena.

—Vuelvo a preguntarle, ¿por qué ese velo que ocultaba la verdadera identidad de Miss Incógnita?

—Sin él me hubiera sido imposible referirle de qué lejano sitio, en que la menospreciaba a usted, caminé hasta aprender a quererla y admirarla. Con toda mujer a quien odiamos o menospreciamos podríamos así, con pies ligeros, hacer este largo recorrido que para en el amor... Con la peor. Bastaría para ello conocerla...

Y además, pudor de amigo... Sin ese velo tampoco hubiera podido explicarle todo lo que es usted para mí y cuán dulce me es su amistad.

> ”Fuego que interno sentí
> tornó mi alma ardiente y pura
> y se apoderó de mí
> la divina calentura.
>
> ”En mi labor de poeta
> yo me sentí tan cansado
> como un titán agobiado
> por el peso de un planeta.
>
> ”Sentí mis miembros estrechos
> y aquella angustia distinta
> que postra sobre los lechos
> a las mujeres encinta.
>
> ”Y hasta los locos intentos
> y hasta los antojos varios
> con que asimilé elementos
> a mi labor necesarios.
>
> ”Sentí masculina urgencia
> y femenina ternura
> y fecundé con violencia
> y concebí con dulzura.

”Me separé de Elena, después de mi larga relación, con un acrecentamiento de aquella vaga zozobra de perderla que era el cruel pago de mi hechizo. Vagamente adivinaba que el hecho de vaciarla mi corazón precedería inmediatamente a su irreparable pérdida, tal como sucede con esos amantes que se retratan juntos en el momento en que, sin saberlo, ya está decretada su separación. O como esos grupos de familias numerosas que fija una fotografía breves meses antes de que la muerte empiece a segar sus miembros más queridos. Son extraños signos en la vida de las almas.

"Y entonces, cuando el sol de mi triunfo estaba en el cenit, y como lo preveía mi alma, iluminada por el amor, aconteció la desgracia irreparable. Siempre me acordé de aquella hora que fue la de mi mayor gloria, tan próxima, ay, a la de mi más cruel humillación. Como acontece siempre en almas como la mía, un amigo había marcado mi perihelio. Las palabras de un amigo, muy amado, antes irreductible y que ahora se me rendía, me daban la victoria, cuando llegó el dolor.

"¿Cómo fue aquel hecho arcano e inevitable? Fui como de costumbre, aquella tarde, una hora después de la de mi dicha, a visitar a mi temerosa Elena, y la encontré irritada e intratable. Ya mi pobre alma guardaba las cicatrices de heridas anteriores, causadas por sus garras lacerantes; pero hasta entonces había sido apenas un juguete para la gran felina. Aquella tarde infausta tiró a herir con saña. Por cualquier motivo obscuro de pronto me clavó nuevamente las garras implacables. Esta vez estaba decretada mi muerte, y fue mortal la herida. Sus frases desgarrantes me obligaron a alejarme de ella para siempre. Sus hirientes palabras me mataron. Cada vocablo castellano se volvía en su boca un diente cruel. Me retiré de su casa decidido a no buscar ya más su presencia bendita y terrible.

"E iba así, herido de muerte, vacía la mirada, hacia mi vivienda, cuando me encontré —oh coincidencia singular— al suave amigo que en la mañana de aquel mismo día me había dado la felicidad. Se aproximó a mí para felicitarme de nuevo por mi triunfo. Y entonces emprendimos un paseo, en busca del campo. Al llegar a él, yo sollocé en su pecho:

—Voy herido de muerte. Es el precio de mi obra. Así los Señores de la Vida llevan, como fieros negociantes, una contabilidad despiadada. Me llegó el cheque girado contra el futuro, a la hora de la felicidad, a la hora de recibir. Ésta es mi hora de pagar. ¡Y cuán caramente!...

"No sea loco. Usted está en plena madurez. Usted ha fulgido como un sol últimamente. Su labor social es insustituible... Como su última obra esperamos muchas más.

—No puede ser. Yo podía crear cuando estaba completo. Hoy he perdido la mejor mitad de mí mismo. He perdido a Elena. Usted sabe que sin su colaboración me es imposible producir mi obra de arte.

"¿Imposible? ¿Está usted seguro? ¿No es víctima de la ilusión producida por un genio maléfico?

—No. Mi pena ha sido tan grande en este día de prueba que ha socavado la tierra hasta profundidades inescrutables. Allí ha edificado los cimientos de una arquitectura de la angustia. Lo que quiere decir que mi dolor se ha trasmutado en conocimiento, y que ya sé cómo nacen los hijos espirituales a la vida del arte.

—Diga.

—Así como para que nazca un hijo en el plano físico es necesaria la unión de un hombre y de una mujer, por aleatoria y momentánea que parezca, así para que surja la obra bella, el hijo del espíritu, es también necesario el enlace de dos almas de sexo diferente. Y sin esta unión ninguna labor artística puede alcanzar la inefable vida del arte.

—¿Entonces, la Mona Lisa, los caprichos de Goya, las preciosidades de Benvenuto, la obra alargada del Greco, la Divina Comedia, cruel y luminosa?...

—Fueron el fruto de la unión de Leonardo, de Goya, de Cellini, del Greco, de Dante con otras tantas almas femeninas...

"Habría que investigar esta genealogía de la obra de arte. Y así en el mundo científico y en todo orden de cosas. Los esposos Curie nos dan el ejemplo. Él no podía comer otro pan que el amasado por su compañera. Para cuántos hombres de genio existe esta dependencia, esta limitación del amor. Cuando la compañera falta y ya no puede amasarles el pan cotidiano, se dejan morir de hambre.

"¿En qué alma de mujer, caprichosamente deformada,

depositó Goya sus extrañas visiones? ¿Qué alma cruel e iluminada de mujer recibió la Divina Comedia? ¿Qué alma beatíficamente serena y llena de gracia, qué armoniosa alma de mujer fue un seno para la Gioconda?

"¿Qué implacable alma de mujer colaboró, maleable y preciosa como el oro, dura y luminosa como el diamante, con Cellini? ¿Quién tiraría del alma alargada de la mujer que acompañó al Greco? ¿Qué alma femenina, visionaria y alucinada, se embriagó con Poe? Elena era mi Beatriz y mi Laura. Ida, estoy muerto. Mi genio está perdido.

"Yo, momentos, hace, pensaba: el hombre es la mitad de sí mismo; la otra mitad es la mujer. Acaso hay que buscar un concepto más exacto.

"Emerson dijo, ¡cuán sabiamente!: "El hombre es la mitad de sí mismo; la otra mitad es su expresión". Pero como para su expresión necesita de la mujer, volvamos a la trinidad, de la que no podemos prescindir, y digamos: el hombre es una tercera parte de sí mismo; otra tercera es la mujer, y la otra el hijo. ¡Oh esposa del Espíritu Santo!

"¿Cómo materializarme aquí lo necesario, sin acudir a una grosera imagen? ¿Cómo decirle, sin ofenderlo y ofenderla, que Elena era para mí la matriz mental? Juntos los dos —los dos artistas— concebíamos seres maravillosos. De aquella unión de las almas nacían los hijos del espíritu. Para esto también nos es necesaria la mujer.

—...

—Se producía una divina alquimia... Y una química celeste. Yo necesitaba aquel rojo subido del alma de Elena para colorear mi alma pálida. Y los dones de extrañas materias, que sólo en su terreno podía encontrar, y que eran mi cotidiano alimento. Como una invisible paloma, mi alma venía a comer en sus manos granos de ilusión y de ensueño. Así, encendido por su llameante corazón de mujer, pude de nuevo crear mi obra de arte. También el artista es un mago. También, como una parturienta celeste, cae en el lecho del dolor y necesita el comadreo del espíritu. La mujer se lo da. Para aquel su hijo divino necesita la asistencia de lo desconocido. La mujer se lo da. Yo no he podido ser genial porque ninguna mujer me ha amado lo bastante como para ayudarme en el trance de mi maternidad...

—¡Qué sublimes horrores dice usted!

—El cosmos es también una mujer. La materia es una mujer. El mundo surgió de la luz —elemento masculino— cuando brillaba sobre el haz de las aguas —elemento femenino—. Para poder crear en alguna forma tenemos que volvernos femeninos.

—Feminidad horrenda. Parece que vacila su sexo.

—Vacila en todo artista. Esa parte de mujer a que me refiero nada resta a nuestra masculinidad; pero yo no puedo explicarle más esto por ahora. Elena, maga celeste, me dio todo lo que he enumerado. Así toda mujer puede enriquecer al hombre. La única condición exigida es que medie entre ambos el amor.

"Pero para mí el amor está perdido.

"Y ahora, sin Elena, regreso a mi mudez, torno a mi sordera, vuelvo a perder los ojos...

"Alfonso, discreto amigo, que conocía a Elena y que me conocía a mí, aceptó lo inevitable.

"—¡Oh, qué dolor! —proseguí—: vivo, vuelvo a mi muerte; creador, vuelvo a mi esterilidad; gozoso, vuelvo a mi dolor. Usted sabe que sin ella no puedo vivir...

"Y Alfonso, que se afligía porque no podía consolar mi angustia de muerte, dejó de verme y fijó sus ojos en la obscuridad circundante, como pidiendo auxilio. De pronto surgió del silencio exterior el sonido de un auto que se acercaba. Entonces Alfonso vio a su derecha y dijo:

"—¡Sus! Mire. Ahí va Elena...

"Y a pesar de la penumbra, distinguimos el regio carro amarillo de la leona.

"La noche había cerrado y por eso Elena abandonaba su inacción. Pasaba en su raudo coche, con las luces encendidas y sus ojos aun más lucientes en la obscuridad. Estábamos en los alrededores de la metrópoli y ella pronto los salvó para internarse en el campo libre. Me pareció que al pasar sonreía, extraña, cruelmente, en la sombra.

"Sollocé, cobarde, mientras desfallecía en brazos de mi amigo, que se apresuró a sostenerme, y balbucée, como si me pudiese oír, apretando las manos contra el pecho y pensando en todo lo que moría conmigo; en toda la obra de que me encontraba lleno; en mis hijos espirituales, nonatos, pero de los que ya me sentía henchido:

"—¡Piedad para las cosas que llevo aquí conmigo!

"Inútil ruego en la noche, inclemente y sorda.

"Elena, la nocturna cazadora, que sólo hace su presa en las tinieblas, corría hacia los espacios abiertos, llevando mi alma despedazada entre sus fauces sangrientas...

TERESA DE LA PARRA (Ana Teresa Parra Sanojo)
(París, Francia, 1889 - Madrid, España, 1936)

ESCRITORA venezolana, pasa nueve años en España
donde completa su educación secundaria. Además de su
obra narrativa (novela y cuento), el conocimiento de las
conferencias y cartas de la autora venezolana es de gran
interés en las letras hispanoamericanas. Entre 1923 y 1929,
Teresa de la Parra realiza varios viajes a Latinoamérica y
Europa; atractiva resultaba para la escritora la visita a
Francia, pues allí se publican también sus dos novelas en
traducción al francés: *Ifigenia* y *Las memorias de Mamá
Blanca*, dos grandes obras construidas con una excepcional
sensibilidad cultural que anticipa desarrollos sociales como
el rol de la mujer en el proceso de la modernidad. A los
cuarenta y siete años de edad, Teresa de la Parra muere en
España, uno de los tantos lugares donde había viajado para
luchar contra la tuberculosis, enfermedad que finalmente
arrebata la vida de una de las prosistas más poéticas en Hispanoamérica.

El cuento "El genio del pesacartas" —escrito en 1915—
se publicó en 1982 en la compilación *Obra (Narrativa.
Ensayo. Cartas)*. La narración se instala en el fantástico
mundo de lo liliputiense, reino en el que la arrogancia y la
vanidad pueden examinarse crítica y humorísticamente.
Una mirada risueña y burlona opera como eje narrativo
destinado a desarmar el inevitable egotismo e infatuación a
que tiende la organización atributiva y funcional de un universo social.

EL GENIO DEL PESACARTAS

É S T A era una vez un gnomo sumamente listo e ingenioso;
todo él de alambre, paño y piel de guante. Su cuerpo recordaba una papa, su cabeza una trufa[1] blanca y sus pies a dos
cucharitas. Con un pedazo de alambre de sombrero se hizo
un par de brazos y un par de piernas. Las manos enguanta-
das con gamuza color crema no dejaban de prestarle cierta
elegancia británica, desmentida quizás por el sombrero que
era de pimiento rojo. En cuanto a los ojos, particularidad
misteriosa, miraban obstinadamente hacia la derecha, cosa
que le prestaba un aire bizco sumamente extravagante.

Lo envanecía mucho su origen irlandés, tierra clásica de
hadas, sílfides y pigmeos, pero por nada en el mundo hubiera
confesado que allá en su país había modestamente formado
parte de una compañía de menestreles o cantores ambulan-
tes: semejante detalle no tenía por qué interesar a nadie.

Después de sabe Dios qué viajes y aventuras extraordinarias había llegado a obtener uno de los más altos puestos
a que pueda aspirar un gnomo de cuero. Era el genio de un
pesacartas sobre el escritorio de un poeta. Entiéndase por
ello que instalado en la plataforma de la máquina brillante
se balanceaba el día entero sonriendo con malicia. En los
primeros tiempos había sin duda comprendido el honor
que se le hacía al darle aquel puesto de confianza. Pero a
fuerza de escuchar al poeta, su dueño, que decía a cada
rato: "¡Cuidado! que nadie lo toque, que no le pasen el plu-
mero. Miren qué gracioso es... ¡Es él quien dirige el vaivén

---

[1] *trufa:* hongo.

de billetes y cartas...!" había acabado por ponerse tan pretencioso que perdió por completo el sentido de su importancia real —y esto al punto de que cuando lo quitaban un instante de su sitio para pesar las cartas le daban verdaderos ataques de rabia y gritaba que nadie tenía derecho de molestarlo, que él estaba en su casa, que haría duplicar la tarifa y demás maldades delirantes.

Pasaba pues los días, sentado en el pesacartas como un príncipe merovingio en su pavés.[2] Desde allá arriba contemplaba con desdén todo el mundo diminuto del escritorio: un reloj de oro; un cascarón de nuez, un ramo de flores, una lámpara, un tintero, un centímetro, un grupo de barras de lacre de vivos colores, alineados muy respetuosamente alrededor del sello de cristal.

—Sí —decíales desde arriba—, yo soy el genio del pesacartas y todos ustedes son mis humildes súbditos. El cascarón de nuez es mi barco para cuando yo quiera regresar a Irlanda, el reloj está ahí para indicar la hora en que me dignaré dormir; el ramo de flores es mi jardín; la lámpara me alumbra si deseo velar, el centímetro es para anotar los progresos de mi crecimiento (mido ciento setenta milímetros desde que me vino la idea de usar calzado medieval). —No sé todavía qué haré con los lacres—. En cuanto al tintero está ahí, no cabe duda, para cuando yo quiera divertirme echando redondeles de saliva.

Y diciendo así comenzaba a escupir dentro del tintero con una desvergüenza sin nombre.

—Eres un gran mal educado, protestaba el tintero. Si pudiera subir hasta allá, te haría una buena mancha en la mejilla y te escribiría en las espaldas con letras muy grandes "Gnomo malvado".

—Sí, pero como eres más pesado que el plomo con tu agua asquerosa de cloaca no puedes hacerme nada. Si me inclino sobre ti, quieras que no, tendrás que reflejar mi imagen.

---

[2] *pavés:* figuradamente, aquí significa ensalzamiento, grandeza. Pavés era un escudo oblongo que cubría casi todo el cuerpo del combatiente.

Y su rostro en efecto aparecía en el fondo del brocal de cobre negro y brillante como el de un diablillo burlón.

Cuando su dueño se sentaba al escritorio, el gnomo tomaba un aire hipócrita y sonreía como diciendo: "Todo marcha bien. Puedes escribir lindísimas páginas, yo estoy aquí".

Entonces el poeta que era de natural bondadoso y que se engañaba fácilmente, miraba al genio con complacencia y colocando una barrita de incienso verde en el pebetero,[3] la ponía a arder. El humo subía en finas volutas hacia el gnomo y le cubría la cabeza con su dulce caricia azulada. El diminuto personaje respiraba el perfume con alegría y se estremecía de tal modo que la balanza marcaba quince gramos en lugar de diez que era su peso normal, por lo cual deducía que el incienso era el único alimento digno de él, puesto que era el único que le aprovechaba.

Una noche en que dormía profundamente lo despertó una música muy suave. Eran dos pobres menestreles vestidos más o menos como él y del mismo tamaño que venían a darle una serenata: uno tocaba la guitarra cantando con expresión apasionada; el otro lo acompañaba tarareando con las dos manos sobre el corazón como quien dice: "qué divina música, nunca he sentido igual placer".

—¿Qué es esto? ¿Qué ocurre? —preguntó el gnomo frotándose los ojos con un puño furibundo. —¿Quién se permite tocar y cantar de noche aquí en mi mesa?

—Somos nosotros —contestó el guitarrista con mucha dulzura—. Parece que has corrido con mucha suerte desde el día en que te fuiste de nuestra compañía ambulante. Eres hoy gran personaje... y ya ves, hemos hecho el viaje. Estamos muy cansados...

—En primer lugar, les prohíbo que me tuteen y en segundo término, ¡no los conozco! ¡vaya broma!, yo, yo en una compañía de menestreles... ¿Están locos? ¡Largo, largo de aquí pedazos de vagabundos!

—Pero, de veras ¿no nos reconoce usted Monseñor?

---

[3] *pebetero*: perfumador. Recipiente con la cubierta agujereada que se empleaba para quemar perfumes.

Insistió el músico decepcionado. Éramos tres, acuérdese, y teníamos grandes éxitos... yo me ponía en medio, mi compañero a la derecha y usted a la izquierda, bizqueando para que la gente se riera. Tiene usted siempre la misma mirada. Tome, aquí tengo la fotografía que nos sacó un aficionado la víspera del día que usted se escapó.

Y desmontando la guitarra sacó un rollo de papel brumoso que extendió. Se veían en efecto los tres menestreles de cuero y alambre: el de la derecha era en efecto el genio del pesacartas.

—¡Ah! esto ya es demasiado, gritó exasperado. No me gustan las burlas. Soy el genio de pesacartas y nada tengo que ver con mendigos como ustedes.

—Pero, monseñor, —respondió el guitarrista, a quien invadía una profunda tristeza—. Si no pedimos una gran cosa; tan sólo el que nos permita vivir aquí en su hermosa propiedad. Piense que hemos gastado en el viaje todas nuestras economías.

—Lo que me tiene sin cuidado.

—No lo molestaremos para nada. Tocaremos lindas romanzas.

—No me gusta la música. Además, los veo venir: harían correr ciertos ruidos perjudiciales a mi buen nombre, muchas gracias, mi situación es muy envidiada Conozco cierto tintero que se sentiría encantado si... pudiera salpicarme con sus calumnias. Arréglenselas como puedan, yo no los conozco.

—¿Es su última palabra? —preguntaron los menestreles rendidos bajo tanta ingratitud.

—Es mi última palabra, concluyó el genio del pesacartas.

Y como los desgraciados músicos permanecieron aún indecisos y desesperados:

—¿Quieren ustedes marcharse enseguida, bramó, poniéndose de pie sobre el platillo, o llamo a la policía?

Pero en su exaltación, se resbaló, le faltó el pie y rodó, soltando una horrible interjección, hasta ir a dar al fondo del tintero que se lo tragó.

Sin dar oídos a otros sentimientos que no fueran los del valor y la generosidad, los dos menestreles quisieron libertar al amigo de otros tiempos. Pero por desgracia el tintero que tenía muchas cuentas que cobrar, dejó caer su tapa con estrépito y los menestreles no pudieron ni moverla.

Al siguiente día cuando el poeta vio el desastre, comprendió lo ocurrido y sintió repugnancia por la ingratitud del gnomo. Después de haberlo extraído del pozo negro y después de haber tratado en vano de limpiarlo, no sabiendo qué hacer con él y no queriendo tirarlo a la basura, lo metió en el fondo de una gaveta.

En su destierro, el gnomo de cuero no ha perdido su orgullo. Continúa deslumbrando con sus cuentos fantásticos a la gente del nuevo medio social: un pisapapeles roto; una concha de tortuga y un rollo de viejas facturas.

—Cuando yo reinaba en el pesacartas, era yo quien hacía llegar los telegramas. Pero un día, un loco me arrojó en un tintero...

En cuanto a los dos menestreles, el poeta los ha colocado sobre un gran ramo de follaje. Parecen dos pájaros de colores en un bosque virgen y allí cantan el día entero de un modo encantador.

JULIO GARMENDIA

(El Tocuyo, Venezuela, 1898 - Caracas, Venezuela, 1977)

J U L I O Garmendia es uno de los más notables vanguardistas venezolanos. Destacó en la cuentística, pero su producción literaria también contempla poesía, crónica y artículos sobre literatura. Solamente dos de sus libros de cuentos se publicaron durante la vida del autor. El cuento que incluimos —incorporado al volumen *La tienda de muñecos* de 1927— trata el motivo encontrado en la tradición literaria universal en el cual el alma es vendida al diablo. El aparte de esa tradición está marcado en esta narración tanto por la caracterización afectuosa y tierna de Satán como por el intensivo uso vanguardista de la ambigüedad que gobierna el diálogo de los dos personajes. En esa ambigüedad invasiva del cuento resalta el poder del engaño y la mentira, lo cual a su vez hace patente el corolario del inextricable poder ficticio de la imaginación. El humor tenue de este cuento es semejante al utilizado por Ricardo Palma en su cuento-tradición "Don Dimas de la Tijereta", relato que se enfoca en el mismo motivo. La diferencia es la postura vanguardista garmendiana que elimina la necesidad de justificar el movimiento narrativo dentro de un plano real o irreal.

Julio Garmendia llega a Caracas recién en 1916 para dedicarse al periodismo. Desde la región de El Tocuyo donde nace y pasa su infancia, se había trasladado a Barquisimeto para realizar su educación secundaria. A los veinticinco años, se le asigna al autor un puesto consular que lo lleva a Europa desde donde no regresa a su país hasta cumplidos los cuarenta y dos años.

EL ALMA*

I

¿Q U É viene a buscar el Diablo en mi aposento? ¿Y por
qué se toma la molestia de tentarme? Me permito creer que
es cuando menos una redundancia y una inconcebible falta
de economía en la distribución de tentaciones entre los
hombres, el hecho de que se me acerque Satán con el
objeto de rendirme a su poder. Nunca requerí su presencia
para caer en pecado. En cambio, seguramente viven a estas
mismas horas personas suficientemente virtuosas para que
pueda el Maligno ocuparse con fruto en inducirlas a pecar.
Existen sin duda muchas gentes honradas que muy bien
pudieran ser digna ocupación del Diablo...

En estas reflexiones me había engolfado, viendo cómo
rondaba el Maligno alrededor de mi aposento. No se
atrevía a penetrar todavía, pero acercábase a la ventana
y enviaba hacia adentro miradas llenas de ternura e interés. Satán, no cabía duda, procedía conmigo a la manera
que con una doncella a quien temía asustar y correr para
siempre si le hacía violentamente sus proposiciones.
Quise, pues, adelantármele, fui a llamarle y le hice entrar.
Comprendió al punto la verdadera situación en que
se hallaba y tomó asiento a mi lado sin inmutarse en lo
mínimo.

*
Reproducido con autorización de Monte Ávila Editores,
Caracas, Venezuela. *La tienda de muñecos.* 2.ª reimpr., Cara-
cas: Monte Ávila Editores, 1985, pp. 41-47.

—Caballero —me dijo—: aspiro a compraros vuestra alma.

No podía sorprenderme su propuesta, porque bien sabía yo que se ocupaba él desde mucho tiempo atrás en esta clase de transacciones.

—¡Ah, caballero! —le dije—. ¡Con cuánto gusto accedería a vuestra demanda! Pero, decidme, ¿acaso estáis seguro de que tenga alma?

—No, por cierto —me respondió—, y antes de cerrar el pacto tendríamos que averiguarlo a punto fijo. Trátase de una compraventa y cualquier abogado, aunque no sea de los más notables, os dirá que para que una cosa pueda venderse o comprarse, es preciso que exista. Averiguaremos si lleváis alma en vuestro cuerpo (porque hay muchos que no la tienen) y, en caso afirmativo, no temáis vendérmela en seguida.

—Tampoco temería vendérosla si no la tuviera. Y lo haría sin sombra de escrúpulo, porque no poseyendo alma perdurable, ¿cómo podría castigárseme en otra vida por una mala acción?

—Caballero —repuso el Maligno—: formalicemos nuestro negocio. Oíd: viviremos ambos como amigos y camaradas inseparables durante cierto tiempo, y, mientras tanto, os observaré cuidadosamente para ver si descubro en vos indicios de un alma libre y soberana.

Le estreché la mano con efusión.

—Si queréis —le dije— desde luego podemos empezar nuestras correrías y ver si nos presenta el azar circunstancias extraordinarias y trances excepcionales en los cuales haya ocasión para darse a conocer un alma verdaderamente inmortal.

II

—¿Podríais decirme, amigo Satán, si habéis descubierto un alma dentro de mí? Si la habéis hallado, decídmelo en seguida para que juntos determinemos su valor; y si creéis que no poseo ninguna, no temáis decírmelo francamente,

porque no me ocasionaréis con ello ningún disgusto ni
mucho menos me creeré ofendido porque me digáis desal-
mado. Al contrario, el no poseer alma ninguna me librará
de infinitas preocupaciones y responsabilidades molestas.
Nuestro cuerpo es inofensivo y no pretende pasar de la
tumba. Pero el alma nos expone a mil peligros e incertidumbres. Por lo pronto, la sola probabilidad de tenerla me
hace ya andar en vuestra compañía.

—Amigo mío —me contestó Satán, poniéndome amisto-
samente la mano sobre el hombro—: me veo en la obligación de manifestaros, después de tantos ensayos y
experimentos infructuosos, que aún no he podido averiguar con certeza si poseéis en vuestro cuerpo esa esencia
inmortal. La averiguación del alma es asunto difícil y sólo
dispongo de un medio que permitiría esclarecerlo en
seguida. Es el siguiente, que os propongo como el mejor y
más expedito, y de cuyos inequívocos resultados estoy
seguro: os daré muerte (el género de muerte que queráis
escoger) y pasado brevísimo tiempo os haré revivir mediante mi poder satánico y volveréis a ser idénticamente
el mismo. El procedimiento, como podéis apreciarlo, es
muy sencillo: durante el tiempo que permanezcáis muerto,
si tenéis alma, ésta se expandirá en infinitas perspectivas
extraterrenas y visiones celestes e infernales, de las cuales
os acordaréis perfectamente después mediante una fórmula
mágica que yo tendré cuidado de pronunciar al volveros
a la vida. Si, por el contrario, carecéis de alma perdurable
después de la muerte, ésta se reducirá para vos a un sueño
denso del que no conservaréis memoria. En cuanto a los
medios más adecuados para daros muerte, opino que es
preferible la cómoda estrangulación, procedimiento que no
requiere instrumento ni aparato alguno.

Acepté el ingenioso expediente imaginado por Satán,
quien me estranguló de manera afectuosa, en medio de la
amistad más cordial y el compañerismo más estrecho, una
noche del mes de enero, en el rincón de una plaza pública,
a la sazón desierta bajo la luna clara y redonda. Recuerdo
con exactitud minuciosa el sitio del crimen. A pocos pasos
dormitaba un guardia envuelto en su gran capucha negra, y

tuve el placer de dejarme estrangular a la vista de un guardia público, sin rebajarme a pedirle socorro.

—Os recomiendo encarecidamente mi cadáver. Miradlo con ojos paternales y cuidad de que no se estropee el rostro, pues ya lo fue bastante por la impía Naturaleza, con grave atropello de la perfección física.

Tales fueron mis últimas voluntades. Al extinguirme a manos de Satán, mi mirada recayó al azar en el claro disco de la luna, donde quedó fija hasta que perdí el conocimiento.

III

—Espero ansioso vuestro relato de ultratumba —fueron las primeras palabras que oí de Satán al volver de aquel sueño en el que nada me había sido dado contemplar ni sentir: seguramente por haber muerto con la mirada fija en la luna llena, mi permanencia en el reino ultramundano se redujo de manera lastimosa a ver una infinidad de globos que no expresaban ningún ingenio ni mucho menos podían ser indicios por donde se coligiera la presencia de un espíritu soberano.

—No cabe duda —razonaba yo en tan críticos instantes— que ha sido éste un fallecimiento estúpido, propio más bien de alguien que hubiera muerto de fiebre delirando con globos de colores. ¡Ah, no! Satán no se desternillará de risa oyéndome contar semejantes sandeces, indignas y groseras manifestaciones del espíritu inmortal que indudablemente me anima. Porque ahora, después de este importante experimento y de tantos otros en que he dilapidado el tiempo y arriesgado la existencia, soy de opinión que no debo permanecer indiferente a los resultados, sino antes bien hacerme pasar como poseedor de un alma preciosísima, para resarcirme de este modo, con lo que Satán me entregue en cambio de ella, de las pérdidas cuantiosas que debo estar sufriendo en mis negocios durante el largo tiempo que llevo desatendiéndolos por andar con el Maligno en la averiguación de mi alma. Tanto más cuanto que muy bien pudiera ser que el propio Satán me haya adormecido fraudulentamente el espíritu perdurable, a fin de persuadirme de mi inferioridad y decidirme a venderle a precio vil un alma poco significativa.

Pero ya no era posible coordinar nada, y la voz del Maligno me apremiaba a contarle el resultado.

Resolvíme, pues, a abrir los ojos.

—Quisiera tener algún tiempo para coordinar mis ideas y mis recuerdos ¡oh, Satán! —le dije—, porque he visto cosas inverosímiles que no me atrevo a narrar en un lenguaje improvisado e inelocuente. Os prometería componer en breve una interesante memoria, que sometería a vuestro criterio y en la cual os narraría hasta los ínfimos pormenores. Pero como seguramente estáis ya harto de este asunto, que os ha retenido bastante tiempo y que para vos debe carecer de novedad, os diré a grandes rasgos lo sucedido. Apenas muerto, pude ver unos astros que se alineaban en dos filas, como una soberbia iluminación para el paso de alguna gran Potestad. A poco me sentí impulsado por una fuerza desconocida y (cosa a que jamás me hubiese atrevido sin la intervención de un poder ajeno a mi voluntad) recorrí de manera lenta y ceremoniosa aquella galería astral y aun tuve calma para observar que detrás de mí las luminarias íbanse apagando sucesivamente a mi paso. Al final de la galería se abrió de pronto una puerta de oro macizo que arrojó hacia fuera una gran bocanada de luz aún más intensa. Por aquella preciosa Puerta apareció un Pontífice (así por lo menos lo supongo en mi ignorancia) que avanzó dos pasos hasta encontrarse conmigo. Tomándome de la mano, me condujo a la Puerta y me mostró algo que seguramente debía ser admirable, pero que yo no pude ver a causa de la luz excesiva que reinaba en el recinto. Luego me atrajo suavemente e imponiéndome ambas manos sobre la cabeza se disponía a consagrarme sabe Dios de qué cosa; pero en aquel instante recordé bruscamente que no debía permitir que se me consagrara en lo mínimo, en vista de nuestro pacto satánico. A la vez recordé en el propio instante que os había dejado en situación difícil, con un cadáver a pocos pasos de un guardia público, y que si

éste despertaba de pronto, para poneros en salvo os veríais
en el caso de abandonar mi cadáver, el cual sería desdoro-
samente conducido a un hospital cualquiera. Así, pues, me
dejé caer violentamente al suelo y me escurrí por entre las
faldas del gran sacerdote, en momentos en que éste tenía
puestos los ojos en blanco por hallarse en éxtasis para
atraer con su fervor la divina bendición sobre mi cabeza. El
paso por debajo de aquel gran sacerdote fue largo y penoso,
y sólo puedo deciros que durante el trayecto nada me indujo
a recordar la ambrosía. En carrera fantástica llegué hasta
aquí y penetré rápidamente en mi cuerpo, cuya boca, dicho
sea sin intención de reprochároslo, os habíais olvidado de
cerrar convenientemente.

Me incorporé sin dificultad y proseguí de este modo:

—Debo ahora manifestaros, ¡oh Satán!, la gratitud impe-
recedera que os guardo por haberme puesto en circunstancias apropiadas para comprobar patentemente que me
hallo en posesión de un alma inmortal. Gustoso comparto
ahora con los creyentes la desdeñosa lástima que les inspi-
ran los materialistas y los impíos, que nunca gozaron el
soberano orgullo de saberse dueños de un espíritu perdurable. Puedo regocijarme, además, de saber que esta alma
no es en modo alguno un alma adocenada y de poca monta,
sino antes bien un espíritu que goza de especial estimación
en el reino ultraterreno y que, por consiguiente, es verdaderamente inapreciable. Me sentiría, pues, singularmente
rebajado si consintiera en vendérosla por una suma cualquiera.

Satán me hizo notar que yo estaba comprometido for-
malmente a venderle el alma que tuviera.

—Considerad —me dijo— que un hombre de espíritu
tan elevado como es el vuestro, según decís, no puede fal-
tar a la palabra empeñada.

—¡Cuán cierto es eso! —le dije—, ¡oh, Satán! Pero yo no
he pensado en quebrantar la palabra empeñada. Si rehúso
cederos mi alma por dinero es porque, siendo tan digna y
preciosa, la considero invalorable. Pero no tengo ningún
inconveniente en cambiárosla por algo que sea igualmente
sin precio. Os la cederé, pues, si me dais en cambio el don

de mentir sin pestañear. Privado en adelante de toda alma y habiendo perdido ya de antemano el cielo, puede ser, sin embargo, que este pequeño don que os pido me sirva para hacerme con el tiempo de otra alma y otro cielo.

Satán se regocijó en extremo con esta noticia y me manifestó que, como señalada prueba de confianza y amistad, me había ya concedido de antemano el don que le pedía...

Así que no tuvimos nada más que tratar y continuamos nuestro paseo de aquella noche bajo la luna que iluminaba como una gran lámpara el jardín. Hablábamos de cosas indiferentes. Cuando pasamos junto al guardia, que seguía durmiendo profundamente, le decía yo a Satán estas palabras:

—Lamento no haber traído de mi celeste correría, como se acostumbra después de un viaje, algún pequeño recuerdo o reliquia. Por ejemplo, varios pedazos de oro arrancados de aquella preciosa Puerta. A mi regreso, parientes y amigos se los hubieran disputado con fervoroso ardor, porque son sumamente cristianos, y todos de una gran piedad...

PABLO PALACIO
(Loja, Ecuador, 1906 - Guayaquil, Ecuador, 1947)

ENTRE los veintiuno y veintiséis años de edad, Pablo Palacio publica dos novelas y un libro de cuentos. No se trataba de "ejercicios" literarios de juventud sino de una obra de enorme significado para la narrativa moderna hispanoamericana. En un extraordinario enlace de brevedad y perdurabilidad, la novísima producción del escritor ecuatoriano quedaría constituida, fundamentalmente, por estos tres libros. Surgía una escritura intensamente luminosa que extinguía el pasado literario en un cabal aprovechamiento de la verdadera tradición moderna. Palacio inventaba el futuro de esa tradición en el encuentro del cambio.

La trascendencia de la creación de Palacio no fue percibida en su época. Durante casi tres décadas, los ensayos dedicados a la narrativa ecuatoriana apenas mencionaban su obra; desconocimiento en el cual no quedaba solo. La atención de su obra, así como la producción de otros importantes vanguardistas hispanoamericanos, se produciría después del denominado "boom" latinoamericano, cuando ya se había creado una perspectiva de valoración familiarizada con la estética de las obras de Julio Cortázar, Augusto Roa Bastos, Guillermo Cabrera Infante, Severo Sarduy, José Donoso y otros escritores que producían en las décadas de los sesenta y setenta. En 1973, la excelente tesis de Louise Thorpe Crissman evalúa con precisión la renovadora prosa de Palacio, demostrando los nuevos modos narrativos logrados por el autor: "Palacio usa técnicas que en su época no eran usuales en la literatura hispanoamericana; entre ellas

141

cabe mencionar la fragmentación, la imagen surrealista, los monólogos interiores, los efectos tipográficos especiales, el uso de un lenguaje no literario" (*The Works of Pablo Palacio: An Early Manifestation of Contemporary Tendencies in Spanish American Literature*, University of Maryland, p. 199, la traducción es nuestra).

Además de ejercer la abogacía, Palacio impartía clases de filosofía en la Universidad Central de Quito, institución donde llegaría a ocupar el cargo de decano de la Facultad de Filosofía y Letras. La admirada inteligencia del autor —descrita por Alejandro Carrión como "la más lúcida, la más penetrante, la más espléndida que haya habido en este país a la altura de los años treinta" (*Obras completas*. Quito: Editorial Casa de la Cultura Ecuatoriana, 1964, p. XXIX)— empieza, desafortunadamente, a minarse en años que eran de gran actividad para el escritor. Preocupa la posibilidad de un grave trastorno mental: "le ocurrían cosas raras, que asombraban a sus amigos: fugas, amnesias repentinas, desaparición de palabras que le cortaban las frases, distracciones prolongadas, ausencias en las que la realidad circundante se le escamoteaba. Y nerviosidad, irritabilidad inmotivada, mucha intranquilidad, todo lo que jamás él había sido" (Alejandro Carrión, *Obras completas*, ed. cit., p. XX). La demencia se apodera gradualmente de esa brillante mente; en Guayaquil, es internado en una Casa de Salud. Pablo Palacio muere a los cuarenta y un años.

El interés crítico por la obra de Palacio prosigue hoy, como también la publicación de sus obras; en la década de los años noventa se reeditan *Débora*, *Un hombre muerto a puntapiés* y las *Obras completas*. En la obra cuentística de Palacio, el relato "La doble y única mujer" sobresale por la inquietante volatilidad de un discurso que psicoanaliza la tensión del yo. El narcisismo antropocéntrico es asaltado por las incertidumbres creadas en la duplicación; un nuevo vector de transferencias cuestiona lo razonado y la noción de centro. En el conflicto de la mujer se retratan todas las limitaciones y su doble identidad no se puede entender sino desde la instalación en una nueva unidad conseguida en la transformación.

LA DOBLE Y ÚNICA MUJER *

(H A sido preciso que me adapte a una serie de expresiones difíciles que sólo puedo emplear yo, en mi caso particular. Son necesarias para explicar mis actitudes intelectuales y *mis* conformaciones naturales, que se presentan de manera extraordinaria, excepcionalmente, al revés de lo que sucede en la mayoría de los "animales que ríen".)

Mi espalda, mi atrás, es, si nadie se opone, mi pecho de ella. Mi vientre está contrapuesto a mi vientre de ella. Tengo dos cabezas, cuatro brazos, cuatro senos, cuatro piernas, y me han dicho que *mis* columnas vertebrales, dos hasta la altura de los omóplatos, se unen allí para seguir —robustecida— hasta la región coxígea.

Yo-primera soy menor que yo-segunda.

(Aquí me permito, insistiendo en la aclaración hecha previamente, pedir perdón por todas las incorrecciones que cometeré. Incorrecciones que elevo a la consideración de los gramáticos con el objeto de que se sirvan modificar, para los posibles casos en que pueda repetirse el fenómeno, la muletilla de los pronombres personales, la conjugación de los verbos, los adjetivos posesivos y demostrativos, etc., todo en su parte pertinente. Creo que no está de más, asimismo, hacer extensiva esta petición a los moralistas, en el sentido de que se molesten alargando un poquito su moral

* Reproducido con autorización de la Casa de la Cultura Ecuatoriana Benjamín Carrión, Quito, Ecuador. *Obras completas* de Pablo Palacio. Quito: Editorial Casa de la Cultura Ecuatoriana, 1964, pp. 138-153.

y que me cubran y que me perdonen por el cúmulo de inconveniencias atadas naturalmente a ciertos procedimientos que traen consigo las posiciones características que ocupo entre los seres únicos.)

Digo esto porque yo-segunda soy evidentemente más débil, de cara y cuerpo más delgados, por ciertas manifestaciones que no declararé por delicadeza, inherentes al sexo, reveladoras de la afirmación que acabo de hacer; y porque yo-primera voy para adelante, arrastrando a mi atrás, hábil en seguirme, y que me coloca, aunque inversamente, en una situación algo así como la de ciertas comunidades religiosas que se pasean por los corredores de sus conventos, después de las comidas, en dos filas, y dándose siempre las caras —siendo como soy, dos y una.

Debo explicar el origen de esta dirección que me colocó en adelante *a la cabeza* del yo-ella: fue la única divergencia entre mis opiniones de ahora, y sólo ahora, creo que me autoriza para hablar de *mí* como de *nosotras,* porque fue el momento aislado en que *cada una,* cuando estuvo apta para andar, quiso tomar por su lado. Ella —adviértase bien: la que hoy es yo-segunda— quería ir, por atavismo sin duda, como todos van, mirando hacia donde van; yo quería hacer lo mismo, ver a dónde iba, de lo que se suscitó un enérgico perneo, que tenía sólidas bases puesto que estábamos en la posición de los cuadrúpedos, y hasta nos ayudábamos con los brazos de manera que, casi sentadas como estábamos, con aquéllos al centro, ofrecimos un conjunto octópodo, con dos voluntades y en equilibrio unos instantes debido a la tensión de fuerzas contrarias. Acabé por vencerla, levantándome fuertemente y arrastrándola, produciéndose entre nosotras, desde mi triunfo, una superioridad inequívoca de mi parte primera sobre mi segunda y formándose la unidad de que he hablado.

Pero, no; es preciso sentar una modificación en mis conceptos, que, ahora caigo en ello, se han desarrollado así por liviandad en el razonamiento. Indudablemente, la explicación que he pensado dar a posteriores hechos puede aplicarse también a lo referido; lo que aclarará perfectamente mi empeinamiento en designarme siempre de la manera en que vengo haciéndolo: *yo,* y que desbaratará completamente la clasificación de los teratólogos, que han nominado a casos semejantes como *monstruos dobles,* y que se empecinan, a su vez, en hablar de éstos como si en cada caso fueran dos seres distintos, en plural, *ellos.* Los teratólogos sólo han atendido a la parte visible que origina una separación orgánica, aunque en verdad los puntos de contacto son infinitos; y no sólo de contacto, puesto que existen órganos indivisibles que sirven a la vez para la vida de la comunidad aparentemente establecida. Acaso la hipótesis de la doble personalidad, que me obligó antes a hablar de *nosotras,* tenga en este caso un valor parcial debido a que era ése el momento inicial en que iba a definirse el cuerpo directivo de esta vida visiblemente doble y complicada; pero en el fondo no lo tiene. Casi sólo le doy un interés expresivo, de palabras, que establece un contraste comprensible para los espíritus extraños, y que en vez de ir como prueba de que en un momento dado pudo existir en mí un doble aspecto volitivo, viene directamente a comprobar que existe dentro de este cuerpo doble un solo motor intelectual que da por resultado una perfecta unicidad en sus actitudes intelectuales.

En efecto: en el momento en que estaba apta para andar, y que fue precedido por los chispazos cerebrales "andar", idea nacida en mis dos cabezas, simultáneamente, aunque algo confusa por el desconocimiento práctico del hecho y que tendía sólo a la imitación de un fenómeno percibido en los demás, surgió en mi primer cerebro el mandato "Ir adelante"; "Ir adelante" se perfiló claro también en mi segundo cerebro y las partes correspondientes de mi cuerpo obedecieron a la sugestión cerebral que tentaba un desprendimiento, una separación de miembros. Este intento fue anulado por la superioridad física de yo-primera sobre yo-segunda y originó el aspecto analizado. He aquí la verdadera razón que apoya mi unicidad. Si los mandatos cerebrales hubieran sido: "Ir adelante" e "Ir atrás", entonces sí no existiría duda alguna acerca de mi dualidad, de la diferencia absoluta entre los procesos formativos de la idea de movimiento; pero esa igualdad anotada me coloca en el justo término de apreciación. Cuando a la particularidad de que hayan existido en mí dos partes constitutivas que obedecieron a dos órganos independientes, no le doy sino el valor circunstancial que tiene, puesto que he desdeñado ya el criterio superficial que, de acuerdo con otros casos, me da una constitución plural. Desde ese momento yo-primera, como superior, ordeno los actos, que son cumplidos sin réplica por yo-segunda. En el momento de una determinación o de un pensamiento, éstos surgen a la vez en mis dos cerebros; por ejemplo "Voy a pasear", y yo-primera soy quien dirige el paseo y recojo con prioridad todas las sensaciones presentadas ante mí, sensaciones que comunico inmediatamente a yo-segunda. Igual sucede con las sensaciones recibidas por esta otra parte de mi ser. De manera que, al revés de lo que considero que sucede con los demás hombres, siempre tengo yo una comprensión, una recepción doble de los objetos. Les veo, casi a la vez, por los lados —cuando estoy en movimiento— y con respecto a lo inmóvil, me es fácil darme cuenta perfecta de su inmovilidad con sólo apresurar el paso de manera que yo-segunda contemple casi al mismo tiempo el objeto inmóvil. Si se trata de un paisaje, lo miro, sin moverme, de uno y otro lado, obteniendo así la más completa recepción de él, en todos sus aspectos. Yo no sé lo que sería de mí de estar constituida como la mayoría de los hombres; creo que me volvería loca, porque cuando cierro los ojos de yo-segunda o los de yo-primera, tengo la sensación de que la parte del paisaje que no veo se mueve, salta, se viene contra mí y espero que al abrir los ojos lo encontraré totalmente cambiado. Además, la visión lateral me anonada: será como ver la vida por un huequito.

Ya he dicho que mis pensamientos generales y voliciones aparecen simultáneamente en mis dos partes; cuando se trata de actos, de ejecución de mandatos, mi cerebro segundo calla, deja de estar en actividad, esperando la determinación del primero, de manera que se encuentra en condiciones idénticas a las de la garrafa vacía que hemos de llenar de agua o al papel blanco donde hemos de escribir. Pero en ciertos casos, especialmente cuando se trata de recuerdos, mis cerebros ejercen funciones independientes, la mayor parte alternativas, y que siempre están determinadas, para la intensidad de aquéllos, por la prioridad en la recepción de imágenes. En ocasiones estoy meditando acerca de tal o cual punto y llega un momento en que me urge un recuerdo, que seguramente, un rincón oscuro en nuestras evocaciones es lo que más martiriza nuestra vida intelectiva, y, sin haber evocado mi desequilibrio, sólo por mi detenimiento vacilante en la asociación de ideas que sigo, mi boca posterior contesta en alta voz, iluminando la oscuridad repentina. Si se ha tratado de un sujeto borroso, por ejemplo, a quien he visto alguna vez, mi boca de ella contesta, más o menos: "¡Ah! el señor Miller, aquel alemán con quien me encontré en casa de los Sánchez y que explicaba con entusiasmo el paralelogramo de las fuerzas aplicado a los choques de vehículos".

Lo que ha hecho afirmar a mis espectadores que existe en mí la dualidad que he refutado, ha sido principalmente, la propiedad que tengo de poder mantener conversación ya sea por uno u otro lado. Les ha engañado eso del *lado*. Si alguno se dirige a mi parte posterior, le contesto siempre con mi parte posterior, por educación y comodidad; lo mismo sucede con la otra. Y mientras, la parte aparentemente pasiva trabaja igual que la activa, con el pensamiento. Cuando se dirigen a la vez a mis dos lados, casi nunca hablo por éstos a la vez también, aunque me es posible debido a mi doble recepción; me cuido mucho de probables vacilaciones y no podría desarrollar dos pensamientos hondos, simultáneamente. La posibilidad a que me refiero sólo tiene que ver con los casos en que se trate de sensaciones y recuerdos, en los que experimento una especie de separación de mí misma, comparable con la de aquellos hombres que pueden conversar y escribir a la vez cosas distintas. Todo esto no quiere decir, pues, que yo sea dos. Las emociones, las sensaciones, los esfuerzos intelectivos de yo-segunda son los de yo-primera; lo mismo inversamente. Hay *entre mí* —primera vez que se ha escrito bien *entre mí*— un centro a donde afluyen y de donde refluyen todo el cúmulo de fenómenos espirituales, o materiales desconocidos, o anímicos, o como se quiera.

Verdaderamente, no sé cómo explicar la existencia de este centro, su posición en mi organismo y, en general, todo lo relacionado con mi psicología o mi metafísica, aunque esta palabra creo ha sido suprimida completamente, por ahora, del lenguaje filosófico. Esta dificultad, que de seguro no será allanada por nadie, sé que me va a traer el calificativo de desequilibrada porque a pesar de la distancia domina todavía la ingenua filosofía cartesiana, que pretende que para escuchar la verdad basta poner atención a las ideas claras que cada uno tiene dentro de sí, según más o menos lo explica cierto caballero francés; pero como me importa poco la opinión errada de los demás, tengo que decir lo que comprendo y lo que no comprendo de mí misma.

Ahora es necesario que apresure un poco esta narración, yendo a los hechos y dejando el especular para más tarde.

Unos pocos detalles acerca de mis padres, que fueron individuos ricos y por consiguiente nobles, bastará para aclarar el misterio de mi origen: mi madre era muy dada a lecturas perniciosas y generalmente novelescas; parece ser que después de mi concepción, su marido y mi padre viajó por motivos de salud. En el ínterin, un su amigo, médico, entabló estrechas relaciones con mi madre, claro que de honrada amistad, y como la pobrecilla estaba tan sola y aburrida, este su amigo tenía que distraerla y la distraía con unos cuentos extraños que parece que impresionaron la maternidad de mi madre. A los cuentos añádase el examen de unas cuantas estampas que el médico la llevaba; de esas peligrosas estampas que dibujan algunos señores en estos últimos tiempos, dislocadas, absurdas, y que mientras ellos creen que dan sensación de movimiento, sólo sirven para impresionar a las sencillas señoras que creen que existen en realidad mujeres como las dibujadas, con todo su desequilibrio de músculos, estrabismo de ojos y más locuras. No son raros los casos en que los hijos pagan estas inclinaciones de los padres: una señora amiga mía fue madre de un gato. Ventajosamente, procuraré que mis relaciones no sean leídas por señoras que puedan estar en peligro de impresionarse y así estaré segura de no ser nunca causa de una repetición humana de mi caso. Pues, sucedió con mi madre que, en cierto modo ayudada por aquel señor médico, llegó a creer tanto en la existencia de individuos extraños que poco a poco llegó a figurarse un fenómeno del que soy retrato, con el que se entretenía a veces, mirándolo, y se horrorizaba las más. En esos momentos gritaba y se le ponían los pelos de punta. (Todo esto se lo he oído después a ella misma en unos enormes interrogatorios que la hicieron el médico, el comisario y el obispo, quien naturalmente necesitaba conocer los antecedentes del suceso para poder darle la absolución.) Nací más o menos dentro del período normal, aunque no aseguro que fueran normales los sufrimientos por que tuvo que pasar mi pobre madre, no sólo durante el trance sino después, porque apenas me vieron, horrorizados, el médico y el ayudante, se lo contaron a mi padre, y éste, encolerizado, la insultó y la pegó, tal vez con la misma justicia, más o menos, que la que asiste a algunos maridos que maltratan a sus mujeres porque les dieron una hija en vez de un varón como querían.

Madre me tenía cierta compasión insultante para mí, que era tan hija suya como podía haberlo sido una tipa igual a todas, de esas que nacen para hacer *pucheritos* con la boca, zapatear y coquetear. Padre, cuando me encontraba sola, me daba de puntapiés y corría; yo era capaz de matarlo al ver que, a mis llantos, era de los primeros en ir a mi lado; acariciándome uno de los brazos, me preguntaba, con su voz hipócrita: "Qué es lo que te ha pasado, hijita". Yo me callaba, no sé bien por qué; pero una vez no pude ya soportarlo y le contesté, queriendo latiguearle con mi rabia: "Tú me pateaste en este momento y corriste, hipócrita". Pero como mi padre era un hombre serio, y aparentaba delante de todos quererme, y le habían visto entrar sorprendido, y, por último, merecía más crédito que yo, todos me miraron, abriendo mucho la boca y se vieron después las caras; un momento después, al retirarse, oí que mi padre dijo en voz baja: "Tendremos que mandar a esta pobre niña al Hospicio; yo desconfío de que esté bien de la cabeza; el doctor

me ha manifestado también sus dudas. Caramba, caramba,
qué desgracia". Al oír esto, quedé absorta.

No me daba cuenta de lo que podía ser un Hospicio;
pero por el sentido de la frase comprendí que se trataba de
algún lugar donde se recluiría a los locos. La idea de sepa-
rarme de mis padres no era para mí nada dolorosa; la
habría aceptado más bien con placer, ya que contaba con el
odio de uno y la compasión de la otra, que tal vez no era lo
menos. Pero como no conocía el Hospicio, no sabía qué era
lo preferible; éste se me presentaba algunas veces como
amenazador, cuando encontraba en mi casa alguna comodidad o algún cariño entre los criados, que hacían que
tomara ese ambiente como mío; pero en otras, ante la cara
contraída de mi madre o una mirada envenenada de mi
padre, deseaba ardientemente salir de aquella casa que me
era tan hostil. Habría prevalecido en mí este deseo de no
haber sorprendido una tarde entre los criados una conversación en la que se me compadecía, diciéndome a cada
momento "pobrecita" y en la que descubrí además algunos
espantables procedimientos de los guardianes de aquella
casa, agrandados, sin duda, extraordinariamente, por la
imaginación encogida y servil de los que hablaban. Los
criados siempre están listos a figurarse las cosas más inverosímiles e imposibles. Decían que a todos los locos les azo-
taban, les bañaban con agua helada, les colgaban de los
dedos de los pies, por tres días, en el vacío; lo que acabó
por sobrecogerme. Fui lo más pronto que pude donde mi
padre, a quien encontré discutiendo en alta voz con su
mujer, y me puse a llorar delante de él, diciéndole que
seguramente me había equivocado el otro día y que debía
de haber sido otro el que me había maltratado, que yo le
amaba y respetaba mucho y que me perdonase. Si lo habría
podido hacer, me hubiera arrodillado de buena gana para
pedírselo, porque había alcanzado a observar que las súplicas, los lamentos y alguna que otra tontería, adquieren un
carácter más grave y enternecedor en esa difícil posición;
hombres y mujeres pudieran dar lo que se les pida, si se lo
hace arrodillados, porque parece que esta actitud elevara a
los concedentes a una altura igual a la de las santas imágenes

en los altares, desde donde pueden derrochar favores sin mengua de su hacienda ni de su integridad. Al oírme, mi padre, no sé por qué me miró de una manera especial, entre furioso y amargado; se paró violentamente. Creo que vi humedecerse sus ojos. Al fin dijo, cogiéndose la cabeza: "Este demonio va a acabar por matarme", y salió sin regresar a ver. Pensé que era ése el último momento de mi vida en aquella casa. Después de poco, oí un ruido extraordinario, seguido de movimiento de criados y algunos llantos. Me cogieron, y a pesar de mis pataleos me llevaron a mi dormitorio, donde me encerraron con llave, y no volví a ver más a mi más grande enemigo. Después de algún tiempo supe que se había suicidado, noticia que la recibí con gran alegría puesto que vino a comprobar una de las hipótesis dulces que contrapesaban y hacían balancear mi tranquilidad, en oposición a otras amargas anunciadoras de un cambio desgraciado en mi vida.

Cuando tuve 21 años me separé de mi madre que era entonces todavía mujer joven. Ella aparentó un gran dolor, que tal vez habría tenido algo de verdadero, puesto que mi separación representaba una notabilísima disminución de la fortuna que ella usufructuaba.

Con lo que me tocó en herencia me he instalado muy bien, y como no soy pesimista, de no haberme ocurrido la mortal desgracia que conoceréis más tarde, no habría desesperado de encontrar un *buen partido*.

Mi instalación fue de las más difíciles. Necesito una cantidad enorme de muebles especiales. Pero de todo lo que tengo, lo que más me impresiona son las sillas, que tienen algo de inerte y de humano, anchas, sin respaldo porque soy respaldo de mí misma, y que deben servir por uno y otro lado. Me impresionan porque yo formo parte del objeto "silla"; cuando está vacía, cuando no estoy en ella, nadie que la vea puede formarse una idea perfecta del mueblecito aquél, ancho, alargado, con brazos opuestos, y que parece que le faltara algo. Ese algo soy yo que, al sentarme, lleno un vacío que la idea "silla" tal como está formada vulgarmente había motivado en "mi silla": el respaldo, que se lo he puesto yo y que no podía tenerlo antes porque precisamente, casi siempre, la condición esencial para que un mueble mío sea mueble en el cerebro de los demás es que forme yo parte de ese objeto que me sirve y que no puede tener en ningún momento vida íntegra e independiente.

Casi lo mismo sucede con las mesas de trabajo. Mis mesas de trabajo dan media vuelta —no activamente, se entiende, sino pasivamente—; así que su línea máxima es casi una semicircunferencia, algo achatada en sus partes opuestas: quiero decir que tiene la forma de una bala, perfilada, cuyo extremo anterior es una semicircunferencia. Una sintetización de la mitad del mar Adriático, hacia el golfo de Venecia, creo que sería también sumamente parecida a la forma exterior de las tablas de mis mesas. El centro está está recortado y vacío, en la misma forma que la ya descrita, de manera que allí puedo entrar yo y mi silla, y tener mesa por ambos lados. Claro que podía obviar la dificultad de estas innovaciones con sólo tener dos mesas, entre las cuales me colocaría; pero ha sido un capricho, que tiende a establecer mi unidad exterior magníficamente, ya que nadie puede decir: "Trabaja en mesas", sino "en una mesa". Y la posibilidad de que yo trabaje por un solo lado me pone en desequilibrio: no podría dejar vacío el frente de mi otro lado. Esto sería la dureza de corazón de una madre que teniendo un pan lo diera entero a uno de sus dos hijos.

Mi tocador es doble: no tengo necesidad de decir más, pues su uso en esta forma es claramente comprensible.

La diversidad de mis muebles es causa del gran dolor que siento al no poder ir de visita. Sólo tengo una amiga que por tenerme con ella algunas veces ha mandado a confeccionar una de *mis* sillas. Mas, prefiriendo estar sola, se me ve por allí rara vez. No puedo soportar continuamente la situación absurda en que debo colocarme, siempre en medio de los visitantes, para que la visita sea de yo-entera. Los otros, para comprender la forma exacta de mi presencia en una reunión, de sentarme como todos, deberían asistir a una de perfil y pensar en la curiosidad molestosa de los contertulios.

Y este dolor es nada frente a otros. En especial mi amor a los niños acaba por hacerme llorar. Quisiera tener a alguno en mis brazos y hacerle reír con mis gracias. Pero ellos, apenas me acerco, gritan asustados y corren. Yo, defraudada, me quedo en ademán trágico. Creo que algunos novelistas han descrito este ademán en las escenas últimas de sus libros, cuando el protagonista, solo, en la ribera (casi nunca se acuerdan del muelle), contempla la separación del barco que se lleva a una persona amiga o de la familia; más patético resulta eso cuando quien se va es la novia.

En casa de mi amiga de la silla conocí a un caballero alto y bien formado. Me miraba con especial atención. Este caballero debía ser motivo de la más aguda de mis crisis.

Diré pronto que estaba enamorada de él. Y como antes ya he explicado, este amor no podía surgir aisladamente en uno sólo de mis *yos*. Por mi manifiesta unicidad apareció a la vez en *mis lados*. Todos los fenómenos previos al amor, que aquí ya estarían de más, fueron apareciendo en ellos idénticamente. La lucha que se entabló entre mí es con facilidad imaginable. El mismo deseo de verlo y hablar con él era sentido por ambas partes, y como esto no era posible, según las alternativas, la una tenía celos de la otra. No sentía solamente celos, sino también, de parte de mi yo favorecido, un estado manifiesto de insatisfacción. Mientras yo-primera hablaba con él, me aguijoneaba el deseo de yo-segunda, y como yo-primera no podía dejarlo, ese placer era un placer a medias con el remordimiento de no haber permitido que hablara con yo-segunda.

Las cosas no pasaron de eso porque no era posible que fueran a más. Mi amor con un hombre se presentaba de una manera especial. Pensaba yo en la posibilidad de algo más avanzado: un abrazo, un beso, y si era en lo primero venía enseguida a mi imaginación la manera cómo podía dar ese abrazo, con los brazos de yo-primera, mientras yo-segunda agitaría los suyos o los dejaría caer con un gesto inexpresable. Si era un beso, sentía anticipadamente la amargura de mi boca de ella.

Todos estos pensamientos, que eran de *solidaridad,* estaban acompañados por un odio invencible a mi segunda parte; pero el mismo odio era sentido por ésta contra mi primera. Era una confusión, una mezcla absurda, que me daba vueltas por el cerebro y me vaciaba los sesos.

Pero el punto máximo de mis pensamientos, a este respecto, era el más amargo... ¿Por qué no decirlo? Se me ocurrió que alguna vez podía llegar a la satisfacción de mi deseo. Esta sola enunciación da una idea clara de los razonamientos que me haría. ¿Quién *yo* debía satisfacer *mi* deseo, o mejor *su* parte de *mi* deseo? ¿En qué forma podía ocurrírseme su satisfacción? ¿En qué posición quedaría mi otra parte ardiente? ¿Qué haría esa parte, olvidada, congestionada por el mismo ataque de pasión, sentido con la misma intensidad, y con el vago estremecimiento de lo satisfecho en medio de lo enorme insatisfecho? Tal vez se entablaría una lucha, como en los comienzos de mi lucha, como en los comienzos de mi vida. Y vencería yo-primera como más fuerte, pero al mismo tiempo me vencería a mí misma. Sería sólo un triunfo de prioridad, acompañado por aquella tortura.

Y no sólo debía meditar en eso, sino también en la probable actitud de él frente a mí, en mi lucha. Primero, ¿era posible para él sentir deseo de satisfacer mi deseo? Segundo, ¿esperaría que una de mis partes se brindase, o tendría determinada inclinación, que haría inútil la guerra de *mis yos*?

Yo-segunda tengo los ojos azules y la cara fina y blanca. Hay dulces sombras de pestañas.

Yo-primera tal vez soy menos bella. Las mismas facciones son endurecidas por el entrecejo y por la boca imperiosa.

Pero de esto no podía deducir quién *yo* sería la preferida.

Mi amor era imposible, mucho más imposible que los casos novelados de un joven pobre y oscuro con una joven rica y noble.

Tal vez había un pequeño resquicio, pero ¡era tan poco romántico! ¡Si se pudiera querer a dos!

En fin, que no volví a verlo. Pude dominarme haciendo un esfuerzo. Como él tampoco ha hecho por verme, he pensado después que todas mis inquietudes eran fantasías inútiles. Yo partía del hecho de que él me quisiera, y esto, en mis circunstancias parece un poco absurdo. Nadie puede quererme, porque me han obligado a cargar con éste mi fardo, mi sombra; me han obligado a cargarme mi duplicación.

No sé bien si debo rabiar por ella o si debo elogiarla. Al sentirme *otra;* al ver cosas que los hombres sin duda no pueden ver; al sufrir la influencia y el funcionamiento de un mecanismo complicado que no es posible que alguien conozca fuera de mí, creo que todo esto es admirable y que soy para los mediocres como un pequeño dios. Pero ciertas exigencias de la vida en común que irremediablemente tengo que llevar y ciertas pasiones muy humanas que la naturaleza, al organizarme así, debió lógicamente suprimir o modificar, han hecho que más continuamente piense en lo contrario.

Naturalmente, esta organización distinta, trayéndome usos distintos, me ha obligado a aislarme casi por completo. A fuerza de costumbre y de soportar esta contrariedad, no siento absolutamente el principio social. Olvidando todas mis inquietudes me he hecho una solitaria.

Hace más o menos un mes, he sentido una insistente comezón en mis labios de ella. Luego apareció una manchita blancuzca, en el mismo sitio, que más tarde se convirtió en violácea; se agrandó, irritándose y sangrando.

Ha venido el médico y me ha hablado de proliferación de células, de neo-formaciones. En fin, algo vago, pero que yo comprendo. El pobre habrá querido no impresionarme. ¿Qué me importa eso a mí, con la vida que llevo?

Si no fuera por esos dolores insistentes que siento en mis labios... En mis labios... bueno ¡pero no son mis labios! Mis labios están aquí, adelante; puedo hablar libremente con ellos... ¿Y cómo es que siento los dolores de esos *otros* labios? Esta dualidad y esta unicidad al fin van a matarme. Una de mis partes envenena al todo. Esa llaga que se abre como una rosa y cuya sangre es absorbida por mi otro vientre irá comiéndose todo mi organismo. Desde que nací he tenido algo especial; he llevado en mi sangre gérmenes nocivos.

... Seguramente debo tener una sola alma... ¿Pero si

después de muerta, mi alma va a ser así como mi cuerpo...?
¡Cómo quisiera no morir!

   ¿Y este cuerpo inverosímil, estas dos cabezas, estas cuatro piernas, esta proliferación reventada de los labios?

   ¡Uf!

EFRÉN HERNÁNDEZ
(Guanajuato, México, 1904 - México, D. F., 1958)

E F R É N Hernández destacó como un gran renovador en el relato. Sus cuentos —especialmente los incluidos en *Tachas*, *El señor de palo* y el relato reproducido en esta antología— ofrecen un novedoso modo de abordar la noción de lo literario. El relato "Un clavito en el aire" se publicó en el volumen *Cuentos* en 1941 y luego en la revista mexicana *América* en 1945, época en que aún se proseguía esa atmósfera de renovación narrativa asociada al vanguardismo hispanoamericano en las décadas de los veinte y de los treinta. El cuento se presenta como un recorrido topográfico del hecho literario; interrogándose a sí mismo anuncia una intención que es continuamente postergada y que nunca se llega a cumplir. Planos de un tiempo narrativo digresivo que deja escapar la intención de escribir un "cuento extraordinario", combatiendo la postura del arte como la tela exclusiva del motivo "aceptable".

Además de cuentos, Hernández escribió dos novelas, un libro de poesía y una obra breve de teatro. El autor mexicano había seguido algunos años la carrera de leyes, pero decepcionado de la imagen establecida sobre la calidad de la educación universitaria, dejó sus estudios. La obra completa del autor aparece en 1965; en la introducción, Alí Chumacero hace el siguiente comentario sobre el talento artístico de Hernández: "Creó un universo oscilante que va de la mera malicia al esplendor franco de lo poético. En buena porción, su prosa es un puente apto para mantener la continuidad de ciertos escritores mexicanos que, como

157

inmediatamente antes lo había hecho Micrós (1868-1908), suelen descubrir en la palpitación de lo nimio, en la pequeñez de la vida cotidiana, el temblor de la existencia". ("Imagen de Efrén Hernández" en *Obras. Poesía. Novela. Cuentos.* México: Fondo de Cultura Económica, 1965, p. VII.)

UN CLAVITO EN EL AIRE*

L o barato cuesta caro —no de pronto, sino andando el tiempo. Y la puerta es de palo barato. Con las lluvias se hinchaba, y cuando pasó el tiempo de aguas, al día siguiente de la postrera lluvia, el calor, cortés, estuvo a despedirse de nosotros. La temperatura, semejante al amigo que parte, y que al partir, con un abrazo nos quiebra una costilla, apretó mucho y quebró nuestro espíritu, rajó la puerta y reventó el termómetro.

Otrosí dejó encargado al gallo que nos desease buenas noches. Éste se trepó a la barda y con una voz clara nos lo dio a conocer.

Luego enfriaron los aires —ya de noche— y corroboróse nuestro espíritu; mas la puerta quedó con su rendija y va ser necesario comprar otro termómetro.

Lo barato, Severo mío, lo barato cuesta caro. Piénsalo detenidamente. ¿Me oyes?, detenidamente.

No se trata de una paradoja bizantina, de una discusión santotomista, de aquellas que para desarrollar nuestras incipientes vocaciones dialécticas solían proponernos en el seminario:

> *Lo barato es raro*
> *Lo raro es caro*
> luego lo barato es caro.

* Reproducido con autorización de la Editorial Fondo de Cultura Económica, México, D. F., México. *Obras. Poesía. Novela. Cuento de Efrén Hernández.* 1.ª ed., México: Fondo de Cultura Económica, 1965, pp. 341-345.

Tampoco es este capítulo, uno hecho a semejanza de aquel famoso, que Fray Antonio Gerónimo Benito Feijoo y Montenegro llamó: *"Capítulo donde se trata de poner escuras algunas cosas que son de suyo claras"*. Todo lo contrario, Severiano, todo lo contrario.

Desde luego, no habrá cosa de la cual no se hable por orden riguroso, siguiendo en el curso de las aguas el ejemplo que nos ponen en la naturalidad con que siempre resbalan hacia abajo, hasta llegar al mar a resolverse. Y que Dios me libre de acudir a los sentidos figurados y a las significaciones cambiadas. El ala de una mosca no me gusta hacer diversión la santidad de las palabras, tiritas de ropa con que vestimos nuestros pensamientos invisibles, para conseguir la bienaventuranza de que nos lo vean. El arte es como una sastrería de un sastre cuya única virtud ha de consistir en dar a cada pensamiento su vestido propio. Lo demás es torcido. El hambriento diga pan, vino el sediento, y el desdichado avaro, cuando lo escarmiente, exclame: ¡Ay de mí! Lo barato cuesta caro y, para bien de todos, voy a demostrar hasta qué punto, con lo de la puerta.

Desde hace tiempo quería yo sorprender al mundo con escribir un cuento tan extraordinario como no se escribió nunca ninguno; pero todo el tiempo mi atención está fija, tirante como un resorte atirantado, de un clavito que a manera de estrella veo flotar en el aire. Porque, aunque me gustan los días —lo suavecito que vienen, llegan y rompen en mañanas, y que las mañanas se pasen a mediodías, y los mediodías a medias tardes, y que después se abra el cielo hasta su más honda vista—, quisiera no encontrar en mí la media semejanza con que me les parezco en tener yo pies y manos y ellos nomás pies. En ser de más o menos manos no encuentro ningún verdadero inconveniente; pero de pies, en cuanto menos, mejor. De modo que se me ocurrió tomar el hilo del tiempo y amarrarlo de un clavo muy macizo que estaba clavado en la pared. Se me ocurrió dos veces, mas encontré tan fácil la realización de mi ocurrencia, que, considerándola sin dificultades, despreciativamente, las dos veces la dejé por la paz. De aquí resulta que el dicho hilo del tiempo está sin amarrar hasta la fecha. Y ay de mí, y ay también —uno por uno— de todos cuantos son dichosos: porque esta operación no parece posible sino entonces, pues cuando con la edad va obturándosenos el cuentahilos de la inteligencia, ya vemos que el del tiempo no es hilo de carrete ni se puede amarrar.

Y tanto me divierte la tristeza venida de este clavo, que si no hago mi cuento, él es la causa. Porque, ¿cuál otra puede haber? Yo soy el hombre más inteligente que se haya podido imaginar. Cuando mi padre vio que a los seis meses de nacido yo podía improvisar historias para que por las noches mi madre fuera quedándose dormida, no pudo contenerse, y brincando de la cama dijo que yo sería, sin género de dudas, el asombro del mundo.

Ya ahora llevo escritos y platicados tantos cuentos, que no pueden contarse; pero la gente dice que versan sobre naderías, y que si bien no puede negarse que soy eminentemente fecundo, mis producciones no son serias, sino que les falta la profundidad. Yo aseguro que están en un error, y no me quieren creer, y para que me crean, he venido meditando a sombra de tejados, una historia sin límites, que no puedo expresar hasta la fecha sin que atine la causa. Y tengo mucho miedo de morir sin haber llegado a desengañar al mundo de que mi genio es, en realidad, de una profundidad extraordinaria.

Tú mismo lo verás.

A veces siento dentro de mi cerebro el capullo de una idea en que se encierra la definición del tiempo; pero el clavo de todas mis desdichas me divierte hacia su lado la atención, y se me va la idea.

Estoy seguro de que cuando logre definir el tiempo, podré escribir en una sola jornada la historia susodicha y alejar para siempre de mi vida mi temor de pasar incomprendido. Y esta noche, es decir, hace unas cuantas horas, hubiera definido el tiempo... lo hubiera definido; pero la puerta es de palo de oyamel.[1]

Sucedió de la manera que a continuación se cuenta.

El terrible calorón de hoy cometió, como se ha visto,

---

[1] *oyamel:* abeto.

varios estropicios, y entre ellos, como también se ha visto, el de quebrar mi espíritu. A lo largo de la jornada que hace diariamente el sol en el cielo, doblegado lo tuve, como una plantita jorobada, sin aliento de cosa, pero, al mismo tiempo, sin intentar esfuerzo ni resentir pesadumbre.

Fue una cosa seria que no hay necesidad de encarecer, visto que se ha encarecido por sí misma, y en muchos años no se nos quitará de la memoria. Según todos los indicios, con la lluvia de ayer se despidió, por este año, la época de lluvias. También llovió anteayer, y el miércoles, el martes el lunes y casi todas las horas sin sol del domingo. Consecuentemente, la tierra amaneció llena de agua. Pues para que la tierra se secara de toda esta humedad, ha bastado una sola exposición de sol.

Los que se levantaron temprano, dicen que desde el amanecer ni una sola nube pasó por todo esto. Para nada sirvieron los techos ni los árboles. Se calentó la tierra, se calentaron las casas, se calentó el aire. No hubo más remedio que dormir y esperar.

El día bajó por fin. La realidad sobrepasó mil veces nuestras esperanzas, y, con la frescura de la noche, dejó mi espíritu, no nada más de estar quebrado, sino que tocó el otro extremo, rehaciéndose y despertando, hasta tal punto, que no guardo recuerdo de haber sentido nunca nada semejante —hablo del espíritu en sí— y tenía una visión tan clara de las cosas, que en la conciencia sentía, lo que en los ojos de la cara, cuando me puse antiparras por primera vez. Yo nací miope. Pero hay que dejar de lado esta comparación porque únicamente los miopes están capacitados para comprenderla.

Y sucedió que cuando me encerré en mi alcoba, no me consideré encerrado, más bien me pareció que las dos ventanas y la puerta carecían de maderas, y que los muros eran cuatro calles públicas, el techo, la intemperie, mis vestidos, la untuosidad de las miradas de los espectadores, y mi cuerpo, la atracción mundial del día.

Así, cerré los ojos, como para cubrirme con una alcoba más reservada, y entonces sentí que el espacio me apretaba, y otra cosa todavía más profunda: que el tiempo iba asando. E inmediatamente, a modo de relámpago, se me claró que he sido lamentable, inmensamente tonto, chando la culpa de no poder definir el tiempo, a ese clavito ue a manera de ensueño veo flotar en el aire.

Y dije, nadie puede fijarse en lo que pasa, al menos con a misma precisión con que se observa lo que está detenido. 'ara ver bien las cosas es necesario que estén quietas, no olando. He aquí la razón de que no puedan y de que ni yo iismo haya podido definir el tiempo. No podía yo cono-erlo, no debido al clavito, sino porque el tiempo vuela y unca deja de volar.

De este modo era como yo casi tenía resuelto mi pro-lema.

Y pensé en las dos maneras como se mira un caminante, egún que el que lo mira esté sentado o que también amine.

En el primer caso el caminante pasa y en el segundo no. s decir, yo podría investigar el tiempo, nada más con onerme en movimiento, e ir, mientras fuera necesario, un oquito, un poquito tras él.

"Santo Dios, exclamé. Te doy rendidas gracias porque ne has iluminado. Ahora ya podré morir y la gente no dirá ue yo no era profundo".

Con la palmada que me di en la frente me tumbé el som-brero.

Hace frío esta noche. Sobre las escasas superficies de agua que sobrevivieron a la temperatura de que tanto hablé, se han formado unas placas de hielo como vidrios de vidriera. Además, anteayer estuve en la peluquería y toda-vía siento rara la nuca.

El lugar en que estaba es un a modo de tapanco,[2] algo más de un metro de alto del suelo, se me planteó un dilema: perdía por esta vez la idea más profunda que se haya podido imaginar, o iba por mi sombrero.

Y el diablo que no se duerme nunca, por no perder una ocasión de hacer el mal o de robar el bien al género hu-mano, trajo el puño de aire más helado que encontró en la

---

[2] *tapanco:* toldo hecho con tiras de caña de bambú.

comarca, y en un soplo de viento me lo envió por la rendija que el calor y la humanidad hicieron en la puerta, me lo atinó en la parte posterior de la cabeza y, sin ser yo más el dueño de mis actos, con la velocidad del tiempo bajé por mi sombrero, me lo puse, y traté de volver a ensimismarme. Pero en esto vino otro más diablo, vio que el sombrero tenía un agujero, trajo más aire y, por la rendija de la puerta de mi corazón y el agujero del sombrero, lo introdujo. Y ahí ando yo, hecho lo que se llama un loco, hasta que no encontré, para el agujero del sombrero, un tapón a la medida.

De esta manera, Severiano mío, se ha perdido la idea más profunda que se haya podido imaginar.

La puerta, ¿no se te ha olvidado?, la puerta es de palo barato. Es decir, lo barato cuesta caro.

JUAN EMAR (Álvaro Yáñez Bianchi)
(Santiago, Chile, 1893 - 1964)

L A narrativa de Juan Emar desafió los cánones de los discursos literarios convencionales, acometiendo el proceso
creativo de una manera totalmente libre. Esto no fue una
pose personal ni literaria, sino una radical transformación
de los modos que tradicionalmente ocupaba lo literario. El
arte constituia para Emar el encuentro de una pasión, la
clave de una identificación total que le llevaría a afirmar que
"en la vida diaria se tienen gustos; en el arte, se tiene amor.
A no ser que el arte se considere como uno de los acciden-
tes de la vida diaria. (...) El artista, ama en toda la acepción
de la palabra. Y todo amor trae consigo exclusividad. El
que ama sacrifica mil aspectos, mil placeres, para lograr la
concentración del amor en un solo aspecto". *Juan Emar.
Escritos de arte (1923-1925)*. Recopilación de Patricio
Lizama. Santiago, Chile: Dirección de Bibliotecas, Archivos y Museos, 1992, p. 79).
   Juan Emar residió en París durante sus años de formación
literaria, donde se familiarizó con los nuevos movimientos
artísticos europeos gestados en los años veinte. Dado su magnífico conocimiento de los desarrollos del arte vanguardista
internacional y su gran destreza literaria, podría haber publicado tempranamente; en lugar de hacerlo, espera, madura su
obra, y publica su primera novela recién en 1934, después de
su regreso a Chile. El cuento "El vicio del alcohol" pertenece
al volumen *Diez*. "Ahora nos toca descifrarlo", dice Pablo
Neruda en el prólogo de esta obra. Esa visión tan honda del
poeta chileno reclamaba nuevas lecturas de la obra de Juan

Emar, que desde entonces se han emprendido, colocándolo
en el sitial de las renovaciones, de los inconformismos, de las
desafiantes rutas que busca el arte, de las demoliciones de
donde nace lo diferente.

EL VICIO DEL ALCOHOL *

A N O C H E , desde mi cama, oí el grito ronco de una mujer que gozaba.

Anoche oí detenerse el reloj dos minutos esperando a la Luna que a su vez se había detenido para ver, en su propia sombra de la calle, dos perros que se batían.

Anoche canté, solo, de espaldas:

> Voy pa mis montañas
> A pedirle a Dios
> Pa estas penas mías
> Nieve, viento y sol.

Oí mi canto. Lo cual es altamente absurdo.

Consideré también altamente absurdo cómo están organizadas sobre esta Tierra las cuestiones del sexo. Pues todas las muchachas hermosas deberían estar desnudas, de espaldas, atadas con gruesas cadenas, y con los muslos abiertos, totalmente abiertos. Entonces se las podría azotar sin piedad.

Pero no hay organización alguna. Al menos mientras las estrellas no nos expliquen todas sus distancias reducidas a entre ambas manos, y al menos mientras los obispos no vistan del verde de los musgos de los pantanos sosegados.

* © Editorial Le Parole Gelate, Roma, Italia. Reproducido por autorización de la Editorial Le Parole Gelate. Agradecemos la atenta colaboración de Eliodoro Yáñez —hijo de Juan Emar— en las gestiones de autorización del cuento.

Nada de lo anotado es arbitrario. Entre esos tres elementos —muchachas atadas, estrellas y posibles obispos vestidos de verde— he visto siempre una filiación absoluta. Prueba de ello es que no he puesto otros elementos sino los anotados. Ahora bien, que yo, hoy día y hasta hoy desde cuarenta y dos años, no pueda desmontar y luego explicar con claridad de cerebro bien organizado tal filiación, no es prueba alguna de su no existencia. Debe pensarse que tampoco puedo dilucidar cada uno de los elementos que la forman. Sin embargo, nadie duda de su realidad. Desafío a quien sea a que me desmonte y explique una muchacha aunque él mismo la haya atado. Desafío una explicación convincente sobre las estrellas aun si se dispone de todos los telescopios del mundo, pues los telescopios mismos necesitarían una explicación ya que sólo existen por la explicación abstracta que antes el cerebro fabricó. Desafío a cualquier humano a que tome a un obispo, le quite sus vestimentas habituales y las reemplace por las de un tono exacto al verde de los pantanos sosegados. Luego que se siente frente a frente del obispo —que fume o no fume, absorba o no rapé, me es igual—, y con voz nítida me explique lo que realmente acaba de suceder. ¡Desafío! Y, por otro lado, que se presente quien dude de la existencia de muchachas, estrellas y obispos. Por mi parte, espero alguna vez explicar todo esto debidamente. Sigamos, pues, con las cuestiones del sexo.

Podrían tener solución más rápida. Sería ella si pudiésemos encontrar placer en hacer el amor con largas tiras de terciopelo. Esto tampoco es arbitrario. Puedo rehacer aquí una argumentación semejante a la anterior. Pero esto me quitaría mucho tiempo y es necesario, es urgente, que pronto, antes que termine el grito de esa mujer que goza, es indispensable que todos los hombres bien nacidos, todos cuantos nos emocionamos ante las voces de Patria y Virtud, es impostergable que luchemos tenazmente en contra del vicio del alcohol.

Mas para esto hace falta un muchacho esbelto, moreno, de ojos claros, que vestiríamos con una malla muy ceñida de color corteza de almendra y que tocaríamos con un gran sombrero, un sombrero planetario, el sombrero en sí mismo y en su total grandeza. ¡Oh qué magnífica, oh qué soberbia cosa es un sombrero!

Yo, aquí en casa, tengo diez y siete. Juro solemnemente que hace ya nueve años que jamás me he acostado sin antes haber orinado varias gotas sobre cada uno. Luego cojo un pequeño fusil de salón y hago fuego sobre los diez y siete, uno tras otro. Volvamos al muchacho.

¡El sombrero inimaginable!

El muchacho debe esperar algunos minutos.

He tomado un cajón parafinero, de madera bruta. Tiene cinco costados. Es decir, tiene un hueco que cubro con un vidrio para que no se pueda tocar lo que hay dentro, pero sí se pueda ver. Listo.

Hay a un costado cinco botellas que crecen de tamaño a medida que se alejan del vidrio. Al otro lado hay otras cinco iguales. Se juntan al fondo. Así:

En las dos primeras se lee: *Cerveza;* en las segundas: *Vino*; en las terceras: *Pisco;* en las cuartas: *Whisky;* en las quintas: *Alcohol Puro.*

Símbolo expresado:

Las botellas crecen de tamaño: el alcohólico necesita cada vez más alcohol.

Junto con crecer las botellas, crece el grado de alcohol del contenido.

Símbolo expresado:

El alcohólico no sólo necesita mayor cantidad sino

también aumentar la potencia del mismo, desde cerveza hasta alcohol puro.

En el primer plano, al centro, se yergue una rosa artificial. Así:

Símbolo expresado:
Bajo la influencia de los vapores alcohólicos todo lo vemos color de rosa, como una rosa. De ahí la rosa.

Pero la rosa es artificial.
Símbolo expresado:
Nada de lo que vemos color de rosa tiene, de verdad, tal color. La vida sigue. La vida es negra.

De lo alto, sobre la rosa, cuelga de su hilo, una tarántula velluda. Así:

Símbolo expresado:
Las tarántulas, sobre todo las velludas, son repugnantes,

asquerosas, infernales. A eso lleva el vicio del alcohol: a convertirlo a uno en un ser repugnante, asqueroso e infernal.

No se olvide que la tarántula queda *sobre* la rosa.

Símbolo expresado:

La verdad está sobre la mentira.

Cada cual puede hacer esta construcción simbólica en su propio domicilio. Pero, si se quiere que alcance a las masas, hace falta algo más:

¡El muchacho!

Y el sombrero.

El muchacho con su sombrero debe colocarse tras el cajón y el cajón debe colocarse al centro de una plaza pública. El muchacho debe ponerse a gritar:

—¡Acudid! ¡Acudid!

Entonces, sí, acudirán las masas y, al ver todo aquello, huirán para siempre del vicio del alcohol.

Si los hombres no bebiesen, tal vez habría posibilidad de atar a algunas muchachas y azotarlas. Así las estrellas podrían seguir su camino, los obispos seguir con sus sotanas habituales y las tiras de terciopelo no temer violación alguna.

Pero hace falta el sombrero. Recibiré todos los modelos que se me envíen.

Anoche oí el grito ronco de una mujer que gozaba.

Luego sopló el viento. Se lo llevó todo. Se llevó a un obispo que depositó, tras ocho siglos de vuelo, en medio de la Vía Láctea.

Ese obispo puede ser allá nuestro representante en la lucha tenaz en contra del vicio del alcohol. Sólo que..., hay que buscar medio de enviarle cuanto antes a un muchacho esbelto, moreno, de ojos claros. Él allá se encargará de vestirlo como sea necesario. Acaso, dado el clima, con arena.

Como sea, ¡hay que luchar! Al fondo —¡no lo olvidéis!— están las muchachas atadas con cadenas. No lo olvidéis: ¡podréis azotar sin piedad!

Anoche oí el grito ronco de una mujer que gozaba.   .

Un momento después me tomé una copa de alcohol puro. Y lloré sobre las desventuras que afligen a mis semejantes.

Luego tomé una copa de whisky. Lloré sobre cuanto

tienen que sufrir, a causa de mis semejantes, los animales y las aves de nuestro planeta.

Luego tomé una copa de pisco. Lloré por los reptiles, los peces y los insectos.

Luego, una copa de vino. Lloré por las flores, las hojas, los frutos, por las raíces que se entierran suelo abajo.

Por fin tomé un vaso de cerveza. Y lloré por nuestros hermanos, nuestros tiernos y dulces hermanos que no hablan, que no crecen, que no fornican: los minerales.

Entonces me encomendé al obispo de la Vía Láctea y le imploré tuviese a bien pedirle al Sumo Hacedor hiciese caer sobre la Tierra una lluvia abundante de agua de Su Reino o de las simples nubes si el tedio en aquel instante lo dominaba.

Llovió.

Estiré ambas manos juntas. Me incliné sobre ellas. Bebí, bebí agua, agua inocente y celeste.

Apareció Pibesa, lenta, regular, sobre sus empinados taconcitos rojos.

Sonriente, se dejó atar con cadenas gruesas.

Desnuda, clara, lejos de toda sombra de alcohol. Clara, diáfana. Su cabellera de oro viejo y oscuro; su sexo de oro vibrante. Sus pies con las dos largas gotas sangrientas de sus taconcitos. Las cadenas mudas.

La azoté sin piedad.

La azoté con el látigo hecho de cuero de potro. Un potro manso y sosegado. Aquel que, cuando yo niño, muy niño, me paseó con tranco lento por sobre el primer cerro que veía.

La azoté más y más.

Entonces todo el barrio, todo Santiago, todo Chile, toda América oyó, en medio de la noche, el grito ronco de una mujer que gozaba.

HÉCTOR BARRETO
(Santiago, Chile, 1916 - 1936)

AUNQUE breve, la obra que dejó Barreto es otra muestra de las estimulantes producciones encontradas durante el vanguardismo hispanoamericano de los años veinte y treinta.

El talento literario de Héctor Barreto fue reconocido en las antologías del cuento chileno de Miguel Serrano y Mariano Latorre publicadas en 1938, pero pasarían varias décadas antes de que se comenzara a estudiar su obra.

Para quien aún no conozca la cuentística del escritor chileno, la lectura del relato incluido aquí o de "El pasajero del sueño" será reveladora del gran genio creativo que guió su escritura. Héctor Barreto murió en las calles de la capital chilena cuando una bala disparada por partidarios del fascismo alcanzó su joven cuerpo de tan sólo veinte años de edad. Entre 1930 y el año de su muerte escribió varios cuentos que se recogerían en un volumen de publicación póstuma hacia fines de la década de los cincuenta.

El cuento "La ciudad enferma" dispone de un estrato narracional fuertemente onírico, desenvuelto como un recorrido por las calles de las visiones que transmiten el anuncio de una agonía existencial como también el recurso de las máscaras que anulan la identidad.

LA CIUDAD ENFERMA

S U último sueño había comenzado a desmejorar. Quiso volver. Alzó la mano, el índice hacia la niebla. Era su gesto habitual. Después, rompió el velo.

Allí el disco (¡maldito disco!). Ya comprendió ayer que le cansaría. Pero, qué más daba; aquél era el día...; era lo mismo. No, no le haría cambiar, sería ocioso; además, siempre había la ventana. Pensó en el sueño, su último sueño; comprendió de repente su significado. Era lo mismo, ya lo sabía. No, no era lo mismo; era la confirmación del hecho. Aún no huía del todo del sueño. Estaba unido a él por las últimas telarañas.

De nuevo el disco. ¿Qué aspecto presentaría ahora la ciudad? Estaba elevada como cualquiera otra; ¿era posible que el alma de sus habitantes la hubiera llevado tan lejos de su asiento en su horrorosa simbiosis con ella? Era un dolor real. Y pensar que era aquél el día indicado. En fin, por lo menos sería un espectáculo digno.

Quiso proporcionarse una sensación. Estaba a punto de cortar la gelatina; pero aún no, felizmente.

Si apretara el botón, la luz del sol asaltaría la alcoba, subiría pegándose a su lecho hasta él, le escalaría los sentidos... y el sueño estaba aún patente, ¡ah!, produciría en su alma un caos amargo. ¿Qué sería entonces?, ¿tal vez terror? Viviría su último día, el último día; bueno, siendo el suyo, era siempre el último.

Un brazo pálido planeó en la semioscuridad de la pieza. Apretó el botón. Vino la sensación, una dura sensación, sensación ártica. Ahora el disco era de luz. Él era la causa del estado que lo revolvía, su luz o su color. La idea saltó afuera por el círculo; quizás allá le esperaba el mismo sentimiento.

Deseó levantarse, era necesario ver la ciudad, su gente, y sobre todo, iría a aquella casa. Era demasiado temprano aún; pero se iría lento, muy lento. La casa, el grupo, aquel grupo era el centro mismo de la ciudad. Sólo eran once. El era uno de ellos. El grupo era el alma de la ciudad. Qué cosas más extrañas se podían en su época. Comprendió que al pensar así se salía de su tiempo. El alma de la ciudad... ¡Ah! Aquella ciudad tenía un alma. La sentían todos respirar, alentar, latir; jadeaba ahora último. ¡Horroroso individuo! Inconscientemente le había ido transmitiendo cada uno su alma. Nadie pensaba como otro y, sin embargo, sus almas se fueron fundiendo en una sola, todas. Era en verdad un gran dolor y un peligro. Nadie podía existir solo, de por sí. Y era más: todos sus pecados se aglomeraban formando un solo bloque. Todos formaban el alma de la ciudad. Pero más que todos, un grupo, el grupo...

Ya la sensación ártica lo abandonaba casi.

Levantarse. Nuevamente el brazo pálido. Un botón... Cinco sombras penetraron al cuarto. Salieron pasado un rato largo. Ahora, permanecía de pie; un espejo en la mano; estaba, al fin, vestido. Contempló su rostro blanco. Era un blanco puro, como de algodón o leche. Sintió pena de verse, se amó al mirarse. Todo esto, a pesar que se encontraba perfectamente. Tiró el espejo. De alguna parte sacó una cajita muy pequeña. Ingirió de ella algo que lo hizo tornarse bruscamente mucho más blanco. Sonrió. Buscó una de sus mascaras. Eligió la mejor; la que más le gustaba. Sabía él que el estilo de aquella máscara no era el último modelo, no estaba con la última moda. Era una innovación suya. Nadie tendría ahora tiempo de copiársela.

Salió a la calle. Las gentes circulaban silenciosas. Sólo algunos borrachos conversaban entre sí haciendo gestos trágicos.

Él caminaba lentamente. Estaba contemplativo. Observaba los menores detalles porque una idea fija le atenazaba; una idea común, ciudadana en aquel día.

De repente notó que era objeto de la curiosidad general. Todos lo miraban con atención; él sabía por qué. Los demás llevaban las máscaras convencionales; en cambio él...

Quiso recorrer la ciudad. se internó por ciertos barrios. Le sobraba tiempo. Aquí algunos llevaban máscaras de ceremonia, máscaras dolorosas. Parecía como si las hubieran hecho especialmente para el día funesto. Aun había otros, groseros, enloquecidos, con el rostro descubierto, en una desnudez asquerosa. Apuró el paso, se sintió molesto, experimentó repulsión. Huyó. Anduvo mucho hasta llegar a la Plaza Central.

Estaba rendido. Se sentó en un banco. Por primera vez había caminado a pie desde hacía muchos años; a pie como los primeros caminantes y como los últimos mendigos...

Descansaba desde hacía largo tiempo. Bullía la espesa idea en él. Le era difícil aceptarla así, de plano. Fue a la Historia, caminando hacia los orígenes.

Olvidaba. Pero he aquí que comprendió de repente que ya sería la hora. De nuevo la idea. Entonces aceptó. ¡Era la hora! Y una gran tranquilidad lo lavó.

No lo había advertido. Un grupo de gente lo rodeaba. Cuando él los miró, comenzaron a conversarle, a interrogarlo. No contestó. Se cerró más el círculo. Luego hablaron casi todos a la vez, atropelladamente. Él permanecía siempre contemplándolos, mudo. Pronto los otros gesticularon y las voces se fueron haciendo más roncas. Continuaban interrogándolo y hasta quizás le hacían cargos. Pero él, en un momento dado, se irguió de improviso, los miró de uno en uno. Y les mostró sus manos. Entonces todos permanecieron en silencio. Él se alejó a pasos pausados.

Atardecía. El sol rojo-tibio se pegaba como un perro a las casas y a las calles; las lamía. era una luz molesta, deprimente. Los transeúntes pasaban lentos y silenciosos. Él también iba encerrado en sí, preocupado. Llegó a la casa. Igual que siempre, permanecía cerrada.

Dentro estaban todos reunidos. Lo esperaban. Saludó y se acercó a ellos. Parecían preocupados. Tal vez lo estaban. Alguien hizo la señal y se juntaron alrededor de la gran mesa. Discutieron. Terminaron por hablar desordenadamente. No había salida. No. La palabra estaba en el centro de la mesa horriblemente viva. Todos se miraron entre sí; los había helado la palabra; los consumía. Vino un gran silencio, un silencio que los ahorcaba prolongándose.

De improviso se oyó una risa aguda. Lo temían todos; alguien enloquecía tal vez, o tomaba una decisión. Se formó un pequeño grupo que acompañó al que reía. Después el grupo abandonó la sala siempre riendo entre dientes. Cuando salieron, se les oyó afuera reír con fuerza. Volvieron pasado un rato. Parecían ebrios. Venían alegres. Con una alegría franca. Sólo los ojos les brillaban demasiado intensamente. Los otros se los quedaron observando. De improviso surgió un fatal contagio y los que observaban se arrancaron bruscamente las máscaras.

Fue trágico.

A él lo abordó una tristeza serena y cansada. Conservaba aún su máscara y retrocedió hasta un rincón.

Una mujer saltó bruscamente sobre un trípode. La cara desnuda. Comenzó a gritar y a gesticular invitándolos al final, a la consumación. Era la posesión del vértigo de lo trágico, de lo fatal, o el deseo de hundirse.

Aceptaron. Bajó la mujer del trípode y comenzó frenéticamente a romper sus vestiduras. Los demás la exhortaban. Quedó desnuda y huyó a ocultarse detrás de la cortina. Un instante después la tela roja se descorrió bruscamente.

Allí estaba la mujer en el *gesto*.

La saludaron con una carcajada. A él se le escapó un grito.

Ya no quedaba nada que esperar.

Al oír el grito, todos se volvieron mirándolo con admiración. Estaban decididos; lo habían resuelto. Parecían sobreexcitados, inconscientes. Comenzaron a reír y lo invitaron. Él no podía soportar. Se acercó a la puerta. Los otros, al verlo, le entonaron la canción de los sepultureros, terminando de cantar ahogados por las carcajadas.

Aquello era espantoso. Quiso abrir la puerta y empezó a sentir entonces, dentro y fuera de él, un mugido sordo, y, a la vez, un letargo profundo. Advirtió que los demás sentían lo mismo. Dejaron ya de reír, se quedaron mudos y cada uno ocupó una silla blanda.

Allí permanecieron inmóviles, con los ojos semicerrados, los párpados pesados. Los llamó. No le contestaron. Les gritó fuerte. Como toda respuesta, lo miraban y sonreían levemente. Lo invitaron a sentarse. Comprendió. No había más que esperar.

Huyó.

En la calle tenían las mismas actitudes. También lo invitaban a imitarlos. Dejaría la ciudad. Contemplaría el final desde afuera. Aquello era la agonía, ulcerosa agonía.

El sol moría en el ocaso con una lentitud sonámbula. Las gentes todas tenían la cara descubierta. Apuró el paso. Percibió el suelo blando; le parecía pisar sobre seres vivos, adiposos y tibios.

Sintió los pies pesados de huir. Todos lo miraban con ojos vidriosos y sonrisas idiotas, tendiéndole los brazos.

Desesperado, comenzó a correr. Lo único que deseaba era huir. Pasó rápidamente por frente a su casa y sintió una aprensión en el corazón. Corría cada vez más rápido. Las hileras de casas huían vertiginosas a sus costados. Por fin llegó a las afueras. Divisó una prominencia de terreno a unos cuantos metros. Aquello sería su palco.

Era la antigua piedra blanca, patriarcal, que quedaba a la orilla de la ciudad. Estaba exhausto y se sentó sobre la roca.

Entonces se apoderó de él un letargo suave. Sintió los párpados pesados. Era aquello... igual que todo. Comprendió. Estaba incapaz de moverse. No lo deseaba tampoco desde que se sentó. Miró la ciudad. Densas nubes comenzaban a rodearla. Letargo. La sensación era como la introducción al sueño. Sueño. Dejó caer los pesados párpados. Desde la ciudad llegaban hasta él unas voces que lo llamaban todavía por su nombre, debilitadas, febles...

JULIO TORRI

(Cohahuila, México, 1889 - México, D. F., 1970)

U N A prosa distinta la de Torri, por no decir rara; un modo muy particular de escribir (visiblemente adelantado a su época) y que hoy día despierta enorme interés. De la poética del escritor mexicano se distinguen tres aspectos —indicados por el mismo autor— que sirven para acercarse más a su obra: a)"A semejanza del minero es el escritor: explota cada intuición como una cantera"; b)"El horror por las explicaciones y las amplificaciones me parece la más preciosa de las virtudes literarias"; c)"Evadirnos de la fealdad cotidiana por la puerta de lo absurdo: he aquí el mejor empleo de nuestra facultad creadora" (*Diecinueve protagonistas de la literatura mexicana del siglo XX* de Emmanuel Carballo. México: Empresas Editoriales, 1965, pp. 148-149). Julio Torri siguió la carrera de leyes y se graduó en 1913. Publicó solamente dos obras, pero la brevedad no impide ver el brillo del talento artístico como —posteriormente a la obra de Torri— lo dejara claramente establecido el genio literario de Juan Rulfo.

El relato "La conquista de la luna" pertenece al libro *Ensayos y poemas*. El temprano vanguardismo que anuncia la prosa de Julio Torri (esta obra es de 1917) es tan sorprendente como el del venezolano Julio Garmendia, quien también comienza a escribir sus cuentos alrededor de esa fecha. Relato brevísimo "La conquista de la luna"; un microcuento de gran expansión significante y resistente a la erosión de las lecturas y el tiempo. Sin ambientación ni preámbulos, un corrosivo humor semejante al utilizado en

179

la caricatura (y cuyo dominio más notable sería alcanzado más tarde en la cuentística de Juan José Arreola) desarma la seriedad de parámetros sociohistóricos y culturales: conquistas, guerras, modas y literatura.

LA CONQUISTA DE LA LUNA*

                              ... Luna
                    Tú nos das el ejemplo
                    De la actitud mejor...

D E S P U É S de establecer un servicio de viajes de ida y
vuelta a la Luna, de aprovechar las excelencias de su clima
para la curación de los sanguíneos, y de publicar bajo el
patronato de la Smithsonian Institution la poesía popular de
los lunáticos (*Les Complaintes* de Laforgue, tal vez) los
habitantes de la Tierra emprendieron la conquista del saté-
lite, polo de las más nobles y vagas displicencias.

   La guerra fue breve. Los lunáticos, seres los más suaves,
no opusieron resistencia. Sin discusiones en cafés, sin ediciones extraordinarias de "El Matiz Imperceptible", se
dejaron gobernar de los terrestres. Los cuales, a fuer de
vencedores, padecieron la ilusión óptica de rigor —clásica
en los tratados de Físico-Historia— y se pusieron a imitar
las modas y usanzas de los vencidos. Por Francia comenzó
la imitación, como adivinaréis.

   Todo el mundo se dio a las elegancias opacas y silenciosas. Los tísicos eran muy solicitados en sociedad, y los
moribundos decían frases excelentes. Hasta las señoras
conversaban intrincadamente, y los reglamentos de policía
y buen gobierno estaban escritos en estilo tan elaborado

* Reproducido con permiso de la Editorial Fondo de Cultura
Económica, México, D. F., México. *De fusilamientos y otras narraciones.* México: Fondo de Cultura Económica, 1964, pp. 13-14.

y sutil que eran incomprensibles de todo punto aun para los delincuentes más ilustrados.

Los literatos vivían en la séptima esfera de la insinuación vaga, de la imagen torturada. Anunciaron los críticos el retorno a Mallarmé, pero pronto salieron de su error. Pronto se dejó también de escribir porque la literatura no había sido sino una imperfección terrestre anterior a la conquista de la Luna.

ROBERTO ARLT
(Buenos Aires, Argentina, 1900 - 1942)

E L término "originalidad" cobra lozanía cuando hay que referirse a la escritura de Roberto Arlt. Su obra es una de las más singulares de la literatura hispanoamericana. Lo fantástico, lo expresionista, lo social, lo vanguardista, lo metafísico, lo humorístico, lo trágico, y la estadía deseada en elementos marginales se reúnen en su narrativa. Recorrer los ambientes creados por Arlt y participar de la pasión de sus personajes es un encuentro con la creatividad de lo impensable en el arte.

El cuento "Los hombres fieras", escrito a mediados de la década de los treinta, se incluyó en el *El criador de gorilas*. La estadía de Arlt en Marruecos en 1935 le había provisto de un material ideal para la riquísima imaginación del escritor argentino, lo que es aprovechado con genio en esta colección. Mirta Arlt, la hija del escritor, señala que este libro, a pesar de su diversidad, tiene tres aspectos comunes: "la seducción que opera sobre los personajes 'el otro'...; el destino visto como la paradoja más extraordinaria de la vida; y la constante preocupación de los personajes arltianos: alcanzar la felicidad y labrar en cambio la propia catástrofe". (*El criador de gorilas*. Buenos Aires: Compañía General Fabril Editora, 1969, p. 11). En el cuento, la duplicación de los dos niños antropófagos y los dos jueces extasiados por la fuerza telúrica del nuevo territorio que habitan, permite el ritual narrativo del sacerdote negro, relator oficiante, metamórfico como sus personajes y sagaz propiciador de diseños cíclicos. En ese marco no será

extraño que la fuerza de una fascinación devore a la otra
hasta llegar al lector.

Roberto Arlt estableció contacto con los conocidos grupos literarios argentinos de Florida y Boedo; fue secretario
de Ricardo Güiraldes. Hijo de inmigrantes, abandonó su
hogar a temprana edad por lo cual no recibió una educación formal. Para poder mantenerse tuvo que desempeñar
una variedad de trabajos. Dentro de los oficios que le per-
mitían sustentarse, el más afín con su pasión literaria fue el
del periodismo, en el cual tuvo enorme éxito con sus artículos conocidos como "Aguafuertes porteñas" que escribía
para el diario *El Mundo*. Muere muy joven, en plena labor
creativa, el año que se publicaba su obra de teatro *El
desierto entra en la ciudad*. En la década de los cincuenta
aparece la primera recopilación de las obras de Arlt, nueve
volúmenes entre 1950-1951 y cuatro tomos en 1958; las
compilaciones siguientes de la obra de Arlt se realizan en
1963 con *Novelas completas y cuentos* y entre 1981-1991
con *Obra completa*.

LOS HOMBRES FIERAS*

E L sacerdote negro apoyó los pies en un travesaño de
bambú del barandal de su *bungalow,* y mirando un elefante
que se dirigía hacia su establo cruzando las calles de Monrovia, le dijo al joven juez Denis, un negro americano llegado hacía poco de Harlem a la Costa de Marfil:

—En mi carácter de sacerdote católico de la Iglesia de
Liberia, debía aconsejarle a usted que no hiciera ahorcar al
niño Tul; pero antes de permitirme interceder por el
pequeño antropófago, le recordaré a usted lo que le sucedió a un juez que tuvimos hace algunos años, el doctor
Traitering.

"El doctor Traitering era americano como usted. Fue un
hombre recto, aunque no se distinguió nunca por su asidui-
dad a la Sagrada Mesa. No. Sin embargo, trató de eliminar
muchas de las bestiales costumbres de nuestros hermanos
inferiores, y únicamente el señor presidente de la República y yo conocemos el misterio de su muerte. Y ahora lo
conocerá usted.

El doctor Denis se inclinó ceremonioso. Era un negro
que estaba dispuesto a hacer carrera. El sacerdote encendió su pipa, llenó el vaso del juez con un transparente
aguardiente de palma, y prosiguió:

—El señor Traitering era nativo de Florida, y, como
usted, vino aquí, a Liberia, nombrado por la poderosa
influencia de una gran compañía fabricante de neumáticos.

* Agradecemos a la Dra. Mirta Arlt la autorización para reproducir este cuento.

185

Nosotros hemos conceptuado siempre un error nombrar negros nacidos en tierras extrañas para regir los destinos del país de una manera u otra, pero la baja del caucho obliga a todo...

El doctor negro sonrió obsequioso, y haciendo una mueca terrible ingirió el vasito de aguardiente de palma. El sacerdote continuó:

—Yo he sostenido siempre que el hombre de color, extranjero en este país, está desvinculado del clima de la selva y de la tierra. Y cuando menos lo espera, se encuentra enganchado por el engranaje del misterio bestial que en todos nosotros ha puesto el demonio, siempre en acecho del alma animal de estos pobrecitos salvajes.

El doctor Denis volvió a sonreír con obsequiosa máscara de chocolate, y el sacerdote, sirviéndole otro vasito de aguardiente de palma, prosiguió su relato:

—Hace cosa de siete años se produjeron numerosas desapariciones, que, con toda razón, supusimos de origen criminal. Niños y doncellas, a veces hasta hombres robustos, salían de su choza para no regresar. Las poblaciones de Krus comenzaron a sentirse alarmadas; al caer la tarde, frente a las cabañas, las mujeres miraban impacientes los caminos desiertos temiendo por la desaparición de los suyos. Se iniciaron investigaciones, se ofrecieron premios, y finalmente un esclavo mandinga reveló que había sido invitado a una fiesta en el bosque que está más allá del rápido de Manba. Se destacó una compañía de gendarmes, y una noche pudo detenerse a una banda compuesta de cuarenta hombres que danzaban en torno de una muchacha de la tribu de De, listos ya para sacrificarla. Algunos de los criminales estaban cubiertos de orejudas máscaras de madera; otros, embozados en pieles de fieras. Había entre ellos hombres de la tribu de los gbalín, para quienes la antropofagia es familiar, y también un niño de Kwesi, de brazos largos y piernas cortas, que parecía un pequeño gorila. Todos confesaron sus delitos —habían devorado vivas a muchas personas—, pero no había uno solo de ellos que no alegara que cometía estos crímenes cuando se había metamorfoseado en una bestia...

—Sugestión colectiva —murmuró el negro doctor. El sacerdote volvió su mirada hostil al pedantesco congénere, y el doctor Denis comprendió que le convenía disimular su sabiduría materialista, y para hacerse perdonar la indiscreción, repuso:

—La declaración del niño, ¿coincidió con la de los mayores?...

—Sí. El niño Gan alegó que cuando bailaba con los otros hombres en el bosque, a medida que danzaba sentía que se iba metamorfoseando en una hiena. Traitering condenó a esos cuarenta criminales a la horca; su sentencia se ejecutó, y los cuarenta caníbales fueron colgados de las ramas de los árboles en los caminos que conducían a Monrovia. El único que se libró de ser ejecutado fue el niño Gan, por su corta edad: doce años.

"Cuando el juez Traitering me expuso sus escrúpulos, yo me manifesté de acuerdo con él. No era posible ahorcar a una criatura de doce años. Pero Traitering estaba personalmente interesado en el caso. Pensaba escribir un libro sobre costumbres de nuestros negros de modo que condenó al niño a prisión perpetua.

"Pronto olvidamos todos a los cuarenta ahorcados. En este país hay demasiado trabajo para disponer de tiempo para pensar en muertos, y dos meses después de aquel suceso, estando yo una tarde en este barandal, mirando como mira usted al elefante de *mister* Marshall, bruscamente apareció el doctor Traitering.

"Creo haberle dicho a usted que el juez era un hombre alto y robusto, de ojos saltones y miembros pesados. Pero ahora, su piel, como un traje excesivamente holgado, colgaba sobre la agobiada percha de su osamenta. Me miró tristemente, como un gorila cuando se siente enfermo del pecho, y me dijo:

"—Padre, tengo algo muy grave que conversar con usted.

"Quiero advertirle, doctor Denis, que el juez Traitering no era un hombre religioso ni mucho menos. Sin embargo, me di cuenta de que se trataba de un caso importante, y dejando de ocuparme del elefante de *mister* Marshall, hice sentar al juez donde está usted sentado, le ofrecí un vaso de aguardiente y me quedé callado, esperando su confidencia.

"Traitering lanzó un largo suspiro, pero permaneció en silencio. Yo no abrí la boca y volví a ocuparme de los chicos de *mister* Marshall, que jugaban en torno de las patas del elefante. Finalmente, el juez Traitering, después de lanzar otro suspiro, me dijo:

"—¿Se acuerda, padre, de los cuarenta ahorcados?

"Francamente, yo ya no me acordaba. Por eso respondí un poco aturdidamente:

"—¿Qué pasa? ¿Han resucitado?

"Traitering sonrióse débilmente:

"—¡Ojalá hubieran resucitado! ¿Recuerda usted, padre, que me aconsejó que indultara al niño?

"Efectivamente, yo no podía negar que le había aconsejado que indultara al pequeño Gan.

"—Sí, sí... ¿Qué es de ese huérfano?

"—Lo he asesinado ayer, padre.

"Me quedé mirando atónito al juez Traitering. ¡Había asesinado al niño!

"—¿Por qué ha hecho eso? —terminé por preguntarle—. ¿Por qué lo asesinó?

"—¡Ah, padre..., padre!... —y el juez Traitering se echó a llorar como una criatura—. No se imagina usted la calidad de monstruo que era ese niño. Si le hubiera hecho ahorcar en compañía de los otros, no estaría yo aquí. No.

"A mí se me partía el alma de ver llorar a un hombrón tan recio. Traté de consolarlo, y le serví un vaso de aguardiente. (Aquí el padre aprovechó para servirse otro y llenarle el vaso al doctor Denis.)

"—¿Qué ha pasado? —le dije.

"Finalmente, el juez Traitering comenzó a relatarme su desgracia.

"¡Santo nombre de Dios! Y después hay gente que duda de la existencia del demonio. He aquí lo que contó el infortunado:

"—Un mes después que hice ahorcar a los cuarenta antropófagos del rápido de Manba, recordé que en la cárcel permanecía encerrado el niño Gan, y como disponía de tiempo, resolví tomar apuntes respecto al proceso en que el niño declaraba sentir que se metamorfoseaba en hiena. Una tarde le hice traer a mi oficina. Un soldado me entregó al niño, y yo quedé solo con él en mi despacho.

"—¿Estarás contento de haber salvado la piel? —le dije al chico en dialecto krus.

"El pequeño caníbal no contestó palabra.

"—¿No quisieras ahora un trozo de carne humana? —le pregunté.

"Gan continuó en silencio. Yo insistí:

"—Si me cuentas cómo hacías para convertirte en hiena, te daré un trozo de carne de mandinga (los mandingas son recios enemigos de los kwesi) y una botella de aguardiente.

"Gan no abrió la boca. Continuaba mirándome fijamente, y cuanto más él me miraba, más simpatía experimentaba yo hacia él. Se iba formando un lazo de amistad secreta entre nosotros. Quizá por mis venas también circulara sangre de negro kwesi, pensé. Y entonces, poniéndome de pie, me acerqué a Gan e intenté pasarle la mano por la cabeza; pero Gan se retiró velozmente, y encogiendo el labio superior se quedó mostrándome los dientes como una fiera que quiere morder. ¡Ah, padre! Yo no sé qué pasó en aquel momento por mí; recuerdo perfectamente que no sentí ningún desagrado por ese gesto bestial, sino, riéndome también, yo fruncí los labios, mostrándole los dientes al caníbal. Entonces Gan apoyó las manos en el suelo y comenzó a andar ágilmente en cuatro pies, rozándome las pantorrillas con el flanco; yo experimenté un sobresalto terrible, me precipité a la puerta, la cerré con llave, y apoyando las manos en el suelo, también me puse a caminar como una fiera. Y el niño lanzaba gruñidos y yo le imitaba y ambos parecíamos dos fieras que no se resuelven a reñir.

"—¿Es posible? —interrumpí asombrado.

"—¡Ah, padre! ¡Vaya, si es posible! Lo único que recuerdo es que en aquel momento experimenté un placer vertiginoso en degradar mi dignidad humana. Además, sentía un deseo tan violento de morder, que creo que hubiera terminado por despedazar a Gan. Él gruñía sordamente como una hiena acorralada. En aquel momento alguien llamó a la puerta. Gan, corriendo siempre en cuatro pies, se ocultó detrás de mi escritorio; yo despaché al soldado que había traído al muchacho. La verdad es que en aquellos momentos sólo me animaba un propósito. Después que el soldado se hubo alejado, le dije a Gan:

"—Esta noche iremos al bosque.

"Gan movió la cabeza asintiendo.

"Entonces dejé al niño encerrado, me eché la llave al bolsillo y salí. Estaba afiebrado de impaciencia. Marché hacia el malecón, paseé por las orillas del lago; esperaba que la vista del agua y de las embarcaciones me calmaría, pero el cuadro de civilización del puerto me causó repulsión. Ansiaba vehementemente volver a la selva, convertirme en una bestia. Cuando la última luz de Krustown se hubo apagado, entré en el escritorio, tomé a Gan de una mano y lo hice subir a mi automóvil. Rápidamente dejamos atrás el cementerio de los krus, los cauchales. Finalmente llegué a un claro del bosque, oculté el automóvil bajo una cortina de lianas y dije a Gan:

"—Haz la hiena.

"Una luna llena iluminaba el camino; Gan apoyó las manos en el suelo, y yo lo imité. A poco de iniciado este juego comenzamos a gruñir, luego nos afilamos las uñas en el tronco de los árboles, hasta que, cansados, nos echamos en el polvo del camino. Juro, que en aquel momento sentí que tenía cola. No hablábamos. "Sabíamos" que esperábamos a alguien. Nada más. Pero ese alguien no llegaba. La noche estaba muy avanzada, la selva se había poblado de mil ruidos, y no llegaba nadie, cuando de pronto escuchamos el silbido de un hombre, una sombra se movió en el camino, y cuando el hombre estuvo cerca de nosotros, Gan saltó sobre él, le tiró al suelo y le desgarró la garganta de un mordisco. Fue una escena vertiginosa, casi incomprensible... Dispénseme, padre, de narrarle lo que hicimos después. Yo me sentía tigre: al amanecer me sorprendí con mi conciencia de hombre vuelta a un cuerpo completamente manchado de sangre. Gan, con la cara aplastada en la hojarasca, dormía su hartazgo espantoso.

"Desperté a Gan, nos lavamos en un arroyo y volvimos

a Monrovia. Devolví el caníbal a la cárcel; yo estaba horrorizado de la experiencia, creía que sería la última; pero pocos días después la tentación se presentó tan enorme y dominante, que hice traer a Gan de la cárcel, aguardé la noche, y en su compañía nuevamente volví al bosque.

"Desde entonces mi vida ha sido un infierno. Remordimientos y crímenes. Finalmente me resolví. Ayer, en compañía de Gan, fui al bosque, y allí lo maté de un tiro. Y ahora estoy aquí, padre, para pedirle la absolución de mis pecados y el perdón, porque me mataré. Es necesario que aproveche este intervalo de lucidez para exterminarme, antes que vuelva la horrible tentación a lanzarme al bosque en busca de víctimas...

El sacerdote negro calló, y Denis se quedó mirándolo. Luego murmuró:

—¿Qué hizo usted, padre?

—Comprendí que el Juez Traitering tenía razón de querer matarse. Él no quería destruir el hombre que llevaba en sí, sino a la fiera despierta en él. Le confesé, le di la absolución y le dejé marcharse. Algunas horas después, un muchacho del puerto trajo la noticia de que el juez Traitering se había ahogado.

Los dos hombres callaron. Los niños de *mister* Marshall habían dejado de jugar en torno de las patas del elefante. El sacerdote negro bebió su quinta copa de aguardiente de palma, y le dijo al flamante juez:

—Yo no le aconsejo que haga ejecutar al pequeño caníbal que usted tiene que juzgar, pero que esta historia le sirva para ponerse en guardia.

AUGUSTO GUZMÁN
(Cochabamba, Bolivia, 1903 - 1994)

L A obra de Augusto Guzmán engloba un registro variado de los elementos más autóctonos de la cultura hispano-americana. La prosa del escritor boliviano abarca formas tales como la biografía, la crítica literaria y de arte, el relato de viajes, el bosquejo e interpretación históricos. Su primera obra —una colección de cuentos— aparece a principios de la década de los treinta; desde entonces y durante más de seis décadas el autor boliviano seguiría aportando una espléndida prosa a la literatura de Hispanoamérica. Se le concedió el Premio Nacional de Literatura en 1961.

El cuento "El tapado" fue escrito en Cochabamba entre octubre y diciembre de 1953 y apareció al año siguiente en el volumen de relatos *Cuentos de Pueblo Chico: nueve relatos de la vida provinciana*. Estilísticamente este relato logra convertir la anécdota del folklore provinciano en una narración que descubre con encanto y progresivamente las sicologías del terrateniente don Benjamín Díaz Vela y de Tata Lanchi, el mayordomo indio. Mientras el primero de ellos se descontrola por la obsesión del dinero, el último es atraído por el misterio de las leyendas y el poder de la invención. El contraste entre pragmatismo e imaginación se anula, sin embargo, al crearse la absurda empresa de una excavación destinada a descubrir un tesoro oculto o "tapado" que solamente existe en la imaginación popular mantenida por la pervivencia de la tradición oral.

EL TAPADO

C U A N D O el correo de Cochabamba se anunció a toque de pututu[1] por las calles del pueblo, don Benjamín Díaz Vela había acabado de comer un plato de saisi[2] y de beber su acostumbrada chicha. La familia pasaba en el campo temporada veraniega. Y él, que había venido a vender maíz y muko,[3] no estaba sino a la espera de ese correo para recoger los periódicos de la capital, y su correspondencia.

A pasos lentos bajó desde su casa a la oficina de correos, en la plaza, siguiendo la angosta e inclinada acera de la calle que le obligaba a apoyarse en el bastón de chonta.[4] Debajo de la galería, esperaban muchas personas la distribución de cartas.

El redondeado y rubicundo Benjamín era hombre retraído, de pocas amistades aunque de mucha parentela. Para no entablar conversación alguna, contestó los saludos de sus paisanos con ademanes cortantes y se fue derechamente a la ventanilla de oficina donde una simpática empleada, de moño alto y agradable acento, le entregó sin dilación su paquete de papeles.

---

[1] *pututu:* cuerno de toro que hace de trompeta de guerra; expresión indígena de autoridad.

[2] *saisi:* plato criollo boliviano; guiso de carne condimentado con ají.

[3] *muko:* harina de maíz mascada y ensalivada hecha bocados y secada al sol, que servía para elaborar la chicha, bebida alcohólica quechua.

[4] *chonta:* especie de caña o palmera de madera dura.

—Don Benjamín, tiene Ud. periódicos y una carta del Banco Hipotecario.

—Muchas gracias, señorita Eloína.

Al emprender la subida de regreso Díaz Vela comenzó a sentir cierta desazón por la carta del Banco. Había solicitado una prórroga de seis meses para una obligación cuyo plazo vencía en dos semanas más.

Tenía corazonada de negativa. Aunque podía leer en la calle, pues no pasaba de las cinco de la tarde, prefirió hacerlo en el patio de su casa. Sentado en un viejo sillón de forro verde, junto a los alegres limoneros que perfumaban el recinto, y mientras consentía que sus tordos le picotearan familiarmente los zapatos por las fajas de resorte, sobre los tobillos, encontró que su presentimiento había sido cabal. El banco se negaba a conceder la prórroga y exigía cortésmente la devolución de los diez mil bolivianos prestados por tres años con la garantía de la finca de Lomalarga.

El escarabajo travieso de la preocupación comenzó a rascar el descansado y apacible cerebro del terrateniente Díaz Vela, cuyo hijo menor había partido a Europa, hacía poco, con objeto de estudiar medicina en una universidad alemana. Él hallaba en su conciencia que no había sido puntual en los pagos de amortización fijados en la escritura de préstamo. Tampoco pudo serlo en los de intereses. Todo esto por ayudar a Rómulo cuya vida de estudiante provinciano con el título de "hijo de padres ricos" le costó caro en Cochabamba y ahora le costaba mucho más. Tampoco le demandaba poco gasto sostener el rango de su mujer y de sus tres hijas mozas, dotadas de belleza, imaginación y buen gusto para gastar el dinero con la elegante despreocupación que exigía el buen tono en la pequeña ciudad. Las rentas feudales eran crecidas, pero los gastos se sobreponían a ellas con gallarda preeminencia que por fuerza requería del crédito. Para salir de la deuda tendría que venderle al cura una de sus propiedades, sin duda la más pequeña, esa de Veladeros con seis colonos. Era una solución dolorosa. Se trataba nada menos que de la propiedad heredada a sus padres, henchida de sus recuerdos de infancia.

Díaz Vela acabó de leer en cama, a la discreta luz de una lámpara de kerosén, los diarios. Pasándose la mano por la rubescente calva, comprendió que no podría dormir. La prensa no traía nada sensacional. Continuaban los artículos en torno a la obra y la personalidad del presidente Montes. Se sentía solo y fatigado. Su hacienda de Veladeros se le desprendía del corazón, desgarrándose quejumbrosamente, a las manos del párroco que la ambicionaba desde hacía tiempo. El reloj de la iglesia dio las ocho.

—¡Tata Lanchi! —su llamado salió por la puerta de dos hojas, abierta en una mitad, y fue a despertar en el zaguán al mayordomo de Lomalarga, yacente sobre un par de cueros de carnero, al lado de los pongos.[5]

—Tatay, patrón —contestó Lanchi acercándose solícito al lecho de su amo que le ordenó en quichua.

—Ven a charlarme un poco. No me viene el sueño.

—Bueno, patrón.

El indio se sentó en el suelo, junto a la puerta, a discreta distancia del catre de metal amarillo, cuyos barrotes y varillas brillaban como el oro. Hablaron de la cosecha y de la siembra, del régimen de lluvias nunca satisfactorio, de las heladas y del polvillo en el trigo, del rendimiento del molino, de las entregas de pollos, huevos y quesillos; del herbaje de ganado mayor y menor; del estricto cumplimiento de las obligaciones personales. El indio, provecto y experimentado, tocaba los temas de interés patronal, pues sabía de sobra que sus problemas personales y los de los colonos carecían de importancia. Su charla se desataba y discurría apacible como un arroyo claro por un cauce sin tropiezos. Pero Díaz Vela no conciliaba el sueño. Se sumía en largos silencios y oía llover la charla de Lanchi hasta que al agotarse el tema callaba el comedido relator moviéndole a nueva incitación con preguntas y tanteos sobre esto y lo otro. Al cabo el indio, que tragaba la saliva amarga de su bolo de coca para no escupir

---

[5] *pongos:* sirviente indígena que hacía turno gratuito y semanal al que estaban obligados los arrendatarios de una finca, antes de la reforma agraria de 1952.

sobre la alfombra, osó representar ante su amo, medrosamente, cuando éste le repetía el consabido:

—¿Qué más hay? Sigue no más contando.

—Ya de todo te he contado pues patrón. Ya no tengo más para contarte. Tendrás acaso alguna preocupación muy grande para no dormir. Tal vez fuera bueno que tomes un poco de chichita. Iré a comprarte si quieres patrón.

—¡Oh tata Lanchi! —respondió Díaz Vela— bien sabes que yo no tomo más de uno o dos vasos sobre la comida. Tengo mis razones para no dormir. El Banco de Cochabamba me cobra diez mil pesos. Para pagarlos tendré que vender mi finquita de Veladeros. Todo esto por mis hijos. Romulito me cuesta mucha plata. Si ya no recuerdas nada por lo menos inventa pues algo, Lanchi, para distraerme. No puedo esta noche con la soledad que me rodea.

—Así es patrón. Una desgracia muy grande —lo compadeció el mayordomo. Y seguidamente recordando las exploraciones de unos cateadores de minas que habían estado semanas antes por Lomalarga, continuó su charla.

—Olvidaba comunicarte patrón que hará cosa de un mes estuvieron por Lomalarga unos buscadores de minas. Subieron a la cumbre más alta donde existe el socavón que todos conocemos.

—¿Ese que dejaron los jesuitas?

—Ese mismo patrón. Regresaron diciendo que ahí no hay nada bueno y siguieron por el lado de Ayquile.

—Así es. Yo he estudiado eso. No hay más que piedras.

—Más bien en esta casa patrón, en el patio chico de las gallinas, pueda que haya algo. Dos veces, muy de noche, yo he visto arder y apagarse en el suelo, sin chispas ni humo, una fogata que me ha llenado de miedo. La primera vez creí que era cosa de duendes o del Diablo...

Un alacrán que le hubiese picado en la cama no le habría hecho incorporarse con tanta vivacidad como la tranquila noticia confidencial de su humilde servidor.

—¿En el patio de las gallinas? ¿En qué sitio precisamente? ¿Dos veces has dicho?

—Al centro, en medio patio, delante del corredor de las gallinas. Como iba diciendo la primera vez, hace ya muchos años, cuando era mayordomo mi padre, vine de su acompañante. Dormimos en el zaguán. Más o menos a la media noche los burros se habían salido del corral hasta la puerta de calle. Yo los devolví y aseguré. Al salir por el pasaje miré el corral de gallinas y vi una llamarada que se apagó al instante. Asombrado y asustado, corrí a contárselo a mi padre quien me ordenó acostarme diciendo que sin duda estaba medio dormido para tener tales visiones. Y más no se habló del caso.

—¿Y la segunda vez, Lanchi?

—La segunda vez hará cosa de seis meses. Para entonces yo sabía que este fuego es señal de plata enterrada.

—No siempre, Lanchi.

—Pero así dicen tatay.

—Dicen pues disparates. ¿Tú has de saber más que yo? Estamos en que viste por segunda vez las llamas, ¿ahí mismo, Lanchi?

—En el mismo sitio patrón, en medio patio, delante del corral donde duermen las gallinas. Pero entonces no eran llamas vivas y altas como la primera vez, sino llamitas bajas y vacilantes como cuando se apagan las hogueras de San Juan en el rescoldo. Una cosa muy rápida.

—Está bien, Lanchi. Yo también he visto en otras partes estos fuegos. En vez de plata lo que generalmente hay en esos entierros es un montón de huesos. Eso puede ser. Ahora vete, ya es tarde.

—Así será patrón. Buenas noches. Que duermas bien.

Díaz Vela rebulló su cuerpo ligeramente obeso y no se dignó contestar al mayordomo. Estaba seguro de que el indio le había dado la clave de un tesoro oculto, de un tapado. ¡Qué capricho el de los viejos coloniales! Él, como todos, había buscado los tapados siempre en las paredes tanteando con un martillo de madera. Pero en esta casa de sus abuelos el tesoro estaba en el suelo. Despacharía cuanto antes al mayordomo. Los pongos que habían llegado esa tarde en reemplazo de los otros serían excelentes jornaleros gratuitos para la excavación que comenzaría al día siguiente mismo. Plata, oro, piedras preciosas...

El sueño acudía a pasos sordos y blandos hasta cerrarle

los ojos dulcemente. ¡Y después dicen que la ambición y la avaricia no dejan dormir! Don Benjamín Díaz Vela durmió como un bendito.

La mañana del día siguiente, domingo, hizo desocupar el gallinero y terminó la realización de las cargas de maíz y muko. El mayordomo regresó a la finca llevando una carta en que Benjamín decía a su esposa que se quedaba por unos días, hasta arreglar el despacho de un giro para Romulito y gestionar la prórroga de plazo con el Banco. En realidad estaba resuelto a darle una sorpresa fulminante con el tesoro de Lanchi.

Los pongos armados de picos y lampas[6] iniciaron bajo la vigilancia de su amo la excavación de un pozo en el centro mismo del patio de las gallinas. En seis horas de trabajo duro llegaron a dos metros de profundidad por metro y medio de diámetro. El suelo era duro, compacto de arcilla seca, piedras redondas y cascajo. No se presentaba señal de tesoro oculto. Díaz Vela suspendió la faena un tanto descorazonado. La arcilla blanca, azulosa y bermeja en capas alternadas de variado espesor, mostraba lucientes las huellas de las herramientas sin descubrir indicio alguno, directo o indirecto, de que allí hubiesen enterrado por lo menos una lata de sardinas. Pudiera ser que estuvieran desviados del verdadero sitio del tapado. Por previsión resolvió no adelantar en la profundidad ni una pulgada más sino ensanchar el hoyo por una parte hasta el corredor y por otra hasta la puerta del patio, lo que significaría un diámetro de cinco metros. Prácticamente es proyecto de excavación abarcaba el registro de todo el subsuelo del patio excluyendo solamente el angosto corredor. Estaba resuelto a seguir. ¿Acaso otros dueños de casas viejas como él no habían encontrado tapados? Díaz Vela comió un buen plato de chajchu[7] y bebió una botella de chicha. Antes de acostarse llamó al par de pongos y les previno, cauteloso:

---

[6] *lampas:* azada o pala de hierro.
[7] *chajchu:* plato criollo cochabambino consistente en chuño patata, ensalada de cebolla y tomate.

—No van a hablar con nadie del trabajo que hacemos. Les costaría caro. Estoy buscando el cadáver del hijo de la mujer que fue nuera de uno de mis antepasados.

Y de nuevo la noche abrió sus negros ojos de tinieblas envolviendo los febriles ensueños de grandeza de Díaz Vela. Acostado sobre su brillante catre de varillas y barrotes amarillos, estuvo desvelado en la sombra con la extraña historia de Lanchi que había venido a plantear implícitamente la solución de todos sus problemas. El tapado tendría que ser una fortuna como para pagar al Banco y reconstruir la antigua casona de sus abuelos. Como para ir de viaje él y su mujer y sus hijas en caravana familiar hasta Buenos Aires. Como para embarcarse rumbo a Europa al encuentro de Rómulo. Trajes, joyas, holgada cuenta corriente, prepotencia burguesa. Una vejez no solamente decorosa, sino envidiable... Y el sueño bueno le libraba de los ensueños inquietantes, borrando en su cerebro las imágenes de la vanidad humana.

Domingo de trabajo. Lunes, martes, miércoles, jueves, viernes: jornadas de diez horas con cuatro acullis[8] de coca que él pagaba generosamente dando a cada pongo dos libras por día. Una colina de tierra, salida de la excavación, cubría un sector del corral de caballos. El hoyo era un embudo inmenso de cinco metros de profundidad en cuyo fondo brillaba, como un espejo de cerúleos reflejos, el agua de un manantial recóndito.

A eso habían llegado el viernes por la tarde.
—¡Basta, basta! Aquí lo dejamos todo —gritó desilusionado Díaz Vela—. Ese indio bruto me va a aclarar la cosa mañana.

Por la noche cayó la lluvia, leve, fina, menuda, persistente, haciendo subir el nivel del agua en el embudo, por lo menos medio metro. Al día siguiente sábado, el encuentro

---

[8] *acullis:* bolitas de hoja de coca.

del mayordomo con su patrón de Lomalarga en la vieja casona de Díaz Vela aclaró la situación en desenlace poco o nada dramático pero terminante.

—¿Cómo es Lanchi que después de tantos días de trabajo y habiendo hecho cavar tan hondo en el lugar donde tú viste las llamas, no encontramos absolutamente nada? ¿No será que por puro animal me has indicado un sitio diferente? Porque aquí no hallamos ni siquiera un zapato viejo.

— ¡Oh patrón! —exclamó Lanchi melancólicamente—. Como no teniendo ya nada que contarte aquella noche me dijiste que inventara algo para distraerte, lo inventé sin la menor malicia. Y como tampoco me avisaste que pensabas hacer cavar supuse que no le diste importancia a mi relato. También recuerdo que me dijiste que estos fuegos no indican tapados de plata sino cuando más de huesos. ¿No había habido siquiera huesos, patrón?...

—Indio mentiroso, no me vengas a preguntar nada. Mañana mismo entras al trabajo para tapar solito, por tu cuenta, el hoyo que me has hecho abrir inútilmente.

—Lo haré con toda voluntad patroncituy. Espero que me perdones, papasuy...

Y ambos, alguna vez, ¡oh dulzura patronal! sonrieron buenamente a la pálida luz del atardecer de aquel nuboso día de verano, mientras en el aire parecía disiparse la obsedante presunción del tesoro oculto.

JORGE LUIS BORGES
(Buenos Aires, Argentina, 1899 - Ginebra, Suiza, 1986)

CUENTISTA genial, también poeta y ensayista. Jorge Luis Borges es uno de los escritores más influyentes en la literatura mundial. La riqueza de los universos narrativos que Borges lega al arte han sido aprovechados por un espectro amplísimo de manifestaciones culturales tales como la filosofía, el cine, la literatura y la pintura. Los cuentos de Borges han sido objeto de múltiples interpretaciones y continúan siendo fuente inagotable de análisis e inspiración.

"Funes el memorioso" —escrito en 1942 e incluido en *Ficciones*— se interna en el complejo espacio de lo cognoscitivo con el toque borgiano del diseño laberíntico que revela lo cultural. La imagen de Funes, construida desde la crucial diferenciación entre pensar y memorizar, sugiere la pintura narrativa de la persistencia en la imposible tarea de no olvidar, abriendo el registro de incertidumbres, y zonas que presentimos nos van a sobrepasar.

Borges se dirige a Suiza a los quince años; allí realiza sus estudios y aprende francés, latín e inglés. Después de siete años de residencia en Europa regresa a Argentina donde inicia el movimiento literario ultraísta. Fue Director de la Biblioteca Nacional de su país y profesor universitario.

FUNES EL MEMORIOSO*

L o recuerdo (yo no tengo derecho a pronunciar ese verbo sagrado, sólo un hombre en la tierra tuvo derecho y ese hombre ha muerto) con una oscura pasionaria en la mano, viéndola como nadie la ha visto, aunque la mirara desde el crepúsculo del día hasta el de la noche, toda una vida entera. Lo recuerdo, la cara taciturna y aindiada y singularmente *remota*, detrás del cigarrillo. Recuerdo (creo) sus manos afiladas de trenzador. Recuerdo cerca de esas manos un mate, con las armas de la Banda Oriental; recuerdo en la ventana de la casa una estera amarilla, con un vago paisaje lacustre. Recuerdo claramente su voz; la voz pausada, resentida y nasal del orillero antiguo, sin los silbidos italianos de ahora. Más de tres veces no lo vi; la última, en 1887... Me parece muy feliz el proyecto de que todos aquellos que lo trataron escriban sobre él; mi testimonio será acaso el más breve y sin duda el más pobre, pero no el menos imparcial del volumen que editarán ustedes. Mi deplorable condición de argentino me impedirá incurrir en el ditirambo —género obligatorio en el Uruguay, cuando el tema es un uruguayo—. *Literato, cajetilla, porteño;* Funes no dijo esas injuriosas palabras, pero de un modo suficiente me consta que yo representaba para él esas desventuras. Pedro Leandro Ipuche ha escrito que

Funes era un precursor de los superhombres, "un Zarathustra cimarrón y vernáculo"; no lo discuto, pero no hay que olvidar que era también un compadrito de Fray Bentos,[1] con ciertas incurables limitaciones.

Mi primer recuerdo de Funes es muy perspicuo. Lo veo en un atardecer de marzo o febrero del año ochenta y cuatro. Mi padre, ese año, me había llevado a veranear a Fray Bentos. Yo volvía con mi primo Bernardo Haedo de la estancia de San Francisco. Volvíamos cantando, a caballo, y ésa no era la única circunstancia de mi felicidad. Después de un día bochornoso, una enorme tormenta color pizarra había escondido el cielo. La alentaba el viento del Sur, ya se enloquecían los árboles; yo tenía el temor (la esperanza) de que nos sorprendiera en un descampado el agua elemental. Corrimos una especie de carrera con la tormenta. Entramos en un callejón que se ahondaba entre dos veredas altísimas de ladrillo. Había oscurecido de golpe; oí rápidos y casi secretos pasos en lo alto; alcé los ojos y vi un muchacho que corría por la estrecha y rota vereda como por una estrecha y rota pared. Recuerdo la bombacha,[2] las alpargatas, recuerdo el cigarrillo en el duro rostro, contra el nubarrón ya sin límites. Bernardo le gritó imprevisiblemente: *¿Qué horas son, Ireneo?* Sin consultar el cielo, sin detenerse, el otro respondió: *Faltan cuatro minutos para las ocho, joven Bernardo Juan Francisco.* La voz era aguda, burlona.

Yo soy tan distraído que el diálogo que acabo de referir no me hubiera llamado la atención si no lo hubiera recalcado mi primo, a quien estimulaban (creo) cierto orgullo local, y el deseo de mostrarse indiferente a la réplica tripartita del otro.

Me dijo que el muchacho del callejón era un tal Ireneo Funes, mentado por algunas rarezas como la de no darse con nadie y la de saber siempre la hora, como un reloj.

---

[1] *Fray Bentos:* ciudad de Uruguay fundada en 1859; capital del Departamento de Río Negro, al noroeste de Montevideo.

[2] *bombacha:* pantalón largo y ancho ceñido al tobillo por la parte inferior.

Agregó que era hijo de una planchadora del pueblo, María Clementina Funes, y que algunos decían que su padre era un médico del saladero, un inglés O'Connor, y otros un domador o rastreador del departamento del Salto.[3] Vivía con su madre, a la vuelta de la quinta de los Laureles.

Los años ochenta y cinco y ochenta y seis veraneamos en la ciudad de Montevideo. El ochenta y siete volví a Fray Bentos. Pregunté, como es natural, por todos los conocidos y, finalmente, por el "cronométrico Funes". Me contestaron que lo había volteado un redomón[4] en la estancia de San Francisco, y que había quedado tullido, sin esperanza. Recuerdo la impresión de incómoda magia que la noticia me produjo: la única vez que yo lo vi, veníamos a caballo de San Francisco y él andaba en un lugar alto; el hecho, en boca de mi primo Bernardo, tenía mucho de sueño elaborado con elementos anteriores. Me dijeron que no se movía del catre, puestos los ojos en la higuera del fondo o en una telaraña. En los atardeceres, permitía que lo sacaran a la ventana. Llevaba la soberbia hasta el punto de simular que era benéfico el golpe que lo había fulminado... Dos veces lo vi atrás de la reja, que burdamente recalcaba su condición de eterno prisionero: una, inmóvil, con los ojos cerrados; otra, inmóvil también, absorto en la contemplación de un oloroso gajo de santonina.

No sin alguna vanagloria yo había iniciado en aquel tiempo el estudio metódico del latín. Mi valija incluía el *De viris illustribus* de Lhomond, el *Thesaurus* de Quicherat, los comentarios de Julio César y un volumen impar de la *Naturalis historia* de Plinio, que excedía (y sigue excediendo) mis módicas virtudes de latinista. Todo se propala en un pueblo chico; Ireneo, en su rancho de las orillas, no tardó en enterarse del arribo de esos libros anómalos. Me dirigió una carta florida y ceremoniosa, en la que recordaba nuestro encuentro, desdichadamente fugaz, "del día siete de febrero del año ochenta y cuatro", ponderaba los gloriosos

---

[3] *departamento del Salto:* localidad situada al noroeste de Uruguay.
[4] *redomón:* caballo que no ha sido completamente domado.

servicios que don Gregorio Haedo, mi tío, finado ese mismo año, "había prestado a las dos patrias en la valerosa jornada de Ituzaingó",[5] y me solicitaba el préstamo de cualquiera de los volúmenes, acompañado de un diccionario "para la buena inteligencia del texto original, porque todavía ignoro el latín". Prometía devolverlos en buen estado, casi inmediatamente. La letra era perfecta, muy perfilada; la ortografía, del tipo que Andrés Bello preconizó: *i* por *y*, *j* por *g*. Al principio, temí naturalmente una broma. Mis primos me aseguraron que no, que eran cosas de Ireneo. No supe si atribuir a descaro, a ignorancia o a estupidez la idea de que el arduo latín no requería más instrumento que un diccionario; para desengañarlo con plenitud le mandé el *Gradus ad parnassum* de Quicherat y la obra de Plinio.

El catorce de febrero me telegrafiaron de Buenos Aires que volviera inmediatamente, porque mi padre no estaba "nada bien". Dios me perdone; el prestigio de ser el destinatario de un telegrama urgente, el deseo de comunicar a todo Fray Bentos la contradicción entre la forma negativa de la noticia y el perentorio adverbio, la tentación de dramatizar mi dolor, fingiendo un viril estoicismo, tal vez me distrajeron de toda posibilidad de dolor. Al hacer la valija, noté que me faltaban el *Gradus* y el primer tomo de la *Naturalis historia*. El "Saturno" zarpaba al día siguiente, por la mañana; esa noche, después de cenar, me encaminé a casa de Funes. Me asombró que la noche fuera no menos pesada que el día.

En el decente rancho, la madre de Funes me recibió.

Me dijo que Ireneo estaba en la pieza del fondo y que no me extrañara encontrarla a oscuras, porque Ireneo sabía pasarse las horas muertas sin encender la vela. Atravesé el patio de baldosa, el corredorcito; llegué al segundo patio. Había una parra; la oscuridad pudo parecerme total. Oí de pronto la alta y burlona voz de Ireneo. Esa voz hablaba en

[5] *Ituzaingó:* batalla librada el 20 de febrero de 1827 en los campos de Ituzaingó entre argentinos y brasileños. Triunfa el ejército argentino (al que se agregó una división uruguaya) al mando del capitán Carlos M. de Alvear.

latín; esa voz (que venía de la tiniebla) articulaba con moroso deleite un discurso o plegaria o incantación. Resonaron las sílabas romanas en el patio de tierra; mi temor las creía indescifrables, interminables; después, en el enorme diálogo de esa noche, supe que formaban el primer párrafo del vigésimo cuarto capítulo del libro séptimo de la *Naturalis historia*. La materia de ese capítulo es la memoria; las palabras últimas fueron *ut nihil non iisdem verbis readeretur auditum*.

Sin el menor cambio de voz, Ireneo me dijo que pasara. Estaba en el catre, fumando. Me parece que no le vi la cara hasta el alba; creo rememorar el ascua momentánea del cigarrillo. La pieza olía vagamente a humedad. Me senté; repetí la historia del telegrama y de la enfermedad de mi padre.

Arribo, ahora, al más difícil punto de mi relato. Éste (bueno es que ya lo sepa el lector) no tiene otro argumento que ese diálogo de hace ya medio siglo. No trataré de reproducir sus palabras, irrecuperables ahora. Prefiero resumir con veracidad las muchas cosas que me dijo Ireneo. El estilo indirecto es remoto y débil; yo sé que sacrifico la eficacia de mi relato; que mis lectores se imaginen los entrecortados períodos que me abrumaron esa noche.

Ireneo empezó por enumerar, en latín y español, los casos de memoria prodigiosa registrados por la *Naturalis historia*: Ciro, rey de los persas, que sabía llamar por su nombre a todos los soldados de sus ejércitos; Mitrídates Eupator, que administraba la justicia en los veintidós idiomas de su imperio; Simónides, inventor de la mnemotecnia; Metrodoro, que profesaba el arte de repetir con fidelidad lo escuchado una sola vez. Con evidente buena fe se maravilló de que tales casos maravillaran. Me dijo que antes de esa tarde lluviosa en que lo volteó el azulejo, él había sido lo que son todos los cristianos: un ciego, un sordo, un abombado, un desmemoriado. (Traté de recordarle su percepción exacta del tiempo, su memoria de nombres propios; no me hizo caso.) Diez y nueve años había vivido como quien sueña: miraba sin ver, oía sin oír, se olvidaba de todo, de casi todo. Al caer, perdió el conocimiento;

cuando lo recobró, el presente era casi intolerable de tan rico y tan nítido, y también las memorias más antiguas y más triviales. Poco después averiguó que estaba tullido. El hecho apenas le interesó. Razonó (sintió) que la inmovilidad era un precio mínimo. Ahora su percepción y su memoria eran infalibles.

Nosotros, de un vistazo, percibimos tres copas en una mesa; Funes, todos los vástagos y racimos y frutos que comprende una parra. Sabía las formas de las nubes australes del amanecer del treinta de abril de mil ochocientos ochenta y dos y podía compararlas en el recuerdo con las vetas de un libro en pasta española que sólo había mirado una vez y con las líneas de la espuma que un remo levantó en el Río Negro la víspera de la acción del Quebracho.[6] Esos recuerdos no eran simples; cada imagen visual estaba ligada a sensaciones musculares, térmicas, etc. Podía reconstruir todos los sueños, todos los entresueños. Dos o tres veces había reconstruido un día entero; no había dudado nunca, pero cada reconstrucción había requerido un día entero. Me dijo: *Más recuerdos tengo yo solo que los que habrán tenido todos los hombres desde que el mundo es mundo.* Y también: *Mis sueños son como la vigilia de ustedes.* Y también, hacia el alba: *Mi memoria, señor, es como vaciadero de basuras.* Una circunferencia en un pizarrón, un triángulo rectángulo, un rombo, son formas que podemos intuir plenamente; lo mismo le pasaba a Ireneo con las aborrascadas crines de un potro, con una punta de ganado en una cuchilla, con el fuego cambiante y con la innumerable ceniza, con las muchas caras de un muerto en un largo velorio. No sé cuántas estrellas veía en el cielo.

Esas cosas me dijo; ni entonces ni después las he puesto en duda. En aquel tiempo no había cinematógrafos ni fonógrafos; es, sin embargo, inverosímil y hasta increíble que nadie hiciera un experimento con Funes. Lo cierto es que vivimos postergando todo lo postergable; tal vez todos

[6] *Quebracho:* se refiere a una acción militar que se llevó a cabo en la localidad del Quebracho en 1846. El Quebracho queda en el Departamento de Paraná, Provincia de Entre Ríos, Argentina.

sabemos profundamente que somos inmortales y que, tarde
o temprano, todo hombre hará todas las cosas y sabrá todo.

La voz de Funes, desde la oscuridad, seguía hablando.

Me dijo que hacia 1886 había discurrido un sistema
original de numeración y que en muy pocos días había reba-
sado el veinticuatro mil. No lo había escrito, porque lo
pensado una sola vez ya no podía borrársele. Su primer
estímulo, creo, fue el desagrado de que los treinta y tres
orientales requirieran dos signos y tres palabras, en lugar de
una sola palabra y un solo signo. Aplicó luego ese disparata-
do principio a los otros números. En lugar de siete mil
trece, decía (por ejemplo) *Máximo Pérez;*[7] en lugar de siete
mil catorce, *El Ferrocarril;* otros números eran *Luis Melián
Lafinur,*[8] *Olimar,*[9] *azufre, los bastos, la ballena, el gas, la
caldera, Napoleón, Agustín de Vedia.*[10] En lugar de quinientos, decía *nueve.* Cada palabra tenía un signo particular, una especie de marca; las últimas eran muy
complicadas... Yo traté de explicarle que esa rapsodia de
voces inconexas era precisamente lo contrario de un sistema de numeración. Le dije que decir 365 era decir tres
centenas, seis decenas, cinco unidades; análisis que no
existe en los "números" *El Negro Timoteo* o *manta de
carne.* Funes no me entendió o no quiso entenderme.

Locke, en el siglo XVII, postuló (y reprobó) un idioma
imposible en el que cada cosa individual, cada piedra, cada
pájaro y cada rama tuviera un nombre propio; Funes proyectó alguna vez un idioma análogo, pero lo desechó por
parecerle demasiado general, demasiado ambiguo. En
efecto, Funes no sólo recordaba cada hoja de cada árbol de

[7] *Máximo Pérez:* militar uruguayo (1825-1882).

[8] *Luis Melián Lafinur:* historiador, político, diplomático y
jurisconsulto uruguayo (1850-1939). Autor de *Juan Carlos Gómez*
y *La historia y la leyenda.*

[9] *Olimar:* pueblo de Uruguay.

[10] *Agustín de Vedia:* político y periodista uruguayo. Nació en
Montevideo en 1843; murió en Buenos Aires en 1910. Colaboró en
el diario *La Nación* de Buenos Aires. Autor, entre otras obras, de
La Constitución Nacional e *Historia financiera de la República
Argentina.*

cada monte, sino cada una de las veces que la había percibido o imaginado. Resolvió reducir cada una de sus jornadas pretéritas a unos setenta mil recuerdos, que definiría
luego por cifras. Lo disuadieron dos consideraciones:
la conciencia de que la tarea era interminable, la conciencia de que era inútil. Pensó que en la hora de la muerte no
habría acabado aún de clasificar todos los recuerdos de la
niñez.

Los dos proyectos que he indicado (un vocabulario infinito para la serie natural de los números, un inútil catálogo
mental de todas las imágenes del recuerdo) son insensatos,
pero revelan cierta balbuciente grandeza. Nos dejan vis-
lumbrar o inferir el vertiginoso mundo de Funes. Éste, no lo
olvidemos, era casi incapaz de ideas generales, platónicas.
No sólo le costaba comprender que el símbolo genérico
perro abarcara tantos individuos dispares de diversos tama-
ños y diversa forma; le molestaba que el perro de las tres y
catorce (visto de perfil) tuviera el mismo nombre que el
perro de las tres y cuarto (visto de frente). Su propia cara
en el espejo, sus propias manos, lo sorprendían cada vez.
Refiere Swift que el emperador de Lilliput discernía el
movimiento del minutero; Funes discernía continuamente
los tranquilos avances de la corrupción, de las caries, de la
fatiga. Notaba los progresos de la muerte, de la humedad.
Era el solitario y lúcido espectador de un mundo multi-
forme, instantáneo y casi intolerablemente preciso. Babilo-
nia, Londres y Nueva York han abrumado con feroz
esplendor la imaginación de los hombres; nadie, en sus
torres populosas o en sus avenidas urgentes, ha sentido el
calor y la presión de una realidad tan infatigable como la
que día y noche convergía sobre el infeliz Ireneo, en su
pobre arrabal sudamericano. Le era muy difícil dormir.
Dormir es distraerse del mundo; Funes, de espaldas en el
catre, en la sombra, se figuraba cada grieta y cada moldura
de las casas precisas que lo rodeaban. (Repito que el menos
importante de sus recuerdos era más minucioso y más vivo
que nuestra percepción de un goce físico o de un tormento
físico.) Hacia el Este, en un trecho no amanzanado, había
casas nuevas, desconocidas. Funes las imaginaba negras,

compactas, hechas de tiniebla homogénea; en esa dirección volvía la cara para dormir. También solía imaginarse en el fondo del río, mecido y anulado por la corriente.

Había aprendido sin esfuerzo el inglés, el francés, el portugués, el latín. Sospecho, sin embargo, que no era muy capaz de pensar. Pensar es olvidar diferencias, es generalizar, abstraer. En el abarrotado mundo de Funes no había sino detalles, casi inmediatos.

La recelosa claridad de la madrugada entró por el patio de tierra.

Entonces vi la cara de la voz que toda la noche había hablado. Ireneo tenía diecinueve años; había nacido en 1868; me pareció monumental como el bronce, más antiguo que Egipto, anterior a las profecías y a las pirámides. Pensé que cada una de mis palabras (que cada uno de mis gestos) perduraría en su implacable memoria; me entorpeció el temor de multiplicar ademanes inútiles.

Ireneo Funes murió en 1889, de una congestión pulmonar.

LYDIA CABRERA
(La Habana, Cuba, 1900 - Miami, Estados Unidos, 1991)

L o s libros narrativos de la escritora cubana *Cuentos negros de Cuba*, *¿Por qué?* y *Ayapá: cuentos de jicotea* ofrecen una de las más logradas y poéticas simbiosis de elementos míticos, folklóricos y de la tradición popular en el curso de la literatura hispanoamericana del siglo xx. Este enriquecimiento artístico que la escritora entregara a la cuentística de la América Hispana abrió multívocos espacios y perspectivas narrativas para este género. La interacción de lo imaginativo y lo folklórico —con un aprovechamiento literario original del lenguaje autóctono— alcanzada por los cuentos de Lydia Cabrera es equivalente a la conseguida por otros eximios escritores como Carmen Lyra en su libro *Los cuentos de mi tía Panchita* (1920) y Miguel Ángel Asturias en su obra *Leyendas de Guatemala* (1930).

"Los compadres" es uno de los veintidós relatos incluidos en la colección *Cuentos negros de Cuba*. La sutileza de la intervención irónica y el donaire del lenguaje enmarcan en esta narración el traslado de lo folklórico a la esfera universal de lo artístico. Alcanzada esa dimensión aparecen simbolismos y signos que conectan la totalidad de esa tradición popular a la permanencia de actitudes, conductas y hábitos depositados en el subconsciente humano.

El primer libro de cuentos de la escritora se publicó en francés en París en 1936, fecha que coincide con la estadía de la autora en Francia por un espacio de once años. Cultivó una gran amistad con las escritoras Gabriela Mistral y

Teresa de la Parra. Hacia 1938 regresa a Cuba donde llevó a cabo una minuciosa investigación sobre la cultura negra.

A partir de 1960 Lydia Cabrera establece su residencia en la ciudad de Miami donde proseguiría su actividad creativa y de investigación. Entre 1960 y la fecha de su muerte, la autora del conocido libro *Cuentos negros de Cuba* publicaría otros doce libros.

LOS COMPADRES*

TODOS somos hijos de los Santos, y lo de la malicia y el gusto de pecar ya le viene al hombre de los santos.

Por enredos de mujeres, de tierra Tácua —el más santo de todos, Changó—, llegó una vez huyendo a la tierra de Ochún: Changó (Santa Bárbara) que también se llama Obakoso, Alafi, Dádda, Obaiyé, Lubbeo—, —Lubbeo es su nombre de pila.

Enamorado y pendenciero —que no hay sin él rebamba-ramba—[1], el rey del mundo un hampón —muy valiente y muy bien parecido—, se crió en el arroyo... Allí donde estuviere, a la par que hacía milagros, cometía tales fechorías, que al fin tenía que salir huyendo. Huyendo de pueblo en pueblo, pasaba su vida, porque muchos querían matarlo, aunque él los burlaba siempre.

Le gustó Ochún (la Caridad del Cobre) en la tierra de Ochún, la lucumí.

La conquistó bailándole y ella, en seguida, le dijo que sí y vivieron juntos. Y un día, Ochún, le dice a su hermana mayor Yemayá (Nuestra Señora de Regla):

—"¡Si vieras el negro que yo tengo, se te ponían los dientes largos!"

* © Lydia Cabrera, por permiso autorizado en 1991. Se agradece, asimismo, la colaboración en la gestión correspondiente de la Dra. Isabel Castellanos, heredera de los derechos de la escritora cubana.

[1] *rebambaramba:* reunión ruidosa y alborozada en Cuba en la que participan personas de origen africano.

—"¿Qué negro?" —pregunta Yemayá.

Porque siguiendo a Changó por todas partes, sombra de su sombra, iba siempre un viejo para cuidarlo; y este viejo le había dicho a Yemayá:

—"Cuando encuentres a Changó, llámale Lubbeo. Es tu hijo".

Yemayá quiso ver a Changó.... Y Changó que la enamoraba y Yemayá que se dejaba enamorar, cuando iban a unirse, Yemayá se acuerda y exclama: "¡Lubbeo! ¡Tú eres mi hijo! Y le da a beber de su pecho.

Se entera Ochún; por poco se le cae, del respingo, la cabeza. Se la agarra con las dos manos, se la encaja...

—"¡Mi sobrino, era mi sobrino!" Sí, pero muy tarde ya. No había remedio.

Dolé no era mala. Era hija de Ochún, y le estaba prohibido comer calabaza; porque en la calabaza está el secreto de Ochún, pero, mayormente, por aquello que ocurrió en el pozo.

Esto: que Yemayá, cuando era mujer de Orula, (San Francisco de Asís) andaba recelosa de Ochún. Orula vivía en un pozo y Ochún se metía en el pozo.

Yemayá en acecho, y ve que Ochún baja furtiva al pozo; sin hacer ruido, de puntillas, fue a buscar al Ser Supremo a su bohío.

—"¡Babamí! ¡Ay, venga a ver esto, Babamí"

Al Ser Supremo, Babamí, quien los gobierna a todos; a Cholá, a Orichaoko, a Oyá, a Olokun, a Ogba, a Ogún, a Ochosi, a Babaluayé, Obaoddé, Sodgi, Nanú, Nanáburukú, a Obatalá, a los Ibeyi, los Elegguá... Ese Babamí, más viejo que el tiempo, está por encima de todos y Changó por encima de todos los Santos.

Yemayá se inclina sobre el brocal del pozo, tira a Babá de una manga...

—"Papá, Kuanchaca ¡okó con okó! y le señala al Ser Supremo lo que están haciendo allí escondidos Ochún y Orula.

—"Ajá —dice el Padre Eterno—, pues quédese de una vez San Francisco con la Caridad del Cobre". (Ochún con Orula).

No, Dolé no era mala, pero no era fiel. Todos los hombres la apetecían y el que menos le gustaba era el suyo, un negro manumiso,[2] torcedor de tabaco, que pasó en el campo gran parte de su vida, y no era ladino, como negro de ciudad.

—Dolé tenía a su amante en el cuarto cuando llegó su marido de la calle, a hora que no acostumbraba. Lo esconde debajo de la cama y va abrirle la puerta, desatadas las "pasas",[3] la cara descompuesta y llorando. No hay mujer torpe para mentir.

—"Ay, qué dolor, qué dolor en el vientre! ¡Ay, Evaristo! Si no me procuras el remedio que el brujo me recetó, me muero, Evaristo, me muero en un grito, te lo juro" —y con la misma se echó en la cama revolcándose y mordiendo la manta.

—"¿Qué remiendo y qué brujo y qué doló?" —preguntaba Evaristo de la Torre estupefacto.

Le explicó Dolé lo mejor que pudo, sufriendo tanto, que aquella mañana cuando él se fue a la factoría y ella empezó a trajinar, le había acometido una punzada en la boca del estómago... tan aguda, que apenas se calmó un tanto, salió a consultar a un brujo. El brujo "preguntó" y le había dicho, de parte de Oyá, que aquello era muy malo: un animal tenía alojado en el estómago, velludo, de forma estrambótica, sapo, araña, esponja o cangrejo, con dientes de alfiler. No lo expulsaría si antes no se sorbía ella un huevo fresco de caimán. Sólo el huevo de caimán aplacaría la gandizón[4] del bicho, que de lo contrario, sin domeñar, acabaría con ella royéndole las entrañas. ¡Y venga la negra a sufrir! ¡Cómo hincaba los dientes el animal!

—"¡Hazte de cuenta Evaristo lo que pasa en mi gandinga!"[5]

El pobre Evaristo, que es muy bueno, que quiere mucho

---

[2] *manumiso:* esclavo que ha sido libertado.
[3] *pasas:* se dice, en Cuba, al pelo lanoso de los individuos de origen africano.
[4] *gandizón: gandición;* voracidad, glotonería.
[5] *gandinga:* entrañas, estómago.

a su negra, se apiada de que un animal le muerda así las tripas; es la primera vez que la oye quejarse: de prisa se va al río por el huevo de caimán.

Dolé hace salir al amante todo entumido y sudoroso y los dos se divierten a costa del tonto, que el caimán se engullirá:

"Saúla bómbo, saúla bómbodil,
Saúla bómbo, saúla, ¡bobo se va!"

La hembra del caimán había puesto cuatro huevos; pero deja un guardián vigilándolos y no se aleja mucho cuando va a comer. Apenas siente ruido, un guijarro que rueda, un cohombro[6] agitarse, zahondarse[7] unos pies en la orilla, se avalanza a defender sus huevos. Evaristo tiene que correr para salvar la vida.

Muchas veces fue al río a robarle un huevo a la caimán mientras Dolé, sin temor, se quedaba gozando y riéndose de él con su "alé".[8]

"Saúla bómbo, saúla bómbodil,
Saúla bómbo, saúla, ¡bobo se fue!"

Frontero, vivía Capinche el estivador,[9] compadre de Evaristo, en querindango con una lavandera de buenas prendas, que era santera; y dicen que cuando se le subía el santo, se comía la "mangoma"[10] lo mismo que Yánsa. Evaristo le había bautizado una hija que tuvo Capinche de otra mujer, María Virtudes. De noche iban a la bodega a jugar dominó... En otros tiempos —siendo de una misma dotación— juntos habían tumbado mucha caña y ahora, libres los dos, Evaristo torcía tabaco en la fábrica, Capinche cargaba en los muelles y se estaba volviendo zambo.

Aquel cuento de huevos de caimán y mordidas en el

---

[6] *cohombro:* planta; variedad de pepino.
[7] *zahondarse:* hundir los pies en la tierra.
[8] *alé:* amante.
[9] *estivador:* estibador.
[10] *mangoma:* candela.

estómago, que hacían perder el sentido, Capinche no lo tragó, porque él y la lavandera veían entrar y salir al otro negro de Dolé, muchas veces que Evaristo corría en busca del huevo salvador.

—"¿Y qué, no me has traído el huevo?" —le preguntaba Dolé desfallecida a Evaristo, cuando éste volvía jadeante, los pantalones chorreando barro y las manos vacías.

—"¡Poco faltó para que el caimán me trabase hoy una pierna!"

—"¡Ay de mí, Mamá, no me curaré nunca!" —suspiraba Dolé—. "Aunque ya el dolor se me va pasando. Parece que el bicho está cogiendo sueño... ¡Ya no mastica!"

El animal se dormía y no molestaba más. Dormido era un bendito. Dolé se levantaba, andaba de un lado a otro, trajinaba y se conducía como buena y sana.

Un día el Compadre Capinche, por una copa de más que había bebido, le dice a Evaristo, en el café:

—"Usté es un mentecato, mi Compadre. Un bobo de fal-deta y maruga,[11] y no por ofenderlo. Su mujer no tiene nada en su barriga. Lo que sí tiene es la "sinvergüenzura"... y cuando le entra la punzada, un negro chévere[12] escondido debajo de la cama, que se lleva los pesos que usté le gana soltando el pulmón".

Evaristo no contestó nada, trancó las quijadas y, sin despedirse se fue a su casa...

Dolé ya medio dormía. Evaristo, por si acaso, deseó estrangularla; pero era hombre moderado, que si había matado a un congo, años antes —un tal Rufino, ñáñigo—[13] fue sin pensar lo que hacía, porque se le fue la mano. Y nunca se supo. Lo mismo que a otro individuo, a quien dio un navajazo, en la confusión de una riña de comparsa... Por

---

[11] *bobo de faldeta y maruga:* tonto de capirote. *Faldeta* es una tela con que se cubre en el teatro algo que no tiene que aparecer hasta cierto momento. *Maruga* en este contexto es un sonajero o cascabel.

[12] *chévere:* sensacional, magnífico. En determinados contextos puede significar "jactancioso", "fanfarrón".

[13] *ñáñigo:* en Cuba, miembro de cierta sociedad secreta formada por personas de origen africano.

la calentazón del baile, de la farola, y del "malafo",[14] no por mala intención. Y para eso, tampoco nadie se enteró; y es bueno, quien la gente no sabe que es malo.

Evaristo se arrancó la camisa, los pantalones, a puñetazos, metiendo mucha bulla; tiró los zapatos contra la pared, le preguntó a Dolé, la voz ahogada:

—"¿Con que el bicho ... el bicho?"

—"Sió" —contestó Dolé— "¡que se despierta!"

Evaristo escudriñó debajo de la cama, abrió el armario...

El Compadre Capinche estaba bebido —era sábado— y a lo mejor, una mala ocurrencia de borracho, por no decir falso testimonio, tratándose del compadre... El nunca había visto negro sospechoso rondando su puerta —y temiendo que si el animal de Dolé, de veras se despertaba con el antojo del huevo, ésta iba a ponerle en el compromiso de ir al río, ¡y a oscuras!— se cubrió la cabeza con la sábana, destapándose involuntariamente los pies (los pies, no es prudente dejarlos desnudos fuera de la sábana, no sea que alguna Ánima del Purgatorio que va de camino, los agarre con su mano fría) y se durmió resoplando, como todas las noches.

La crisis la sufrió Dolé pocos días después y más terrible que nunca; esta vez era el mismo animal quien le gritaba, le apremiaba, le increpaba a él, hinchándose en la garganta de Dolé:

—"¡Pronto, canalla, cobarde, tráeme mi huevo! ¡ya estoy cansado de esperar! Si no me lo das, me la como toda, por culpa tuya... y luego, me meto en ti, te como a ti!"

Evaristo se marchó muy impresionado de la bravata, jurándose que, aun a trueque de dejarse en el río la mitad de su persona, volvería con el remedio aquel mismo día...

Al doblar de la esquina le asalta un resquemor.

—"Niño y borracho, dicen verdad. Mi compadre estaba como una uva. ¿Si fuera verdad?" —y retarda el paso. Evaristo está perplejo. No sabe qué hacer. Una vecina abre su postigo y le grita con sorna:

—"¿Con que otro huevito de caimán, amigo?"

---

[14] *malafo:* aguardiente de caña.

—"Anda, anda con Dios, so buen hombre" —lo saluda el gallego bodeguero, que juega con los negros al dominó—. Desde su mostrador, en camiseta y muy abierta la camiseta, brazos y pecho de nudos, todo pelos y blanca encarnadura, le despacha a una mulata medio real de vino tinto, en una lata que fue de aceitunas; y el gallego le habla en voz baja, con una risita que le tuerce el bigote de malicia. La mulata mira a Evaristo de reojo. Hace un mohín conmiserativo. Evaristo tropieza luego con Mateo, el vendedor de pollos:

—"¡Pollero... Pollo grande, barato!"

—"Adiós, Mateo".

—"¿Ya le pillaste el huevo a la caimana?" —le pregunta Mateo con picardía bonachona.

Todos le reparan y murmuran. ¡Se están riendo de él! Y Evaristo, de pronto, olfatea la chunga en el aire de su calle... —Eres un bobo de faldeta y maruga" —en sus adentros está oyéndole decir a Capinche, no ya borracho, sino en sus cabales —. Vuelve a su casa, descerraja la puerta de una sola patada y allí se encuentra a Dolé, en la cama, muy cariñosa y desvestida, en gran familiaridad con un individuo!

Lo que más indigna a Evaristo, y con razón, es que el negro intruso ha colgado la ropa en su percha y que está acostado en el hundido que el peso de su cuerpo le ha hecho al bastidor... ¡y en su almohada!

Empuña una botella, lo primero que halla a mano, y se la rompe al negro en la cabeza. Lo acomete a mordidas, a coces, a trompazos, en un furor bestial.

—"¡Si no támo haciendo ná malo!" —jura y perjura Dolé—. "Era en conversación, y había caló... Ese é un pariente que yo tenía, que llegó del campo cansáo".

El negro escapa, huye por las calles casi desnudo; algunas mujeres gritan: —"¡Ataja, atajaló!, y a Evaristo lo sujeta el bodeguero, otros dos vecinos y el pollero, éste, con una sola mano, la izquierda, mientras agita en alto con la diestra, su racimo de pollos alborotados. Todo el vecindario estaba pendiente de lo que iba a ocurrir tarde o temprano. A nadie le tomó de sorpresa.

—"¡La pareja, la pareja! ¡Todos quietos!"

Barruntó gazapina[15] la guardia civil... El negro descamisado, roto; Dolé gesticulando, hablando por hablar, sin saber lo que dice y sin poderse contener. Se calma y enmudece como por encanto el enjambre agitado de curiosos.

—"Una discusión, Orden Pública. Sí señor... pero ya se acabó. ¡Aquí no ha pasado nada!

Y Orden Pública muestra los toletes[16] de modo significativo. Enarca las cejas muy negras, greñudas. (Uno es cejijunto). Símbolo de la justicia inexorable, se aposta en la acera, contra una ventana de las de vientre bajero y de rodillas: Orden Pública, atuzándose los mostachos amenazadora y mal dispuesta siempre con los negros.

Hablando sola, se aleja la mulata que compraba vino, con la lata en la mano, vacía; ¡medio real de tinto, perdido en el jollín![17] Van muchas vecinas a la "accesoria"[18] de Dolé, a darle tila, a meterse gustosísimas en todo... Allí Evaristo no levanta la cabeza. Un palmo de hocico. Los hombres lo aplacan a manotazos cordiales en la espalda. "¡Si no aparece la guardia civil, ya tendría aquel negro, frío el cielo de la boca!"

La guardia civil se retira al fin, dominadora, gallardeándose sobre sus juanetes...

Esa noche se reúne todo el vecindario en casa de Evaristo, por si hace un disparate... Parece que allí hay fiesta o velorio —que viene a ser lo mismo—. Se meten a opinar hasta los pasantes desconocidos, que se detienen a indagar en el umbral de la puerta abierta en grande y a quienes se les informa detalladamente de todo lo ocurrido. Luego, cada vecino trae algo para pasar la velada. Quién galletas de sal, quién un trozo de queso, guayaba, café, una lata de sardinas, cerveza, aguardiente.

—"¡Sobre todo, que no se queden solos todavía, Dolé y Evaristo!" —"Que no haya desgracia" —dice la santera, lavandera. Y Evaristo continúa sentado sobre su

---

[15] *gazapina:* pendencia, alboroto.
[16] *toletes:* garrotes cortos.
[17] *jollín:* jaleo, escándalo.
[18] *accesoria:* habitación.

baúl —jinete a la mujeriega— emperrado, bembudo,[19] repitiendo, mordiendo con obstinación en una misma palabrota, y rodeado de hombres... Dolé en un sillón, muy ligera de ropas, suspira y suspira. Habla haciendo quiebros de sollozos, sube y baja los brazos; se queja de su suerte y de la cabeza... ¡que se le salen los sesos de la sesera! Las mujeres se turnan para echarle fresco, pero no hay manera de desatarle un nudo de hierro que tiene en la garganta.

Cuando llega el Compadre, su compadre Capinche, a quien todos aguardan, este resuelve la situación, con la autoridad del compadrazgo, en dos palabras:

—"Evaristo, que no se diga, hombre! Vamos a dar ejemplo de buena educación. Dése por terminado el incidente, de resultas del cual usté ha quedado como un caballero".

—"No —dice Evaristo— el pleito no se ha acabáo. Esto no me lo ha debido hacer a mí Dolé, sin mi consentimiento".

—"¡Mi alma —protesta Dolé, gipiando—[20] si tú quieres que me vaya, me iré! Pero mátame, mi negro... porque mi "santo" eres tú y mi debilidad, y yo, a quien quiero es a ti!"

—"Y en como vuelva a encontrarla en la cama con otro, la haré a usté también papilla, grandísima..."

—"¡No lo haré más, Evaristo!"

Capinche traía licencia para tocar tambor. Llegaron unos "tamboleros" amigos de los dos y una ahijada de Dolé, con siete meses de embarazo en punta, que se había enterado del disgusto de la Madrina y venía de carrera para lo que hiciera falta.

A Evaristo se le iba pasando la rabia...

A las tres de la madrugada estaban bailando.

El gallego bodeguero oía arreciar el tambor desde la trastienda. Las risotadas y la alegría irrefrenable de los negros, el calor y los mosquitos —las chinches, que fielmente lo acompañaban desde la Península— no le dejaban dormir:

---

[19] bembudo: bembón, bezudo, de labios gruesos. Referencia a las personas de origen africano.

[20] *gipiando:* gimoteando, llorando.

—"Estos morenos, ¡por mi madre! Todo lo arreglan bailando... Bailan para nacer, para morir, para matar... ¡Se alegran hasta con los cuernos que les plantan las mujeres!"

Murió de pasmo la santera, la negra lavandera que vivía con Capinche. Lo cierto es que murió de un "trabajo" que le hizo un mayombero.[21] ¡Nadie muere de muerte natural! Contaba con enemigos entre la santería. Algunos de cuidao. Cuando le avisaron que habían oído mentar su nombre arriba de la "prenda", ya el "bilongo"[22] lo tenía muy adentro y el "resguardo" que se hizo para el cuerpo de nada le sirvió... Le habían cogido la delantera. Así es la brujería: guerra continua, en emboscada. Un clavo sacando a otro clavo, pero si el daño lo sazona y viene de un brujo que sabe su oficio, es muy difícil librarse, muy difícil. Por eso, boqueando, decía la santera:

—"Ya no me vale ni Santa Bárbara. ¡Ni un cambio de cabeza!"

Y se fue de esta vida miserable, dejándole a Capinche un negrito de tres años, barrigón, ya gambado[23] como él, que le bautizarón Dolé y Evaristo. Dos veces cruzaron sacramento: dos veces compadraban aquellos hombres... El negrito crecía al lado de Dolé, y Capinche pasaba los ratos que le quedaban libres, en el cuarto de su Compadre.

Ahora Dolé tenía máquina de coser. A Evaristo, el tabaco, le había picado el pecho; y muchas veces, que amanecía escupiendo sangre, días en que parecía que iba a quedarse sin gota en las venas, no podía ir al trabajo. Dolé se había hecho costurera para ayudarlo; porque Dolé no era mala. Tenía corazón. Los "Santos", después de un "sarayeyéo" que se le hizo a Evaristo, seguían pidiendo chivos, palomas, gallos, en sacrificio; y mandándole a comer muchó bistéc crudo, a beber mucha leche batida con huevos; y el boticario, por su lado, porfiaba que le curaba la tisis con "patente" francesa de a centén... ¡Un centén que les costaba la medicina, y duraba tan poco! Capinche también proveía. Es decir, daba cuanto tenía,

---

[21] *mayombero:* hechicero en el culto de la *santería.*

[22] *bilongo:* brujería, mal de ojo.

[23] *gambado:* patituerto; que tiene las piernas torcidas.

todo. Por él no se quedaba su Compadre sin la "patente". Pero Capinche, que andaba sin mujer fija, sino que hoy una, mañana otra, y pasado, a lo mejor, ninguna, se iba enamoricando de Dolé... Se enamoró de Dolé.

Un día no fue al muelle... Ella estaba sola, pespunteando en su máquina. Capinche se acomodó a su lado y la miraba mudo; la miraba hinchando las narices. De repente, dijo Capinche abrazándola:

—"¡E cumari, mi cumari, qué me gusta mi cumari! ¿Vamo a timbé, cumari?"

Dolé lo rechazó; se persignó. La verdad: a ella no le desagradaba su compadre... ella de buena gana. Pero... ¿y el sacramento? ¡El sacramento! Y los dos negros se quedaron confusos, temerosos.

—"¡Ay, Dolé, Dolé ¿por qué sacramentamos?"
—"¡Para adivino Dios!"

El cochino, antes de ser cochino, por fuera era igual que el hombre... Era un hombre. Ofendió a su madre. Ésta lo maldijo... Se volvió cochino; cuatro patas, una barrigota, un hocico para hozar la basura, un rabo como un garabato... Por dentro, como un hombre.

El compadre que incurre en falta con su compadre —Corpus Christi de por medio— sucumbe entre calamidades sin cuento. Atroz es su castigo. La comadre que se conduce aviesamente con su comadre, o con su compadre —es igual— asiste a su propio entierro; verá como la comen los gusanos. Su alma pedirá misas durante siglos. Ahí estaba Cecilia Alvarado, de Arroyo Naranjo: veinte y dos días agonizando en pleno conocimiento, por haber traicionado a su comadre. (Se gastó un dinero que ésta le había confiado... y como para justificarse, habló de ella perrerías.) Habían hecho consejo de familia y acordado llevarle a la comadre, para que le perdonaran el agravio. La Comadre, a pesar de su concomio,[24] perdonó, y ella logró morir tranquila, volviéndose a la pared. Pero... ¿si no la perdona? ¿Qué no la esperaba bajo la tierra?

---

[24] *concomio:* concomimiento; encono, rabia, desazón.

Ni con el Sacramento, ni con los Santos se puede gastar chacota.

A un conocido de Evaristo, lo aplastó un carretón de mangos. ¿Por qué? Le había ofrecido un altar a San Lázaro, a Babalúayé, si le concedía una lotería. Ganó, cobró cien monedas; alquiló un puesto de frutas, se compró un caballo, un carretón... El resto se lo gastó rumbeando. Se le olvidó el altar de San Lázaro. San Lázaro le mandaba decir por los caracoles: "que del altar qué hubo... si se ha creído que yo soy muchacho, para jugar conmigo; que si no me cumple lo que me debe, se prepare a morir de mala muerte". Y el hombre remoloneando y contestando con guasita: —"Pues el viejo que se espere, ¿qué prisa tiene? Lo espanzurró, yendo al mercado, el carretón de otro frutero, ni se sabe cómo.

¡En mala hora encompadraron Dolé y Capinche!

Y los dos negros se emberrincharon: se querían y no se atrevían...

Capinche llegaba a horas en que no estaba Evaristo.

—"¡Ay, cumari, mi cumari, qué me gusta mi cumari! ¿Vamo a timbé, cumari?" —era su estribillo. Y Dolé hacía un gran esfuerzo; por fin vencía el temor y le recordaba el sacramento. Capinche bajaba los ojos, se mordía los labios hasta sacarse sangre y se marchaba maldiciendo.

Un día Capinche le dijo a Dolé, mientras ésta forcejeaba por librarse de los brazos del negro.

—"Evaristo está cada vez mas ético.[25] Ya tiene la muerte en la cara".

—"Cuando se muera, Capinche; espera que se muera. Entonces sí".

Y Capinche pensó: —"puesto que mi Compadre se ha de morir, no importa que muera un poco antes. Penará menos".

El Compadre se postró sin fuerzas; faltábanle hasta para incorporarse en la cama sin ayuda de alguien. Sin embargo, los ojos se le encendían de esperanza cuando Dolé llegaba de la carnicería y le mostraba, sopesándolos con orgullo,

_____

[25] *ético:* hético; sumamente delgado, enfermo, tísico.

los trozos de carne roja, sangrienta. Pero ya no podía pasarlos. Comer fue lo más penoso, y cuando la desgana, terrible, lo venció de un todo, aún seguía cifrando fe en las cucharadas de aquella "patente", infalible por lo cara. La reclamaba a todas horas y la bebía con un fervor doloroso; pero un día ya no hubo con qué comprarla, y Capinche aconsejó sustituirla por unas yerbas de negrería.

El Compadre, al declinar la tarde, sufrió un poco de ahogo. Tosió por última vez, una tos chica, de madera. Le molestaban las sábanas; le molestaban sus manos sin paz; quería ver la luz, luz grande, de mañana, de hombre sano. Habló de levantarse; dijo que se iba de paseo al campo, al ingenio donde había nacido. Allí en el barracón, lo estaba llamando su madre. ¿Para qué lo querría? Todos sus parientes difuntos lo llamaban... Luego se sosegó, se adormiló. Debió quedarse muerto como un pajarito, porque Dolé no advirtió que hiciera ningún ruido. Fue a encender la lámpara de petróleo y se acercó para darle una taza de leche.

"¡Santo Dios, se murió Evaristo! Se apagó como una vela, pobrecito; no molestó ni para estirar la pata. Así era él... Sufrido y callado. Moderado también para morir. ¡Ave María Purísima, después de tanto empeño, tanto bisté, tanta rogativa, tanta patente de a centén! Cuando lo sepa su Compadre..."

Fueron al muelle con la noticia.

—"¡Dispense lo que tenemos que decirle, Capinche: que se murió su compadre Evaristo!"

Y corrió Capinche con todos los gastos del entierro. ¡Qué no ha de hacerse por un compadre! Si con él se bebió dulce, con él hay que tragar amargo.

Lo estaba llorando tan afligido, que verlo partía el alma.

—"¡Capinche, los hombres no lloran!" —y se secaba las lágrimas con un pañuelo a rayas coloradas, que era un recuerdo del mismo muerto.

¡Quién lo iba a decir, que tan pronto —pero todo llega— un negro tan bueno como aquel Evaristo! En el barrio todos lo estimaban. Jamás ni un sí ni un no. Siempre dispuesto a hacer un favor. Se ponderaban sus virtudes. Su buen sentido, su urbanidad. Sobre todo su urbanidad: ahora que los negros se habían vuelto tan perros, tan ordinarios, que ni daban los buenos días. Para criar bien a sus hijos, en el respeto, los africanos bozales. Se maleaban los criollos, hijos de criollos. ¡Qué distintos los negros de corte antiguo, como Evaristo! Cuando en Cuba había aún señores y fiebre amarilla...

Y Dolé, desesperada, salía de un ataque de nervios para entrar en otro.

Ya Evaristo está tendido entre cuatro velas que lloran también. Ahora sí que se le nota lo flaco que se había puesto. No era más que huesos. Sin embargo...

—"¿Qué buena cara tiene! ¡Qué naturalidad...!"

Llegan circunspectos, ceremoniosos, negros de su cabildo Congo real; otros del cabildo Pueblo Nuevo, del Santa Bárbara; los compañeros de la tabaquería, los estibadores que trabajan con Capinche, amigos de amigos, conocidos del muerto o de nadie, a hacer acto de presencia.

—"Acompañando en el sentimiento..."

—"Acompañando en el sentimiento..."

Todos los vecinos han traído sus sillas. Se sientan apretados, codo con codo, alrededor del cadáver. Se trajinan a tropezones en la cocina, donde han abierto un catre para acostar a las mujeres que sufran ataques en el curso de la noche. Avanza Dolé tambaleándose como quien anda entre sueños.

Se despierta:

—¡Aay, mi Evaristo! —le dice al cadáver— abri ojo, mi cielo. Mira a Dolé, mira a tu compadre, mira a tu ahijado José... Mira "tó" Carabela que te acompañan... (Subiendo el diapasón) ¡Ay, Dió mío, Dió mío, ¿por qué me lo quitate, Señó? Amaneció vivito y coleando, con gana de paseá y ya no me dice Dolé! ¡Ay, ay! ¡Que se me fue mi Evaristo! E que me pagaba el cuarto, mi negro que me quería. ¡Ay, mi negro ma bueno que el pan! ¡Ay, mi negro, se me acabó mi marío..."

Se estrecha al cadáver. Lo zarandea.

—¡Hay que apartarla del muerto, que no lo vea más! Está como loca, es natural" — y las mujeres gritan como Dolé, a quien más, más. Dos o tres a la vez creen oportuno caer rígidas al suelo. Luego vienen las convulsiones, los espumarajos por la boca.

Un viejo, un congo, satisfecho de aquella explosión de dolor, que hace honor al velorio, le dice a Dolé:

—"Moana, vamo a rezá al cadáver..."
El coro: —"Vamo langaína, ainganso
Vamo langaína, ainganso..."
Dolé:—"¡Se murió!"
Coro:—"¡Vamo langaína, ainganso!"
Dolé:—"¿Tú te acuerda?"
Coro:—"Vamo langaína, ainganso
Vamo langaína, ainganso..."
Dolé:—"¡Ay, mi Dió! ¡Qué doló!"

Muy entrada la noche contaban historias de velorios. Había que divertir a los "carabelas" —y de paso al muerto—. Recordaba un criollo el velorio de un negro de nación —puro africano— allá en un cafetal de Pinar del Río.

—"Era un moreno guardiero que murió muy viejo. Lo tendieron en cueros en un rincón del bohío, envuelto en una sábana. Los candeleros eran dos botellas de barro. Tenía la cara pintada con yeso... A las ocho de la noche, la negrada de la finca llenaba el bohío, que no cabía un alfiler. A eso de las once compusieron un canto como es costumbre, para pasar agradablemente un tramo de la noche. "Tú te sientas aquí" —"Yo me pondré allí", y el que dirigía con un tambor y daba la tonada, se vistió un chaquetón. Empezaron con la cantaleta.

—"Soñando cabobolla, soñando cabobolla, soñando cabobolla, requetetén, quereketén..."

En eso se alza el muerto, haciendo que remaba como en una piragua...

—"¡Carabela tá levantá pa bailá tambó también!" —y el muerto baila, ¡ya lo creo que baila! Con su pañuelo blanco que le cierra las quijadas y da los tres golpes frente al tambor, como cualquier vivo. Los criollos, espantados, arrancan a correr. Los africanos, no; siguen bailando con el muerto... Así era antes. Hasta que el difunto volvió a envolverse en su mortaja y esperó que lo llevaran a enterrar, muy serio y muy tieso, en unas parihuelas."

—"Dónde ve usté —dijo sentencioso Capinche— que con tambor se levanta a un muerto".

Así a las cinco, clareando, ya estaban las moscas muy impertinentes... Ya trascendía a cadáver ligeramente. Se acercaba el momento y renováronse los ataques y los lloros. Dolé juró que se iba a empapar las ropas en alcohol y a encenderse con un fósforo, si se lo llevaban...

—"¡Da gusto ver lo bien que llora a su muerto! No se puede pedir más..."

Llamaron a Capinche para que la consolara. Cerraron la caja de pino pintada de negro, que no ajustaba bien y, al despedirse de Evaristo, Capinche, como era el compadre a quien éste más había querido, se tomó su medida con un cordel y echó el cordel dentro del féretro. Así cree el finado que se lleva a su compadre y no lo viene a buscar ni a embromarlo desde la otra vida. Las mujeres se quedaron todo el día jerimiqueando[26] con Dolé, compadeciéndola, y siguieron después algunas ceremonias que se deben a los muertos.

Aquel Evaristo —requiéncantinpánche— que había sido hombre de tan buen natural, apenas se cerró sobre él la tierra, en crujiendo los pinos del cementerio, con el viento de la primera noche de su muerte, abandona su cuerpo putrefacto y torna su alma oscura y turbada a la querencia de su rincón...

Allí están Capinche y Dolé. Capinche que se aprieta a las caderas de Dolé y dice:

—"¡Ay, cumari, mi cumari!, ¡qué me gusta mi cumari! ¿Vamo a timbé, cumari?"

Y Dolé que se niega y alega:

—"Entodavía no, Capinche. ¡No acabamos de darle tierra! Espera unos días más... Hay que tener precaución".

El ánima del muerto, que descubre como siempre, las traiciones de los vivos, se vuelve iracunda, vengativa, malévola...

Y el alma de Evaristo les dice:

—"¡Muy bonito! Así me guardan consideraciones... Vaya un luto; y éste era mi compadre, en quien yo tanto confiaba. No hago más que empezar a podrirme y..."

---

[26] *jerimiqueando:* llorando, gimoteando.

Dolé escucha ruidos inexplicables. Pasos alterados recorren la pieza, cuando está sola. Golpes secos, de nudillos en las maderas. En la puerta, en la mesa; en las vigas, muy fuertes, de maza. Cuenta uno, dos, tres; y dan de prisa y tan repetido que pierde la cuenta... Ondula la bata que cuelga de un clavo y el aire, sin embargo, está parado. Se levanta una manga con voluntad de brazo. El bastidor de la cama chirría, cuando se va a acostar, cediendo a un peso que no es el suyo. Un frío se estampa sobre su espalda. Se tapa y la destapan. Le dan un soplido en la oreja. Imperceptiblemente, como con disimulo, hasta tomar impulso, se mece el sillón de Evaristo. Cuando se consume la vela, la oscuridad se aprieta; la noche del cuarto respira angustiosamente. Nada duerme.

Le sacuden la cama, tamborilean una uñas en la pielera. En el rasgar, reconoce la uña larga del torcedor de tabaco. Que la máquina de coser echa a andar tras de habérsele desplomado algo en las entrañas: rechina una cerradura y se abre en plañido extenso la hoja del armario. La verdad es que en aquel cuarto no se puede sosegar. Dolé despierta extenuada. Ya se inunda la habitación de sol en los muros blancos, y se diría que alguien adrede empujó la mesa vieja que cojea de una pata y tiene una calza, que le suple los dos dedos que le faltan para estar a plomo; el jarrón que perdió el asa, donde refresca un manojo de berros, la botella del aceite —que se ha puesto rancio— y dos platos hondos y una mantequillera, de buena procedencia, azucarera en uso, caen al suelo con estruendo. Dolé nunca se sabe sola, a solas. Con frecuencia se vuelve vivamente porque siente a su espalda tenacidad de presencia. Ella no ve nada en la luz, preciso, ni en los juegos indefinidos de las sombras; pero siente. Oye clarísimo que la llaman: —"¡Dolé!"

En mitad de la pared pende, con inclinación vertiginosa a veces, el retrato de Evaristo, y en el cual, Evaristo tanto se admiraba... (Dolé lo endereza con el mayor respeto). Un Evaristo —socio de honor— al difumino, de tres cuartos, con cuello y corbata y leontina —la corbata muy negra— como estampada en humo. Parece un retrato del "Centro Espiritista"; y ya parecía el de un muerto, cuando Evaristo vivía. Dolé le tiene miedo... y Capinche, que la apremia, que la exige, que la fuerza a cumplir lo prometido.

—"Se acabó el perro, se acabó la rabia" —dice Capinche—. "¡El muerto al hoyo y el vivo al pollo!"

Dolé se desnuda, pero sus ojos tropiezan con el retrato.

—"¡Por tu madrecita, no te propases...!" —lloriquea Dolé retrocediendo espantada—. "¡Mira a Evaristo...! Su escupidera y su reloj de nickel. Lo mismo que si estuviera aquí; ¿tú crees que hay gusto así?"

Y tampoco pudo ser. Pasó un día más... A causa del maldito retrato.

Regresaba Capinche de los muelles, con un cartucho de "alegría de coco" para Dolé. Encuéntrase a la puerta de su casa gente aglomerada, y dentro, en la "accesoria" un bullidero de mujeres que cuchicheaban, visajeando y accionando. Una templando de prisa una taza; otra, sofocada, que arropa a Dolé, que tirita de frío en su cama con roncar de agonía; otra se asoma y le pide premiosa, a alguno de los que están en la acera fisgoneando, que traiga un sinapismo y dos o tres frazadas, prestadas.

—"A mí me mandaron a buscarlo, como la otra vez" —le dice un mulato a Capinche, cediéndole el paso y empujándolo a la puerta— "pero no lo encontré..."

Dolé se había quejado de un frío que le subía en ramales al corazón. Le había pedido auxilio por el patio a una vecina. Apenas le entendieron; únicamente —porque balbuceaba con tal dificultad y se les desmayó en los brazos—, "que se moría", "que la muerte la helaba". Después de unas convulsiones, en medio de las cuales la negra parecía sostener una lucha desesperada, había caído en un estado de indiferencia absoluta. Creían que también se le había congelado el entendimiento, los cinco sentidos.

Le hablaban: —"¿Dolé, qué es eso hija?" —y no respondía.

No hacía más que temblar, castañetear los dientes, y de tarde en tarde, abrir muy grandes los ojos, como buscando algo o pidiendo con ellos, angustiosamente lo que nadie acertaba a darle.

Ya tenía encima siete frazadas. Las que había en el

barrio... y no entraba en calor. El frío, decía la buena vecina que le frotaba las piernas con un cepillo, la arropaba y la tentaba, era cierto, el mismo frío que emana de la muerte... Conoció un instante a Capinche, la moribunda. Aquellos ojos, dos luces intensas que escapaban al infinito, le mostraron el retrato de Evaristo. En el retrato, súbitamente, se apagó la mirada.

Los que estaban allí presentes se erizaron de terror: comprendieron que el muerto había venido a buscarla, que era él quien se la llevaba...

En su frío se heló el corazón de Dolé. No podía haber remedio.

—"¡Qué no hicimos por salvarla, qué, dígame usté! Dolé a morirse, a morirse, a morirse más: y Dolé se murió. ¡Se nos fue de las manos, como si nos la hubiesen arrancado!"

Y todas se frotaban para entrar en calor.

En menos de una semana, Capinche perdió dos compadres. La desgracia llovía recio sobre su cabeza...

Capinche no lloraba; se mordía los puños, rabiaba contra la muerte; se volvió un energúmeno.

—"Consuélate, hombre" —le decían por despenarle de algún modo; y él contestaba un "¡No!" como un rugido. Si el Justo Juez, si Dios en persona, el blanco, con patilla y su ropón azul, hubiera bajado del cielo a darle explicaciones:

—"Mira Capinche, yo doy la vida; por lo tanto la quito cuando me viene en ganas. Tal ha sido mi voluntad..." lo batía contra el suelo, le arrancaba las barbas, le hundía las costillas con sus pies de orangután. ¡Que viniera Santa Bárbara con la maza, Kumabondo, y Ogbá con la espada, y Oyá con el rayo, y todos los santos negros! Pero éstos, lo mismo que el Dios blanco, tiran la piedra y esconden la mano. Nunca dan el pecho. Su placer es jugar con el hombre, como el gato con el ratón. ¡Abusar con el poder! (Capinche odiaba, blasfemaba).

Tendieron a Dolé, donde mismo habían tendido a Evaristo, corriendo la cama al medio de la habitación.

Velaron los mismos que habían velado a Evaristo. Pero estaban todos desmalazados, encogidos. ¡Había silencio!

¿Señor! Un velorio silencioso, sin la natural animación; triste, donde se pensaba seriamente en la muerte, que así en un santiamén, sin motivos aparentes, podía ocurrirle a cada cual, al más sano de todos. La vida —tan querida— tan insegura... un sueño. ¡Un préstamo, vaya! Y les agobiaba, de pronto, la vieja novedad del descubrimiento. Además, en aquella muerte había algo "distinto", que ponía la carne de gallina. No era una muerte como todas las muertes. "No señó". Lo sabían tan bien, en lo más oscuro de sus almas, que no se atrevían a hablar de ello: ahí estaba el retrato de Evaristo, más cenizo, más vago, más lejano —sólo una corbata— imponiéndose y dominando la reunión de los negros. Más presente de lo que jamás lo estuvo él vivo, en ninguna parte.

—"¡Ay, Capinche se ha vuelto loco, de una locura muy mala!" —estalló al fin una vieja de mantilla, dando rienda suelta a sus nervios. "Aquí va a pasar algo. ¡José María, déjame salir...!"

Y lo que pasó fue esto, ni más ni menos. Nadie podrá olvidarlo.

Que al decir la vieja, presa de pánico, "Capinche se ha vuelto loco", Capinche venía bufando y arrastrándose por el suelo, hasta los pies de la muerta.

—"No alborote, póngase a llorar tranquila" —refunfuñó el otro viejo, José María, intentando aplacarla— "nadie se vuelve loco por una comadre muerta. ¡Se busca otra!"

—"Yo me voy; no quiero ser testigo de lo que aquí se va a armar. Usté sabe muy bien que los "santos" están como un temporal sobre nuestras cabezas..."

Capinche era un animal horrible, una bestia del infierno. Así lo vieron. Babeando fuego, se dirigió a la muerta y a la concurrencia, respectivamente. Esta, como movida por un resorte, se puso de pie en expectativa...

Capinche:

> —"Dolele no quié pondé
> Vamo a llamá Dolé
> Dolele no quié pondé...
> ¡Dolé, endolé!
> ¡Dolé, Dolé, Dolé, Dolé!"

—"¡Dolé, Dolé, Dolé, Dolé!" —corearon todos.
—¡Dolé no quié pondé
Vamo a llamá Dolé, Dolé, endolé!"
Le lamió los pies, las manos. (Ella le había jurado que
aquella noche, a pesar del retrato...)
Algunos, en la obligación de compadecer y consolar, se
acercaron al atribulado compadre...
—"Vamos a echar un trago en la bodega".
Se lo llevaron entre todos. Quizás eran los mismos que
contuvieron a Dolé, cuando días antes, se había acercado a
su muerto gritando: —"¡Ay mi marío, mi marío se me fue!"
Pero Capinche dio un bote, los rechazó embistiendo,
amenazándolos, moviendo la cabeza como si tuviera
cuernos, dando a todos la ilusión de un toro bravo; y volvió a hincarse ante el cadáver. Agarrado a sus pies, gruñía ahora como un perro que defiende su hueso...

—"¡Dolé, Dolé, Dolé, Dolé!
¡Dolé no quié pondé!"

Deshizo el sudario. Se echó encima del cadáver. La
estrujaba, la besaba en la boca, era una culebra revolvién-
dose en el cuerpo de Dolé.
—"¿Yo no se lo advertí, José María —dijo la negra
encrespándose con el viejo—. Cuándo ha visto usté que así
se llore muerto?"
Los movimientos de Capinche eran muy lascivos...

—"¡Ah, cumari, mi cumari, que me gusta mi
cumari!
¿Vamo a timbé, cumari..."

lascivos al extremo que las mujeres, horripiladas, se cubrie-
ron los ojos con sus mantos; y las que no tenían mantos, se
subieron las faldas a la cabeza. Los hombres se arrojaron
con ímpetu sobre Capinche, dispuestos a impedirle por la
fuerza de los puños, que realizara del todo su sacrílego
intento...
Lo alzaron en peso; pero era una masa dócil e inerte lo
que cargaron hasta el medio de la calle. El corazón de
Capinche había dejado de latir.

Los vivos acabaron la noche en el vivac.[27] A los muertos se los llevó la "lechuza", despreocupada y ligera; y no hubo quien derramara un poco de agua detrás de sus cadáveres malditos, ni quien rezara un responso por la paz de sus almas, que buena falta les hizo.

Y en la oscuridad sin límites, en la siempre noche:

—"Dolé, ¿yo no te dije que si volvía a encontrarte con otro negro te hacía papilla? ¡Todavía, si no hubiera sido con mi compadre... me hubiera hecho de la vista gorda!"

—"Es verdad, es verdad que tú me lo advertiste. Pero, Evaristo... tampoco yo podía desairar a mi compadre. ¡Ponte en mi lugar!"

[27] *vivac: vivaque;* guardia principal de una plaza.

LINO NOVÁS CALVO
(Galicia, España, 1905 - Nueva York, EE.UU., 1983)

E L escritor cubano incursionó en la poesía, pero se dedicó finalmente al cuento y la novela, géneros a los que hizo aportaciones de gran modernidad narrativa al desarrollo de la prosa hispanoamericana contemporánea.

El cuento de Novás Calvo que hemos seleccionado se incluyó en la colección *Cayo Canas: cuentos cubanos* de 1946 junto con los relatos "Cayo Canas", "El otro cayo", "Un dedo encima", "No le sé desil", "¡Trínquenme ahí a ese hombre!" y "'Aliados' y 'alemanes'". El cuento "La visión de Tamaría" plasma con gran acierto estilístico la técnica de la corriente de la conciencia a través del personaje Andrés Tamaría, un joven que ha escogido el mar como elemento de refugio a la ceguera física de la que padece. El transcurso paralelo del fluir de la conciencia y la profundidad del océano convocan el signo de síntesis reclamado por el encuentro de un nuevo espacio. José Antonio Portuondo llama la atención sobre la artística combinación de imágenes auditivas, visuales y táctiles del cuento. ("Lino Novás Calvo y el cuento hispanoamericano", *Cuadernos Americanos* 31-36 (1946): 255-256).

La fecha en que Lino Novás Calvo llega a Cuba ha sido discutida por Lorraine Roses en el artículo "La doble identidad de Lino Novás Calvo", publicado en *Linden Lane Magazine* 5.3 (1986): 3-4. Según se informa en la investigación de Roses, el autor habría llegado a Cuba alrededor de 1920 en lugar de 1912, año que se citaba en la descripción biográfica de Novás Calvo. En Cuba ejerce como periodista, profesor, y traductor de varias obras importantes de narradores norteamericanos como William Faulkner y Ernest Hemingway. Muere en la ciudad de Nueva York nueve años después de jubilarse de la Universidad de Syracuse, institución donde ejercía como profesor de literatura hispanoamericana desde la década de los sesenta.

LA VISIÓN DE TAMARÍA*

...And add thy drop of sorrow to the sea.
Having known grief, all will be well with thee,
Ay, and thy second slumber will be deep.

George Santayana[1]

S E había lanzado desde la orilla honda cortando el agua, la espalda dorada de oro viejo apenas visible al sol de la tarde: pies y piernas como aletas de imperceptible movimiento, un brazo extendido en flecha, el otro hacia atrás como una hélice de costado, la cabeza arriba, abriendo, en proa, ruta con la barbilla mar afuera. Avanzó sin desmayo ni cambio, con implacable precisión, dejando apenas una tenue y fílmica estela sin espuma que se borraba al instante. Por unos segundos se vio progresando su cabeza en relación con el fondo de playa virgen: luego, solo con el mar, sin punto de referencia pareció inmóvil, como una minúscula zona más intensa del verde azul quieto, levemente rizado en el poniente: y al fin se fundió con él.

Tras una carrera sin tiempo, por imprecisable distancia, se descubrió a sí mismo inmóvil, flotando a flor de agua,

* © Lino Novás Calvo & Herminia del Portal de Novás Calvo. Reproducido con autorización.
[1] *George Santayana:* filósofo y poeta norteamericano de origen español. Nació en Madrid en 1863; murió en Roma en 1952. Entre sus obras conocidas se encuentran *Sonetos y otros versos* y *El sentido de la belleza.*

mirando al cielo que no podía ver sintiendo, ora de un lado, ora de otro, el ya tibio calor del oblicuo poniente. Ésta fue su primera comunicación con algo fuera de sí: el sol ora en una mejilla, ora en la otra, ora en la frente, ora por la barbilla. ¿Qué había sucedido? Pero ante todo ¿por qué estaba así, descansando cara al cielo, tras una travesía que no podía ser larga, puesto que, cuando se precipitó desde la orilla, el sol estaba ya sobre las palmas de la loma y ahora no se había puesto todavía? Él, que podía nadar hasta dos horas sin cansarse, sin esfuerzo, ¿por qué se había puesto ya a reposar en el agua, brazos y piernas estirados, como flotador de su propio cuerpo?

Quizá ahora pudiera pensar. O mejor aún: recoger en alguna parte de sí mismo las impresiones disgregadas por todo él. Empezaron a venir en tropel. Primero... Pero no había primero ni segundo. No había siquiera tiempo, o bien éste no tenía marcas de separación. Con todo, podía enfrentarse consigo mismo, mirar (unos años antes) a sus propios ojos, llenos de luz, apagándose imperceptiblemente. Esto era ya extraño. En los años siguientes no había podido enfrentarse nunca con sus propios ojos apagados, que no habían podido verlo a él terminar de crecer ni verse a sí mismo encenderse de cólera, iluminarse de júbilo, endurecerse de odio, animarse de anhelo, o entornarse de amor.

Esas mismas pasiones, al agolparse a las ventanas cerradas, se habían tenido que replegar, y disolverse, en algún oscuro plano interior, siendo ya, en lo sucesivo, algo unas de otras, cruzándose y refundiéndose en algo distinto. Lo que eso fuese, no importaba. Sólo los ojos, al apagarse, parecieron cobrar sentido. Los otros (el viejo que se embarcó; la vieja que volvió a casarse...) le decían que por fuera eran los mismos ojos: el mismo color castaño, con tonos verdes, la misma luz quieta, sin más ni menos brillo. Sólo que el alma que tenían se había vuelto gris. Miraban fijamente hacia adelante, todo su rostro inmóvil, sereno y concentrado todo en su ser, en un plano más alto, más noble de sí mismo, no perturbado por las cosas huidizas que nos mueven y arrastran con sus sombras, sus luces y sus colores. Pero después de esos primeros días, se negó a oír más sobre sus ojos o pensar en ellos a dejar que su inalzable cortina se presentara ante ningún otro sentido.

Los cambios sobrevinieron, por otras causas, rápidamente. En la pequeña casa de simulada berroqueña en lo alto de la lomita, entre el campo y la ciudad, algún soplo disolvente había penetrado de súbito. Se separaron los viejos, se murió el hermano mayor, enviaron de interna a la menor a un colegio de monjas. Él quedó aturdido, incapaz en la precipitación de los sucesos, y dentro de sus tinieblas, de representarse con precisión lo ocurrido.

Durante ese período (que parecía haber discurrido en sucesión continua sin intermitencias, sin días y sin noches) Andrés Tamaría apenas se había movido de la pieza alta donde frente al mar algo distante pero visible había hecho su estudio y alcoba. Mientras abajo se hacinaban muebles, se descolgaban cuadros, se embalaban prendas, él, sentado, hierático, detrás de los cristales, cara a la luz que no veía, parecía simplemente un mueble más, un icono doméstico que aguardaba la llegada de los agencieros que lo arrojaran en el montón de la mudada. Y en cierto sentido así había sido.

Vinieron, en efecto, los agencieros.

Antes de irse el padre lo había dispuesto todo. La madre se había ido calladamente ya antes de que concluyeran de deshacer la casa. Fue arriba una noche y le habló con voz baja, sin inflexiones, con valor. Muchos hombres sin vista llevaban vidas bellas. Otros sentidos compensaban esa falta. Lo de él, puramente local, centrado en el nervio, sin otra implicación orgánica, era sólo una leve (¡leve!) desventaja. Sus ojos, le dijo, conservaban el mismo color, casi el mismo brillo. Sólo su fijeza los hacía ciegos para el observador. La madre se sentó en el canapé de mimbres, el brazo suave caído sobre sus hombros. Era joven. Él sentía el roce de su kimono, el pelo sedoso contra su mejilla. Durante mucho tiempo ella habló pausada, sin dramatismo, sin prisa, sin ansia de llegar a ningún punto. Todo se deducía. La ruptura era definitiva. El motivo (él no podía precisarlo) había irrumpido de súbito. El viejo se iba. Ella... Fue esto lo que le costó más esfuerzo.

Luego subió el viejo. Podía ya ahorrarse el discurso, pero Andrés lo escuchó con la misma expresión cerrada y ausente. Su tío Pascual (el que tenía el hotel en la playa) se encargaba de él. Cerca del hotel, en el extremo mismo de la playa (Andrés la recordaba) donde empezaba la costa abrupta, tendría su casa, enlazada con el hotel por un camino seguro y bien trillado. Tío Pascual lo atendería en todo. Un oftalmólogo lo visitaría a menudo. Allí estaría tranquilo, tendría quien lo sirviera, no tendría que sufrir contactos irritantes.

Esta soledad fue bien acogida por él. Anhelaba estar solo, pensar, como si por el pensamiento pudiera llegar a alguna luz interior, ahora que la exterior le faltaba.

Ya mudado a su casa solitaria, se quedó retraído. Rechazó el Braille, rechazó sirvienta, rechazó por de pronto hasta la música, pero mandó que le llevaran su barro, su arcilla, su yeso, su cara. Más tarde, un tanto asentado ya su ánimo, se encontró estos materiales con sorpresa. No sabía qué le había movido a pedirlos ya que sin vista mal podía continuar su arte. Al mismo tiempo le habían llevado sus obras primerizas, en yeso y piedra, y se las habían colocado en una ancha repisa, arriba.

Pasó tiempo (un tiempo incontable) sin que entrara en esa pieza. El hotel estaba a medio kilómetro, y el camino corría recto entre las matas. Andrés entraba siempre por la parte posterior, le servían en el pequeño comedor doméstico. Desde allí sentía el bullicio al otro lado, pero se volvía a su casa por el caminillo privado llevándose sólo fragmentos de voces y palabras. El primer día un dependiente lo fue a buscar temprano para tomar el desayuno, pero en lo sucesivo no necesitó ni quiso lazarillo. Bastaba con que un dependiente fuera a hacer la limpieza. Él podía ir solo, sin perderse y (cuando se hubo habituado) sin que un observador no avisado descubriera su ceguera. Llevaba una vara en la mano, pero no pintada de blanco, y la usaba con soltura deportiva. Después de los primeros días empezó a hacer el viaje por la playa con la misma firmeza. La mudada había sido a fines de temporada, de manera que pronto dejó de haber bañistas en el camino. Los dispersos habitantes permanentes se enteraron de su ceguera, pero la soltura con que se iba manejando y la falta de señales exteriores (hasta de espejuelos negros, que rechazaba) casi los hacía olvidarlo. El aprendizaje fue lento: su dominio gradual, desde luego. Al principio, en el comedorcito interior, su postura rígida era aún la del icono de madera: muy semejante a una de las primeras figuras que él había tallado con su mano de aprendiz. Luego pidió que le dejaran sentarse, espontáneamente, en cualquier mesa desocupada. Pronto lo estuvieron todas, pero cuando empezó de nuevo la temporada su oído estaba suficientemente educado para orientarlo. Nunca cometía el error de sentarse a una mesa ocupada, aun cuando en ella hubiera un solo comensal y estuviese callado. Una especie de sentido adicional le permitía descubrir la presencia de una persona, por silenciosa que estuviera.

Pero antes se entregó a aquella larga meditación sin salida de la que se fue apartando sin darse cuenta: no rompiendo de pronto, ni en línea recta, sino como exfiltrándose, a modo de ácido, en breves y retozonas evasivas al exterior: a la playa, al arbolado que flanqueaba el camino ancho y tendía un abrazo de fronda (lo sentía en la brisa) en torno a las casitas, casetas, *bungalows* y hoteles de la playa. Sobre todo a regiones ideales. Su quietud y aturdimiento se fueron disolviendo, aunque sólo en parte, nunca al grado de hacerlo sociable o amar la compañía. Sin duda lo que le contenía (y le daba cierto porte altivo, digno y desprendido) era el miedo a ser lastimado en el alma. Lo habían hecho al principio. Todo el barrio, empezando por sus compañeros de instituto, lo había venido a ver, con una curiosidad malsana. Durante semanas después de apagarse para él todas las luces, los mirones acudían como carairas,[2] le hacían preguntas que él no contestaba, comentaban su mal en voz alta. Era como si, sabiéndolo ciego, tuvieran la sensación de que tampoco oía, y que podían compadecerlo con un placer secreto de triunfo e impunemente. Por entonces Andrés permanecía constantemente

---

[2] *carairas:* ave de rapiña parecida al buitre.

en su estudio y el paso más leve escalera arriba lo petrificaba en la posición en que se encontrara, y su figura no se deshelaba hasta que todos habían salido. Algunos lo habían retratado con camaritas de cajón en varias de aquellas posturas que él ya no podía representarse. El "clic" del disparador le había ido cosiendo el espíritu, como con una maquinita de presillar.

Pero lo más terrible había sido Casilda. No podía decirse que la muchacha tuviera con él ningún lazo sensible. Ambos eran casi niños. Pero ella vivía en el reparto, iban en el mismo carrito al instituto, habían bailado en algunas fiestas, y hasta en esta misma playa cuando el hotel no era suyo todavía. Casilda competía con él en nadar, y aun en crecer. Su cuerpo trigueño y espigado era flexible, y su piel cálida y suave como el sol mañanero. Su boca se abría en una amplia sonrisa blanca y sus ojos se posaban sobre uno como sueños encendidos. En las reuniones su voz dominaba, sin esfuerzo, las de las demás niñas. Casilda no había venido corriendo a despedirlo como las otras. Tal vez no viniera, ojalá no viniera... Él se llevaría su voz y su imagen puras y limpias en el recuerdo. No fue así. Casilda vino también a despedirlo, finalmente. Pero su voz sonó falsa y a distancia cual si tuviera terror de aproximarse al... Cuando aquella voz moduló la palabra "ciego", Andrés no pudo no menos de estremecerse. ¡El ciego! Nada en el mundo tan pavoroso de oír y sentir: ¡el ciego!

Después se repuso, recobró su compostura, su aire altivo y estoico. A la hora de la mudada varios acudieron a la puerta. Había grupos de islitas de muchachas aquí y allá y en una de ellas la voz de Casilda. No se acercó a despedirlo, pero después que hubo arrancado el automóvil quedó campanilleando atrás: fría, desprendida, perdida... Lo acompañó algún tiempo, por más que el tiempo no fuera ya mensurable por los signos visibles. Con sus muebles habían puesto un despertador: la primera noche lo sintió sonar, pero le era imposible, en su aturdimiento, dar con él.

Durante varias horas anduvo a tientas por la casa hasta que al fin lo localizó en una repisa, salió hasta el borde del agua y lo arrojó al mar. Aun entonces siguió el "tic-tac" (presente o pasado), pero se fue parando, muriendo el tiempo. A partir de esa hora el tiempo cobró otro sentido que los que ven no pueden concebir, y en él, muchos sonidos e imágenes pasados se fueron disolviendo. Los de Casilda entre ellos.

El plano de la casa era seco y limpio. Estaba bastante elevado sobre la playa y la cañada abría vía a la brisa tierra adentro. Construida por el viejo como lugar de vacaciones, la casa estaba montada sobre una espesa zapata, con avenidas de cemento en derredor y un pequeño parque cercado. Arriba tenía también un estudio (que Andrés había pensado ocupar en vacaciones). Antes le había agradado ir hasta el fondeadero de los pescadores, dos kilómetros más arriba. Ya el año anterior, cuando se había empezado a poner cristales, se había pasado aquí solo las vacaciones de pascuas, comiendo en el hotel, modelando torpemente cabezas torpes, que aun estaban sobre la gruesa repisa de caoba.

Pero el estudio tardó algún tiempo en volver a entrar en su atención, y cuando ocurrió era como un desván abandonado, con telarañas, lagartijas, quién sabe cuántos bichos que al sentirlo escaparon con arrebato y espanto. Mandó al criado que hiciera una limpieza, pero que dejara las cosas como estaban. Por entonces había descubierto también las esculturas traídas de casa y mandó trasladarlas arriba. Después cerró la puerta, se hizo el propósito de olvidarlo. El arte, como tantas otras cosas, era sólo una imagen pasada que no convenía perturbar con el presente. El estudio encerraba esa imagen trunca.

En tanto abajo discurrían las temporadas. Éstas eran realmente el nuevo reloj. Las primeras barbas rubias y sedosas formaban ya matojos en su cara. En tres estaciones había crecido a su estatura de hombre, vigilado primero por Pascual o el dependiente, luego solo, había vuelto a nadar. A veces se estaba en el agua hasta que oía la voz del dependiente llamándolo a comer. Conocía la playa y sus contornos con la misma precisión que si tuviera vista, y se mezclaba con los flecos de bañistas sin que aparentemente notaran su defecto. Sabía cuando alguno lo retaba, con sus aletazos a una carrera: aceptaba el reto. Nadie se alejaba tanto mar afuera, nadie se sostenía tanto tiempo en el agua sin fatigarse. Sin esfuerzo, con perfectas y rítmicas propulsiones de pez, se deslizaba por el agua velozmente. Su piel era limpia y tostada y el pelo liso le caía en melena sobre el cuello. Sus piernas se habían estirado de golpe, y sobre ellas se alzaba firme el busto de atleta. De pasada, había comenzado a contestar, poco más o menos con monosílabos algunas voces. Empezó a reconocer y distinguir algunas frases. Ahí viene el Rubio... Ésta fue una de las primeras. Lo decían con admiración por su poder de nadador. Luego le retaban, y él, por el sonido, seguía a la par de su competidor hasta que decidía adelantársele de repente. A veces le ponían motes, le gastaban bromas, y esto le agradaba aún más. Estos encuentros eran furtivos; él no se arriesgaba a entablar más de cerca ninguna amistad, y menos cuando entre las voces las había femeninas. Notaba, quién sabe por qué medios, cuando alguien le miraba de frente, en el agua, y lo esquivaba. En la playa, su actitud vagarosa no extrañaba. Además, durante la estación solía comer temprano, cuando aun había poca gente en el restaurante, y al fondo. A veces dejaba la vara, recorría el camino, salía y entraba en la playa sin guía ni tropiezo.

A pesar de todo, su condición era inocultable. Los residentes fijos lo sabían, pero, sabiendo que le dolía, no aludían jamás a su estado. Al tercer año su figura comenzó a impresionar. Las jóvenes pasaban, insinuantes, ante sus ojos ciegos. Algunas le seguían por el agua, él las oía y les hablaba, furtivamente; conocía sus voces y risas. Había ido aprendiendo a distinguirlas. Algunas, las más audaces y deportivas, se salían de los grupos, nadaban hacia las zonas libres de los nadadores; otras, las más bulliciosas, no se apartaban de la orilla, y Andrés venía desde el mar hasta el borde de las aglomeraciones, captaba risas y palabras entre ellas...; volvía a alejarse con su presa ideal. Pero entre semana estaban las asiduas, y algunas llegaban a forzarlo a tener viva conciencia de su propio esfuerzo en el agua, pues al cabo del segundo año el nadar o de algún modo permanecer en el agua le eran tan leve y natural como el tenderse a recibir el sol por la mañana o la brisa a la tarde en la terraza de su *bungalow*.

Pero estas asiduas eran peligrosas. Entre semana había menos bullicio, era más fácil fijarse prolongadamente en algo. En él, por ejemplo. Ya al segundo año había logrado aislar dos o tres voces que acudían con mucha frecuencia por "su" parte de la playa, y el dependiente le había hablado de ellas. Luego de las tres (¿o eran cuatro?) eliminó una, después otra... La última se le fijó claramente en la imaginación, en el oído. Un día se empeñó en seguirlo demasiado de cerca. Él trató de esquivarla, pero la muchacha se deslizaba como una anguila, se empeñaba en ganarle. De pronto, se produjo una irritada conmoción en el agua, un bien simulado gorgoteo de ahogo... Él se detuvo. Por un instante permaneció ladeado, escuchando: luego se zambulló, la sacó a flote, espalda con espalda, la llevó a la arena. Pero no bien la hubo depositado en tierra, algo (no sabría qué) le indicó que todo era fingido, y huyó dejándola aparentemente medio ahogada.

Era al anochecer. Cuando hubo caído la sombra, volvió sigilosamente por el agua (pues sabía dónde encontrarla) y a corta distancia de la orilla demoró a escuchar frente al recodo donde la familia acampaba. Se oían risas, música de fonógrafo, voces agudas, juveniles y alegres. Palabras sueltas confirmaron sus sospechas, y volvió a retirarse con el mismo sigilo, llevando ya, sin embargo, en su tacto, las formas de la joven. Sus manos, sus sentidos, habían aprendido esas formas, que completó con palabras del dependiente. Jamás, cuando tenía vista, había percibido nada tan real, tan intenso.

Era ya al fin de la temporada. Septiembre pasó sin que volviera a salir a la playa. Se zambullía al otro lado de la punta donde la orilla tenía varios metros de profundidad, y ninguna bañista se arriesgaba hasta allí. Permanecía a la sombra al mediodía, se levantaba antes del alba para coger la fresca y se estaba de noche varias horas en el agua. A veces se alejaba largo trecho de la orilla procurando cansarse, pero tenía perfecto control de sus fuerzas y de la distancia. Tío Pascual le dejaba, pues cuando quiso ponerle guardia Andrés se rebeló violentamente. Un día cogió uno, lo levantó en peso y lo tiró al mar. Luego él mismo se tiró a salvarlo, se lo echó al hombro, y fue a arrojarlo como un cadáver de una venganza, a la puerta del hotel. Desde entonces, no le molestaban.

Pero todo el invierno persistieron en su tacto las formas y la voz de la muchacha que había fingido ahogarse. Se la evocaban las brisas, las olas, la arena, todo. Lo que quiera que tocara u oyera iba a dar aquella impresión. Por momentos procuraba librarse de ella, mediante ejercicios físicos (nadar, correr, incluso trepar a uno de los pinos o uvas caletas de la orilla). Pero esto producía más bien el efecto contrario. Era como si el ejercicio remachara, martillara adentro la impresión que buscaba expulsar. Como si en la violencia las formas dejadas en su tacto se avivaran, se ciñeran a él, lo envolvieran y fueran ellas mismas las que lo impelían y arrastraban. Al final del invierno sufrió una fuerte conmoción. Vino el médico, pero resultaba difícil precisar por una sola vía lo que le atenazaba. Sufría un fuerte constipado, pero esto no explicaba su estado general, una suerte de lucha entre dos fuerzas, una que lo aprisionaba, que lo agarrotaba y otra que pugnaba por liberarse. De ahí sus momentos de convulsión seguidos de otros en que permanecía postrado. Al venir la primavera los síntomas exteriores se fueron fundiendo en un estado de saturado aturdimiento, pero no de imposibilitación. Volvió al mar y se acercó cautelosamente a la playa, no saliendo nunca a la arena entre los bañistas, sino volviendo hasta la parte despoblada, próxima a su guarida, por el agua. Con todo, en seguida empezó a reconocer de nuevo las voces, y el primer sábado por la noche se acercó al ancón[3] donde la familia solía pernoctar. La misma voz, y aun le pareció que el calor de la fogata que prendían estaba allí.

Esta vez empezó a rehuir los desafíos de los muchachos, cuya proximidad antes buscaba, y cuya familiaridad le halagaba. Andaba siempre como al acecho, en la cercanía de las muchachas, que reconocía hasta por sus movimientos en el

[3] *ancón*: ensenada pequeña.

agua, como situándose en posición de saltar sobre la presa, pero imposibilitado por su alma siquiera para rozar sus cuerpos. A veces se detenía, ladeando el rostro a flor de agua, absorbiendo, ora con el oído, ora con el olfato, la presencia de aquellos seres misteriosos. Otras aguardaba a corta distancia donde una había hecho pausa, o demoraba retozando, promoviendo remolinos y espumas, y cuando se alejaba, él se zambullía en aquel lugar. Seguía en la ebullición hasta que el agua se aquietaba. Luego se quedaba con la cabeza de lado captando con su oído de ciego la posición de la fugitiva, pero huyendo bajo el agua cuando ella se acercaba. Siempre a distancia prudencial, escurriéndose siempre que (dentro o fuera del agua) alguien se situaba excesiva y peligrosamente cerca; mantenía aquellas raras y fugaces relaciones de sonido y de proximidad. Prisionero de ellas, imantado por ellas se acercaba y dejaba en una suerte de danza acuática, en la que se descargaba intensa y agotadoramente. Luego se alejaba, dando un rodeo, nadando apaciblemente en arco para ir a reponer con la sombra, a la misma caleta, al pie del montículo donde se alzaba la casa. Durante el resto de la noche dormía en el piso alto, frente al estudio, abiertos todos los vanos, tendido, desnudo a la brisa.

Misteriosamente el secreto de su ceguera se mantuvo a medias durante las tres primeras temporadas. En cuatro años el adolescente había dado toda su altura, la vida al aire libre toda su potencia. Al fin del cuarto año algo novedoso y raro comenzó a cundir ya por el trozo de costa. Las voces eran más numerosas, más confuso e irritante el jaleo, dentro y fuera del agua. Él sabía que nuevas casitas de madera habían empezado a brotar en la orilla, si bien en el extremo opuesto a la suya (porque todo este otro terreno era suyo), y que otros hoteles más amplios y populares competían con el de Pascual. Ya al cerrar aquella estación se le hizo más difícil distinguir sus tres, cuatro o cinco espectros preferidos. En las últimas semanas se habían agolpado oleadas colectivas de gentes que se abatían como plagas, los sábados y domingos, sobre las arenas. Desde luego, él podía morar en zonas más remotas, a quinientos o

mil metros de la orilla, pero sólo una o dos de sus muchachas llegaban hasta allí. Las otras parecían sumidas y
envueltas en esa abundancia confusa de gente de tierra
adentro, lo cual le irritaba.

Al mismo tiempo, por quién sabe qué coincidencia, aparecieron las grietas en aquella conjura misericorde por la
cual los primeros bañistas ignoraban o simulaban ignorar
su condición. Su figura extrañaba, y queriendo huir a la
sociedad, no hacía más que significarse. No le valía haberse
cortado el pelo al rape; su cuerpo cobrizo dorado no tenía
semejanza con ningún otro.

A pesar del tumulto, volvió a acercarse gradualmente a
la orilla. Hacía incursiones rápidas, de buceo o superficie,
captaba palabras. Todavía algunos le llamaban el Rubio,
pero entre la algazara oyó algunas notas heridas que
rechazó secretamente como similitudes fonéticas. Las oyó
varias veces en distintos grupos, al azar y de pasada, pero
las esquivaba porfiadamente, diciéndose que, sin duda, era
otra palabra similar, como "ciervo", "bebo", "juego"... Se
acumulaban cuantas palabras pudieran tener una semejanza de sonido, y que hubiese aunque sólo fuera un tenue
sentido en que esas palabras se pronunciasen en esta playa.
Le servían de pretexto y justificación para no creer que se
refirieran a él por su estado. A pesar de este esfuerzo, una
capa baja de su conciencia se iba impregnando de ellas,
dándose por enterada, y ejercía ya una dolorosa presión en
todo él. El fin de la temporada en contraste con las anteriores fue más bien un alivio. La última tarde que se aven-
turó hasta los núcleos de bañistas fue particularmente
dolorosa. La palabra, o similar fonética, se repitió con cruel
insistencia. Andrés huyó dando un rodeo en arco más
amplio, y por primera vez (debía haber perdido el control,
haber nadado más que de costumbre) llegó fatigado a la
orilla. Desde ese momento se replegó a su propia zona y en
todo el invierno sólo salió en rápidas incursiones, rectamente hacia el norte y de regreso.

Otro acontecimiento le había sobrecogido y sobresal-
tado aquella mañana. Falto de sueño, se había zambullido
antes del alba, nadando sin prisa hacia el noroeste, luego

directamente al sur. Un misterioso sentido, inexplicable para otros, le permitía siempre orientarse con precisión, así como medir las distancias. Por su reloj hubiera podido medir exactamente qué distancia podía recorrer a un ritmo dado sin fatiga, pero nunca consultaba ese reloj porque nunca se fatigaba. Esta estación, sin embargo, había estado colmada de violentas emociones. Primero había nadado casi sin descanso, sus sentidos siempre al acecho, su cuerpo siempre a la busca de una proximidad que debía ser todo lo corta posible, sin serlo demasiado. Esa pugna por mantener las distancias, y las violentas fugas, sumersiones y virajes que suponía, hubieran sido agotadoras para un cuerpo más viejo o menos vigoroso y habituado. Él no pareció sentirlo hasta este día final, en que sin duda había ido muy lejos, y cuando percibió el vaho (¿era un vaho?) de la arena, notó que le hacía falta un respiro. No queriendo acercarse más (había ya bullicio en la orilla), descansó boca arriba, hasta que sintió, tibio, el sol en la cara. Por largo rato permaneció abstraído y ausente. El bullicio de la gente de primera orilla sonaba lejano y las olas mansas lo mecían apenas. Esta paz fue rota instantáneamente por un buceo hondo. Al principio supuso que sería pichón de raya o tiburón, de los que a veces se acercaban demasiado a la playa, pero en seguida distinguió, si bien apenas tuvo tiempo de hacerlo mentalmente.

Una suerte de ola submarina pasó rozándolo, siguió, regresó de través. Por unos instantes demasiado tensos para ser medidos, giró en torno, pasó por debajo y, de un salto, por encima de él. Durante un momento lo tuvo abrazado, estuvo ceñida a él, envuelta en él, como una ola, y, con la misma prontitud se fue riendo hacia la playa, con risa de espumas turgentes y encrespadas.

¿Qué tipo de realidad había sido? La risa, él la había reconocido, pero el tacto no correspondía en él a ninguna palabra o imagen, o sensación suscitada por palabras. Decirse que tacto, movimiento y formas correspondían a aquél u otro personaje real, para él sin nombre, no servía. No aludía apenas al hecho. Pero no había duda de que la dueña de la risa era ella. Con este término la conoció desde el primer día.

Andrés volvió a casa por su rodeo y permaneció largo tiempo temblando, por el interior. Cuando vino el dependiente a llamarlo para almorzar (¿se le había olvidado?) tuvo que llevarle el almuerzo. Al otro día el dependiente se presentó con el desayuno y lo contempló intrigado. Andrés estaba aún de pie, un aspecto de aturdimiento, irritación y abatimiento a la vez en el rostro. El dependiente puso la bandeja en la mesita de la terraza, le miró largamente en silencio; luego (quizá interpretando bien su estado) dijo:

—Aquélla le ganó a usted nadando. Este año vino en un balandrecito:[4] luego siguió viaje con su partida.

Andrés no contestó. Ni siquiera parecía impresionarle el informe. Después procuró apartar de sí las sensaciones que le oprimían. Lo necesitaba. ¿A qué mortificarse? Ella había aparecido y desaparecido como un sueño. Tratarla, por lo tanto, como un sueño.

Con todo, los sueños dejaban marcas tan hondas como los hechos. No volvió a la playa en los meses de septiembre a junio y, a diferencia de los inviernos anteriores, permanecía en el agua sólo unos minutos a mediodía. Se quejó de que este invierno era más frío que los anteriores, y una tarde se le ocurrió entrar en el estudio que había permanecido cerrado todo el tiempo, y no tenía más sentido que el de guardar sus primeros tanteos artísticos. Lo movió a entrar una extraña impresión. Se le figuró que el estudio cuyas ventanas no se abrían nunca, tenía una suerte de calefacción de aire rancio y tiempo detenido, donde sentía deseos de sumirse. En rudo contraste con su estado anterior, deseaba más bien recogerse que expansionarse. Siempre que se botaba al agua (era un botarse a sí mismo, como un buque reparado) y hacía una corta excursión, hacia la playa, tropezaba en seguida con sensaciones oscuras y adversas. Diluidos en él quedaban los sonidos que tanto se parecían a "ciego", aunque nunca se había atrevido a admitir ante sí mismo que fueran realmente esa palabra. En el estudio el ambiente se le figuró en efecto un refugio. Empezó por tantear en derredor, localizando los objetos: el

---

[4] *balandrecito:* embarcación pequeña.

baúl de los recuerdos, la mesa de trabajo, la ancha y larga repisa donde esperaban las obras de su aprendizaje, las cajas de polvo de yeso, los bloques de arcilla, antes envueltos en paños húmedos, pero ya secos y endurecidos... En el centro, hacia la cristalera, estaba una silla de extensión que había usado en su otra casa, y se echó en ella, cara a la luz, como si pudiera contemplar la hermosa vista de la playa y costa que dominaba. Distraídamente había empezado también a palpar sus esculturas, pero la impresión fue de repulsión: rechazaban sus dedos como si estuvieran cargados de corriente. Aquellas formas pequeñas, pobres y recortadas torturaban sus sentidos, distensos, ahora, por líneas más fluidas y plenas. Las figuras —bustos, estatuas, cabezas— eran una sujeción de su alma actual sin límites, a líneas mezquinas y cerradas, obligándolo por un instante a vivir encerrado en ellas, recortándolo a su medida. En un rapto de irritación abrió la puerta cristalera y comenzó a arrojarlas al mar. Calculó el sitio donde habían caído y hasta ese sitio evitaba cuando se zambullía en el agua.

Pero ahora el recodo a que se limitaba le venía estrecho, y al apuntar la primavera se debatió torpemente por romperlo. Desprendido de las esculturas llenó su vacío, imaginativamente, con otras que acaso fuera capaz de crear. Se veía a sí mismo haciéndolo, las veía surgir de la masa amorfa, cobrar gradualmente una vida artística que respondía no a unos modelos visibles externos, sino a emociones internas que las hinchaban, distorcían, distendían y torneaban conforme a su potencia. Las veía formadas, sueltas, prendidas, cambiando. Un día encargó al dependiente un bloque de barro húmedo de la Habana y empezó a manipularlo, pero los primeros resultados fueron desalentadores. El barro bajo sus dedos no daba nada que correspondiera a lo que veía y sentía en imaginación. El contraste provocó en él una reacción todavía más estremecida que las formas pequeñas y realistas. Contra las figuras recortadas se sintió triunfante, y en el período siguiente se vio libre de estorbos y con aptitud para algo impreciso pero "grande". El desaliento siguiente le aplanó. A los pocos días abandonó sobre la repisa aquellas masas donde había impreso modulaciones extrañas. Ninguna tenía semejanza siquiera remota con las cosas visibles, como no fuera, tal vez, las de la tierra misma, antes que sus relieves fueran nominados. Había empezado y abandonado sucesivamente varios bloques y en todos se repetían semejantes depresiones, alturas, entrantes y honduras quizás semejantes a las del lecho submarino. Ninguna forma humana completa.

Al advenir la primavera empezó a recobrarse. Había vuelto a cerrar el estudio y —lo que nunca había hecho— se pasaba horas sentado en el portal escuchando las olas, los cascos de algún caballo a galope por el camino, detrás de la arboleda, la brisa en las ramas. Del caserío de la playa apenas llegaba sino algún mugido distante de victrola. Pero con abril ya empezaron a florecer voces y risas juveniles y su corazón se reanimó también, atraído siempre por ellas. Empezó a acercarse de nuevo, nadando casi a flor de agua, sin ruido ni estela. A cada trecho se inmovilizaba como un pez en reposo o en acecho. Había alcanzado ese don: detenerse a flor de agua, no boyado boca arriba, sino como un pez cuyas aletas nadie veía mover. Pronto empezó a distinguir entre la mayor baraúnda la voz y risa que buscaba. Había venido más temprano este año, aunque, como siempre, se había ido más tarde que nadie el año anterior, según le había dicho el dependiente. Fascinado, cada vez más envuelto por ella, se iba aproximando, quizás peligrosamente, al grupo donde la sentía nadando, la atraía fuera, a distancia, a una zona móvil que fijaban tácitamente para ellos, para su juego de competencia, retozo y esquivación. A veces ella se deslizaba a lo largo de él, se volvía deteniéndose como para observar la reacción. Ésta variaba. Acaso él se sumergiera, reapareciendo más lejos, en evitación de aquella mirada que sentía posada sobre su rostro cada vez que ella se detenía. O bien, presa de su corriente, empezaba a darle vueltas, en espiral, saltando fuera del agua, sumergiéndose mientras ella tendida permanecía quieta o se volvía simple y perezosamente con abandono al impulso de sus acometidas. Si esto sucedía era el clímax de un acto. Seguidamente él se alejaba con el mismo impulso mar afuera, hasta donde ella no le seguía, y continuaba luego hasta ir a dar, exhausto, a su rincón de playa.

Esta mañana ella le siguió hasta tan lejos que Andrés empezó a alarmarse. ¿Y si se fatigaba? Dos o tres veces varió el curso, nadó largo trecho hacia la playa, para seducirla en aquella dirección, hasta conseguir rendirla a corta distancia de las arenas. Entonces, reemprendió su huida yendo a recalar fatigado a su rincón de sombra. Los últimos metros los recorrió por inercia; se quedó, medio busto fuera, jadeando en la arena tibia, pero exaltado, el rostro todo iluminado como si la vista perdida en los ojos se hubiera diluido por su frente, mejillas y boca.

Al principio estas proyecciones femeninas no eran individuales. De todas recibía algo a la vez, como ondas o emanaciones interferidas. Algunas eran más intensas, más próximas, más lejanas, pero nunca del todo desprendidas unas de otras con poder autónomo y único. Eran "ellas" y una era sólo un instante, o una aproximación o una invitación de ellas. Gradualmente esos mensajes se fueron distinguiendo hasta llegar a ser casi personas, tener voz y ritmo propios en el agua. Pero sólo ahora una se había desprendido realmente, y aun se había rebelado contra la matriz difusa, vaga y de sueño, que eran (en él) ellas. La tarde siguiente fueron aún más lejos. Retozando, ella le seguía a cualquier distancia y otra vez él volvió a temer que las fuerzas le fallaran, de modo que siempre regresaba a las proximidades de la orilla. Esta vez ella persistió hasta entrada la noche, y fueron juntos a fondear a una parte algo retirada del bullicio. Llegaron, abandonados en una ola y, abandonados, derribados —ella, levemente sobre su hombro— se quedaron en la arena fina, cálida y mojada. Habían estado largo tiempo en el agua, se sentían mutuamente las respiraciones atoradas sosegándose, dejando pasar, sin ilación, música de palabras. Un bandeo de ola la dobló a ella más sobre su hombro. Él sintió su barbilla contra el cuello, los cabellos chorreando contra su mejilla, el cuerpo como una ola cálida y prisionera.

Al otro día el arco que describieron en el agua fue más abierto y el fondeadero más próximo a su coto, pero el

momento de reposo era roto súbita y extrañamente por él,
que desaparecía en el agua como si el agua fuera su elemento. Siempre que las palabras empezaban a enlazarse, a
formar un sentido, él tenía que romper. Esta noche había
baile. Ella, como siempre, se quedaba hasta el lunes. Quizá
viniera también por la mañana. Podía hacerlo si quería.
Podía hacer cualquier cosa que quisiera. ¿Dónde vivía él?
Podía incluso huir con él a la cueva submarina, donde sin
duda él tendría su castillo...

Su risa estallaba en notas breves, jóvenes, plenas. La
tarde siguiente, cuando él se precipitó de nuevo al agua, se
le cruzó en el vuelo y una ola los devolvió abrazados a la
orilla. Siguió una lucha extraña, no por desprenderse, y no
por ceñirse, sino ambas cosas: una lucha fiera, que duró
breves instantes. Luego al desprenderse él notó como si
algo se hubiese quebrado. Sintió materialmente un estallido breve, de un muelle que se quiebra, y cuando trató de
hallarla de nuevo, ya ella no estaba. Él no tenía conciencia
de la hora (quizás fuese aún de día) ni del lugar (podía estar
más o menos alejado del centro). Sintió ruido cerca. Le
pareció oír pies (más de dos) descalzos sobre la arena
(como la otra noche), pero nada más. Aguardó así, sofocado, algún tiempo, sintiendo la brisa en los ojos. Luego,
algo repuesto, reemprendió con cautela una excursión, no
lejos de la orilla, deteniéndose a trechos a escuchar. Antes
de llegar a la zona concurrida volvió varias veces hacia
atrás, atraído oscuramente por un punto donde, sin
embargo, no se oía nada. ¿Qué le atraía? ¿Podía ser ella que
se había detenido, extrañada de que no la siguiera y
que ahora lo observaba más extrañada aún, desde la orilla?
Se la representó sentada en la arena, las rodillas juntas,
cogidas con los brazos, los pies en el agua, mirando con
asombro al hombrepez que no se atrevía nunca a acompañarla por tierra. Temió que lo espiara y siguiera hasta su
casa, por lo que sólo regresó (y con mucha cautela) bastante después. La casa donde nunca se prendía luz tenía
una entrada casi escondida, lateral, a la que se llegaba por
un trillo que iba a dar a la orilla, a cien metros de distancia.
Varias veces creyó sentir pisadas en derredor, pero nadie se

acercó a él. Y pasó la noche en la hamaca bajo un pequeño portal de flanco. Cuando despertó no tenía idea del tiempo transcurrido. Sólo sabía que el sol le daba de plano en la mejilla y que alguien entraba por el lado opuesto. Por el sonido reconoció al dependiente. El desayuno —frutas, miel y leche— le restauró fuerzas. Por primera vez en mucho tiempo había dejado de darse su zambullida al amanecer. Ahora tendría que esperar a la tarde para volver a buscarla, a la zona donde, tácitamente, se habían dado cita en días pasados. Pero la tensión había ido en aumento. El arco que recorrían alejándose del tumulto se había ido agrandando y en la misma medida lanzándolos a una parte más apartada de la playa. Hasta entonces el galanteo había sido siempre en el mar; por primera vez la tarde anterior se había aproximado peligrosamente a la orilla. ¿Sabía algo de esto el dependiente?

Su relato era vacilante y sin duda ocultaba algo. Había visto a la muchacha nadando en competencia con él. Ayer otro nadador había seguido su estela cuando perseguía a Andrés; no había podido alcanzarlos, pero luego ya cerrada la noche la había encontrado sola, sentada en la arena, a media distancia entre el hotel y el rancho. Luego, pasada la medianoche, la joven se había presentado sola en el salón de baile. Había bailado sin descanso hasta la madrugada, y aún no se había levantado.

El dependiente no dijo más. A media tarde Andrés estaba de nuevo acercándose al gentío. Habían pasado cinco o seis semanas desde que había captado realmente desprendida la presencia de la joven y la había identificado con la de las temporadas anteriores. A continuación la avalancha de gente se había agolpado cada vez con más fuerza y volumen y eso mismo parecía haber contribuido a lanzarla a ella fuera de la zona general y a la casi inaccesible del nadador. Según aumentaba el tropel, así ella se iba arrojando más y más a la zona vedada, imitando al hombre en sus fugas y giros, envuelta y arrastrada por ellos. Ahora algo había ocurrido. Antes de que el arco de natación fuera bastante ancho para arrojarlos a su caleta escondida, de noche, una fuerza extraña e irritada se había interpuesto.

¿Qué había sucedido realmente, la noche anterior? ¿Por qué se habían abrazado así, como en una lucha, y se habían desprendido de pronto como repelidos, disparados por un muelle? Acaso la presencia de... No era probable. El mismo dependiente decía que el joven (quienquiera que fuese) la había encontrado sola sentada en un punto distante de la playa. Ninguna causa externa los había disparado uno del otro. Lo que fuese era algo oscuro, interior, en uno de ellos (o en ambos).

Ahora ardía en ansias de encontrarla. Quizá fuese demasiado temprano. El sol quemaba aún fuertemente en las manos y la frente y el volumen de gente en el agua no era muy grande. Había perdido la medida del tiempo. Quizás ése fuera un mal síntoma. Durante más de tres años había conseguido disimular casi completamente su condición gracias a la intensa y constante vigilancia de todos sus otros sentidos. Esa vigilancia le permitía, mediante misteriosas ecuaciones, calcular el tiempo, la posición, la medida, las distancias, con una precisión de que otros carecían. Un leve descuido en esa guardia podía delatarlo o perderlo. ¿Se había producido tal descuido en la tarde anterior? No podía decírselo. Lo que hubiese ocurrido le dejó una memoria revuelta y opaca, y en ella se diluyó hasta el tiempo. La duda le acicateaba aún más el nuevo encuentro que esperaba de todos modos. ¿Acaso era posible que no volviera? Hoy era domingo. Ella misma había dicho que se quedaría hasta el lunes. Lo ocurrido era que se había fatigado bailando y... Esta imagen (la muchacha bailando) recibida a través del criado le había atormentado por un instante; la fue depurando en sí mismo hasta que sólo la veía a ella bailando en brazos de un invisible.

Se fue aproximando por etapas. Cada pocos metros se detenía, ladeaba la cara, viraba en otro sentido. Fue recorriendo en semicírculo toda la zona, cada vez más nutrida, según refrescaba la tarde. Tensa la atención en lo que buscaba, no reconocía ya ninguna de las otras voces, sólo podía decirse: no es ella, ésa no es ella... No le hubiera costado ningún esfuerzo reconocerla aun en medio de la mayor baraúnda. Ésta aumentaba y se distendía a medida que él se ponía más cerca. La idea de que no fuera a salir lo arrastraba más y más al remolino, donde sin duda habría de encontrarla. *Se está callada, para no delatarse... Está jugando. Se calla para ver...*

El pensamiento se quebró en seco. Había corrido solo, extraviado y ajeno por completo al control de sí mismo. ¿Por qué había de querer ella ocultarse en el silencio cuando la vista podía descubrirla? O acaso sabía ella que... Un atropellado chapaleo de malos nadadores venía hacia él. A corta distancia alguien se tiraba torpemente de un trampolín. Se cruzaban voces cortadas y confusas, salpicadas de bromas mortificantes. Una se alzó irritada: invitaba a otros a llegar hasta él... ¡Otra vez aquella anonadante similitud fonética! Después las voces parecían llamar a alguien, directamente en el sentido en que se encontraba. La persona a quien eran dirigidas debía de llamarse Diego, porque así sonaba. Diego, Diego...

No. Sonaban ya demasiado claras y persistentes para haber confusión. Era al ciego a quien se dirigían. Lo mandaban detenerse. Se retaban entre sí a quien llegara hasta él. Abofeteado por todas partes, se detuvo confuso, aturdido. Por varios minutos no supo en qué sentido debía o quería nadar y se sostuvo a flor de agua, inmovilizado o girando brevemente sobre sí mismo. A continuación se hizo una breve calma. Las voces parecían dispersas, y entonces, desde la dirección que consideraba alta mar, sintió venir el leve y siseante rumor de un cuerpo que se desliza por el agua. El siseo cesó justamente ante él, se disolvió en una simple y muda vibración de ondas en su derredor. En un momento hasta esa vibración se detuvo y, ante él, ante sus ojos imaginativos, se abrieron insolentes, asombrados, mirando a los ojos ciegos, otros ojos. Simultáneamente algo había brotado del fondo ascendiendo en sentido longitudinal a su cuerpo, rozándole con el agua promovida en el ascenso.

Todo eso duró acaso un instante. Al cesar, al retirarse el cuerpo, se rompió también el imán. Otra vez volvieron a estallar las voces, pero esta vez fue ya como cencerrada, como toque de espanto al que huye. Andrés tiró los primeros golpes de brazo al azar. En espacios limitados otras veces se había permitido nadar al descuido, sin la guardia de orientación y control, sin atención fija en la dirección, pero eso era sólo porque esa atención estaba en un radio más amplio. Ahora, ese radio, ese punto circular de referencia, se había perdido. Su único móvil era huir, salirse, no sólo del radio de las voces ofensivas, sino del de los ojos que había adivinado mirando, ya enterados, a los suyos. Huir era cuanto deseaba, pero sin meta precisa. Sólo una referencia podía guiarle —las voces y rumores de que huía—, pero ésa se perdió pronto, y el mar se le figuraba corto para ocultar en él lo inocultable. Nadó con furia, sin cesar, por un tiempo indefinible, hasta que el cansancio fue moderando su impulso y aclarando su mente. ¿Por qué estaba así? Maquinal, instintivamente, se había quedado boca arriba, descansando, a flor de agua, y sintió un leve roce de sol en la cara. Este sol venía horizontalmente, de modo que pronto estaría oculto. Guiado por él hubiera podido reemprender el viaje hacia la playa, por largo que fuera, pero antes tenía que pensar, y esa referencia (el sol) desapareció prontamente. Debía de ser noche cerrada cuando intentó desandar la ruta recorrida y ahora ignoraba por completo en qué sentido se encontraba la playa. No tenía absolutamente ningún elemento que se lo indicara, y debía hallarse lejos, pues había nadado con todas sus fuerzas hasta fatigarse, cosa que no podía ocurrirle normalmente hasta bien pasada la milla. Quizás más. No podía gritar en demanda de un eco, no se oía sonido alguno en ninguna dirección. Además, la fatiga no se había disipado. Piernas, brazos y cintura no respondían a su mando con suficiente soltura y aun le duraba un poco de ahogo. El agua se había tornado fría, y todo su cuerpo parecía entumecerse. Se figuró que la playa debía de estar en el sentido en que tenía la cabeza, ya que el sol (que se ponía por el lado opuesto) le había dado en la barbilla, pero entretanto las olas lo habían vuelto varias veces. Y sólo la vista hubiera sido capaz de descubrir el rumbo. ¿Qué hacer? Un contenido estremecimiento pasó por él como una corriente, borrando todo otro sentido y pensamiento. Sólo esto: ¿qué hacer? Quizás pudiera permanecer a flote hasta el día, pero aun entonces era dudoso que nadie pasara por ahí. No navegaban botes, yates ni lanchas por esta zona y ningún nadador se aventuraba jamás bastante lejos. Sólo quedaba aventurarse al azar, hacer un tanteo en cualquier dirección. ¡Pero y si lo hiciera en sentido opuesto a la orilla, hacia la alta mar! Desde luego, él era capaz de sostenerse a flote, incansablemente, en varias posiciones. Caso de que la incursión fuera errada, al cabo de unas horas lo descubriría. ¿Cuánto tiempo había estado nadando desde que saliera disparado (primero hacia su orilla, y desde ésta en línea recta hacia el norte)? No podía decírselo. No se detuvo a pensarlo. En ninguna situación anterior le hubiera asustado hallarse a ninguna distancia de la costa. ¿Por qué ahora? Un poco fatigado, quizás: los miembros algo entumecidos: pero podía ser por el fresco de la noche. En seguida entraría en calor.

Se propuso un curso en zigzag en la dirección que, por incomprensibles razones, o impresiones, suponía más probable la costa. Así, caso de que nadara en sentido paralelo a ella, en alguno de los zigzagueos se aproximaría más y su aguzado oído descubriría algún rumor. Calculó que dos horas como máximo (medidas por el grado de su fatiga a un ritmo dado, al impulso medio) le darían la respuesta. Si era negativa, podía entonces emprender la ruta opuesta, la segura. Nadaría holgadamente, ahorrando fuerzas, ganando la mayor distancia posible con el menor esfuerzo.

Los primeros golpes de brazo, a pesar del entumecimiento, se le figuraron bastante desenvueltos. Le pareció que avanzaba sin esfuerzo. El oleaje no era fuerte, y el agua, a estas profundidades, tenía gran poder de suspensión. Todas sus facultades se concentraron ahora en estos movimientos de miembros y cuerpo y, por primera vez enviaron, como si dijéramos, su representación a la mente. Antes ocurrían por sí mismos, sin relación consciente con el espíritu, que se hallaba libre para aplicarse a otros motivos. El nadar era para él como el caminar por un terreno llano y conocido, sin que siquiera se percatara. Sólo ahora era una función directamente bajo la observación del cerebro, ligada al cerebro. Era como si los "mandos" medios que cumplían esa función hubieran fallado, y sus propios movimientos, y aun sus pensamientos, estuvieran tan de cerca eslabonados a la conciencia, que se hacían dolorosos. Le parecía como si cada bandeo y mordida con el cuerpo en el agua repercutiera dolorosamente en sus sienes. Por otro lado, esos movimientos eran entorpecidos por la vigilancia como los de un actor con rubor de tablas. Se dio cuenta de que avanzaba poco y con un esfuerzo excesivo. Se le figuró incluso que las articulaciones le crujían, que los huesos se rozaban unos con otros. No podía comprobar en qué medida el avance no correspondía al esfuerzo, pero el tiempo que tardaba en rebasar una ola que le viniera al encuentro era excesivo, al menos en trabajo.

A esto acompañaba un creciente enfriamiento de los músculos. Lejos de entrar en calor sentía más frío. Con todo, había podido concentrar toda su voluntad en vencer la distancia y por bastante tiempo no le turbó la idea de que el rumbo pudiera ser equivocado. El esfuerzo mismo que se demandaba le impedía afrontar la posibilidad pavorosa de que estuviera nadando mar afuera, dejando la costa a su espalda. Por el contrario, le animaba y daba fuerzas la esperanza de que pronto podría oír la brisa en los pinos, las caletas, los cocoteros, los hierro-de-costas. Y entonces el agua se tornaría tibia con el vaho del sol que impregnaba las arenas. Por mucho que se hubiera alejado en su pánico cuando disponía de todas sus fuerzas, de un tirón, hasta fatigarse, podía recorrer el mismo trecho a un ritmo ligero. Si era preciso volvería a descansar, pero sólo si era absolutamente preciso. Mientras pudiera seguiría nadando.

Al principio se detenía a trechos, ladeaba la cabeza, no pudiendo percibir más sonido que el que él mismo producía en rozamiento con el agua. Luego, cuando ya la fatiga se hacía apremiante, creyó sentir dos o tres veces un tenue y desconocido rumor, que podía ser croar de ranas, rasgueo de música, una décima en la loma. En todo caso, debía de ser rumor de tierra, ya que el mar no los tenía así. Desde ese momento no quiso ya dudar siquiera subconscientemente de que la orilla estuviese próxima y en la dirección que llevaba. Redobló el esfuerzo. Conteniéndose, procurando mantener el ritmo, bien que acelerado, se impelió a sí mismo con todo el vigor de que era capaz, hasta que el esfuerzo se volvió a sentir, esta vez en un grado torturante.

Después el dolor mismo empezó a disminuir, o más bien a diluirse por todo el cuerpo. Una vez más los movimientos parecían ser regidos por sí mismo, abandonados a sí mismo por la potencia vigilante. La meta (que ya debía estar cercana) absorbía ahora toda su atención. Aquellos primeros rumores se transformaron en otros, tan numerosos y alegres, como extraños. Había risas, voces juveniles, música. Chistaban los grillos, un tren pasaba pitando, y (cosa más extraña) hasta se le figuró por dos o tres veces que había "visto" pasar en arco (un arco como el que él describía nadando) bengalas de cocuyos.[5] Otra vez reapareció en su imaginación la muchacha bailando con el hombre invisible, bailando sola en la pista hacia el alba cuando ya todas las demás parejas habían abandonado el sitio. Multitud de imágenes y sonidos embargaban su mente, le sustraían a cuanto al resto del hombre pudiera acontecerle. La playa estaba, al amanecer, colmada de gente (la gente de domingo), y a través de esa masa pululante venía ella, como una ola rebelde, una ola morena y de través, a recibirlo. Oyó su voz —clara, diáfana, leve, sorprendida— que preguntaba algo ininteligible. Surgía de pronto y volvía a sumergirse, daba vueltas en torno y se alejaba, disolviéndose cada vez que se imprimía un impulso hacia ella. Trató de llamarla, de hacerle ver que sentía fatiga, que necesitaba ayuda, pero su propia voz se atoraba en la garganta y no salía. Alzó una mano, luego otra, en sucesivos y desesperados aleteos de ave herida y no marina derribada en el agua. Trató de cogerse a algunas de las figuras que creía ver, siguiendo la estela de la joven, pero también esas se disolvían, con un ruido que no era risa, pero que correspondía a una burla más cruel que ninguna risa.

Tras algunos intentos, recapacitó: ¿acaso no se daban cuenta? No. Él, el gran nadador, ¿cómo iba a ahogarse a cien metros de la playa? Porque no podía haber más. Esa

---

[5] *cocuyos:* luciérnagas.

multitud no llegaba nunca más lejos. Estos que seguían a la sirena eran de los más aventurados. Los otros estaban más allá (los "veía" claramente). Si llegaba hasta ellos (y sólo faltarían unas treinta brazas) estaría a salvo. Se asiría a cualquiera. Además, allí ya se daba pie. Con esta idea hizo un nuevo intento, se impulsó con todo el poder de sus músculos, en línea recta, hacia el bullicioso grupo que formaba siempre el núcleo de bañistas por la mañana, y cuando creyó haber recorrido el trecho alzó de nuevo la cabeza, "miró" en derredor. Notó que en uno de los ladeos el sol le había dado en la frente, luego en la mejilla. Pero el núcleo no existía. Se había disuelto igualmente. Andrés tiró zarpazos a derecha e izquierda, pero al hacerlo notaba que la persona que creía haber asido se disolvía y él se sumergía bajo la superficie. Cada vez que tiraba un zarpazo se hundía más y más, mar adentro, mar abajo, lejos, cada vez más lejos de la orilla, sus arenas blancas, hacia la tiniebla oculta, la tiniebla submarina y remota...

ROGELIO SINÁN (Bernardo Domínguez Alba)
(Taboga, Panamá, 1902 - Panamá, 1994)

L A presencia de Rogelio Sinán en las letras panameñas ha sido decisiva en la formación literaria de varias generaciones de escritores. En la literatura hispanoamericana la figura de Rogelio Sinán es conocida por su cuentística en la cual se advierte una inteligente y original manera de hacer visible la modernidad literaria con la cual Sinán convivió tempranamente a través de la eclosión vanguardista hispanoamericana ocurrida a mediados de la década de los veinte.

La producción literaria de Sinán incluye además del cuento, cuatro libros de poesía, dos obras de teatro infantil y dos novelas. En este último género destaca *La isla mágica*, una extraordinaria novela que merece ser estudiada más ampliamente por nuestra crítica. En 1982, el escritor panameño Enrique Jaramillo Levi destaca la significación de la obra de Sinán, editando el volumen *Homenaje a Rogelio Sinán: poesía y cuento*. En 1985, Jaramillo Levi retoma una vez más esa iniciativa dedicándole a Sinán los números 5/6 de la revista panameña *Maga*. Rogelio Sinán viajó por Italia, París, la India, China y Japón. También vivió en Chile, donde estudió un año y en México, país en el que residió varios años. En la década de los veinte comienza publicando relatos en revistas literarias; su primer libro de poesía es de 1929.

El cuento "A la orilla de las estatuas maduras" forma parte de la colección del mismo título publicada en 1946; el relato fue escrito en 1932, es decir, catorce años antes de la

aparición del volumen, mientras el autor se encontraba en
París. En 1971 se incluye en la antología *Cuentos de Rogelio Sinán*. Dos conflictivas conciencias ingresan en la pictó-
rica composición de este cuento del escritor panameño. La
voz de un joven (que transita entre el abandono de la infancia y la sexualidad de la adolescencia) y la del cura (que
cruza la elección del celibato y el abandono de lo mun-
dano). Los momentos represivos en la situación de ambos
personajes son trasladados al intertexto de la pintura. Primero, el paisaje ameno, el río, el árbol frondoso que toca el
agua, el viento, la insinuación fresca y lasciva de la naturaleza. Segundo, la aparición de "Las Tres Gracias", interpretación libre derivada de Tiziano, Rubens o Rafael,
frente a la cual se observa la psicología de los protagonistas. El ambiente tropical presta su cromatismo cálido:
marco y pincel de las delicadas escenas pictóricas trazadas
por Sinán.

A LA ORILLA
DE LAS ESTATUAS MADURAS*

A L L í en el río era donde mejor estaba. Ni los sollozos de la tía Josefina que andaba siempre de un lado para otro quejándose del reuma, ni los gritos delgados de su madrina José María que no hacía más que darle con el chicote siempre que cometía alguna diablura, ni los recados a casa del compadre, ni el tirapié del Juez, ni el rosario, ni nada.

¡Sí, señor. Allí estaba tranquilo!

Una cosa era estar al pie del zapatero con el "Cristo A. B. C." entre las manos —la de la horqueta era la Y, la de los palos, la U— y otra cosa era estar a la orilla del río, con su tapón, esperando a la tórtola.

—Muchacho, anda a comprarme tachuelitas —le habían dicho.

Pero él había comprado maíz. El zapatero se quedaría esperándolo. La vuelta era lo malo. Ya él conocía muy bien los rebencazos del tirapié. Dolían primero un poco; después le iba quedando como una especie de picazón en todo el cuerpo; se secaban las lágrimas antes de los sollozos, y el dolor se dormía. Al día siguiente se repetía la cosa.

Por el camino largo —sudor y sol— se había topado con gente de campo. Que tuviera cuidado, le dijeron; andaba por allí un toro suelto. Y, ahora, sentado allí entre el matorral, hacía sus cálculos de huida. Había que estar alerta por si acaso caía por allí el bicho. Y ¿qué? Nada tan fácil como

* Agradecemos la autorización para reproducir este cuento del Dr. Rogelio Sinán Domínguez.

subirse a un árbol. ¿A cuál? Miró aquí. Miró allá. Puso la vista en uno. Entre los muchos que había del lado acá, ese era el indicado. Estaba sobre el agua en forma de arco y parecía que estuviera tirándose de cabeza como lo hacía él cuando venía a bañarse con los otros muchachos. El gran árbol tenía mucha fronda. Metía sus ramas en el agua (¿para pescar?). Era fácil subir y acomodarse allí, escondido entre lo verde mirando abajo.

La inquietud de probar —ya había probado tantas veces— lo aferró por un brazo. Al fin de cuentas, no era malo ensayar. Aquella vez —la culpa era del Ñopo— casi se rompe el cuello. Se habían fugado todos de la escuela. Eran cinco. El Ñato, el Ñopo Pedro, Goyo Gancho, Fulo Encuero y... ¿el otro? ¿Quién era? No recordaba. El otro... ¡Ah! Sí, el Culizo. Andaban por allí echándose abajo, desde el árbol al agua. La rama se fue haciendo resbalosa. Él perdió el equilibrio. Y cayó, no en el agua, sino en la tierra firme. El tanganazo[1] fue padre. Desde entonces le habían prohibido ir al río. ¡Pero hoy se había fugado, qué diablos!

Si el animal venía, él, de un salto, se treparía en el árbol. No era malo probar. Se alzó. Se echó a correr y ¡pum¡ ¡arriba!... El árbol se meneó como un gran trampolín y sumergió sus ramas, que sacó luego a flote chorreando agua. Se acomodó a caballo sobre el doblado tronco —¿arco para qué flecha? ¿puente para qué ruta?— lo zarandeó otra vez encaprichado y luego, pareciéndole buena la prueba, bajó rápido. Se escondió nuevamente entre los matorrales y siguió preparando su tapón para cazar palomas.

Goyo Gancho tenía un tapón que —¡puchas!—[2] era tamaño grande. Goyo Gancho sabía muchas cosas. Era su buen amigo. Amigo para el río solamente o para robar mangos en la finca de Chago López, porque en cuanto al tapón...

(—¿Me lo prestas, Goyito? Voy al río no más y te lo traigo como si naa...)

... no había querido ni dejárselo oler. Y no hubo más remedio que hacer uno de la mejor manera posible.

---

[1] *tanganazo:* golpe, porrazo.
[2] *¡puchas!:* interjección de sorpresa, admiración.

Había ido recortando ramitas secas, las más derechas que había hallado. Ahora, ya estaba casi lista la tapa, en forma de pirámide. ¿Y si el toro venía? Seguramente era ese que había traído de la feria Don Patrocinio. Lo había visto una tarde embestir a un potro. Por poquito le saca las tripas. Miró para el árbol. Se bamboleaba. De allí arriba, ni Cristo...

Hacía calor. Se secó con la manga la frente. Debía ser mediodía. Era la hora propicia al aguaite. A poquito caerían a beber agua las palomas. Puso el oído... ¡Nada! Sólo el viento movía fuerte las ramas; pero también se oía la música del agua, que corre y corre siempre quién sabe a dónde. "Lo mismo que la gente." El señor cura tenía razón. Era una lata, sin embargo, ir los domingos a la doctrina porque había que ponerse los zapatos. Pero el padre Camilo era bueno, y decía muchas cosas, y daba confites. A las muchachas sí que las regañaba. ¿Por qué? Después de todo, Goyo Gancho podía quedarse con su tapón en casa. Ya él había terminado el suyo propio. ¡Y mejor!

Seguía el ruido del viento y del agua. Pero ya comenzaba a oír en la distancia el tira y jala del turrututeo. Había puesto la trampa con su poquito de maíz debajo y se había colocado un poco lejos, bien escondido entre las hojas. De pronto oyó a su espalda un alocado sacudimiento de ramas. Pensó en el toro: y algo se le subió a la garganta. Loco revoloteo. ¿Una paloma? Se envolvió en un silencio pequeñito. Sintió de nuevo rápida repercusión de golpes entre la fronda. Oyó un zumbido largo como de bala y... ¡zas!... allí cerquita, sobre una rama, se paró la paloma. Se zarandeó un poquito. Abrió y cerró las alas. Alzó el pico. Miró a un lado y a otro. Y se quedó un momento como escuchando. Después se dio a espulgarse.

Hecho un ovillo de silencios, él la estuvo acechando. Le parecía que el viento mugía ahora con más furia. Una piedra le hacía mal en el muslo. Se quería acomodar.

¡Cuidadito! Si se movía, volaba. ¿Por qué harían tanta bulla las aguas del río? La paloma hizo un movimientito, abrió sus alas, y descendió a otra rama. ¡Ésta caía, seguro! Al diablo Goyo Gancho con su tapón y todo. El viento remeció fuerte las ramas. La paloma planeó y, suavemente, apoyó sus patitas en el suelo. No una sola: ¡muchas iba a coger! Ponía el pico en la yerba; volvía a alzarlo; y saltaba con pausas hacia el grano. Todo el pueblo se asomaría a mirarlo. ¿Y si el toro venía? La paloma avanzaba. Que no viniera. Y él pasaría orgulloso por la plaza. La paloma movía la cabecita. Subirse al árbol era la salvación. Un collar de palomas alrededor del cuello para que las mirara todo el mundo. Ya iba a picar los granos. ¿Y el zapatero? Goyo Gancho lo miraría con rabia. Movió el viento las ramas. La paloma levantó la cabeza y se quedó un momentito asustada. Se iba... ¡Se iba! Echó un paso adelante... y picó un grano. "¡Mire, madrina, cuánta paloma traigo!" Picó otro, sin moverse. La madrina se quedaría mirándolo sin decirle palabra. Un poco más y... ¡pum! O bien se haría la brava y le diría: "Pon ahí eso y andaveme a comprar medio de achiote". Ya estaba por caer, pero a lo lejos, se encendieron de pronto unas voces. ¿Muchachas? La paloma se echó un poquito atrás. Y ¿quién diablos sería? Alzó el pico asustada. Las voces se agrandaron rápidamente. Abrió y cerró las alas. Tomó empuje. Ruido grande de voces. Viento. Gritos. La paloma desdobló su inquietud y alzó en parábola su vuelo sin ruta. ¡Todo perdido! ¿Y quién, caray, a esa hora?

Un pequeño disgusto de fracaso le hizo cerrar los puños. ¿Escaparían del toro? Una vez había visto en su sueño a una muchacha vestida de rojo perseguida por un torazo negro. La muchacha resultó ser él mismo. Pero las risas que oía no eran de miedo. Eran risas de risa. Una ola que avanzaba. Allá en el pueblo era bello reírse por reírse, en la plaza con luna o en el rincón del atrio. Ya lo echarían de menos su madrina y el Juez. "Apenas venga le pego." El chicote pendía de una horqueta. Ya las voces estaban allí al lado; pero no veía a nadie. ¿De dónde habrían sacado ese chicote? Una vez lo escondió. Todo el mundo buscaba. Y él repetía dentro de sí, como en el juego, "frío... frío... caliente, caliente". ¿Si vendrían a buscarlo estas muchachas a él? Pegaría una carrera. Ni Goyo Gancho pudo alcanzarla un día. Corría como caballo. Volaba. Lástima, la paloma.

El rencor le volvió, por un instante, a los puños. Pero ahí estaban las risas. Iban a aparecer. Su rabia se cambió en curiosidad.

Una muchacha —¡Vengan, vengan!— llena de sol y risa desembocó al galope.

—¡El río está pa' comérselo!

Él no había visto gente así rubia en el pueblo.

Y llegaron en yunta otras dos. Se veía, por lo rojo del rostro, que habían andado por ahí robando mangos. Estaban hechas agua, del sudor. Sin medias y con las zapatillas en la mano... ¡Ah, sí! Las conocía. Que habían estado allí el otro verano. Cuando la junta de Alba y el paseo con iguana. Mejor la junta —cumbia y chicha— con María Molinillo que gritaba borracha y Goyo Gancho que se cayó del bayo. Sí, como ahora, se reían y gritaban, con la vela en la mano, bailando cumbia. Habrían llegado ayer en la balandra del Ñopo Juan. Más grandes. Más bonitas. Las estaba mirando desde su gruta de hojas. No oía lo que decían. Se habían sentado. Una que otra palabra le llegaba al oído desmenuzada. El viento las partía con sus tijeras de éter. Así desgranaba él cada mazorca, por las mañanas, cuando le daba el grano a los pollitos. Uno se había enfermado. Debía echarle limón en el pico. Si estuviera más cerca oiría claro. Pero el agua hacía bulla y el viento mugía. Una tenía las piernas desnudas, en horqueta, y él miraba un poquito. Otra, con una rama, meneaba la corriente del río. La que estaba de espaldas al tronco era mejor que las otras. Rumiaba un mango verde. En la finca de Chago López habrían estado. O en la hacienda de doña Gumercinda. Allí era peligroso, por el ganao. ¿Y si el toro venía? Ya las veía corriendo y dando gritos; como cuando hubo el fuego, que todas las mujeres corrían de un lado para otro chillando con los brazos al aire. Se iba a calmar el viento. Se calmaba. Le llegaban ahora al oído palabras claras. La que tenía la espalda apoyada al árbol decía —se reía, movía las manos: "Su boca tenía gusto a tabaco y me apretaba tanto el seno... y me apretaba tanto...". El viento sopló fuerte. Le llegaban trocitos de otras palabras y el pentagrama fresco de las risas. Otra se levantó meneando el torso y tarareando una rumba. Con ésta había bailado él una cumbia en la junta de Alba. No quería. Reculaba. Goyo Gancho lo había hecho caer a la rueda. Y había bailado largo. Un borracho le echó a un lado diciendo: "¡Fuera chiquillo baboso!". Ahora ella se meneaba como entonces y cantaba una rumba. Las otras comenzaron a imitarla, cada una por su lado, con la blusita levantada. Y él notaba cómo las blusas iban subiendo poco a poco. A la madrina José María la había visto una noche desnuda. Había entrado en el baño, sin saber, de golpe, y allí estaba la vieja desnudita. "¡Muchacho 'el diablo, cierra la puerta!"

Tenía el alma en cuclillas por eso nuevo, bello y fuerte que veía; porque de entre los círculos del ritmo habían ido saliendo ellas —¡las tres!— desnudas. Por un instante su cabecita fue una veleta sin norte. Se acomodó mejor entre las hojas. Se había calmado el viento. Sentía calor. Goyo Gancho no iba a creer la cosa. —"¡Qué va, hombre!"— Pero sería mejor no decírselo a nadie. De pronto una muchacha cambió el motivo de su juego y de un brinco quedó sobre la curva del árbol. Lo zarandeó un poquito de arriba abajo e hizo el gesto de echarse, pero no se atrevió y bajó de nuevo. A él le venían ahora unas ganas inmensas de bañarse con ellas; de mostrarles un montón de piruetas que sabía; por ejemplo, tirarse del árbol dando dos vueltas en el aire o nadar bajo el agua muchos metros. Nadando bajo el agua se había topado una vez con algo blando. Una culebra acaso o un cocodrilo. El agua estaba turbia. No se veía. Y había salido a tierra despavorido. Quién sabe qué animal era aquél. A poquito no más y se lo come. "Ya ves; eso te pasa por travieso", le había dicho la tía Josefina.

Cogidas de las manos, las muchachas andaban dando vueltas. Y sus cuerpos sudados brillaban bajo el sol. "Cojo una mano, cojo la otra." La noche de San Juan habían hecho en la plaza del pueblo una rueda de treinta personas que giraban alrededor de una gran fogata. Y daba miedo ver cómo brillaban, al resplandor, las caras de los borrachos. Chicha fuerte y arroz a la Juliana en casa de Rita Pacheco. Goyo Gancho se había llevado en su caballo a Rosario Pinto...

Seguían ellas su juego, cantando "... sentadita en su huerta limón". Estaban allí brinca que te brinca y el bicho podía venir. Bueno. Ya las vería él corriendo. Pero, de pronto, sin saber él por qué, las tres muchachas detuvieron su juego y, por el árbol —trampolín seguro— cayeron como frutas, unas tras otra, al agua. Como la orilla era alta, él las dejó de ver. Sólo siguió escuchando el chapaleo y las voces. Podía él desnudarse ahora, sin que lo vieran, y echarse al río de golpe ¿Qué pasaría? De vez en cuando subía una, se trepaba en el árbol y... ¡pundumbum!... se echaba. Por el ruido que alzaban al caer, él notaba que lo hacían mal. Caían al agua de barriga. A él sí tenían que verlo. Ni Goyo Gancho, ni el Culizo que eran tanta fama.

Como seguía sin verlas, la impresión de los cuerpos se diluyó en su mente. Y comenzó a pensar como chiquillo. Comenzó nuevamente a ser muchacho. Y se le fue metiendo entre las cejas un pequeño capricho. ¿Ah, si les escondiera las ropas? El Fulo José Manuel había tenido que irse por entre el monte, desnudito, hasta la finca de Goyo. Todos lo habían sabido en el pueblo. Por eso le decían Fulo Encuero. De veras, era bueno esconderles la ropa. Le habían hecho espantar la paloma. ¡Con la bulla que hacían! Ya no salían afuera. Oía sólo sus gritos y el barullo del agua. El viento sacudía de vez en cuando las ramas. Un remolino de hojas secas y polvo se elevó cerca de él. ¿Cómo esconder la ropa? ¿De una sola carrera, aunque lo vieran, o arrastrándose poco a poco para que no se dieran cuenta? Mejor así. Pero... ¿y si el bicho venía de repente? Todavía no se había movido, y ya se estaba viendo lleno de miedo en la actitud del robo.

Le pasó, cerca, zumbando, la bala de una paloma. Miró el tapón. Muerta ya su inquietud, estaba allí caído a sus pies como una cosa inacabada e inútil. Mañana volvería. Había que preparar mejor la trampa. ¿Qué horas serían? El zapatero estaría ya en casa poniéndole las quejas a la madrina. Pero ella no le pegaba duro. Cuando él llegara, ya estaría ella con el chicote en mano. "¡Ven acá, muchacho! ¿Dónde diablo has estado?" Tía Josefina, siempre quejándose del reuma, saldría en su defensa. "¡Déjalo estar, mujer, estaría por ahí!" Un rebencazo aquí y otro allá, que ni siquiera lo tocaban de lleno, porque él sabía muy bien defenderse, esquivando los golpes que casi siempre caían sobre los muebles. Eso era todo. Lo demás eran gritos. De la madrina, de él y de la tía. Los chillidos de la madrina José María se oían hasta en la casa del señor cura. Y la tía Josefina la cogía al fin con él, pues, con el ajetreo, los dolores del reuma le volvían de fijo... Y si lo molestaba otra vez el Culizo con aquello de "Ven-acá-muchacho" le iba a mandar su golpe. Ya lo tenía cansado.

Un moscardón le zumbó en el oído. "¡Mosca 'el diablo!" Le tiró un manotazo. Eso faltaba, que una mosca viniera a picarlo. De todos modos las ropas tenía que escondérselas. Le habían hecho espantar la paloma. Aunque lo vieran. Eso no le importaba. Y se arrastró un poquito, en-cuatro-patas, muy lentamente. —¡Mucho cuidado!— Sus ojitos viajaban del río a la ropa y de la ropa al río. Seguía oyendo los gritos de las muchachas. Pero no las veía. Se habían dado a otro juego, seguramente, porque sólo veía, de vez en cuando, algo como pelota que hacía arcos en el aire. Oía claro sus voces. "¡A mí, a mí!" Rumor de agua. Zumbidos de viento. "No la tires tan fuerte." Adivinaba a veces, a través de las ramas, una cabeza rubia que pasaba y un chapaleo confuso.

Se iba acercando lentamente a la ropa. Le palpitaba el alma. ¿Si lo veían? El viento levantó nuevamente su remolino de polvo y hojas secas. Cerró los ojos. ¿Si lo veían? ¡El las había mirado desnuditas! ¡Le tendría que confesar esto también al cura? "Acúsome, padre, que..." Oía las voces. "¡Tira aquí, tira aquí!"... "He visto a tres muchachas en cuero". Le zumbó nuevamente el moscardón. "¿Y eso cómo, muchacho?" Era mejor no decirlo. Ni a Goyo Gancho tampoco. Ni al Culizo. Chapaleo, chapaleo. Gritos y viento. Después de todo... "¡oye, no tires fuerte!" Una vez él no había confesado un pecado. ¿Y si el toro venía? Ya las veía corriendo. Y él se veía a sí mismo, en medio de ellas, allá arriba en el árbol. Un chapaleo confuso entre las ramas. ¿Confesaría el pecado? "¡Zambúllete a cogerla, idiota; no la dejes perder!" Veinticuatro avemarías y un

credo, de penitencia. Y además... las blusitas estaban suda-
das. Las aferró en conjunto. Y, cuando iba a volverse atrás
para esconderlas, oyó de pronto el trote fuerte de la bestia
que se acercaba. Era el toro. Era el toro. En un zig-zag de
espanto le pasó la gran bestia por la mente. Enorme.
Embravecida. Mugiente. Y el grito le salió como trueno:

—¡El tooooro! ¡¡¡El toroooo!!!

Soltó la ropa. Huyó por entre el monte. Bala perdida.

Cada estatua desgajó su lamento. Los lamentos se unie-
ron en mazo. Y el viento, por su cuenta, hizo del mazo un
bloque de alaridos. El chapaleo confuso, hecho de espanto,
partió el agua en estelas hasta el árbol. Era el refugio próximo. Y cada una puso en él su inquietud. Se subieron de
un salto, sin percepción exacta de lo que hacían. Se apretu-
jaron, una al lado de la otra. Entre las hojas verdes, los tres
cuerpos desnudos se balancearon un momento chorreando
agua. Ahora sólo eran un racimito de miedos y silencios.

Los pasos de la bestia se acercaban bebiendo suelo. Ni
una palabra. Ni un grito. Ni un lamento. El gran miedo
había puesto su cartel a la entrada del árbol como en los
cines, "No se habla". Sólo se oía la música del viento y el
coro ruso del agua. Los golpes de tambor de las pisadas se
hacían siempre más claros. Con los ojitos puestos en la
pequeña boca del camino, las tres estatuas se apretujaban
cada vez más sobre el árbol. Ya la idea era una sola, un
punto: EL TORO. Ya se sentía cerquita. ¡Iba ya a aparecer!
¡Ya estaba allí! ¡Oh!

No era el toro.

Era el cura del pueblo que venía caballero en su mulita.

¿Cómo doblar la risa en pedacitos para que no saliera?
Ya ellas lo conocían. Era severo. Si las veía desnudas. ¡Virgen Santa! Era un santo señor. Cada domingo hacía un ser-
món larguísimo sobre las buenas costumbres. ¿Y ahora qué
pasaría?

Se bajó de la mula. ¿A qué vendría? Se estaba tan
sabroso en el agua. Sacó de la mochila una gran toalla
blanca y un libro viejo. Los puso al pie del árbol. ¿Vendría
a bañarse? ¿Y eso de cuándo a dónde? ¡Era tan tímido!
Nunca miraba a nadie. Y andaba siempre con los ojos al

suelo como buscando el último pecado para ofrecerlo a Dios.

¡Sí, en efecto! El señor cura venía a bañarse. Miró a un lado y a otro. Y, ya tranquilo, comenzó a desabrocharse muy lentamente la sotana. ¿Cómo amarrar la risa, con qué sogas, para que no saltara desbocándose? ¡Avemaría y el cura de los infiernos! Apareció primero una rarísima camiseta de lana, verde a rayas y agujereada por todas partes. Después el pecho fuerte, lleno de vellos. Y al fin, un muy curioso pantaloncito de baño, tan pequeño, que apenas le cubría lo necesario. Era también a rayas, pero rojas sobre fondo amarillo. Las piernas eran flacas y peludas. Demasiado peludas. ¿Cómo diablos maniatar la risa?

Se sentó al pie del árbol y se puso a leer, tranquilito como si nada, el libro que traía. Sin duda era la Biblia. De vez en cuando miraba a la corriente, y volvía a sumergir, luego, sus ojos en las páginas.

Pero el buen cura no podía concentrarse. Él pensaba que todo le iba mal. Él había cometido algún pecado gravísimo, porque, la noche antes, el demonio lo había vuelto a tentar. Carmela era la causa. Pero, Señor, ¿qué culpa tenía la pobre muchachita de tener buenas formas? No eran sus formas solamente, eran sus ojos verdes. ¿Por qué, cada mañana, cuando venía a traerle el desayuno, se le quedaba ella mirando con esa sumisión de cabra? Ése era su tormento. Cada noche lo tentaba el demonio. Él habría cometido un gran pecado, porque el Señor le había retirado su ayuda. Noche a noche sentía una desazón insostenible. Y no lograba, ni conciliar el sueño, ni apartar de su mente los ojos verdes de aquella criaturita. Pasaba sus vigilias empapado en un sudor frío y pegajoso que le brotaba como la sangre al Cristo. Se había dicho: "Mañana me daré un baño en el río". Y había venido precisamente a esa hora en que el calor hace estar en su casa a todo el mundo. Pero no era oportuno sumergirse enseguida. Estaba sofocado y la emoción del frío podía causarle mal. Había traído un libro, pero no conseguía concentrarse. ¿Cuál era aquel varón —Santo varón— de la Tebaida que sucumbió a la tentación del demonio? Señor, no recordaba... Padre Zósimo no era

Padre Zósimo era aquel que tenía su historia muy entroncada con la de aquella otra gran Santa que se llamó María Egipcíaca. Tampoco era el Santo Francisco de Asís... Ni San Antonio el eremita. Definitivamente no recordaba, o no sabía a ciencia cierta. Con perdón del Señor. Que todas estas cosas las debería saber un buen siervo de Dios. Pero en alguna parte había él leído aquella historia. En la *Leyenda Áurea* seguramente. Tenía que repasarla. Y había también leído en alguna parte unos consejos contra las tentaciones del Maligno. Ayunos y cilicios decían los padres de la Iglesia. ¡Ay, Señor, cómo se adivinaba que ellos no habían vivido en el Trópico! ¡Qué extraño! Una inquietud lo dominaba casi inconscientemente. Tenía abierto su libro, y por más que hacía esfuerzos, no podía percibir exactamente, no podía darse cuenta del texto. Las miradas se le iban siempre al agua. Algo tenían las ondas. ¿Acaso lo tentaba nuevamente el demonio? Pensó en los ojos verdes. ¡Qué laxitud de cabra tenía aquella bendita criatura del Señor! En sus últimas noches, sus sueños habían sido una cruel geometría de líneas dóciles, mórbidas, flexibles. Ancas, senos y piernas de mujeres. Pero ahora no dormía. ¿Por qué en las ondas veía también reflejos de ancas, piernas y senos? Quería mirar de nuevo. Quería cerciorarse. Pero no se atrevía. Sentía en la nuca la mismísima garra del Maligno. "¡Ave gratia plena dominus tecum!" Sintió valor. Hizo un esfuerzo duro, y posó la mirada, casi desfallecida, sobre las ondas. ¡Oh, Señor! ¡Sí, Señor! La geometría infernal estaba allí, de nuevo, como en el sueño. ¡Exacta! Se movían en las ondas, se cruzaban, las líneas dóciles ¡Ancas, piernas y senos de mujeres! "Satanás, vade retro." Se persignó angustiado. Tiró el libro. Se alzó. Cogió su ropa. Y cuando iba a vestirse —¡Alabado sea Dios!— oyó risas agudas, largas, estentóreas, que caían de los árboles. ¡Oh, ya no pudo más! Todos los diablos del infierno habían venido a tentarlo. Y huyó tal como estaba, por el camino lleno de sol. Una nube de polvo y carcajadas lo seguía como un rabo, como una maldición...

MARTA BRUNET
(Chillán, Chile, 1897 - Montevideo, Uruguay, 1967)

L A obra de Marta Brunet se adentra progresivamente en los elementos modernos de la narrativa hispanoamericana. Su primera novela se publica en 1923 y sus obras completas en 1963; cuarenta años de gran productividad. La fina sensibilidad de su narrativa representa una estimulante aportación en el panorama literario de su tiempo. Marta Brunet viajó por Europa entre 1912 y 1914 y luego en 1961, año en que recibe el Premio Nacional de Literatura. Entre 1948 y 1952 ejerce un cargo diplomático en Buenos Aires. Perteneció a varias asociaciones literarias y culturales, realizando una activa labor de difusión. Fue directora de la revista *Familia*. Murió en Uruguay el año que aparecía su libro de cuentos *Soledad de la sangre*, prologado por Ángel Rama. El relato "El espejo" proviene de *Obras completas* (Editorial Zig-Zag, Santiago de Chile, 1963).

El tópico de la degradación de la belleza humana aparecía reiteradamente en la representación artística del medievo. La conciencia sobre el paso efímero de la vida y la preparación para la muerte justificaban la persistencia de este motivo. El cuento "El espejo" nos recuerda la intensidad de esa visión medieval. Las diferencias son también ostensibles. En el cuento de Brunet se trata de una conciencia moderna, compleja, y asediada por continuas voces e introspecciones de orden psicológico y social. El espejo como lago de la conciencia y centro de la escisión; reverso, además del encuentro narcisista: el momento revelador de la destrucción operada por la temporalidad.

EL ESPEJO *

S O B R E la consola el espejo se adosa al muro con bollones de bronce labrado. Lo pusieron allí para que su fría lámina abriera profundidades recónditas al estrecho pasillo hacia el lado del ensueño. Del pasillo aprisionado en la penumbra que media entre la puerta de acceso al departamento y una cortina obscura, tras la cual se supone el comienzo de la intimidad. La luz no entra al abrirse la puerta porque el rellano es ciego, y a su vez las gentes no favorecen la imposible intrusión, apresuradas por irse más allá de la cortina, a esa gran habitación que finaliza con un muro de cristales, balconada florida sobre el aire de un parque.

Del cielo raso del pasillo pende una farola cuyos bronces hacen juego con los bollones del espejo. Permanece perdida en las tinieblas aún más densas del techo, pero solían encenderla "cuando había invitados". Y cómo se obstinaban en evidenciarse las luces en aquellas contadísimas ocasiones, fuera de lo común en ese hogar en que un hombre y una mujer regían pacífica y aisladamente su vida por horas inmutables, ya previsiblemente engranadas en sus correspondientes acontecimientos.

Alguna vez, encendida la luz al azar, el mármol de la consola, la bandeja de plata que allí espera imposibles tarjetas de visitantes y la superficie del espejo aparecen infinitamente desamparados en su respectiva soledad, perdidos

* Reproducido con autorización de la Prorrectoría de la Universidad de Chile, depositaria de los derechos de propiedad intelectual de la escritora Marta Brunet.

277

en el desencuentro de aquella súbita iluminación, como despertados, no de un sueño, sino de un doloroso insomnio interior. Apagada la luz, la penumbra devuelve al pasillo su inexistencia, su condición de tránsito ajeno a lo familiar.

Un día que la mujer repasa lenta y prolija la suavidad de una gamuza sobre el espejo, repara en la mancha. Frota con mayor energía. Piensa en voz alta, como suele hacerlo:

—¡Vaya, por Dios! —demorándose en cada sílaba que tanto tiene de súplica como de anticipada resignación, alargándolas con la misma paciencia que pone en su gesto—. ¡Vaya, por Dios!

Porque aquello no es mancha sobre la faz del espejo, su rebeldía a la suave insistencia de la gamuza lo revela, sino algo más definitivo: falla del azogue, desvaída lepra amarillenta del tiempo que allí esparce sus implacables líquenes.

Enciende la lámpara para mejor observar el defecto. Una escandalosa luz de haces refractarios desnuda súbitamente sus dormidas espadas contra el blanco de las paredes, resbala por la piel fría de la consola por el peto reluciente de la bandeja, y al multiplicarse en el espejo, hace pestañear a la mujer que busca adueñarse de nuevo de su visión.

Es a sí misma a quien halla aprisionada por las estrías rojinegras entre opacidades neblinosas, entre diminutos percudidos que cubren al espejo como calofríos de su superficie. Se queda mirando, mirándose, mirándose, no a sí misma, sino mirándose en aquella extraña, mirando a esa mujer manchada, deshecha, deforme, borrosa como en un mal recuerdo, hundida en un pantano, sí, deforme con la boca abierta, con los ojos despavoridos con que afloran sobre las aguas los ahogados que han perdido entre el légamo del fondo su verdadera figura.

Permanece rígida en la contemplación. A su alrededor el aire se hiela en zonas que van adhiriéndose a su cuerpo hasta formarle un preciso revestimiento de calco. Y no es su propia forma la que el aire ciñe, sino la forma de la otra. Huecos inconfesables, huecos que sólo la muerte puede colmar median entre su ser y el molde que el aire finge en su torno. Sigue mirándose, pero escucha ahora en su interior el

denso silencio de su sangre. Rodeada de frío, inmóvil.
¿Ésa es ella? ¿Ella misma? ¿O una intrusa que hubiera
osado penetrar por la puerta de acceso y aprovecha esa
puerta de un rellano ciego para insinuarse en su destino?
No puede habituarse a su rostro. Despacito, con una precaución que implica miedo a que los músculos no la obe-
dezcan, hace un movimiento, corriéndose de costado. Otra
cara, igualmente ajena a la suya, la mira desde este nuevo
ángulo con idéntico pasmo, al que la ausencia de toda ironía torna insoportable.

Oye el eco de antiguas voces diciendo desvaídas frases.
"¡Qué belleza!" Voces oídas ¿cuándo? Más allá del espejo,
en una lejanía por la que transitaba su sangre niña como un
alborotado torrente secreto. Sí. Allá en el pueblo fluvial de
su infancia, en la época en que su delantal blanco revolo-
teaba por la avenida ribereña al volver de la escuela con el
bolsón de los cuadernos apretado bajo el brazo. Sí. Entonces. La voz única de la madre, la plural e indiferenciada
habla de las tías y el parloteo de las buenas vecinas desbor-
dadas en los batones caseros, anchas de siestas y de bene-
volente indolencia. "¡Qué belleza!"

Y ella corría en busca del espejo para pedirle confirmación de esa belleza, que, de ser cierta, la empavorecía un
poco. Y sólo hallaba unos ojos de azorado terciopelo negro
y las gruesas trenzas obscuras y la boca y la nariz y todo su
rostro moreno hecho de apretada leche y canela. Y continuaba contemplándose sin hallar belleza alguna, esa cosa
terrible que entendía ella como belleza, y que debía abra-
sar el rostro que la soportara.

Sólo sabía que le gustaba estarse silenciosa, que le dieran
obligaciones hogareñas, porque el trajín era una manera de
hurtarse a la escuela y a las gentes, al quehacer tan de su
gusto, tan insensible que se tornaba en un no hacer, en un
ocio animado y feliz que a veces le dejaba sobre la palma
de la mano abierta la levedad de una verde hoja, de un
desamparado pétalo, de una vívida gota de agua.

Sabía eso y que el cuerpo incomodaba con una exube-
rancia que sentía ajena, tropezando con sus desacostumbra-
dos pequeños pechos, con sus pesadas rebeldes creencias

agobiadoras, descompasada con el juego aún torpe de sus caderas empeñadas en insinuar un idioma incomprensible. Sí. Todo eso era misterioso e inquietante. Descubrir algo ajeno aflorar de sí misma, como ciertas inflexiones de su propia voz de súbito asordada, reclamo de una vieja sabiduría que estaba allí, mucho antes de que ella naciera, que su sangre percibía al mismo tiempo que pintaba de rojo sus mejillas y encendía la frescura de ascua de su boca. "¡Qué belleza!" Belleza de niña, de muchachita, de joven, de mujer ya cabal. Belleza realzada por la transparencia con que era inadvertida, intacta por no haber sido goce de su propia dueña, ofrecida sin mácula para el asombro y la alegría de quienes la contemplaban.

Nadie sabe cómo —ella lo sabe menos que nadie— un día un hombre se sitúa a su lado, tranquilo, naturalmente, sin sobresaltos, pero también sin dudas, como llega la siesta tras el frescor de la mañana. Y otro día ya ese hombre tiene el distintivo natural de marido, fructificación de aquella otra palabra: novio, que tampoco supo cómo ni cuándo tuvo su origen. Todo va sucediendo con esa serena fluencia no exenta de recóndita majestad de ciertos destinos, en los que cada estación encuentra la justa correspondencia de su clima. Es feliz. Tiene un marido. Tiene una casa. No tiene hijos, y como no los tiene, no los ambiciona. No hay dolor en esa ausencia. No hay ausencia siquiera. Es que su vida tenía que ser así: su afán está en el presente y el presente es inviolable: no puede ser sino como es. Lo vive intensamente, en profundidad, con la sabiduría específica de su condición de mujer. Tiene un marido, tiene un hogar. A su hora sabe para qué sirve el cuerpo y cómo por la red de sus nervios puede fulgurar el instantáneo pez del placer, dejándose entrever en su deslumbramiento la lejanía de sus límites interiores.

¿Cómo habían pasado los años? Lo ignora. ¿Es que realmente habían pasado? Aquel lento deshojar de almanaques sucesivos, aquel arrancar las hojas que levemente estrujadas por sus manos iban a parar al cesto de los papeles, ¿tenía alguna relación íntima con ella? ¿No era algo desconectado con su ser, mecánico, desprovisto de toda eficacia frente a

la persistencia de su identidad? Pero las horas que parecen
volar dispersas arrastran tras de sí a los días, y de pronto se
advierte que tantos días han formado un año. Y mientras
¡pasan tantas cosas! Nunca grandes cosas, eso no. Las grandes cosas siempre tienen algo desvergonzado en su evidencia. Pero los mínimos acontecimientos, como las lentas
lloviznas, inadvertidamente calan hasta lo hondo. Y cosas
pequeñas se suceden.

Ya no se vive en una pensión, sino en la buhardilla de
una gran casa. Y después en un departamento. Y se compran muebles. Y se compran más muebles. Y se añaden
algunas chucherías con las que antes ni se soñaba. Y hoy es
un reloj de pulsera. Y mañana un abrigo de pieles.

Parsimoniosamente crece la cuenta de la caja de ahorros.
Sí. Porque se prospera, y a un ascenso sigue otro. Y eso que
no se advierte, es eso que de advertirse se llamaría felicidad. Cada hora entraña una obligación. Todo tiene en la
casa el secreto ritmo de los vegetales, cuya savia circula sin
latidos, lentísima, manteniendo el verdor del follaje y la
tersura del fruto. Cuando se queda sola están los quehace-
res, y cuando está el marido existe una atmósfera llena de
cálidos puntitos luminosos en que la ternura resplandece
mágicamente a través de la costumbre.

Sonríen. Conversan.

¿De qué hablan? De esas mil menudencias que no es
necesario ni escuchar siquiera, de los mínimos detalles coti-
dianos, tanto de la oficina como de la casa, en monólogos
que se interfieren sin llegar a unificarse en diálogo. Porque
el secreto está en prescindir del sentido utilitario de las
palabras, en usarlas tan sólo para oír y hacerse oír, como un
contacto verbal.

Eso era antes. Hace ya tiempo el silencio insinuó su lenta
marejada, cada una de cuyas olas fue ganando imperceptible pero irrevocablemente terreno, socavando la convivencia
cia. ¿Qué han hablado hoy durante el almuerzo? Él ha
dicho:

—Otra vez llegó tarde ese Gutiérrez. Ya no se puede
más con él.

—Deberías dejarte de contemplaciones y decírselo al jefe.

—Es muy fácil aconsejar eso: pero cuando se piensa que
tiene mujer y tantos hijos...

Ella ha callado ante el argumento repetidamente eficaz,
porque eso se ha dicho esta mañana, como se dijo antes de
ayer y la semana pasada. Infinitamente ese Gutiérrez incu-
rrirá en su falta, como un tedioso fantasma al que no es posible arrancar de su destino; reiteradamente será perdonado en
gracia a la mujer desvanecida detrás de la neblina del impreciso número de hijos. Lo han repetido tantas veces, con igual
tono, con semejantes palabras, que ya no significa siquiera
una defensa contra el silencio, sino una forma de callar en voz
alta. Y así todo, aun de esos temas baladíes, hablan cada vez
menos que antes, que ese "antes" lleno de acontecimientos
tan infinitesimales que sólo pueden diferenciarse en que se
produjeron en la pieza de la pensión, en la buhardilla de la
gran casa o en este departamento. Como los tres consabidos
escenarios de las comedias en tres actos que suelen ir a ver los
domingos por la tarde. Pero lo que pasa en los tres escenarios
de su propia vida es tan monótono que no podría hacerse una
comedia con todo ello. No... Ni un drama tampoco.

Mueve la cabeza dentro de su molde de hielo, y los ojos
que han estado mirándose y no viéndose se prenden de
nuevo sorprendidos a la imagen que flota entre esas densas
aceitosas aguas.

Allí hay una mujer desconocida que la observa. No,
no es ella la que contempla a esa mujer desconocida, sino que
es la desconocida quien la mira a ella, a la que ella cree
que es. Una mujer gorda, con los ojos inexpresivos de
betún sin lustre, de alquitrán, de cualquiera materia espesa
y opaca. Debajo de cada uno de ellos hay una media
moneda en una bolsita de piel muy fina, amarillenta, incon-
tablemente rayada. Y la flaccidez de las mejillas rebasa
sobre el cuello en doble comba, unificándose en la doble
papada. Y los pechos, otrora increíbles, derrumbados sobre
el vientre. Caída, toda ella caída en un desmoronamiento
informe, de grasa desparramada, de carne rebelde a toda
arquitectura ocultando en sus densidades el esquema ideal
de sus huesos, en cuya muerte aún persiste paradójicamente
la finura de la muchachita.

—¡Vaya, por Dios! —repite, e insiste en frotar el espejo aunque tiene ya conciencia de la absoluta inutilidad de su gesto.

Algo levanta el eco de morosos diálogos pretéritos:

—Sería bueno que te compraras un vestido.

—Para lo que salgo...

—De todas maneras. Deberías cuidarte un poco más de tu apariencia.

Súbitamente desentraña ahora la expresión con que el marido se la quedó mirando, con mirada que no iba de los ojos de él hacia ella, sino hacia más adentro, buscando algo que no alcanzó a ver, porque debió atender las tostadas que se pasaban de punto en la cocina. Pero ahora comprende la falsedad de la palabra "apariencia" aplicada a una mujer. Que es mucho más que apariencia, que puede ser lo más dramático de su realidad. Ahora sabe que su marido estaba mirando a esa que está ahí, en el espejo, tratando de resucitar en ese esperpento a la que ella creía seguir siendo, la que suscitaba las pretéritas voces de la admiración pueblerina: "¡Qué belleza!". La certidumbre de la vejez la penetra de pronto con su relente maligno, emanado de las detenidas aguas del espejo. No siente ya que sea una desconocida quien la mira desde su fondo, sino que es ella, ella misma, súbitamente desposeída del encanto que no supo defender contra el tiempo; ella, a la que hay que comprar un vestido para disimular las deformidades, y también arrebolarle las fláccidas mejillas y teñirle piadosamente las canas. También, ¿por qué no?

Un gesto le enarca la boca y un insidioso escalofrío recorre su imagen. Se queda instantáneamente endurecida, cual si la alcanzara la solidificación del espejo, con la sensación de que no logrará jamás un movimiento. Algo tiembla en su interior y repercute dolorosamente en su corazón. A su ritmo asordado la sangre se precipita por el intrincado ramaje de sus arterias. Aprieta los dientes conteniendo la respiración, tensa cada fibra de su cuerpo. Luego, con brusquedad, aspira el aire, jadeante, y por un momento logra tranquilizar el corazón, devolviéndolo a su ser habitual. Mira reposadamente los ojos de su imagen que le devuelve con idéntica calma su mirada. Y es por allí, por esa mirada, por donde el miedo penetra en ella, colmando su pecho, extendiéndose tumultuoso, anegándola toda. Terrible miedo irrazonado, miedo puro, no sabe a qué, acaso a sí misma. Miedo puro inexorable. Girar de paisajes sumergidos, y en central remolino su cara, la de ella, la de la otra, enfrentadas en única soledad, con los ojos de ahogada aferrándose a ella, tironeando de ella hacia el fondo de pavorosas honduras.

Tiende los brazos con las manos abiertas buscando no ver su imagen, y tropieza con las manos de la otra, que adhieren a sus palmas buscando su apoyo para saltar fuera de las inmóviles aguas.

—¡No quiero! —grita—. ¡No quiero! —Las palabras rebotan sobre el cristal a la par que sus manos, ahora empuñadas en frenético trabajo de destrucción, en mágica impotencia para desvanecer un terrible conjuro.

Jadea, caen sus brazos derrumbados por el cansancio. Espera para recobrar el aliento. Agarra la bandeja de plata. Por un segundo la costumbre le devuelve el orgullo que el peso de su noble metal le proporciona. Pero eso es sólo un ramalazo del pasado. La empuña y golpea, golpea tensa, eficaz, trabados los dientes, empecinada, pega contra la lámina del espejo que fracasa en ángulos en dispersas luces desmoronadas, en filudo estrépito. E insiste en cada trozo, minuciosamente en cada astilla.

Muele aún, con mecánico brío, a la hora en que se abre la puerta, porque es la hora en que debe ser abierta, y da paso al estupor del marido.

GUILLERMO MENESES
(Caracas, Venezuela, 1911 - 1978)

L A novedosa obra narrativa de Guillermo Meneses se publicó en las décadas de los treinta, cuarenta y cincuenta, con lo cual se adelantaba en muchos años a otras obras contemporáneas de la narrativa hispanoamericana, erróneamente consideradas como pioneras en este sentido. La dirección de la narrativa de Meneses es vanguardista, aspecto que no se da de modo parejo en su obra, como lo prueba la publicación de una novela sin mayores renovaciones como *Campeones* en 1939. Al mismo tiempo, es difícil separar estrictamente su obra en dos fases, puesto que incluso en su primera producción se puede estudiar la audacia con que su escritura expresa la vivencia de la modernidad en Hispanoamérica. El cuento que antologamos, escrito en París en 1958, fue incluido en la compilación *Diez cuentos* en 1968 junto con otros relatos igualmente extraordinarios tales como "La balandra 'Isabel' llegó esta tarde", "Tardío regreso a través de un espejo" y "La mano junto al muro".

El cuento "El destino es un Dios olvidado" es una de las más desafiantes representaciones artísticas en el género sobre el distorsionante resultado de una Historia concebida unívocamente. Con un lenguaje poético proveniente de los ritos de una civilización antigua se plasma el conflicto entre dos sistemas de valores y religiones, contienda en la que la posesión de la verdad sólo puede ser relativa al principio de ideas que la ha creado.

Guillermo Meneses estudió ciencias políticas, carrera de la que se graduó en 1936, siete años después de haber

285

estado encarcelado por protestar contra la dictadura de Juan Vicente Gómez. Ejerció como juez, periodista y representante diplomático de su nación en París y Bruselas. La magnífica y contundente producción de Guillermo Meneses —cuento, novela, teatro, ensayo, crónica y crítica literaria— fue galardonada en 1967 con el Premio Nacional de Literatura.

EL DESTINO
ES UN DIOS OLVIDADO *

E C H A D O en la estera de finas fibras, quieto entre los
lienzos que le trajo Bravo el servidor, indio Vencido revisa
sus recuerdos, se recoge en las huellas de su propia existencia, se esconde en los rincones de su infancia y su juventud.

Las imágenes de los dioses lo acompañan con absoluta
claridad, como si escuchara aún las palabras de los ancianos
que guiaban sus primeros pasos sobre la tierra, como si
mirara los gestos de los sacerdotes, la mano, tinta en sangre
de los sacrificios, tendida hacia las figuras sagradas: plumas
del viento, piedra azul del agua, lengua roja del fuego,
esmeralda inquieta y nerviosa del lagarto ancestral.

Todos esos signos vuelven a ser netos y perfectos, como
si nunca los hubiera olvidado, como si hubieran sido almendra permanente de la vida y no adorno del pensamiento,
línea inventada por el eco de las voces respetadas.

No ha podido dormir durante mucho tiempo, aunque tampoco puede afirmar que está despierto. Tal vez le han dado a
beber el zumo de las yerbas que pesa en el hueco de los ojos
y detrás de la cabeza. El dolor que le ha dejado la tortura le
hace imposible lo mismo el descanso que la actividad y así ha
pasado muchos días adormilado y, sin embargo, listo para
observar exactamente las sombras que se acercan desde el
oscuro mundo en el cual cae su peso.

* Reproducido con autorización de Monte Ávila Editores,
Caracas, Venezuela. *Diez Cuentos: antología de Guillermo Meneses*. Caracas: Monte Ávila Editores, C. A., 1968, pp. 177-189.

Hace unas semanas vino Bravo, el servidor que fue siempre guardián seguro, amigo, hermano tal vez, hijo de la sierva a quien gustaba adornarse de plumas, la que sabía cocinar ungüentos y preparar los platos delicados; la que —a veces— era llamada a compartir el lecho del padre.

Bravo vino a lavar su cuerpo, a cuidarlo. Trajo vestidos, agua, una pequeña jarra llena de caldo donde la madre había cocido las yerbas y las tierras que cierran las heridas y evitan que la carne del hombre se convierta en podredumbre: el remedio que hace limpia y sana la piel adolorida.

Bravo lo lavó minuciosamente mientras le decía palabras de rabia y le aseguraba para pronto el regreso al ejercicio del poder, al derecho a pronunciar las palabras que crean hechos. Lo alentaba diciendo que nadie ordena lavar a un prisionero para darlo luego a la muerte, que no se hace limpio y fresco un cuerpo si se quiere romperlo y entregarlo a las fuerzas de la noche, a las alas y las garras que engendra la sombra.

Pensó replicar a estos razonamientos. Decir que ni él ni Bravo sabían nada de las costumbres de los vencedores y que nada se oponía a que éstos pudiesen creer conveniente dejar puro de toda suciedad un cuerpo y hasta adornarlo con los colores y los brillos de diversos barros, de plumas y metales distintos, con la intención de ofrecer así una lujosa víctima a aquel dios absurdo formado por dos trozos de madera cruzados.

Eso quiso decir, pero no llegó al esfuerzo necesario para formar las palabras. Se limitó a sonreír y a quejarse un poquito, cuando Bravo, al pasar por su carne el paño húmedo, rozaba sin querer los bordes de la herida inflamada, con la flor amarilla del pus sobre la roja hendidura donde la sangre se había secado.

Era una dolorosa quemadura la que brotaba del sitio roto (un poco más abajo de la tetilla izquierda, como en un intento de abrir el camino de la fuente roja) y tenía que morderse la lengua para no gritar perdón ni chillar las incoherencias que suelen soltar los hombres cuando les castiga la emponzoñada carne.

Bravo decía:

—Grita. No importa. Es tu servidor y tu amigo el único que te escucha. Te juro que los enemigos pagarán todo. Al que te vejó ayer —el vestido color de tabaco, el que parece ser guardián del dios hecho de palos cruzados— le voy a arrancar el corazón y lo quemaré ante el Gran Lagarto. Pero antes va a sufrir con los trocitos de oro entre las uñas, con la espina del cardón en la orilla de los ojos. Va a caminar sobre brasas antes de que le quiebre el espinazo. Va a llorar.

A Vencido le parecían triviales las razones de Bravo. Ninguna importancia podía dar a esas palabras de honrado macho que saborea su venganza y la muerte entre los colmillos.

Cuando ya estuvo fresco por el contacto de los paños húmedos, habló a Bravo con vago cariño: le dijo que estaban todos a la merced de los enemigos vencedores y que sólo se podía esperar resultados diversos en cuanto fuera la cólera o fuera la compasión la que dirigiera los actos de los extranjeros que ocupaban la ciudad.

Dijo Vencido:

—Recuerda el Canto del Viento y de la Lluvia. Habla con Fino el alfarero que ha hecho para mí la figura en barro adornada de piedras azules. Él sabe que lo que está sucediendo es inevitable. Desde hace mucho tiempo, los sacerdotes repiten que la victoria acompañará a los que vienen del lado de la aurora. Los extranjeros tienen el color de la mañana, cuando las nubes tapan el sol.

Bravo enfureció; dijo, seco y respetuoso y triste:

—Los cantos antiguos sólo tienen fuerza cuando los hombres pierden la voluntad. Cuando el corazón flaquea, el pensamiento inventa canciones. Bravo mordía sus frases de hombre rabioso mientras hacía las reverencias de la despedida.

Vencido —jefe herido y prisionero— quedó en la penumbra del calabozo, entre los lienzos húmedos y tibios. Siente el calor de fuera como una manta más sobre la piel. Está fatigado y sereno como si su espíritu estuviera detenido apenas por el límite de la carne, por la delgada materia oscura que cubre los músculos. Bajo las uñas pálidas y amarillentas, cierto frío indeciso.

Piensa que va a morir. No le inquieta la idea de la Muerte. Está seguro ahora de que morirá serenamente y de que su pueblo recordará a lo largo de las generaciones las palabras y los gestos que compondrán los instantes de su agonía. Las gentes morenas unirán esos momentos a las leyendas sagradas. Recitarán el cuento de su despedida como parte de los poemas que narran el nacimiento de la nación y la creación de la ciudad. Las palabras que diga mientras luchan entre sus huesos los pájaros de la Muerte y las llamas de la Vida, serán semejantes a las que relatan las hazañas de los dioses antiguos y el encuentro con el Gran Lagarto.

Piensa que va a morir el prisionero Vencido y se prepara. Inventa el sonido de su adiós; los gestos últimos y definitivos. Los alzarán sobre su muerte como una tela suspendida en la brisa de la tarde, entre los fuegos del crepúsculo.

Quiere pensar en las diversas formas que pudieran dar a su muerte. Si los pálidos enemigos razonaran de manera semejante a la que tiene el pueblo moreno para considerar estos negocios, su muerte sería la que tantas veces ha ordenado dar a los jefes vencidos en guerra. El sacerdote (en este caso, el del sayal color de tabaco) abriría de un tajo una buena puerta noble para sacar el corazón y quemarlo en honor del Gran Lagarto, el que tiene pluma y escama, rabo y ágiles patas y lengua erguida y ojo vigilante. Para el caso de los vencedores de hoy, el Dios sería —nada más— los dos trocitos de madera: un pequeño dios terrible y oscuro en su insignificancia.

Pero podría suceder cosa distinta. Hay pueblos que fabrican con su crueldad ritos violentos, juegos de sangre y atropello, gentes para las que la Muerte debe ser dolorosa y degradante, llena de brillos rojos y de negra ansiedad; pueblos para los cuales la Muerte es la Gran Prostituta, la que pide el precio de un hombre y espera —seca, dura, enemiga, sonriente— su victoria sobre los deseos, la evidencia del sacrificio derramada sobre su vientre fulgurante, gozosamente intacto y exigente.

Podría suceder que los vencedores quisieran ofrecer un espectáculo, una fiesta, un gran juego, una ceremonia ritual, a sus guerreros cansados. Podría suceder que presentaran al vencido como víctima y le hundieran muy despacio en el costado una lanza calentada sobre carbones del templo.

Hace algún tiempo comenzaron algo parecido a esto.

Vencido guarda aún viva la herida, roja como el fruto del cardón, que señala el sitio donde nace la sangre. Cuando acercaron la lanza al lugar del corazón, se abrió la carne angustiada para sorber aquella terrible punzada de dolor y de asco. Cree que sostuvo la mirada con serena altivez para echar su desprecio sobre quienes le causaban daño tan poco noble. Seguramente es cierto. Si no hubiera actuado como jefe merecedor de respeto, Bravo no habría venido a cuidarlo y a demostrar ante él su rabia como sólo se hace entre amigos.

(Los extranjeros discutieron, al parecer, el método de tortura aplicable a un jefe vencido. No continuaron ese primer intento. No sabe Vencido si consideraron execrable ese sistema o poco cargado de dolor o incompatible con la condición de guerrero y magistrado. Ha creído comprender que los extranjeros suponen que a uno de sus dioses lo hicieron sufrir antes de morir el suplicio de la lanza; ha creído comprender que ese dios es el mismo cuyo signo se encierra en los dos trozos de madera.)

Vencido, prisionero, piensa en las diversas frases que ha de decir ante las diferentes formas de su muerte.

Cree que sabrá morir. Duda si ha vivido también de manera ejemplar. Desearía que su obra de gobernante —el acueducto de la ciudad, la organización del taller de cerámicas, los estatutos de los que trabajan la piedra, la colección de los viejos cánticos y el orden de las figuras de los dioses y de los antepasados, la fijación de los precios en los mercados y en las ferias— fuera respetada de igual manera que su última voz.

Está tranquilo y cansado.

Después de los cuidados que Bravo le hiciera han ido desapareciendo las imágenes que pasaban de la certeza del sueño a la incierta sombra de la vigilia a medias: la piedra azul del agua, las lenguas del fuego, las plumas del viento, la escama del Lagarto que se pinta de fango, han terminado su camino en el pensamiento de Vencido.

También han desaparecido aquellas peludas figuras de monos que jugaban con tizones y hacían bailar entre sus largos dedos negros una piedra encendida; los monos de risa estridente que mostraban, sostenida en la punta de un hilo la candela de un cristal, repleto de luz como la plaza entera en día de mercado, como el lago en la tarde, como el cielo en el oro del sol, como una gota de agua en el filo de una hoja, como una brasa, como un cristal cualquiera.

Está cansado Vencido. Casi feliz, a veces. Diría gustosamente algunos de los antiguos cánticos, pero las palabras se le escapan de la boca y sólo dice viento, agua, piedra, arena, mientras piensa en la ciudad primitiva, la que los antepasados fundaron al lado de la laguna, en el sitio donde se congregaban los lagartos verdes en torno a la gran esmeralda del Lagarto ancestral.

Cuando Bravo vino a lavar sus heridas en la prisión, le habló de venganza y de triunfo. Su descanso soñoliento fue despejándose de las figuras de los dioses, de los inquietos demonios de la fiebre, de los monos saltarines que jugaban con las luces del mundo y eran burla y dolor dentro de su propio cuerpo destrozado.

No sabe Vencido cuánto tiempo ha pasado entre la penumbra del sueño mientras su carne iba cerrando la entrada que abrió el hierro de la lanza.

De una noche cualquiera de su cansancio surgió de pronto una rabiosa flor de gritos, un ardiente flechazo de algazara.

Parecía que en algún barrio lejano (a su entender, donde se reúnen los comerciantes del sur, los que venden plumas y colmillos de fieras y las piedras verdes donde se esculpen los lagartos de los collares sacerdotales; los que ofrecen venenos de serpientes y diversos aceites y yerbas que curan o enferman) se había iniciado una gran fiesta, una intensa reunión de las que hacen correr en el aire la voz del pueblo, adornada de brillos como un pájaro, como un plato de cerámica, como un montón de frutas, como una lluvia de estrellas, como una piedra de fuego caída en las aguas de la noche.

Creyó entender Vencido que se había iniciado una gran fiesta y que, probablemente, la tumultuosa alegría de los vendedores había degenerado en riña y clamor. (Los hombres del Sur suelen hacer desagradables escenas de embriaguez y desorden cuando vienen a la ciudad a vender sus misterios y a llevarse el recuerdo de una noche. Discuten y hablan los del Sur; no entienden la mesura de los de la ciudad; no saben sacar el cuchillo en silencio y herir sin hablar.)

Como en correspondencia secreta con el ruido de fuera, la prisión se pobló de movimientos y de susurros y de choque de hierros. La fiesta (se alegró el corazón de Vencido por primera vez desde hacía mucho tiempo y se hizo duro su sentimiento) era en realidad combate y los vencedores extranjeros estaban inquietos de miedo y zozobra. Se oía el grito de sus armas; corrían los guardas de un lado a otro según órdenes distintas. El guerrero que tiene en la cara pelos rojos de mono se detuvo ante la puerta de la celda y dijo a Vencido:

—Mírame bien. Para que me conozcas y puedas decir que nunca te causé daño.

Voces y luces ocuparon durante mucho tiempo el mundo. Había incendios (parpadeaba un resplandor de llama hasta en la sombra de la celda) y la grita crecía y se desparramaba para alzarse de nuevo en lejanos sitios. Fue mucho tiempo como una gran hoguera de calor y de ruido que luego se desmenuzó en fogones aislados. Hacia la madrugada, sólo hubo como una pequeña llama que creciera aquí y allá entre la ceniza de la quietud.

Con la primera luz del día llegó la calma. Un silencio tan grande que en él cabía —en un mínimo de su enorme callar— la caída de una gota de agua. Daba sed aquello.

Pronto se acercaron pasos de gente armada. Los invasores gritaban de nuevo, pero ya no había choque ni combate; apenas, de cuando en cuando, un suspiro de dolor, un ay frenado por la voluntad. En su angustiosa ansia, Vencido se enorgullece al saber que su pueblo sabe callar el filo de su rabia para clavarlo de una vez en la odiada gente. Una voz apenas más alta que la conversación entre amigos dice que ha muerto un extranjero. Vencido aguza el oído para el rumor de fuera, como esfuerza los ojos para tener la débil lumbre que es el eco de la mañana entre las paredes de su calabozo.

Los guerreros enemigos regresaban a la prisión. Entre la seguridad de las paredes usaban sus palabras como si dejaran en libertad los animales de su altanería y empujaban con su voz, con sus manos, a los que ya no se les oponían. Dos hombres fueron entrados violentamente a la celda de Vencido. Un poco más tarde la voz de Fino —el artesano que hace las jarras de tierra colorada— pintó en la memoria su figura.

Dijo Fino:

—Estamos vencidos.

Natural que fuera la palabra de un hombre como Fino la que afirmara verdad tan evidente, verdad que alguien quería negar. Debía de ser mozo enredado en sus primeros juegos de guerra el que respondió.

—Está vencido siempre el que acepta su derrota.

Fino insistió tranquilo:

—Digo vencidos. No muertos.

Fino sabe hablar; por algo recita los antiguos poemas mientras sus dedos dan al barro las formas de las jarras y de los platos que colorea con dibujos eternos: con los signos de los dioses.

Ante la puerta, iluminada por una gran llama, se detuvo el enemigo que parece un mono rojo. Con la mano derecha tocó su frente, su pecho, el hombro izquierdo, el hombro derecho como si se cubriera con la absurda imagen de ese objeto que ellos adoran: los dos palos cruzados. Miró hacia adentro; escudriñó la celda donde apenas se distinguían las tres sombras tiradas en el suelo. Los nuevos prisioneros tenían olor de tristeza sangrienta, de sudoroso dolor. El mono rojo escupió; soltó alguna injuria, se fue entre sus hierros. Quedaron las tres sombras vencidas.

—¿Qué ha pasado? —preguntó Vencido.

Fino comprendió quién preguntaba.

—Sucedió, Señor, que nos olvidamos un instante de que somos esclavos vencidos.

—Yo soy guerrero —dijo la otra sombra— y moriré en combate para tener derecho a volar entre la luz del sol. Además, ¿por qué le dices "señor"?

Y respondió Fino:

—Porque es nuestro único Señor.

Una gran tristeza llenó la oscuridad de la celda. El corazón de los heridos sonaba junto con la lejana gota de agua en la quietud de la cárcel, en el silencio de la ciudad.

—Perdón, perdón. No sabía —dijo el guerrero.

—Ya no hay señor —dijo Vencido.

—No todos creen igual —insistió la voz joven.

Era el más amargo reproche. El mozo no aceptaba que Vencido se negara a sí mismo y pretendiera dejar vacío su sitio. Cuando Vencido preguntó por Bravo, la voz joven contestó con desagrado:

—Peleando estuvo, como todos. Listo para morir, como todos. Por creer que hay un Señor.

—Yo estoy herido y prisionero —dijo Vencido.

—Bravo está muerto. Pero fue jefe una hora y esa hora la victoria fue nuestra y tuvo tiempo Bravo para ofrecer al Gran Lagarto el corazón del guardián del Dios extranjero, el que se atrevió a insultarte. Llevó al hombrecito del sayal pardo hasta el altar del Lagarto. Ahora, Bravo está muerto y ya se apoyan en su cuerpo los pájaros que gustan de la podredumbre. Lo han colgado en mitad de la plaza.

Fino interrumpió.

—Extraños estos hombres. No han celebrado sacrificios. Rompen, destrozan, avergüenzan, exponen los cadáveres en la plaza.

—Estamos solos. Las ciudades amigas se han rendido.

—Necesitamos un jefe. Un jefe verdadero. El que sepa vencer desde la orilla de la Muerte.

Vencido concedió:

—Mi voluntad está quebrada por la angustia y por la incertidumbre.

—Señala sucesor.

—No sé cuál de mis hermanos está vivo. Tendría que consultar con los ancianos.

Por fin entró luz en la celda. Saludó Vencido a Fino y éste le respondió en su máscara de cansancio, con sonrisa clavada junto a la marca roja de una herida. El artesano fabricaba algo entre sus dedos. A su lado estaba el joven guerrero, dormido al parecer, con muchas manchas de sangre y de golpes y una línea sangrienta en la frente.

—¿Qué haces, Fino? —preguntó Vencido.

—Hago una figura con tierra y saliva y un poco de sangre: el Gran Lagarto.

—¿Cómo se llama el joven?

—Pájaro me llamo —dijo el que fingía dormir— y cuando muera en combate volaré entre la luz del sol junto a Bravo mi jefe. Mi Señor.

Bravo está muerto. Fino y Pájaro y los otros —cuyos nombres no existen— han sido colocados debajo de la tierra o en los nichos oscuros de las prisiones o en las ignoradas tareas que no admiten revueltas ni gritos.

Vencido, en cambio, ha sido trasladado a los lujosos departamentos del palacio que puede seguir teniendo como suyo. Ha vuelto a dirigir las ceremonias oficiales y juzga los asuntos y litigios como antes de la llegada de los extranjeros; pero, cuando actúa y decide, uno de los jefes vencedores está presente y es necesario comunicarle en su lengua un resumen del asunto tratado y de la decisión. El extranjero podrá oponerse si considera injusta la sentencia.

En realidad, el representante de los invasores ha ejercido pocas veces ese derecho. Es hombre curioso de las costumbres de los vencidos, cuidadoso de señalar las diferencias entre lo que estima justo el pueblo moreno y los usos del país de donde vinieron ellos, los extraños.

Se comprenden bien Vencido y el testigo de los vencedores; es raro que éste pida explicaciones de un texto a los traductores que anuncian el resultado de las deliberaciones. Vencido es, solamente, un intérprete más respetado que los otros. Tiene derecho a una pequeña reverencia.

Momentos hay para el respetado intérprete en los que la vergüenza le calienta las orejas y siente como si se detuviera su sangre. Le molesta la certeza de estar vivo, de comer, de dormir, de haber llegado a pedir una mujer para sus noches.

(Se ha creído poderoso en el instante del amor, dueño de la oscura tierra humilde de la ocasional compañera —capaz, ella también, de otro poder oscuro en la común comedia de la embustera ternura. Engañados los dos por el espectáculo de darse uno al otro como si fueran libres.)

Está vivo. Siente asco de sí mismo, porque está vivo. Ayer sorprendió su propia risa al escuchar un chiste del capitán de los guardias extranjeros —el de los rojos pelos de mono— y sintió bochorno, náuseas de haber reído.

Sabe que la Muerte —una de esas tantas muertes que pudo imaginar como lección, ejemplo y leyenda de su pueblo— sería el único gesto que arreglaría la insignificante existencia que ha aceptado. Pero sabe también que ya no podrá escoger muerte alguna.

Ha sido perezoso y cobarde.

—Todavía —en raros momentos de esperanza— desea creer que sabrá decidir la hora de su solemne desaparición. Cuando un hombre se desprecia a sí mismo, el efímero encuentro con una forma de esperanza es el engaño que le permite soportarse un poco más, siempre un poco más.

Hace algunos días le vino la idea de que la mujer que le conceden como compañera —una de las que fuera sirvienta del Palacio, caída luego en prostituta de los soldados extranjeros, amarga y sonriente de rencor porque le han golpeado como a un perro vagabundo— pudiera quedar preñada de un oscuro hijo para quien la vida sería nada más que odio y desprecio.

Casi insoportable esa terrible posibilidad.

Sin embargo, aunque asediado por todos los fantasmas de la vergüenza y de la tristeza, Vencido retarda el instante de su muerte voluntaria. Se defiende de sí mismo, diciéndose que sólo ha de morir cuando haya examinado los acontecimientos que produjeron su aparatosa caída desde el brillante sitio del poder a la sucia realidad de la derrota.

Ha obtenido una flecha envenenada y la guarda siempre al alcance de la mano como indispensable apoyo, como señal de rango. Cuando despide a la mujer cuyo goce le conceden, coloca la flecha a su lado, en el sitio que ha dejado libre la amarga prostituta que le acompaña en el amor. Allí queda la flecha, esposa delgadísima, con su carga de sueño en la afilada cabeza. Como si señalara el centro de su ansiedad, el aguijón se acerca a la marca que adorna el costado de Vencido, a la ya cerrada puerta de su corazón. Es una uña sagrada tinta en sangre, igual al gesto de los sacerdotes que señalaban las figuras sagradas: pluma del viento, piedra azul del agua, viva lengua del fuego, esmeralda inquieta del lagarto ancestral.

Echado en la estera, Vencido revisa sus recuerdos, se recoge en las huellas de su propia existencia. Como cualquiera otro de sus dioses olvidados, su destino de gloria no significa más que un adorno de piedra. La forma verdadera de la vida es una palabra extranjera obligatoria y vergonzosa.

MARÍA LUISA BOMBAL
(Viña del Mar, Chile, 1910 - 1980)

L A narrativa de María Luisa Bombal, producida primor-
dialmente en las décadas de los treinta y de los cuarenta,
impacta por la continua vigencia de una contemporaneidad
que denota la concepción moderna de su discurso literario.
El proceso de encuentro de una nueva escritura, iniciado
con el modernismo hispanoamericano, alcanzaría un sorprendente grado de intensificación en la producción vanguardista hispanoamericana de los años veinte y treinta,
época en la que María Luisa Bombal escribe sus novelas y
cuentos. Asociar la disposición experimental del lenguaje
con la realización de la vanguardia resulta en una comprensión parcial del curso abierto por el vanguardismo en
Hispanoamérica. La obra de la escritora chilena encuentra
la creatividad más medular de la estética vanguardista en el
arribo de una peculiar atmósfera narrativa en la que con-
curren integral y naturalmente la visión onírica y la poética.
Obra profundamente transformadora, además, en su rebelión a la univocidad genérica tanto literaria como social. La
fina movilidad de lo fantástico y la compleja trama de símbolos que interconectan espacios y personajes en la selección que incluimos en esta antología ha dado lugar a
sugerentes interpretaciones dedicadas a este relato como
las de Gabriela Mora, "Rechazo del mito en 'Las islas nuevas'", Marjorie Agosín, "'Las islas nuevas' o la violación de
lo maravilloso" o los análisis en los libros de Hernán Vidal
y Lucía Guerra-Cunningham, ensayos incluidos en la sección bibliográfica de este libro.

María Luisa Bombal realiza sus estudios secundarios y universitarios en París, ciudad en la que vive con su madre entre los doce y los veintiún años. Regresa a Chile en 1931, donde permanece sólo dos años; sale a Buenos Aires, motivada por la estadía allí de Pablo Neruda y la presencia de un escenario creativo renovador en el que figuraban escritores como Jorge Luis Borges, Norah Lange, Oliverio Girondo y Victoria Ocampo. En esta etapa de su vida publica sus conocidas novelas *La última niebla* y *La Amortajada* y algunos de sus originales cuentos, entre los que destacan "Las islas nuevas" y "El árbol". La fase siguiente de la vida de la escritora transcurre en Nueva York donde vive entre 1941 y 1973, año en el que fallece su segundo esposo y que ocasiona el regreso de la escritora a su ciudad natal en Chile. La vida de María Luisa Bombal ha sido objeto de perspicaces ensayos entre los que cabe mencionar los de Marjorie Agosín, Lucía Guerra-Cunningham y el fascinante libro de Ágata Gligo, *María Luisa: sobre la vida de María Luisa Bombal*. La escritora chilena no fue distinguida con el Premio Nacional de Literatura, aduciéndose la pobrísima excusa de la brevedad de su obra; injusto comentario que no pudo silenciar, sin embargo, el poder misterioso de su estética y el logro de una obra cuya audacia imaginativa abrió tempranamente novísimas direcciones en la narrativa hispanoamericana.

LAS ISLAS NUEVAS *

T O D A la noche el viento había galopado a diestra y
siniestra por la pampa, bramando, apoyando siempre sobre
una sola nota. A ratos cercaba la casa, se metía por las ren-
dijas de las puertas y de las ventanas y revolvía los tules del
mosquitero.

A cada vez Yolanda encendía la luz, que titubeaba, resis-
tía un momento y se apagaba de nuevo. Cuando su hermano entró en el cuarto, al amanecer, la encontró
recostada sobre el hombro izquierdo, respirando con dificultad y gimiendo.

—¡Yolanda! ¡Yolanda!

El llamado la incorporó en el lecho. Para poder mirar a
Federico separó y echó sobre la espalda la oscura cabellera.

—Yolanda, ¿soñabas?

—Oh, sí, sueños horribles.

—¿Por qué duermes siempre sobre el corazón? Es malo.

—Ya lo sé. ¿Qué hora es? ¿Adónde vas tan temprano y
con este viento?

—A las lagunas. Parece que hay otra isla nueva. Ya van
cuatro. De "La Figura" han venido a verlas. Tendremos
gente. Quería avisarte.

Sin cambiar de postura Yolanda observó a su hermano

* © Farrar, Straus & Giroux, Inc.: "Las islas nuevas" de María
Luisa Bombal. "New Islands" from *New Islands and Other Stories*
by María Luisa Bombal. Originally published in Spanish in *La
última niebla,* copyright© 1976 by Editorial Orbe, Santiago de
Chile. Reprinted by permission of Farrar, Straus & Giroux, Inc.

—un hombre canoso y flaco—, al que las altas botas ajustadas prestaban un aspecto juvenil. ¡Qué absurdos los hombres! Siempre en movimiento, siempre dispuestos a interesarse por todo. Cuando se acuestan dejan dicho que los despierten al rayar el alba. Si se acercan a la chimenea permanecen de pie, listos para huir al otro extremo del cuarto, listos para huir siempre hacia cosas fútiles. Y tosen, fuman, hablan fuerte, temerosos del silencio como de un enemigo que al menor descuido pudiera echarse sobre ellos, adherirse a ellos e invadirlos sin remedio.

—Está bien, Federico.

—Hasta luego.

Un golpe seco de la puerta y ya las espuelas de Federico suenan alejándose sobre las baldosas del corredor. Yolanda cierra de nuevo los ojos y delicadamente, con infinitas precauciones, se recuesta en las almohadas, sobre el hombro izquierdo, sobre el corazón; se ahoga, suspira y vuelve a caer en inquietos sueños. Sueños de los que, mañana a mañana, se desprende pálida, extenuada, como si se hubiera batido la noche entera con el insomnio.

Mientras tanto, los de la estancia "La Figura" se habían detenido al borde de las lagunas. Amanecía. Bajo un cielo revuelto, allá, contra el horizonte, divisaban las islas nuevas, humeantes aún del esfuerzo que debieron hacer para subir de quien sabe qué estratificaciones profundas.

—¡Cuatro, cuatro islas nuevas! —gritaban.

El viento no amainó hasta el anochecer, cuando ya no se podía cazar.

Do, re, mi, fa, sol, la, si, do... Do, re, mi, fa, sol, la, si, do...

Las notas suben y caen, trepan y caen redondas y límpidas como burbujas de vidrio. Desde la casa achatada, a lo lejos entre los altos cipreses, alguien parece tender hacia los cazadores, que vuelven, una estrecha escala de agua sonora.

Do, re, mi, fa, sol, la, si, do...

—Es Yolanda que estudia —murmura Silvestre. Y se detiene un instante como para ajustarse mejor la carabina al hombro, pero su pesado cuerpo tiembla un poco.

Entre el follaje de los arbustos se yerguen blancas flores

que parecen endurecidas por la helada. Juan Manuel alarga
la mano.

—No hay que tocarlas —le advierte Silvestre—; se
ponen amarillas. Son las camelias que cultiva Yolanda
—agrega sonriendo—. "Esa sonrisa humilde, ¡qué mal le
sienta!", piensa malévolo Juan Manuel. Apenas deja su
aire altanero se ve que es viejo.

Do, re, mi, fa, sol, la, si, do... Do, re, mi, fa, sol, la, si, do...

La casa está totalmente a oscuras, pero las notas siguen
brotando regulares.

—Juan Manuel, ¿no conoce usted a mi hermana
Yolanda?

Ante la indicación de Federico, la mujer, que envuelta
en la penumbra está sentada al piano, tiende al desconocido una mano que retira en seguida. Luego se levanta,
crece, se desenrosca como una preciosa culebra. Es muy
alta y extraordinariamente delgada. Juan Manuel la sigue
con la mirada, mientras silenciosa y rápida enciende las primeras lámparas. Es igual que su nombre: pálida, aguda, y
un poco salvaje —piensa de pronto. Pero, ¿qué tiene de
extraño? ¡Ya comprendo! —reflexiona— mientras ella se
desliza hacia la puerta y desaparece: unos pies demasiado
pequeños. Es raro que pueda sostener un cuerpo tan largo
sobre esos pies tan pequeños.

...¡Qué estúpida comida esta comida entre hombres,
entre diez cazadores que no han podido cazar y que devo-
ran precipitadamente, sin tener siquiera una sola hazaña de
qué vanagloriarse! ¿Y Yolanda? ¿Por qué no preside la
cena ya que la mujer de Federico está en Buenos Aires?
¡Qué extraña silueta! ¿Fea? ¿Bonita? Liviana, eso sí, muy
liviana. Y esa mirada oscura y brillante, ese algo agresivo,
huidizo... ¿A quién, a qué se parece?

Juan Manuel extiende la mano para tomar su copa.
Frente a él Silvestre bebe y habla y ríe fuerte, y parece
desesperado.

Los cazadores dispersan las últimas brasas a golpes de
pala y de tenazas; echan cenizas y más cenizas sobre los
múltiples ojos de fuego que se empeñan en resurgir, coléri-
cos. Batalla final en el tedio largo de la noche. Y ahora el

pasto y los árboles del parque los envuelven bruscamente
en su aliento frío. Pesados insectos aletean contra los cristales del farol que alumbra el largo corredor abierto. Sostenido por Juan Manuel, Silvestre avanza hacia su cuarto
resbalando sobre las baldosas lustrosas de vapor de agua,
como recién lavadas. Los sapos huyen tímidamente a su
paso para acurrucarse en los rincones oscuros.

En el silencio, el golpe de las barras que se ajustan a las
puertas parece repetir los disparos inútiles de los cazadores
sobre las islas. Silvestre deja caer su pesado cuerpo sobre el
lecho, esconde su cara demacrada entre las manos y resue-
lla y suspira ante la mirada irritada de Juan Manuel. Él, que
siempre detestó compartir un cuarto con quien sea, tiene
ahora que compartirlo con un borracho, y para colmo con
un borracho que se lamenta.

—Oh, Juan Manuel, Juan Manuel...

—¿Qué le pasa, don Silvestre? ¿No se siente bien?

—Oh, muchacho. ¡Quién pudiera saber, saber, saber!...

—¿Saber qué, don Silvestre?

—Esto —y acompañando la palabra con el ademán, el
viejo toma la cartera del bolsillo de su saco y la tiende a
Juan Manuel.

—Busca la carta. Léela. Sí, una carta. Ésa, sí. Léela y
dime si comprendes.

Una letra alta y trémula corre como humo, desbordando
casi las cuartillas amarillentas y manoseadas. *Silvestre: No
puedo casarme con usted. Lo he pensado mucho, créame.
No es posible, no es posible. Y sin embargo, le quiero, Silvestre, le quiero y sufro. Pero no puedo. Olvídeme. En balde
me pregunto qué podría salvarme. Un hijo tal vez, un hijo
que pesara dulcemente dentro de mí siempre; ¡pero siempre!
¡No verlo jamás crecido, despegado de mí! ¡Yo apoyada
siempre en esa pequeña vida, retenida siempre por esa presencia! Lloro, Silvestre, lloro: y no puedo explicarle nada
más. YOLANDA.*

—No comprendo —balbucea Juan Manuel, preso de un
súbito malestar.

—Yo hace treinta años que trato de comprender. La
quería. Tú no sabes cuánto la quería. Ya nadie quiere así,

Juan Manuel... Una noche, dos semanas antes de que
hubiéramos de casarnos, me mandó esta carta. En seguida
me negó toda explicación y jamás conseguí verla a solas.
Yo dejaba pasar el tiempo. "Esto se arreglará", me decía.
Y así se me ha ido pasando la vida...

—¿Era la madre de Yolanda, don Silvestre? ¿Se llamaba
Yolanda, también?

—¿Cómo? Hablo de Yolanda. No hay más que una. De
Yolanda que me ha huido de nuevo esta noche. Esta noche,
cuando la vi, me dije: tal vez ahora que han pasado tantos
años, Yolanda quiera, al fin, darme una explicación. Pero
se fue, como siempre. Parece que Federico trata también
de hablarle, a veces, de todo esto. Y ella se echa a temblar,
y huye, huye siempre...

Desde hace unos segundos el sordo rumor de un tren ha
despuntado en el horizonte. Y Juan Manuel le oye insistir
a la par que el malestar que se agita en su corazón.

—¿Yolanda fue su novia, don Silvestre?

—Sí. Yolanda fue mi novia, mi novia...

Juan Manuel considera fríamente los gestos desordena-
dos de Silvestre, sus mejillas congestionadas, su pesado
cuerpo de sesentón mal conservado. ¡Don Silvestre, el viejo
amigo de su padre, novio de Yolanda!

—Entonces, ¿ella no es una niña, don Silvestre?

Silvestre ríe estúpidamente.

El tren allá en un punto fijo del horizonte parece que se
empeñara en rodar y rodar un rumor estéril.

—¿Qué edad tiene? —insiste Juan Manuel.

Silvestre se pasa la mano por la frente tratando de contar.

—A ver, yo tenía en esa época veinte, no, veintitrés...

Pero Juan Manuel apenas le oye, aliviado momentáneamente por una consoladora reflexión. "¡Importa acaso la
edad cuando se es tan prodigiosamente joven!"

—... ella por consiguiente debía tener...

La frase se corta en un resuello. Y de nuevo renace en
Juan Manuel la absurda ansiedad que lo mantiene atento
a la confidencia que aquel hombre medio ebrio deshilvana
desatinadamente. ¡Y ese tren a lo lejos, como un movimiento en suspenso, como una amenaza que no se cumple!

Es seguramente la palpitación sofocada y continua de ese tren lo que lo enerva así. Maquinalmente, como quien busca una salida, se acerca a la ventana, la abre, y se inclina sobre la noche. Los faros del expreso que jadea y jadea allá en el horizonte rasgan con dos haces de luz la inmensa llanura.

—¡Maldito tren! ¡Cuándo pasará! —rezonga fuerte.

Silvestre, que ha venido a tumbarse a su lado en el alféizar de la ventana, aspira el aire a plenos pulmones y examina las dos luces, fijas a lo lejos.

—Viene en línea recta, pero tardará una media hora en pasar —explica—. Acaba de salir de Lobos.

"Es liviana y tiene unos pies demasiado pequeños para su alta estatura."

—¿Qué edad tiene, don Silvestre?

—No sé. Mañana te diré.

Pero ¿por qué? —reflexiona Juan Manuel—. ¿Qué significa ese afán de preocuparme y pensar en una mujer que no he visto sino una vez? ¿Será que la deseo ya? El tren. ¡Oh, ese rumor monótono, esa respiración interminable del tren que avanza obstinado y lento en la pampa!

¿Qué me pasa? —se pregunta Juan Manuel—. Debo estar cansado —piensa—, al tiempo que cierra la ventana.

Mientras tanto, ella está en el extremo del jardín. Está apoyada contra la última tranquera del monte, como sobre la borda de un buque anclado en la llanura. En el cielo, una sola estrella, inmóvil; una estrella pesada y roja que parece lista a descolgarse y hundirse en el espacio infinito. Juan Manuel se apoya a su lado contra la tranquera y junto con ella se asoma a la pampa sumida en la mortecina luz saturnal. Habla. ¿Qué le dice? Le dice al oído las frases del destino. Y ahora la toma en sus brazos. Y ahora los brazos que la estrechan por la cintura tiemblan y esbozan una caricia nueva. ¡Va a tocarle el hombro derecho! ¡Se lo va a tocar! Y ella se debate, lucha, se agarra al alambrado para resistir mejor. Y se despierta aferrada a las sábanas, ahogada en sollozos y suspiros.

Durante un largo rato se mantiene erguida en las almohadas, con el oído atento. Y ahora la casa tiembla, el espejo oscila levemente, y una camelia marchita se desprende por la corola y cae sobre la alfombra con el ruido blando y pesado con que caería un fruto maduro.

Yolanda espera que el tren haya pasado y que se haya cerrado su estela de estrépito para volverse a dormir, recostada sobre el hombro izquierdo.

¡Maldito viento! De nuevo ha emprendido su galope aventurero por la pampa. Pero esta mañana los cazadores no están de humor para contemporizar con el viento. Echan los botes al agua, dispuestos al abordaje de las islas nuevas que allá, en el horizonte, sobrenadan defendidas por un cerco vivo de pájaros y espuma. Desembarcan orgullosos, la carabina al hombro; pero una atmósfera ponzoñosa los obliga a detenerse casi en seguida para enjugarse la frente. Pausa breve, y luego avanzan pisando, atónitos, hierbas viscosas y una tierra caliente y movediza. Avanzan tambaleándose entre espirales de gaviotas que suben y bajan graznando. Azotado en el pecho por el filo de un ala, Juan Manuel vacila. Sus compañeros lo sostienen por los brazos y lo arrastran detrás de ellos. Y avanzan aún, aplastando bajo las botas frenéticos pescados de plata que el agua abandonó sobre el limo. Más allá tropiezan con una flora extraña: son matojos de coral sobre los que se precipitan ávidos. Largamente luchan por arrancarlos de cuajo, luchan hasta que sus manos sangran. Las gaviotas los encierran en espirales cada vez más apretadas. Las nubes corren muy bajas desmadejando una hilera vertiginosa de sombras. Un vaho a cada instante más denso brota del suelo. Todo hierve, se agita, tiembla. Los cazadores tratan en vano de mirar, de respirar. Descorazonados y medrosos, huyen.

Alrededor de la fogata, que los peones han encendido y alimentan con ramas de eucalipto, esperan en cuclillas el día entero a que el viento apacigüe su furia. Pero, como para exasperarlos, el viento amaina cuando está oscureciendo.

Do, re, mi, fa, fa bemol, la, si, do... De nuevo aquella escala tendida hasta ellos desde las casas. Juan Manuel aguza el oído.

Do, re, mi, fa, sol, la, si, do... Do, re, mi, fa, fa bemol... fa, fa bemol, fa bemol, fa bemol, fa bemol... Aquella nota intermedia y turbia bate contra el corazón de Juan Manuel y lo golpea ahí donde lo había golpeado y herido por la mañana el ala del pájaro salvaje. Sin saber por qué se levanta y echa a andar hacia esa nota que a lo lejos repiquetea sin cesar, como una llamada.

Ahora salva los macizos de camelias. El piano calla bruscamente. Corriendo, casi penetra en el sombrío salón.

La chimenea encendida, el piano abierto... Pero Yolanda, ¿dónde está? Más allá del jardín, apoyada contra la última tranquera como sobre la borda de un buque anclado en la llanura. Y ahora se estremece porque oye gotear a sus espaldas las ramas bajas de los pinos removidas por alguien que se acerca a hurtadillas. ¡Si fuera Juan Manuel!

Vuelve pausadamente la cabeza. Es él. Él en carne y hueso esta vez. ¡Oh, su tez morena y dorada en el atardecer gris! Es como si lo siguiera y lo envolviera siempre una flecha de sol. Juan Manuel se apoya a su lado, contra la tranquera, y se asoma con ella a la pampa. Del agua que bulle escondida bajo el limo de los vastos potreros empieza a levantarse el canto de las ranas. Y es como si desde el horizonte la noche se aproximara agitando millares de cascabeles de cristal.

Ahora él la mira y sonríe. ¡Oh, sus dientes apretados y blancos! Deben de ser fríos y duros como pedacitos de hielo. ¡Y esa oleada de calor varonil que se desprende de él, y la alcanza y la penetra de bienestar! ¡Tener que defenderse de aquel bienestar, tener que salir del círculo que a la par que su sombra mueve aquel hombre tan hermoso y tan fuerte!

—Yolanda... —murmura. Al oír su nombre siente que la intimidad se hace de golpe entre ellos. ¡Qué bien hizo en llamarla por su nombre! Parecería que los liga ahora un largo pasado de deseo. No tener pasado. Eso era lo que los cohibía y los mantenía alejados.

—Toda la noche he soñado con usted, Juan Manuel, toda la noche...

Juan Manuel tiende los brazos; ella no lo rechaza. Lo obliga sólo a enlazarla castamente por la cintura.

—Me llaman... —gime de pronto, y se desprende y escapa. Las ramas que remueve en su huida rebotan erizadas, arañan el saco y la mejilla de Juan Manuel que sigue a una mujer, desconcertado por vez primera.

Estaba de blanco. Sólo ahora que ella se acerca a su hermano para encenderle la pipa, gravemente, meticulosamente —como desempeñando una pequeña ocupación cotidiana— nota que lleva traje largo. Se ha vestido para cenar con ellos. Juan Manuel recuerda entonces que sus botas están llenas de barro y se precipita hacia su cuarto.

Cuando vuelve al salón encuentra a Yolanda sentada en el sofá, de frente a la chimenea. El fuego enciende, apaga y enciende sus pupilas negras. Tiene los brazos cruzados detrás de la nuca, y es larga y afilada como una espada, o como... ¿cómo qué? Juan Manuel se esfuerza en encontrar la imagen que siente presa y aleteando en su memoria.

—La comida está servida.

Yolanda se incorpora, sus pupilas se apagan de golpe. Y al pasar le clava rápidamente esas pupilas de una negrura sin transparencia, y le roza el pecho con su manga de tul, como un ala. Y la imagen afluye por fin al recuerdo de Juan Manuel, igual que una burbuja a flor de agua.

—Ya sé a qué se parece usted. Se parece a una gaviota.

Un gritito ronco, extraño, y Yolanda se desploma largo a largo y sin ruido sobre la alfombra. Reina un momento de estupor, de inacción; luego todos se precipitan para levantarla, desmayada. Ahora la transportan sobre el sofá, la acomodan en los cojines, piden agua. ¿Qué ha dicho? ¿Qué le ha dicho?

—Le dije... —empieza a explicar Juan Manuel; pero calla bruscamente, sintiéndose culpable de algo que ignora, temiendo, sin saber por qué, revelar un secreto que no le pertenece. Mientras tanto Yolanda, que ha vuelto en sí, suspira oprimiéndose el corazón con las dos manos como después de un gran susto. Se incorpora a medias, para extenderse nuevamente sobre el hombre izquierdo. Federico protesta.

—No. No te recuestes sobre el corazón. Es malo.

Ella sonríe débilmente, murmura: "Ya lo sé. Déjenme". Y hay tanta vehemencia triste, tanto cansancio en el ademán con que los despide, que todos pasan sin protestar a la habitación contigua. Todos, salvo Juan Manuel que permanece de pie junto a la chimenea.

Lívida, inmóvil, Yolanda duerme o finge dormir, recostada sobre el corazón. Juan Manuel espera anhelante un gesto de llamada o de repudio que no se cumple.

Al rayar el alba de esta tercera madrugada los cazadores se detienen, una vez más, al borde de las lagunas por fin apaciguadas. Mudos, contemplan la superficie tersa de las aguas. Atónitos, escrutan el horizonte gris.

Las islas nuevas han desaparecido.

Echan los botes al agua. Juan Manuel empuja el suyo con una decisión bien determinada. Bordea las viejas islas sin dejarse tentar como sus compañeros por la vida que alienta en ellas; esa vida hecha de chasquidos de alas y de juncos, de arrullos y pequeños gritos, y de ese leve temblor de flores de limo que se despliegan sudorosas. Explorador minucioso, se pierde a lo lejos y rema de izquierda a derecha, tratando de encontrar el lugar exacto donde tan sólo ayer asomaban cuatro islas nuevas. ¿Adónde estaba la primera? Aquí. No, allí. No, aquí, más bien. Se inclina sobre el agua para buscarla, convencido sin embargo de que su mirada no logrará jamás seguirla en su caída vertiginosa hacia abajo, seguirla hasta la profundidad oscura donde se halla confundida nuevamente con el fondo de fango y de algas.

En el círculo de un remolino, algo sobreflota, algo blando, incoloro: es una medusa. Juan Manuel se apresura a recogerla en su pañuelo, que ata luego por las cuatro puntas.

Cae la tarde cuando Yolanda, a la entrada del monte, retiene su caballo y les abre la tranquera. Ha echado a andar delante de ellos. Su pesado ropón flotante se engancha a ratos en los arbustos. Y Juan Manuel repara en que monta a la antigua, vestida de amazona. La luz declina por segundos, retrocediendo en una gama de azules. Algunas urracas de larga cola vuelan graznando un instante y se acurrucan luego en racimos apretados sobre las desnudas ramas del bosque ceniciento.

De golpe, Juan Manuel ve un grabado que aún cuelga en el corredor de su vieja quinta de Adrogué: una amazona esbelta y pensativa, entregada a la voluntad de su caballo, parece errar desesperanzada entre las hojas secas y el crepúsculo. El cuadro se llama "Otoño", o "Tristeza"... No recuerda bien.

Sobre el velador de su cuarto encuentra una carta de su madre, *Puesto que tú no estás, yo le llevaré mañana las orquídeas a Elsa* —escribe. Mañana. Quiere decir hoy. Hoy hace, por consiguiente, cinco años que murió su mujer. ¡Cinco años ya! Se llamaba Elsa. Nunca pudo él acostumbrarse a que tuviera un nombre tan lindo. "... ¡Y te llamas Elsa...!" —solía decirle en la mitad de un abrazo, como si aquello fuera un milagro más milagroso que su belleza rubia y su sonrisa plácida. ¡Elsa! ¡La perfección de sus rasgos! ¡Su tez transparente detrás de la que corrían las venas —finas pinceladas azules! ¡Tantos años de amor! Y luego aquella enfermedad fulminante. Juan Manuel se resiste a pensar en la noche en que, cubriéndose la cara con las manos para que él no la besara, Elsa gemía: "No quiero que me veas así, tan fea... ni aún después de muerta. Me taparás la cara con orquídeas. Tienes que prometerme...".

No, Juan Manuel no quiere volver a pensar en todo aquello. Desgarrado, tira la carta sobre el velador sin leer más adelante.

El mismo crepúsculo sereno ha entrado en Buenos Aires, anegando en azul de acero las piedras y el aire, y los árboles de la plaza de la Recoleta espolvoreados por la llovizna glacial del día.

La madre de Juan Manuel avanza con seguridad en un laberinto de calles muy estrechas. Con seguridad. Nunca se ha perdido en aquella intrincada ciudad. Desde muy niña la enseñaron a orientarse en ella. He aquí su casa. La pequeña y fría casa donde reposan inmóviles sus padres, sus abuelos y tantos antepasados. ¡Tantos, en una casa tan estrecha! ¡Si fuera cierto que cada uno duerme aquí solitario con su pasado y su presente; incomunicado, aunque flanco a flanco! Pero no, no es posible. La señora deposita un instante en el suelo el ramo de orquídeas que lleva en la mano y busca la llave en su cartera. Una vez que se ha persignado ante el altar, examina si los candelabros están bien lustrados, si está bien almidonado el blanco mantel. En seguida suspira y baja a la cripta agarrándose nerviosamente a la barandilla de bronce. Una lámpara de aceite cuelga del techo bajo. La llama se refleja en el piso de mármol negro y se multiplica en las anillas de los cajones alineados por fechas. Aquí todo es orden y solemne indiferencia.

Fuera empieza a lloviznar nuevamente. El agua rebota en las estrechas callejuelas de asfalto. Pero aquí todo parece lejano: la lluvia, la ciudad, y las obligaciones que la aguardan en su casa. Y ahora ella suspira nuevamente y se acerca al cajón más nuevo, más chico, y deposita las orquídeas a la altura de la cara del muerto. Las deposita sobre la cara de Elsa. "Pobre Juan Manuel" —piensa. En vano trata de enternecerse sobre el destino de su nuera. En vano. Un rencor del que se confiesa a menudo persiste en su corazón a pesar de las decenas de rosarios y las múltiples jaculatorias que le impone su confesor.

Mira fijamente el cajón deseosa de traspasarlo con la mirada para saber, ver, comprobar... ¡Cinco años ya que murió! Era tan frágil. Puede que el anillo de oro liso haya rodado ya de entre sus frívolos dedos desmigajados hasta el hueco de su pecho hecho cenizas. Puede, sí. Pero, ¿ha muerto? No. Ha vencido, a pesar de todo. Nunca se muere enteramente. Ésa es la verdad. El niño moreno y fuerte continuador de la raza, ese nieto que es ahora su única razón de vivir, mira con los ojos azules y cándidos de Elsa.

Por fin, a las tres de la mañana Juan Manuel se decide a levantarse del sillón junto a la chimenea, donde con desgano fumaba y bebía medio atontado por el calor del fuego. Salta por encima de los perros dormidos contra la puerta y echa a andar por el largo corredor abierto. Se siente flojo y cansado, tan cansado. "¡Antenoche Silvestre, y esta noche yo! Estoy completamente borracho" —piensa. Silvestre duerme. El sueño debió haberlo sorprendido de repente porque ha dejado la lámpara encendida sobre el velador.

La carta de su madre está todavía allí, semiabierta. Una larga postdata escrita de puño y letra de su hijo lo hace sonreír un poco. Trata de leer. Sus ojos se nublan en el esfuerzo. Porfía y descifra al fin: *Papá. La abuelita me permite escribirte aquí. Aprendí tres palabras más en la geografía nueva que me regalaste. Tres palabras con la explicación y todo, que te voy a escribir aquí de memoria.*

AEROLITO: *Nombre dado a masas minerales que caen de las profundidades del espacio celeste a la superficie de la Tierra. Los aerolitos son fragmentos planetarios que circulan por el espacio y que...*

¡Ay!, murmura Juan Manuel, y sintiéndose tambalear se arranca de la explicación, emerge de la explicación deslumbrado y cegado como si hubieran agitado ante sus ojos una cantidad de pequeños soles.

HURACÁN: *Viento violento e impetuoso hecho de varios vientos opuestos que forman torbellinos.*

¡Este niño! —rezonga Juan Manuel. Y se sienta transido de frío, mientras grandes ruidos le azotan el cerebro como colazos de una ola que vuelve y se revuelve batiendo su flanco poderoso y helado contra él.

HALO: *Cerco luminoso que rodea a veces la Luna.* Una ligera neblina se interpone de pronto entre Juan Manuel y la palabra anterior, una neblina azul que flota y lo envuelve blandamente. ¡Halo! —murmura—, ¡halo! Y algo así como una inmensa ternura empieza a infiltrarse en todo su ser con la seguridad, con la suavidad de un gas. ¡Yolanda! ¡Si pudiera verla, hablarla! Quisiera, aunque más no fuese, oírla respirar a través de la puerta cerrada de su alcoba. Todos, todo duerme. ¡Qué de puertas, sigiloso y protegiendo con la mano la llama de su lámpara, debió forzar o abrir para atravesar el ala del viejo caserón! ¡Cuántas habitaciones desocupadas y polvorientas donde los muebles se amontonaban en los rincones, y cuántas otras donde, a su paso, gentes irreconocibles suspiran y se revuelven entre las sábanas! Había elegido el camino de los fantasmas y de los asesinos. Y ahora que ha logrado pegar el oído a la puerta de Yolanda no oye sino el latir de su propio corazón. Un mueble debe, sin duda alguna, obstruir aquella puerta por el otro lado; un mueble muy liviano, puesto que ya consiguió apartarlo de un empellón. ¿Quién gime? Juan Manuel levanta la lámpara; el cuarto da primero un vuelco y se sitúa luego ante sus ojos, ordenado y tranquilo.

Velada por los tules de un mosquitero advierte una cama estrecha donde Yolanda duerme caída sobre el hombro izquierdo, sobre el corazón; duerme envuelta en una cabellera oscura, frondosa y crespa, entre la que gime y se debate. Juan Manuel deposita la lámpara en el suelo, aparta los tules del mosquitero y la toma de la mano. Ella se aferra de sus dedos, y él la ayuda entonces a incorporarse sobre las almohadas, a refluir de su sueño, a vencer el peso de esa cabellera inhumana que debe atraerla hacia quién sabe qué tenebrosas regiones.

Por fin abre los ojos, suspira aliviada y murmura: Gracias.

—Gracias —repite. Y fijando delante de ella unas pupilas sonámbulas explica—: ¡Oh, era atroz! Estaba en un lugar atroz. En un parque al que a menudo bajo en mis sueños. Un parque. Plantas gigantes. Helechos altos y abiertos como árboles. Y un silencio atroz. Un silencio verde como el del cloroformo. Un silencio desde el fondo del cual se aproxima un ronco zumbido que crece y se acerca. La muerte, es la muerte. Y entonces trato de huir, de despertar. Porque si no despertara, si me alcanzara la muerte en ese parque, tal vez me vería condenada a quedarme allí para siempre. Es atroz, ¿verdad?

Juan Manuel no contesta, temeroso de romper aquella intimidad con el sonido de su voz. Yolanda respira hondo y continúa:

—Dicen que durante el sueño volvemos a los sitios donde hemos vivido antes de la existencia que estamos viendo ahora. Yo suelo también volver a cierta casa criolla. Un cuarto, un patio, un cuarto y otro patio con una fuente en el centro. Voy y...

Enmudece bruscamente y lo mira.

Ha llegado el momento que él tanto temía. El momento en que lúcida, al fin, y libre de todo pavor, se pregunta cómo y por qué está aquel hombre sentado a la orilla de su lecho. Aguarda resignado el: "¡Fuera!" imperioso y el ademán solemne con el cual se dice que las mujeres indican la puerta en esos casos. Y no. Siente de golpe un peso sobre el corazón. Yolanda ha echado la cabeza sobre su pecho.

Atónito, Juan Manuel permanece inmóvil. ¡Oh, esa sien delicada, y el olor a madreselvas vivas que se desprende de aquella impetuosa mata de pelo que le acaricia los labios! Largo rato permanece inmóvil. Inmóvil, enternecido, maravillado, como si sobre su pecho se hubiera estrellado, al pasar, un inesperado y asustadizo tesoro.

¡Yolanda! Ávidamente la estrecha contra sí. Pero ella entonces grita, un gritito ronco, extraño, y le sujeta los brazos. Él lucha enredándose entre los largos cabellos perfumados y ásperos. Lucha hasta que logra asirla por la nuca y tumbarla brutalmente hacia atrás.

Jadeante, ella revuelca la cabeza de un lado a otro y llora. Llora mientras Juan Manuel la besa en la boca, mientras le acaricia un seno pequeño y duro como las camelias que ella cultiva. ¡Tantas lágrimas! ¡Cómo se escurren por sus mejillas, apresuradas y silenciosas! ¡Tantas lágrimas! Ahora corren hasta el hueco de la almohada y hasta el hueco de su ruda mano de varón crispada bajo el cuello sometido.

Desembriagado, avergonzado casi, Juan Manuel relaja la violencia de su brazo.

—¿Me odia, Yolanda?

Ella permanece muda, inerte.

—Yolanda. ¿Quiere que me vaya?

Ella cierra los ojos como si se desmayara de pronto. "Váyase", murmura.

Ya lúcido, se siente enrojecer y un relámpago de vehemencia lo traspasa nuevamente de pies a cabeza. Pero su pasión se ha convertido en ira, en desagrado. Las maderas del piso crujen bajo sus pasos mientras toma la lámpara y se va, dejando a Yolanda hundida en la sombra.

Al cuarto día, la neblina descuelga a lo largo de la pampa sus telones de algodón y silencio; sofoca y acorta el ruido de las detonaciones que los cazadores descargan a mansalva por las islas, ciega a las cigüeñas acobardadas y ablanda los largos juncos puntiagudos que hieren.

Yolanda. ¿Qué hará?, se pregunta Juan Manuel. ¿Qué hará mientras él arrastra sus botas pesadas de barro y mata a los pájaros sin razón ni pasión? Tal vez esté en el huerto buscando las últimas fresas o desenterrando los primeros rábanos: *Se los toma fuertemente por las hojas y se los desentierra de un tirón, se los arranca de la tierra oscura como rojos y duros corazoncitos vegetales.* O puede aún que, dentro de la casa, y empinada sobre el taburete arrimado a un armario abierto, reciba de manos de la mucama un atado de sábanas recién planchadas para ordenarlas cuidadosamente en pilas iguales. ¿Y si estuviera con la frente pegada a los vidrios empañados de una ventana acechando su vuelta? Todo es posible en una mujer como Yolanda, en esa mujer extraña, en esa mujer tan parecida a... Pero Juan Manuel se detiene como temeroso de herirla con el pensamiento.

De nuevo el crepúsculo. El cazador echa una mirada por sobre la pampa sumergida tratando de situar en el espacio el monte y la casa. Una luz se enciende en lontananza a través de la neblina, como un grito sofocado que deseara orientarlo. La casa. ¡Allí está! Aborda en su bote la orilla más cercana y echa a andar por los potreros hacia la luz, ahuyentando, a su paso, el manso ganado de pelaje primorosamente rizado por el aliento húmedo de la neblina. Salva alambrados a cuyas púas se agarra la niebla como el vellón de otro ganado. Sortea las anchas matas de cardos que se arrastran plateadas, fosforescentes, en la penumbra; receloso de aquella vegetación a la vez quemante y helada. Llega a la tranquera, cruza el parque y el jardín con sus macizos de camelias; desempaña con su mano enguantada el vidrio de la ventana y abre a la altura de sus ojos dos estrellas, como en los cuentos.

Yolanda está desnuda y de pie en el baño, absorta en la contemplación de su hombro derecho.

En su hombro derecho crece y se descuelga un poco hacia la espalda algo liviano y blando. Un ala. O más bien un comienzo de ala. O mejor dicho un muñón de ala. Un pequeño miembro atrofiado que ahora ella palpa cuidadosamente, como con recelo.

El resto del cuerpo es tal cual él se lo había imaginado. Orgulloso, estrecho, blanco.

Una alucinación. Debo haber sido víctima de una alucinación. La caminata, la neblina, el cansancio y ese estado ansioso en que vivo desde hace días me han hecho ver lo que no existe... piensa Juan Manuel mientras rueda enloquecido por los caminos agarrado al volante de su coche. ¡Si volviera! ¿Pero cómo explicar su brusca partida? ¿Y cómo explicar su regreso si lograra explicar su huida? No pensar, no pensar hasta Buenos Aires. ¡Es lo mejor!

Ya en el suburbio, una fina llovizna vela de un polvo de agua los vidrios del parabrisas. Echa a andar la aguja de níquel que hace tic tac, tic tac, con la regularidad implacable de su angustia.

Atraviesa Buenos Aires desierto y oscuro bajo un aguacero aún indeciso. Pero cuando empuja la verja y traspone el jardín de su casa, la lluvia se despeña torrencial.

—¿Qué pasa? ¿Por qué vuelves a estas horas?

—¿Y el niño?

—Duerme. Son las once de la noche, Juan Manuel.

—Quiero verlo. Buenas noches, madre.

La vieja señora se encoge de hombros y se aleja resignada, envuelta en su larga bata. No, nunca logrará acostumbrarse a los caprichos de su hijo. Es muy inteligente, un gran abogado. Ella, sin embargo, lo hubiera deseado menos talentoso y un poco más convencional, como los hijos de los demás.

Juan Manuel entra al cuarto del niño y enciende la luz. Acurrucado casi contra la pared, su hijo duerme, hecho un ovillo, con las sábanas por encima de la cabeza. "Duerme como un animalito sin educación. Y eso que tiene ya nueve años. ¡De qué le servirá tener una abuela tan celosa!" —piensa Juan Manuel mientras lo destapa.

—¡Billy, despierta!

El niño se sienta en el lecho, pestañea rápido, mira a su padre y le sonríe valientemente a través de su sueño.

—¡Billy, te traigo un regalo!

Billy tiende instantáneamente una mano cándida. Y apremiado por ese ademán Juan Manuel sabe, de pronto, que no ha mentido. Sí, le trae un regalo. Busca en su bolsillo. Extrae un pañuelo atado por las cuatro puntas y lo entrega a su hijo. Billy desata los nudos, extiende el pañuelo y, como no encuentra nada, mira fijamente a su padre, esperando confiado una explicación.

—Era una especie de flor, Billy, una medusa magnífica, te lo juro. La pesqué en la laguna para ti... Y ha desaparecido...

El niño reflexiona un minuto y luego grita triunfante:

—No, no ha desaparecido, es que se ha deshecho, papá, se ha deshecho. Porque las medusas son agua, nada más que agua. Lo aprendí en la geografía nueva que me regalaste.

Fuera, la lluvia se estrella violentamente contra las anchas hojas de la palmera que encoge sus ramas de charol entre los muros del estrecho jardín.

—Tienes razón, Billy, se ha deshecho.

—... Pero las medusas son del mar, papá. ¿Hay medusas en las lagunas?

—No sé, hijo.

Un gran cansancio lo aplasta de golpe. No sabe nada, no comprende nada.

¡Si telefoneara a Yolanda! Todo le parecería tal vez menos vago, menos pavoroso, si oyera la voz de Yolanda; una voz como todas las voces, lejana y un poco sorprendida por lo inesperado de la llamada.

Arropa a Billy y lo acomoda en las almohadas. Luego baja la solemne escalera de aquella casa tan vasta, fría y fea. El teléfono está en el *hall;* otra ocurrencia de su madre. Descuelga el tubo mientras un relámpago enciende de arriba abajo los altos vitrales. Pide un número. Espera.

El fragor de un trueno inmenso rueda por sobre la ciudad dormida hasta perderse a lo lejos.

Su llamado corre por los alambres bajo la lluvia. Juan Manuel se divierte en seguirlo con la imaginación. "Ahora corre por Rivadavia con su hilera de luces mortecinas, y ahora por el suburbio de calles pantanosas, y ahora toma la carretera que hiere derecha y solitaria la pampa inmensa; y ahora pasa por pueblos chicos, por ciudades de provincia donde el asfalto resplandece como agua detenida bajo la luz de la luna; y ahora entra tal vez de nuevo en la lluvia y llega a una estación de campo, y corre por los potreros hasta el monte, y ahora se escurre a lo largo de una avenida de álamos hasta llegar a las casas de "La Atalaya". Y ahora aletea en timbrazos inseguros que repercuten en el enorme salón desierto donde las maderas crujen y la lluvia gotea en un rincón.

Largo rato el llamado repercute. Juan Manuel lo siente vibrar muy ronco en su oído, pero allá en el salón desierto debe sonar agudamente. Largo rato, con el corazón apretado, Juan Manuel espera. Y de pronto lo esperado se produce; alguien levanta la horquilla al otro extremo de la línea. Pero antes de que una voz diga "Hola" Juan Manuel cuelga violentamente el tubo.

Si le fuera a decir: "No es posible. Lo he pensado mucho. No es posible, créame". Si le fuera a confirmar así aquel horror. Tiene miedo de saber. No quiere saber.

Vuelve a subir lentamente la escalera.

Había, pues, algo más cruel, más estúpido que la muerte. ¡Él, que creía que la muerte era el misterio final, el sufrimiento último! ¡La muerte, ese detenerse! Mientras él envejecía, Elsa permanecía eternamente joven, detenida en los treinta y tres años en que desertó de esta vida. Y vendría también el día en que Billy sería mayor que su madre, sabría más del mundo que lo que supo su madre. ¡La mano de Elsa hecha cenizas, y sus gestos perdurando, sin embargo, en sus cartas, en el *sweater* que le tejiera; y perdurando en retratos hasta el iris cristalino de sus ojos ahora vaciados!... ¡Elsa anulada, detenida en un punto fijo y viviendo, sin embargo, en el recuerdo, moviéndose junto con ellos en la vida cotidiana, como si continuara madurando su espíritu y pudiera reaccionar ante cosas que ignoró y que ignora.

Juan Manuel sabe ahora que hay algo más cruel, más incomprensible que todos esos pequeños corolarios de la muerte. Conoce un misterio nuevo, un sufrimiento hecho de malestar y de estupor.

La puerta del cuarto de Billy, que se recorta iluminada en el corredor obscuro, lo invita a pasar nuevamente, con la vaga esperanza de encontrar a Billy todavía despierto. Pero Billy duerme. Juan Manuel pasea una mirada por el cuarto buscando algo en qué distraerse, algo con qué aplazar su angustia. Va hacia el pupitre de colegial y hojea la geografía de Billy.

... *Historia de la tierra... La fase estelar de la tierra... La vida en la era primaria...*

Y ahora lee ... *Cuán bello sería este paisaje silencioso en el cual los licopodios y equisetos gigantes erguían sus tallos a tanta altura, y los helechos extendían en el aire húmedo sus verdes frondas...*

¿Qué paisaje es ése? ¡No es posible que lo haya visto antes! ¿Por qué entra entonces en él como en algo conocido? Da vuelta la hoja y lee al azar... *Con todo, en ocasión del carbonífero es cuando los insectos vuelan en gran número por entre la densa vegetación arborescente de la época. En el carbonífero superior había insectos con tres pares de alas. Los más notables de los insectos de la época eran unos muy grandes, semejantes a nuestras libélulas actuales, aun cuando mucho mayores, pues alcanzaba una longitud de sesenta y cinco centímetros la envergadura de sus alas...*

Yolanda, los sueños de Yolanda... el horroroso y dulce secreto de su hombro. ¡Tal vez aquí estaba la explicación del misterio!

Pero Juan Manuel no se siente capaz de remontar los intrincados corredores de la naturaleza hasta aquel origen. Teme confundir las pistas, perder las huellas, caer en algún pozo oscuro y sin salida para su entendimiento. Y abandonando una vez más a Yolanda, cierra el libro, apaga la luz, y se va.

FELISBERTO HERNÁNDEZ
(Montevideo, Uruguay, 1902-1964)

L A S primeras narraciones de Felisberto Hernández —publicadas entre 1925 y 1931— coinciden con la etapa más productiva de la prosa vanguardista en Hispanoamérica; son los años en que aparecen renovadores textos narrativos como *Débora* (1927) y *Un hombre muerto a puntapiés,* de Pablo Palacio; *El intransferible* (1925) y *El café de nadie* (1926), de Arqueles Vela; *La casa de cartón* (1928), de Martín Adán; *Tachas* (1928), de Efrén Hernández; *La tienda de muñecos* (1927), de Julio Garmendia; *Cagliostro* (1931), de Vicente Huidobro, y otras significativas obras que conformarían toda una producción de vanguardia, revitalizadora de la modernidad iniciada con el modernismo y necesaria prefiguración de lo que más tarde se manifestaría como nueva narrativa hispanoamericana. En el caso del escritor uruguayo emergía una prosa fragmentaria —prólogos, epílogos, diarios, escenas, comentarios— que retrataba el juego libre de la escritura, la potencialidad de la imaginación, la autoironía y el descalabro de la secuencia narrativa. Tómense como ejemplos los textos "La barba metafísica" y "Genealogía" de *Libro sin tapas* (1929). En el primero de ellos, mediante un calculado y juguetón "objetivismo" narrativo ("la barba tenía una fuerza subconsciente que él no había previsto") se anunciaba la necesidad de "deshumanizar" el arte. En el segundo texto ("Hubo una vez en el espacio una línea horizontal infinita. Por ella se paseaba una circunferencia de derecha a izquierda") se alternaba la "humanización" del discurso matemático con la plasticidad de las formas escriturales.

En el cuento "La envenenada" (1931) se experimentaba con la idea de una ficción y de una realidad metatextuales con el objetivo final de disipar su diferenciación. En estas "primeras invenciones" había, sin duda, una creatividad portentosa que continuaría reinventándose en las obras siguientes hasta su libro *La casa inundada,* en 1960. El conocimiento de la obra de este sobresaliente narrador comenzaría recién en los sesenta, después de su muerte. En las décadas de los setenta y de los ochenta se publican varias compilaciones y numerosos ensayos sobre su narrativa.

Felisberto Hernández se dedicó con igual intensidad a la música y a la literatura. Sus estudios de piano, iniciados cuando el autor tenía nueve años, le permiten ganarse la vida como pianista y dar conciertos en Argentina, Brasil y en su país. En 1946, mediante una beca de estudios del gobierno francés, visita París, donde reside hasta 1948. En 1955, Hernández publica "Explicación falsa de mis cuentos", una poética página de manifiesto literario que arroja luz sobre la imprevisible relación escritor/escritura.

Julio Cortázar se referiría a Felisberto Hernández y a José Lezama Lima como "dos grandes narradores latinoamericanos", dueños de una "intuición que sólo puede ser instalada en el lenguaje por obra de la imagen poética". Lúcida aserción que nos ayuda a acercarnos a la impecable prosa del cuento "La mujer parecida a mí" de la colección de 1943 *Nadie encendía las lámparas.* Este relato alcanza el desiderátum esbozado por el mismo escritor: "Si es una planta dueña de sí misma tendrá una poesía natural, desconocida por ella misma" (en "Explicación falsa de mis cuentos"). Poesía narrativa sin intervenciones, asimilada al proceso continuo de la visión que se desarma en la vehemencia del subconsciente y se recupera con delicadeza en el ritmo de la creación.

LA MUJER PARECIDA A MÍ *

HACE algunos veranos empecé a tener la idea de que yo había sido caballo. Al llegar la noche ese pensamiento venía a mí como a un galpón de mi casa. Apenas yo acostaba mi cuerpo de hombre, ya empezaba a andar mi recuerdo de caballo.

En una de las noches yo andaba por un camino de tierra y pisaba las manchas que hacían las sombras de los árboles. De un lado me seguía la luna; en el lado opuesto se arrastraba mi sombra; ella, al mismo tiempo que subía y bajaba los terrones, iba tapando las huellas. En dirección contraria venían llegando, con gran esfuerzo, los árboles, y mi sombra se estrechaba con la de ellos.

Yo iba arropado en mi carne cansada y me dolían las articulaciones próximas a los cascos. A veces olvidaba la combinación de mis manos con mis patas traseras, daba un traspiés y estaba a punto de caerme.

De pronto sentía olor a agua; pero era un agua pútrida que había en una laguna cercana. Mis ojos eran también como lagunas y en sus superficies lacrimosas e inclinadas se reflejaban simultáneamente cosas grandes y chicas, próximas y lejanas. Mi única ocupación era distinguir las sombras malas y las amenazas de los animales y los hombres; y si bajaba la cabeza hasta el suelo para comer los pastitos que se guarecían junto a los árboles, debía evitar también las malas hierbas. Si se me clavaban espinas tenía que mover los belfos hasta que ellas se desprendieran.

* © Felisberto Hernández & heirs of Felisberto Hernández.

En las primeras horas de la noche y a pesar del hambre, yo no me detenía nunca. Había encontrado en el caballo algo muy parecido a lo que había dejado hacía poco en el hombre: una gran pereza; en ella podían trabajar a gusto los recuerdos. Además, yo había descubierto que para que los recuerdos anduvieran, tenía que darles cuerda caminando. En esa época yo trabajaba con un panadero. Fue él quien me dio la ilusión de que todavía podía ser feliz. Me tapaba los ojos con una bolsa; me prendía a un balancín enganchado a una vara que movía un aparato como el de las norias, pero que él utilizaba para la máquina de amasar. Yo daba vueltas horas enteras llevando la vara, que giraba como un minutero. Y así, sin tropiezos, y con el ruido de mis pasos y de los engranajes, iba pasando mis recuerdos.

Trabajábamos hasta tarde de la noche; después él me daba de comer y con el ruido que hacía el maíz entre los dientes seguían deslizándose mis pensamientos.

(En este instante, siendo caballo, pienso en lo que me pasó hace poco tiempo, cuando todavía era hombre. Una noche que no podía dormir porque sentía hambre, recordé que en el ropero tenía un paquete de pastillas de menta. Me las comí; pero al masticarlas hacían un ruido parecido al maíz.)

Ahora, de pronto, la realidad me trae a mi actual sentido de caballo. Mis pasos tienen un eco profundo; estoy haciendo sonar un gran puente de madera.

Por caminos muy distintos he tenido siempre los mismos recuerdos. De día y de noche ellos corren por mi memoria como los ríos de un país. Algunas veces yo los contemplo; y otras veces ellos se desbordan.

En mi adolescencia tuve un odio muy grande por el peón que me cuidaba. Él también era adolescente. Ya se había entrado el sol cuando aquel desgraciado me pegó en los hocicos; rápidamente corrió el incendio por mi sangre y me enloquecí de furia. Me paré de manos y derribé al peón mientras le mordía la cabeza; después le trituré un muslo y alguien vio cómo me volaba la crin cuando me di vuelta y lo rematé con las patas de atrás.

Al otro día mucha gente abandonó el velorio para venir a verme en el instante en que varios hombres vengaron aquella muerte. Me mataron el potro y me dejaron hecho un caballo.

Al poco tiempo tuve una noche muy larga; conservaba de mi vida anterior algunas "mañas" y esa noche utilicé la de saltar un cerco que daba sobre un camino; apenas pude hacerlo y salí lastimado. Empecé a vivir una libertad triste. Mi cuerpo no sólo se había vuelto pesado sino que todas sus partes querían vivir una vida independiente y no realizar ningún esfuerzo; parecían sirvientes que estaban contra el dueño y hacían todo de mala gana. Cuando yo estaba echado y quería levantarme, tenía que convencer a cada una de las partes. Y a último momento siempre había protestas y quejas imprevistas. El hambre tenía mucha astucia para reunirlas; pero lo que más pronto las ponía de acuerdo era el miedo de la persecución. Cuando un mal dueño apaleaba a una de las partes, todas se hacían solidarias y procuraban evitar mayores males a las desdichadas; además, ninguna estaba segura. Yo trataba de elegir dueños de cercos bajos; y después de la primera paliza me iba y empezaba el hambre y la persecución.

Una vez me tocó un dueño demasiado cruel. Al principio me pegaba nada más que cuando yo lo llevaba encima y pasábamos frente a la casa de la novia. Después empezó a colocar la carga del carro demasiado atrás; a mí me levantaba en vilo y yo no podía apoyarme para hacer fuerza; él, furioso, me pegaba en la barriga, en las patas y en la cabeza. Me fui una tardecita; pero tuve que correr mucho antes de poder esconderme en la noche. Crucé por la orilla de un pueblo y me detuve un instante cerca de una choza; había fuego encendido y a través del humo y de una pequeña llama inconstante veía en el interior a un hombre con el sombrero puesto. Ya era la noche; pero seguí.

Apenas empecé a andar de nuevo me sentí más liviano. Tuve la idea de que algunas partes de mi cuerpo se habrían quedado o andarían perdidas en la noche. Entonces, traté de apurar el paso.

Había unos árboles lejanos que tenían luces movedizas

entre las copas. De pronto comprendí que en la punta del
camino se encendía un resplandor. Tenía hambre; pero
decidí no comer hasta llegar a la orilla del aquel resplandor.
Sería un pueblo. Yo iba recogiendo el camino cada vez más
despacio y el resplandor que estaba en la punta no llegaba
nunca. Poco a poco me fui dando cuenta que ninguna de
mis partes había desertado. Me venían alcanzando una por
una; la que no tenía hambre tenía cansancio; pero habían
llegado primero las que tenían dolores. Yo ya no sabía
cómo engañarlas; les mostraba el recuerdo del dueño en el
momento que las desensillaba; su sombra corta y chata se
movía lentamente alrededor de todo mi cuerpo. Era a ese
hombre a quien yo debía haber matado cuando era potro,
cuando mis partes no estaban divididas, cuando yo, mi furia
y mi voluntad éramos una sola cosa.

Empecé a comer algunos pastos alrededor de las primeras casas. Yo era una cosa fácil de descubrir porque mi piel
tenía grandes manchas blancas y negras; pero ahora la
noche estaba avanzada y no había nadie levantado. A cada
momento yo resoplaba y levantaba polvo; yo no lo veía,
pero me llegaba a los ojos. Entré a una calle dura donde
había un portón grande. Apenas crucé el portón vi manchas blancas que se movían en la oscuridad. Eran guarda-
polvos de niños. Me espantaron y yo subí una escalerita de
pocos escalones. Entonces me espantaron otros que había
arriba. Yo hice sonar mis cascos en un piso de madera y de
pronto aparecí en una salita iluminada que daba a un
público. Hubo una explosión de gritos y de risas. Los niños
vestidos de largo que había en la salita salieron corriendo;
y del público ensordecedor, donde también había muchos
niños, sobresalían voces que decían: "Un caballo, un caballo...". Y un niño que tenía las orejas como si se las hubiera
doblado encajándose un sombrero grande, gritaba: "Es el
tubiano de los Méndez". Por fin apareció, en el escenario,
la maestra. Ella también se reía; pero pidió silencio, dijo
que faltaba poco para el fin de la pieza y empezó a explicar
cómo terminaba. Pero fue interrumpida de nuevo. Yo
estaba muy cansado, me eché en la alfombra y el público

volvió a aplaudirme y a desbordarse. Se dio por terminada la función y algunos subieron al escenario. Una niña como de tres años se le escapó a la madre, vino hacia mí y puso su mano, abierta como una estrellita, en mi lomo húmedo de sudor. Cuando la madre se la llevó, ella levantaba la manita abierta y decía: "Mamita, el caballo está mojado".

Un señor, aproximando su dedo índice a la maestra como si fuera a tocar un timbre, le decía con suspicacia: "Usted no nos negará que tenía preparada la sorpresa del caballo y que él entró antes de lo que usted pensaba. Los caballos son muy difíciles de enseñar. Yo tenía uno...". El niño que tenía las orejas dobladas me levantó el belfo superior y mirándome los dientes dijo: "Este caballo es viejo". La maestra dejaba que creyeran que ella había preparado la sorpresa del caballo. Vino a saludarla una amiga de la infancia. La amiga recordó un enojo que habían tenido cuando iban a la escuela; y la maestra recordó a su vez que en aquella oportunidad la amiga le había dicho que tenía cara de caballo. Yo miré sorprendido, pues la maestra se me parecía. Pero de cualquier manera aquello era una falta de respeto para con los seres humildes. La maestra no debía haber dicho eso estando yo presente.

Cuando el éxito y las resonancias se iban apagando, apareció un joven en el pasillo de la platea, interrumpió a la maestra —que estaba hablándoles a la amiga de la infancia y al hombre que movía el índice como si fuera a apretar un timbre— y le gritó:

—Tomasa, dice don Santiago que sería más conveniente que fuéramos a conversar a la confitería, que aquí se está gastando mucha luz.

—¿Y el caballo?

—Pero, querida, no te vas a quedar toda la noche ahí con él.

—Ahora va a venir Alejandro con una cuerda y lo llevaremos a casa.

El joven subió al escenario, siguió conversando para los tres y trabajando contra mí.

—A mí me parece que Tomasa se expone demasiado llevando ese caballo a casa de ella. Ya las de Zubiría iban diciendo que una mujer sola en su casa, con un caballo que no piensa utilizar para nada, no tiene sentido; y mamá también dice que ese caballo le va a traer muchas dificultades.

Pero Tomasa dijo:

—En primer lugar yo no estoy sola en mi casa porque Candelaria algo me ayuda. Y en segundo lugar, podría comprar una volanta,[1] si es que esas solteronas me lo consienten.

Después entró Alejandro con la cuerda; era el chiquilín de las orejas dobladas. Me ató la soga al pescuezo y cuando quisieron hacerme levantar yo no podía moverme. El hombre del índice dijo:

—Este animal tiene las patas varadas; van a tener que hacerle una sangría.

Yo me asusté mucho, hice un gran esfuerzo y logré pararme. Caminaba como si fuera un caballo de madera; me hicieron salir por la escalerita trasera y cuando estuvimos en el patio Alejandro me hizo un medio bozal, se me subió encima y empezó a pegarme con los talones y con la punta de la cuerda. Di la vuelta al teatro con increíble sufrimiento; pero apenas nos vio la maestra hizo bajar a Alejandro.

Mientras cruzábamos el pueblo y a pesar del cansancio y de la monotonía de mis pasos, yo no me podía dormir. Estaba obligado, como un organito roto y desafinado, a ir repitiendo siempre el mismo repertorio de mis achaques. El dolor me hacía poner atención en cada una de las partes del cuerpo, a medida que ellas iban entrando en el movimiento de los pasos. De vez en cuando, y fuera de este ritmo, me venía un escalofrío en el lomo; pero otras veces sentía pasar, como una brisa dichosa, la idea de lo que ocurriría después, cuando estuviera descansando; yo tendría una nueva provisión de cosas para recordar.

La confitería era más bien un café; tenía billares de un lado y salón para familias del otro. Estas dos reparticiones estaban separadas por una baranda de anchas columnas de

[1] *volanta:* volante, carruaje.

madera. Encima de la baranda había dos macetas forradas de
papel *crêpe* amarillo; una de ellas tenía una planta casi seca y
la otra no tenía planta; en medio de las dos había una gran
pecera con un solo pez. El novio de la maestra seguía discutiendo; casi seguro que era por mí. En el momento en que
habíamos llegado, la gente que había en el café y en el salón
de familias —muchos de ellos habían estado en el teatro— se
rieron y se renovó un poco mi éxito. Al rato vino el mozo del
café con un balde de agua; el balde tenía olor a jabón y a
grasa, pero el agua estaba limpia. Yo bebía brutalmente y
el olor del balde me traía recuerdos de la intimidad de una
casa donde había sido feliz. Alejandro no había querido
atarme ni ir para adentro con los demás; mientras yo
tomaba agua me tenía de la cuerda y golpeaba con la punta
del pie como si llevara el compás a una música. Después me
trajeron pasto seco. El mozo dijo:

—Yo conozco este tubiano.[2]

Y Alejandro, riéndose, lo desengañó:

—Yo también creí que era el tubiano de los Méndez.

—No, ése no —contestó en seguida el mozo—; yo digo
otro que no es de aquí.

La niña de tres años que me había tocado en el escenario apareció de la mano de otra niña mayor; y en la manita
libre traía un puñadito de pasto verde que quiso agregar al
montón donde yo hundía mis dientes; pero me lo tiró en la
cabeza y dentro de una oreja.

Esa noche me llevaron a la casa de la maestra y me encerraron en un granero; ella entró primero; iba cubriendo la
luz de la vela con una mano.

Al otro día yo no me podía levantar. Corrieron una ventana que daba al cielo y el señor del índice me hizo una sangría. Después vino Alejandro, puso un banquito cerca de
mí, se sentó y empezó a tocar una armónica. Cuando me
pude parar me asomé a la ventana; ahora daba sobre una
bajada que llegaba hasta unos árboles; por entre sus troncos veía correr, continuamente, un río. De allí me trajeron

---

[2] *tubiano:* variante de tobiano; caballo que tiene la piel con
grandes manchas de dos colores.

agua; y también me daban maíz y avena. Ese día no tuve deseos de recordar nada. A la tarde vino el novio de la maestra; estaba mejor dispuesto hacia mí; me acarició el cuello y yo me di cuenta, por la manera de darme los golpecitos, que se trataba de un muchacho simpático. Ella también me acarició; pero me hacía daño; no sabía acariciar a un caballo; me pasaba las manos con demasiada suavidad y me producía cosquillas desagradables. En una de las veces que me tocó la parte de adelante de la cabeza, yo dije para mí: "¿Se habrá dado cuenta que ahí es donde nos parecemos?". Después el novio fue del lado de afuera y nos sacó una fotografía a ella y a mí asomados a la ventana. Ella me había pasado un brazo por el pescuezo y había recostado su cabeza en la mía.

Esa noche tuve un susto muy grande. Yo estaba asomado a la ventana, mirando el cielo y oyendo el río, cuando sentí arrastrar pasos lentos y vi una figura agachada. Era una mujer de pelo blanco. Al rato volvió a pasar en dirección contraria. Y así todas las noches que viví en aquella casa. Al verla de atrás con sus caderas cuadradas, las piernas torcidas y tan agachada, parecía una mesa que se hubiera puesto a caminar. El primer día que salí la vi sentada en el patio pelando papas con un cuchillo de mango de plata. Era negra. Al principio me pareció que su pelo blanco, mientras inclinaba la cabeza sobre las papas, se movía de una manera rara; pero después me di cuenta que, además del pelo, tenía humo; era de un cachimbo pequeño que apretaba a un costado de la boca. Esa mañana Alejandro le preguntó:

—Candelaria, ¿le gusta el tubiano?

Y ella contestó:

—Ya vendrá el dueño a buscarlo.

Yo seguía sin ganas de recordar.

Un día Alejandro me llevó a la escuela. Los niños armaron un gran alboroto. Pero hubo uno que me miraba fijo y no decía nada. Tenía orejas grandes y tan separadas de la cabeza que parecían alas en el momento de echarse a volar; los lentes también eran muy grandes; pero los ojos, bizcos, estaban junto a la nariz. En un momento en que Alejandro se descuidó, el bizco me dio tremenda patada en la barriga. Alejandro fue corriendo a contarle a la maestra; cuando volvió, una niña que tenía un tintero de tinta colorada me pintaba la barriga con el tapón en un lugar donde yo tenía una mancha blanca; en seguida Alejandro volvió a la maestra diciéndole: "Y esta niña le pintó un corazón en la barriga".

A la hora del recreo otra niña trajo una gran muñeca y dijo que a la salida de la escuela la iban a bautizar. Cuando terminaron las clases, Alejandro y yo nos fuimos en seguida; pero Alejandro me llevó por otra calle y al dar vuelta la iglesia me hizo parar en la sacristía. Llamó al cura y le preguntó:

—Diga, padre, ¿cuánto me cobraría por bautizarme el caballo?

—¡Pero mi hijo! Los caballos no se bautizan.

Y se puso a reír con toda la barriga.

Alejandro insistió:

—¿Usted se acuerda de aquella estampita donde está la virgen montada en el burro?

—Sí.

—Bueno, si bautizan el burro, también pueden bautizar el caballo.

—Pero el burro no estaba bautizado.

—¿Y la virgen iba a ir montada en un burro sin bautizar?

El cura quería hablar; pero se reía.

Alejandro siguió:

—Usted bendijo la estampita; y en la estampita estaba el burro.

Nos fuimos muy tristes.

A los pocos días nos encontramos con un negrito y Alejandro le preguntó:

—¿Qué nombre le pondremos al caballo?

El negrito hacía esfuerzos por recordar algo. Al fin dijo:

—¿Cómo nos enseñó la maestra que había que decir cuando una cosa era linda?

—Ah, ya sé —dijo Alejandro—, "ajetivo".

A la noche Alejandro estaba sentado en el banquito, cerca de mí, tocando la armónica, y vino la maestra.

—Alejandro, vete para tu casa que te estarán esperando.

—Señorita: ¿Sabe qué nombre le pusimos al tubiano? "Ajetivo".

—En primer lugar, se dice "adjetivo"; y en segundo lugar, adjetivo no es nombre; es... adjetivo —dijo la maestra después de un momento de vacilación.

Una tarde que llegamos a casa yo estaba complacido porque había oído decir detrás de una persiana: "Ahí va la maestra y el caballo".

Al poco rato de hallarme en el granero —era uno de los días que no estaba Alejandro— vino la maestra, me sacó de allí y con un asombro que yo nunca había tenido, vi que me llevaba a su dormitorio. Después me hizo las cosquillas desagradables y me dijo: "Por favor, no vayas a relinchar". No sé por qué salió en seguida. Yo, solo en aquel dormitorio, no hacía más que preguntarme: "¿Pero qué quiere esta mujer de mí?". Había ropas revueltas en las sillas y en la cama. De pronto levanté la cabeza y me encontré conmigo mismo, con mi olvidada cabeza de caballo desdichado. El espejo también mostraba partes de mi cuerpo; mis manchas blancas y negras parecían también ropas revueltas. Pero lo que más me llamaba la atención era mi propia cabeza; cada vez yo la levantaba más. Estaba tan deslumbrado que tuve que bajar los párpados y buscarme por un instante a mí mismo, a mi propia idea de caballo cuando yo era ignorado por mis ojos.

Recibí otras sorpresas. Al pie del espejo estábamos los dos, Tomasa y yo, asomados a la ventana en la foto que nos sacó el novio. Y de pronto las patas se me aflojaron: parecía que ellas hubieran comprendido, antes que yo, de quién era la voz que hablaba afuera. No pude entender lo que "él" decía; pero comprendí la voz de Tomasa cuando le contestó: "Conforme se fue de su casa, también se fue de la mía. Esta mañana le fueron a traer el pienso y el granero estaba tan vacío como ahora".

Después las voces se alejaron. En cuanto me quedé solo se me vinieron encima los pensamientos que había tenido hacía unos instantes y no me atrevía a mirarme al espejo.

¡Parecía mentira! ¡Uno podía ser un caballo y hacerse estas ilusiones! Al mucho rato volvió la maestra. Me hizo las cosquillas desagradables; pero más daño me hacía su inocencia.

Pocas tardes después Alejandro estaba tocando la armónica cerca de mí. De pronto se acordó de algo; guardó la armónica, se levantó del banquito y sacó de un bolsillo la foto donde estábamos asomados Tomasa y yo. Primero me la puso cerca de un ojo; viendo que a mí no me ocurría nada, me la puso un poco más lejos; después hizo lo mismo con el otro ojo y por último me la puso de frente y a distancia de un metro. A mí me amargaban mis pensamientos culpables. Una noche que estaba absorto escuchando al río, desconocí los pasos de Candelaria, me asusté y pegué una patada al balde de agua. Cuando la negra pasó dijo: "No te asustes, que ya volverá tu dueño". Al otro día Alejandro me llevó a nadar al río; él iba encima mío y muy feliz en su bote caliente. A mí se me empezó a oprimir el corazón y casi en seguida sentí un silbido que me heló la sangre; yo daba vuelta mis orejas como si fueran periscopios. Y al fin llegó la voz de "él" gritando: "Ese caballo es mío". Alejandro me sacó a la orilla y sin decir nada me hizo galopar hasta la casa de la maestra. El dueño venía corriendo detrás y no hubo tiempo de esconderme. Yo estaba inmóvil en mi cuerpo como si tuviera puesto un ropero. La maestra le ofreció comprarme. Él le contestó: "Cuando tenga sesenta pesos, que es lo que me costó a mí, vaya a buscarlo". Alejandro me sacó el freno, añadido con cuerdas pero que era de él. El dueño me puso el que traía. La maestra entró en su dormitorio y yo alcancé a ver la boca cuadrada que puso Alejandro antes de echarse a llorar. A mí me temblaban las patas; pero él me dio un fuerte rebencazo y eché a andar. Apenas tuve tiempo de acordarme que yo no le había costado sesenta pesos: él me había cambiado por una pobre bicicleta celeste sin gomas ni inflador. Ahora empezó a desahogar su rabia pegándome seguido y con todas sus fuerzas. Yo me ahogaba porque estaba muy gordo. ¡Bastante que me había cuidado Alejandro! Además, yo había entrado a aquella casa por un éxito que ahora quería recordar y había conocido la felicidad hasta en el momento en que ella me trajo pensamientos culpables. Ahora me empezaba a subir de las entrañas un mal humor inaguantable. Tenía mucha sed y recordaba que pronto cruzaría un arroyito donde un árbol estiraba un brazo seco casi hasta el centro del camino. La noche era de luna y de lejos vi brillar las piedras del arroyo como si fueran escamas. Casi sobre el arroyito empecé a detenerme; él comprendió y me empezó a pegar de nuevo. Por unos instantes me sentí invadido por sensaciones que se trababan en lucha como enemigos que se encuentran en la oscuridad y que primero se tantean olfateándose apresuradamente. Y en seguida me tiré para el lado del arroyito donde estaba el brazo seco del árbol. Él no tuvo tiempo más que para colgarse de la rama dejándome libre a mí; pero el brazo seco se partió y los dos cayeron al agua luchando entre las piedras. Yo me di vuelta y corrí hacia él en el momento en que él también se daba vuelta y salía de abajo de la rama. Alcancé a pisarlo cuando su cuerpo estaba de costado; mi pata resbaló sobre su espalda; pero con los dientes le mordí un pedazo de la garganta y otro pedazo de la nuca. Apreté con toda mi locura y me decidí a esperar, sin moverme. Al poco rato, y después de agitar un brazo, él también dejó de moverse. Yo sentía en mi boca su carne ácida y su barba me pinchaba la lengua. Ya había empezado a sentir el gusto a la sangre cuando vi que se manchaban el agua y las piedras.

Crucé varias veces el arroyito de un lado para otro sin saber qué hacer con mi libertad. Al fin decidí ir a lo de la maestra; pero a los pocos pasos me volví y tomé agua cerca del muerto.

Iba despacio porque estaba muy cansado; pero me sentía libre y sin miedo. ¡Qué contento se quedaría Alejandro! ¿Y ella? Cuando Alejandro me mostraba aquel retrato yo tenía remordimientos. Pero ahora, ¡cuánto deseaba tenerlo!

Llegué a la casa a pasos lentos; pensaba entrar al granero; pero sentí una discusión en el dormitorio de Tomasa. Oí la voz del novio hablando de los sesenta pesos; sin duda los que hubiera necesitado para comprarme. Yo ya iba a alegrarme de pensar que no les costaría nada, cuando sentí que él hablaba de casamiento; y al final, ya fuera de sí y en actitud de marcharse, dijo: "O el caballo o yo".

Al principio la cabeza se me iba cayendo sobre la ventana colorada que daba al dormitorio de ella. Pero después, y en pocos instantes, decidí mi vida. Me iría. Había empezado a ser noble y no quería vivir en un aire que cada día se iría ensuciando más. Si me quedaba llegaría a ser un caballo indeseable. Ella misma tendría para mí, después, momentos de vacilación.

No sé bien cómo es que me fui. Pero por lo que más lamentaba no ser hombre era por no tener un bolsillo donde llevarme aquel retrato.

AUGUSTO CÉSPEDES
(Cochabamba, Bolivia, 1904)

AUGUSTO Céspedes ha destacado como narrador preocupado por las dimensiones sociales e históricas de su país
con un magnífico logro de universalización de lo latinoamericano. También ha sobresalido en el ensayo puesto
que es un género que ha sabido enriquecer con una variedad de discursos entre los cuales se incluye lo ficticio. La
primera obra del escritor boliviano es la colección de cuentos *Sangre de mestizos,* de 1936. El carácter social de su
visión artística se nutre de la interacción de la ironía (que
puede llegar a la sátira) y del sentimiento de lo absurdo a
que se expone el hombre regido institucionalmente. En
esta antología incluimos el relato "El diputado mudo",
cuya fuerte visión crítica es originalmente expuesta por la
hábil utilización del sarcasmo y la hipérbole.

Se retrata en este cuento el absurdo funcionamiento de
la "democracia" en un país dirigido por corporaciones
extranjeras. El Parlamento —protagonista principal— es
visto a través de un contraste entre dos símbolos de su inutilidad: la verbosidad del diputado Nájera y el mutismo del
diputado Hintenso. Ambos extremos se tocan ante la ino-
perancia, fracaso y venalidad del sistema parlamentario
colocado en medio de un gobierno de "Vitalicios" y
"Generalicios". El constante sarcasmo narrativo de Céspedes se inmiscuye en el perfil de los personajes ("el diputado
de las tres haches mudas"), la caracterización de las instituciones sociales (Congreso, sistema judicial) y sobre todo en
la percepción de la labor política, experimentada como

actividad inerte, de resultado inocuo. La elocuencia y el silencio parlamentarios son instancias paralelas de un circo democrático, de una ilusión de libertad. El verdadero poder está detrás de esa representación escénica que es el Congreso. Audaz, también, es el rasgo estilístico de desmesura descriptiva que se asoma en este cuento, anticipando un rasgo productivo en la literatura hispanoamericana.

EL DIPUTADO MUDO *

P I D O la palabra.

El rayo de sol, afilado entre una alta columna y el borde del cortinón rojo, se escurrió hasta pleno hemiciclo, abrillantó con bruñido de plata cincelada el micrófono e hizo pestañear al Honorable Tadeo Nájera que se disponía a hablar. La atmósfera se iluminó con un huracán de corpúsculos que habrían dado a la asamblea aspecto de interior de catedral si no fuese que en las catedrales no se fuma. Las espirales de humo se enredaron en el rayo de sol.

Tocándole el sol en la cara despertó al diputado Honorato Hintenso, sentado en la fila inferior, debajo de Nájera. Las cinco de la tarde, hora fatal en que le invadía un letargo de boa, y también la hora en que penetraba esa intrusa claridad a despertarle y ponerle en primer plano.

Ante sus ojos parpadeantes el alto mural cotidiano, estilo Segunda República. Grandes cortinas rojas cubriendo el sector anterior del recinto, los aros concéntricos de caras cobrizas de los padres de la patria y en el sector posterior, entre columnas corintias, las tribunas de preferencia con doseles bordados y, más arriba, las galerías en que se amasaba la plebe. Había mucho público porque, por primera vez, había en la Cámara una bancada opositora.

—Pido la palabra.

Desde su elevada testera, el Presidente con corbata de moño y labios de riñón, emitió la frase ritual:

* Reproducido con autorización del autor.

338

—Tiene la palabra el Honorable Nájera.

Un centenar de rostros y bustos atrincherados en los pupitres se volvió hacia el orador que se puso de pie, como si se suspendiera él mismo con los pulgares bajo las solapas. Su cabeza rapada y musculosa empezó a transfigurarse. Era el orador de mejor labia en la asamblea y ocupaba el pupitre de la fila superior, precisamente encima de Hintenso, de modo que las miradas concentradas parecían dirigirse también a éste. Cada vez que Nájera hablaba, Hintenso debía dejar de dormitar. Formaba parte del auditorio pero, puesto de cara a él, integraba en cierto modo el discurso mismo del cual percibía, sin verla, la escenificación que se operaba a sus espaldas.

La escenificación de Nájera era espontáneamente tribunicia: sereno ademán, tristeza en los ojos, manos en la solapa, pero cuando ingresaba a su especialidad, la gradación, se amplificaba hasta parecerse al Jehová descrito por Emilio Castelar a quien admiraba e imitaba.

Exactamente a su frente se sentaba la bancada opositora. En cumplimiento del Pacto de Miami Beach, el Presidente Vitalicio había llamado a elecciones para dejar el gobierno a su hijo y conceder a la oposición un cupo del diez por ciento de asientos. Su larga exclusión del Parlamento acumuló violencia y no eran raras las interrupciones airadas que partían del grupo minoritario, a veces acompañadas de un vasazo con restos de cocacola. Hintenso, en el campo de tiro, estaba en continuo peligro de recibir gratuitamente los disparos.

Ya bien despierto, escuchó a Nájera:

... *"y he aquí que la oposición nos expone este caprichoso, risueño e irritante paralogismo: que el Gobierno publique sus gastos reservados que, por su misma definición, ¡son reservados!"*

Risas y aplausos. Hintenso escuchaba, un poco torcido el cuello para esquivar el rayo de luz, sintiéndose vigilado por centenares de ojos convertidos en órganos de audición. Imposible salir al urinario. Ni siquiera encender un cigarrillo, porque ese acto suyo quebraría el orden geométricamente escalonado entre el discurso y la atención colectiva. ¡Qué contraste espectacular! Nájera, la más eminente y verbosa figura del Parlamento, y sentado a medio metro de él, Hintenso que jamás había podido hablar ni siquiera un minuto.

Nájera ingresaba al *crescendo* en defensa de una concesión de una mina de zinc y cadmio: ... *"No se impugna esta patriótica concesión con sano intento de remediar nuestros males sempiternos. ¡Se la impugna por consigna y acuerdo comanditario para deslizar rumores de soborno que no pueden abatir la roca de nuestras convicciones democráticas!"*.

Entre los aplausos de la mayoría, Hintenso se sentía blanco de las miradas severas del grupo opositor, cuyos componentes, con los brazos cruzados, guardaban la consigna de no interrumpir al orador para no ser señalados como enemigos de una inversión de capital extranjero.

Por fortuna la luz del día se replegó. Huyó el tropel de polvo proclamado por el sol, se disiparon las formas del humo de los cigarrillos y el ambiente adquirió calma de estanque sobre el que la palabra de Nájera dibujó ondas moderadas, sin dejar de agitar algunas para salpicar a la bancada opositora, mojada como un arrecife. Hintenso sintió un alivio al comprobar que los espectadores ya no parecían mirarle, como si hubiera desaparecido. Sólo Nájera existía ante la atención del auditorio que se hacía más redonda, tan sin pliegues ni pensamientos como la calva del Ministro de Inversiones Foráneas que había sido ecónomo del palacio presidencial.

... *"frente a esta empresa acreditada en toda la costa del Pacífico, se perciben en la penumbra los apetitos de otra empresa rival cuyas maniobras no merecen ser traídas a este ilustre colegio..."*.

Ahora Nájera ingresaba al *maestoso*: manos extendidas con las palmas hacia abajo, magnetizando a toda la asamblea, incluso a los opositores a quienes cesó de afrentar para tocarles la fibra del patriotismo. *"Cuando se trata de los grandes negocios del Estado, cuando se trata del porvenir de la patria, no hay, no debe haber, egregios colegas, ni demócratas ni totalitarios; todos formamos un solo ejército, el ejército del Desarrollo, guiados por ese símbolo que es la rueda dentada del Progreso nacional y cristiano."*

Las palomas de los aplausos revolotearon entre las columnas y describieron círculos alrededor de las bancas y los escritorios. Los opositores no aplaudieron, pero hicieron ademanes de asentimiento que fueron elogiados por la prensa como indicios de su patriotismo.

Las manos de los diputados más próximos se extendieron para felicitar al orador. Hintenso no lo hizo. Mientras aún sonaba el aguacero de los aplausos se escurrió y salió a tomar en el bar una tableta efervescente. La elocuencia de Nájera le provocaba acidez en el esófago. Su verbosidad ofendía su silencio de diputado consagrado como el más taciturno en la historia del Parlamento.

Otra categoría de silencio, sano y terso, conoció en su mocedad. Vibraba el aire del trópico y el cafetal le reservaba una sombra confidencial y callada que, por cierta magia botánica, era impenetrable a los mosquitos.

El suelo era limpio y allá, con su elocuencia natural, sabía atraer a algunas compañeras de paseo convenciéndolas para desviarse del camino real y penetrar por el sendero. No fue de naturaleza taciturna en su adolescencia ni en su primera juventud.

Su padre, don Higinio, gran propietario de cafetales y cañaverales, se adjudicaba más bien facultades parlamentarias. Diputado eterno por la provincia, decidió trasmitirle ese derecho a su hijo.

Esta decisión habría seguido su curso patriarcal si no incubara igual proyecto el doctor Peramás, terrateniente vecino que deseaba también hacer diputado a su hijo. Don Higinio era amigo del Presidente Vitalicio y asociado con él en su juventud en el comercio de aborígenes para la zafra. El doctor Peramás, amigo del Presidente Constitucional (hijo natural del Vitalicio y a quien se le llamaba el Generalicio), socio de éste en el monopolio de máquinas tragamonedas y de abarcas de llantas usadas.

La pugna se hizo cuestión de amor propio familiar. El Vitalicio y el Generalicio dejaron en libertad la competencia. Los Hintenso y los Peramás disputaron palmo a palmo la provincia con yacimientos minerales y cultivos tropicales, una confabulación orgánica e inorgánica de riquezas dormidas, según la definición del honorable Nájera.

Puja de billetes, alcohol con naranja, ron en cantidades oceánicas, choques a puño y a cuchillo, encuentros a bala, discursos y boletines, dieron realmente a la elección un cariz de libertad. Hintenso, próximo a la treintena, moreno de cabellos ensortijados, labios gruesos y dientes muy blancos, recorría a caballo o en auto los caminos de la extensa provincia, ondulantes entre naranjales y bananeros, pronunciando discursos, bebiendo del mismo vaso que sus partidarios y exhibiendo guayaberas de colores que atraían a las muchachas.

Hintenso no olvidó nunca la tarde del accidente. En un amplio canchón de una casa de hacienda al pie de una colina boscosa, Hintenso empinado sobre una mesa arengaba a un numeroso grupo de campesinos. Decía:

"Peramás quedará convertido definitivamente en Peramenos..." cuando brotó de la colina, como una bandada de pájaros, una alevosa pedrea. Repuestos del pánico los partidarios de Hintenso ahuyentaron los alevosos a balazos y solamente después advirtieron que su candidato yacía en el suelo sin sentido, con la cabeza ensangrentada. Trasladado al sanatorio más próximo se comprobó una conmoción cerebral. Deliraba continuamente y su delirio consistió en proferir dislate tras dislate durante veinticuatro horas. Poco a poco recuperó el sentido y sanó en el transcurso de una semana. Pudo asistir a la plaza de la capital del distrito el día de la elección, con una venda en la cabeza, a sellar su triunfo. Los electores le alzaron en hombros y le condujeron hasta el balcón del municipio. Su tez morena, sus dientes brillantes y su venda fueron aclamados.

Es entonces que, al hablar, su discurso exteriorizó los mismos rasgos de incoherencia que los pronunciados durante su delirio en el sanatorio. Cada frase disparatada que lanzaba provocaba vítores y aplausos, pero Hintenso comprobó angustiado que su vocabulario se evadía inconteniblemente hacia el absurdo. Cuando pensó "Éste es el perfecto triunfo de un domingo de gloria", se oyó decir: "Éste es el proyecto triunfo de un domingo de la gran siete" y, al terminar, cuando quiso decir "¡Viva el Partido Progresista!", su boca pronunció: "¡Viva el Podrido de la Siesta!". La multitud delirante aclamó este final con estruendosos vítores y disparos de escopeta.

Hintenso observó que si bien la masa no había entendido sus equivocaciones, en cambio algunos vecinos notables que estaban a su lado le miraron estupefactos. Le acometió el pánico y pretextando su estado de salud se despidió rápidamente. Apenas llegado a su casa se cerró a solas en su dormitorio e improvisó un monólogo comprobando que el lenguaje obedecía a su pensamiento. Sacó en consecuencia que la presencia del público ocasionaba su extravío verbal.

A poco se trasladó a la capital y juró el cargo de diputado en sesión memorable, entre aplausos y flores, vestido de *jaquet* un poco apretado, porque engordaba rápidamente.

Un año. Murió su padre haciéndole jurar que jamás cedería la diputación a su rival Peramás. Un año y ni un discurso. Su conciencia le acusaba a diario de dejar pasar, buscando fútiles evasivas, toda oportunidad de romper la virginidad de su mutismo. Pero apenas le venía la idea de hablar, el gusanillo del temor de incurrir nuevamente en la incoherencia y el dislate reprimía su intención. Esta inhibición, día que pasaba, le apartaba más del mundo de la comunicación fonética, marginándolo de sus colegas, cual un hombre que no supiese nadar entre atletas que hacían cabriolas en la piscina de los debates. El símil se completaba con la cumplida asistencia de Hintenso a las sesiones, atraído por el deporte de su predilección que estudiaba en sus detalles y estilizaciones. Los bustos de Demóstenes, Cicerón, San Juan Crisóstomo (llamado Pico de Oro), Mirabeau, Castelar y dos oradores de la historia local, le miraban desdeñosamente desde la cornisa encima de la testera. Él escuchaba que no sólo hablaban con desenvoltura oradores natos como Nájera, sino que todos, aun los palurdos y paletos, se ponían de pie y audazmente platicaban, insensibles a la crítica ajena como a la autocensura. Unos de pie, otros sentados, unos sanos y otros "templados", atrapaban los temas al vuelo como la iguana a las moscas:

aumento de peaje a los campesinos transportadores de hortalizas, gabelas a las vendedoras del mercado, gravámenes al ingreso a los cines y a los pasajes de tranvía, etc., en contrapunto con votos de felicidad y larga vida al Vitalicio y a su heredero el Generalicio, oraciones en honor de los colores de la bandera y leyes de estímulo a la Empresa Privada y a la inversión del Capital, palabras que en boca de todos los padres de la Patria parecían siempre articuladas con mayúscula.

Todos peroraban. Circuido por las ondas acústicas del recinto, con los ojos oblicuos entornados, enlazaba con el humo de los cigarrillos en el vacío ambarino el rumor de lentas palabras. Se indignaba interiormente al oír al Ministro del Comercio Exterior que se vanagloriaba de haber prohibido la importación de automóviles Mercedes Benz después de haber internado, para él y su familia, veinticinco unidades. Sonreía también interiormente cuando el Ministro de Turismo proponía instalar casinos de juego atendidos por mujeres no mayores de veinte años "a fin de impulsar nuestra industria sin chimeneas". Se dormía ante el Ministro del Tesoro, que sumaba durante horas enteras los intereses de la deuda consolidada y de los empréstitos flotantes y de los bonos de primera, segunda y tercera hipoteca, convertidos en un nuevo tipo sumamente ventajoso.

Le gustaban más las cuestiones de privilegio parlamentario, motivadas regularmente por conflictos entre diputados que violaban la Ley Antialcohólica y agentes de la Policía que exigían una "mordida" para no cerrar un cabaret precisamente a la hora en que brotaban del suelo las serpientes del porro, del cha-cha-cha y el merecumbé, hora que coincidía con la del toque de queda. En el país convivían simultáneamente el Vitalicio, abstemio, el Generalicio, etílico, la Ley de la Templanza, el toque de queda y el Parlamento.

Formulaba *in mente* réplicas vivaces y argucias originales, y disimulaba su timidez fingiéndose siempre afónico. Buscando combatir su mutismo pensó que la mejor manera de precaverse de la dislalia sería equiparse con el conocimiento de la técnica y las formas de la elocuencia. Adquirió

primero una edición argentina de "Los titanes de la oratoria", después "El Arte de Hablar" de Hermosilla, el "De
Oratore" de Cicerón, y los "Diálogos sobre la Elocuencia"
de Fenelon. Esas lecturas no le enseñaron a vencer su
aprensión. Antes bien, se acostumbró a leer en silencio a
los maestros de la oratoria.

No podía hablar, no por ignorancia ni por falta de ideación y razonamiento sino porque algo siniestro, criado y
engordado dentro de él, un parásito empinado sobre su
diafragma estaba, como un agente de tránsito, siempre
vigilante para cerrar la vía de su respiración si pretendía
hablar en público. El aire entraba por sus fauces a su
ancha caja torácica y de allá no salía más que en forma de
cuchicheo. Día que pasaba, sesión que se sumaba, su inhibición se fraguaba como el cemento, cada vez más átono y
compacto.

Tercer año. Ni un discurso. En aquel tiempo llegó a la
capital, precedido de gran nombradía, el psicoanalista español Tinajeras y Ollé, que se calificaba antagonista de la
escuela de Viena, más partidario de la de Zurich pero que
había logrado una síntesis en el Instituto de Sordomudos
de Bolonia.

Después de largos días de reflexión fue a consultarlo.

—Doctor —le dijo en voz muy baja— mi caso es raro: no
puedo hablar.

—Vamos... hablando está usted.

—No puedo hablar en público... y soy diputado.

—Permítame entonces, su señoría.

Le hizo desnudar, le ordenó caminar en dirección de su
dedo en alto, le golpeó con un martillo sobre la rodilla
doblada, le auscultó los pulmones, casi se introdujo en su
laringe con una linterna en la frente, le mandó gritar, le
hizo contar, le sometió a prueba de zumbadores y vibrado-
res, le dio a leer un diccionario en voz alta, le hizo recos-
tarse con una toalla en la cintura, dejó en penumbra el
consultorio y colocado detrás de su cabecera, le formuló un
interrogatorio:

—Veamos, formemos algunas asociaciones.

Una hora duró el interrogatorio. Le permitió vestirse y le diagnosticó:

—Se trata de una disfasia atípica, de origen traumático, con prolongaciones neuróticas. Usted es víctima del complejo de Hipólito.

—¿Era un griego, doctor?

—No, Hipólito Irigoyen, Presidente de la República Argentina, que jamás habló en público.

—Y el remedio...

—La explicación que le daré ahora es ya una receta. La pedrada que recibió en la cabeza le causó solamente un trauma orgánico, transitorio, del que sanó perfectamente. Sus centros de ideación, el motor del lenguaje, la fisiología de la locución todo anda bien... Pero usted, al entrar en maldita hora al Parlamento y empecinarse en no hablar, permitió que ese trauma se traslade a su subconsciente. Ahí lo tiene usted, aposentado como un lobanillo que de seguir creciendo tapará a su señoría como las valvas de una ostra... con Su Señoría dentro. ¡Qué demonios!

—¿Es grave entonces?

—Grave relativamente, porque un diputado, vamos, debería decir algo... para justificar la dieta. Pero no incurable. Se ha hecho usted un mito de una tontería. Disipe el mito y para conseguirlo, empiece con prácticas de autodefensa que vayan eliminando el lobanillo, digo su represión. Dígame: ¿cómo se empieza un discurso en la Cámara?

—Bueno, primero se pide la palabra...

—¡Bravo! Es tarea fácil si se lo propone. A ver, vamos, diga: pido la palabra.

Hintenso se puso rojo y tosió.

—No piense en nada, sino en decir "pido la palabra". Dígalo.

—Pi... pi... pi...

—Hombre, parece un agente de tráfico. Venga aquí, a la luz. Míreme de frente. Diga: pi-do-la-pa-la-bra ¡o le rompo la jeta! Cinco sesiones de este ejercicio tuvieron éxito. Hintenso pudo decir de corrido "Pido la palabra", pero solamente en presencia de Tinajeras y Ollé que le pasó la cuenta por mil dólares.

Bajo el dombo pintado de Famas, Glorias y Libertadores, resonaba una voz:

"Pido la palabra."

"Tiene la palabra el honorable Barrionuevo."

"Pido la palabra."

"Tiene la palabra el honorable Poroto."

¿Habría calculado el sabio profesor español hasta dónde esa sencilla fórmula parlamentaria tenía una potencia creadora?

Hintenso, en sus largas sesiones de oyente mudo, descubrió que la concesión del uso de la palabra por el Presidente no era sólo una concesión simbólica sino una dádiva real, un acto mágico del Presidente, quien con esa frase cabalística hacía donación efectiva de la facultad de hablar. Cuando decía: "Tiene la palabra el honorable diputado", ese diputado hablaba. Y a la inversa, cuando el Presidente decía: "El honorable diputado no tiene la palabra", ese diputado no podía hablar.

Esta observación llevó a Hintenso a comprender que la palabra no era solamente un acto mecánico, una expulsión regulada del aire a través de las cuerdas vocales, la vibración de ondas articuladas por la maraca lenguo-palatino-dental, sino que debajo de la cúpula del Parlamento había un tesoro en el que estaban depositadas las ideas con sus diversos sellos de sustantivos, adjetivos, verbos, adverbios, interjecciones, todas las partes de la oración objetiva. Cada diputado tenía su cuenta corriente de palabras y era el Presidente el depositario de la llave de ese tesoro idiomático. En el granero de las ideas puras aguardaba el discurso su destino y era el Presidente quien, con una frase esotérica, concedía a cada diputado su lote de cláusula tribunicia. El paladar era también una cúpula.

Este descubrimiento, digno de los megáricos de Atenas, puso a Hintenso en contacto directo con la sustancia de la palabra. No deseó más solicitarla, ni se preocupó más del psicoanalista Tinajeras, de quien supo que se había ido dejando este diagnóstico:

"No he hallado clientes aislados. Pero este país se está hundiendo con sus complejos colectivos."

Cuarto año de diputación. Ningún discurso. Se dedicó a interpretar los discursos de sus colegas o de los ministros, de acuerdo a su fisonomía: canarios y tordos de altos timbres, albañiles que construían con ladrillos de cifras una muralla que el Ministro de la Deuda Externa, sólo podía derribar con la dinamita del voto de la mayoría, dejando una polvareda de escándalo; batracios de mirada aviesa y voz ronca que croaban apoyando al gobierno o cocodrilos traídos de la selva que se dormían sobre el pupitre volcando los vasos de cocacola, porque generalmente acudían a las sesiones después de una gran noche de juerga.

Hintenso dejó el incómodo asiento que tenía delante de Nájera y se trasladó a uno de fila posterior, colocado sobre el fondo de la gran cortina roja, al lado del honorable Kunkar que muy raramente hablaba.

Desde ahí contemplaba a los diputados, sus maniobras y sus palabras: las veía, huecas y elásticas como pelotas.

Se vivía una época de palabras. El mundo del sonido articulado había reemplazado al mundo real. Desde el extranjero llegaban cargamentos de palabras: Civilización, Cristianismo, Democracia, Empresa Privada, Libertad, Inversión Privada, Desarrollo, Progreso, palabras que oponían su brillo a aquellas oscuras y sacrílegas: Totalitarismo, Dictadura, Intervencionismo Estatal, Universidad Libre.

El Honorable Nájera pedía disculpas para emplear el término "marxismo-leninismo" y se inclinaba cuando pronunciaba el vocablo "legítimas ganancias". Palabras que ingresaban por las puertas traídas en las carpetas de los ministros, dobladas en los bolsillos de los diputados, palabras que caían de los altos ventanales y se convertían en pajaritas de papel sobre los pupitres. En cierta ocasión, sobre el tinglado ministerial, se derramaron como monedas de oro y rodaron por el piso.

Hintenso se fabricaba un espectáculo cotidiano. Entrecerraba los ojos. Si se trataba de asuntos de Derecho Internacional, Pedagogía o Planificación, la testera se convertía en un pulpo somnolente que movía lentamente los tentáculos haciendo cabecear a los diputados adormilados. Al Ministro de la Guerra, Hintenso no lo veía como a un general comandando coraceros de brillantes cascos empenachados, sino como a una gorda ama de casa ávida de ayuda militar. El Honorable von Strauss, enemigo de las razas inferiores, armaba en su pupitre batallones de plomo y disparaba con cañoncitos de juguete contra la Cortina de Hierro.

Los vocablos, los números y las locuciones salían como láminas ya impresas de la boca de prensa plana del jefe de la oposición, progresista moderado. El Honorable Plotino González, de imaginación tropical, convocaba a la ninfa Hegeria y a los cisnes de Iduna y el Honorable Anzoleaga, escéptico y festivo, a arlequines y payasos de caras enharinadas que entraban levantando la cortina como a la pista de un circo, enganchados giraban como ruedas, armaban figuras plásticas que rápidamente se deshojaban para terminar saliendo cada uno con un volteo final, mientras las banderolas de las galerías flameaban clamorosas y los taquígrafos se miraban confusos e impotentes.

No le interesaba el contenido de los discursos, sino que apreciaba el perfil de las frases. En el fondo de su curul[1] se sentía sumergido en un acuario, que le recordaba el de San Francisco que admiró cuando estuvo allá, donde nadaban lujosos peces estriados en azul y rosa, con aletas de tul, liderizados por hipocampos. Y él, dentro de su escafandra en el acuario, ya no oía, veía las palabras y atribuía colores a las vocales, como el poeta francés Rimbaud.

El Presidente, dueño y señor de la palabra, seguía repartiendo las hostias del sacramento del verbo. El réprobo Hintenso renunció a pedirlas, sólo abría la boca para bostezar.

Pasado otro tiempo ya no le interesó siquiera la piel del lenguaje. Concurría a la Cámara solamente por hábito. Tampoco visitaba su provincia, aunque ésta le reelegía automáticamente. Su prestigio había crecido en razón directa a su silencio y se había consolidado con su disciplina a la consigna del Partido. Se le mencionaba como a una

---

[1] *curul:* asiento.

estrella con sólo sus iniciales: H. H. H. (el diputado de las Tres Haches Mudas) y fue invitado a presidir el comité urbano de Lucha Contra los Ruidos Molestos.

Su complejo llegó a disolverse en su persona, originándole una deformación somática. Una adiposis mullida envolvió su cuerpo, acolchándolo como la puerta de una oficina privada. Su masa atenuaba las ondas sonoras y sus oídos se hicieron sordos a la acústica parlamentaria. En las votaciones nominales no pronunciaba el "sí" o el "no". Traducía el adverbio con un ademán, aunque los secretarios sabían por adelantado que su voto sería por la consigna del Vitalicio o del Generalicio. En su vida corriente sus movimientos se hicieron lentos, como ondas cansadas que apenas percutían en la campana neumática que le aislaba del mundo. Conversaba siempre con voz queda, como confesándose. En el salón de Pasos Perdidos las alfombras apagaban el ruido de sus pisadas, pero aun en la calle seguía andando como sobre alfombras. En los salones y pasillos del Parlamento los ujieres callaban cuando le veían y en el hotel los camareros musitaban un suavísimo "gracias, honorable" cuando las monedas de plata que echaba de propina caían en la bandeja, sin tintinear. Hasta en el amor, él que había sido tan bullicioso, se comportaba con la taciturnidad de un vampiro.

De noche, solitario en su lecho, se sentía hundirse entre almohadones de terciopelo, embutidos de grandes silencios venidos de la Luna sin atmósfera, de los espacios interestelares, silencios polares muertos de frío, iguales a los de las ciegas fosas submarinas o a los desiertos sin eco, silencio transparente, refrigerado entre nieves eternas, o silencio sin forma y sin luz de los no nacidos. Todos estos silencios venían de noche a hacerle confidencias en idiomas inauditos.

¡El deber de hablar! Hintenso no había pensado en eso. Se le presentó en el décimo año de su mandato, cuando hizo una visita a su provincia, invitado por la Development Corporation y la Compañía Nacional del Oro y del Gas. Esa visita trastornó su vida en igual medida que había sido trastornada su provincia.

Dos mundos, uno incrustado en el otro, demoliéndolo, devorándolo. Empresas extranjeras como la Nacional, la Development, la Continental Industries, la Grace y la Promoción Financiera habían abierto caminos, tendido explanadas, arrasado pueblos. Viviendas prefabricadas eran traídas en aviones sobre pistas abiertas en increíbles barrancas. Enormes dragas comían la arena aurífera de los ríos.

En los antiguos pueblos las casas se derruían, el pasto crecía en las calles, la gente andaba descalza apartándose al paso de rugientes automotores, los niños con enormes barrigas, las mujeres siempre embarazadas, ennegrecidas por una vejez prematura que no les impedía preñarse cada año. Los niños cubiertos con sólo la camisa. Los dueños de viejas propiedades vagaban como salidos de un hormiguero aplastado.

Todos lo rodearon. El viejo hotelero que le asiló cuando estuvo herido de la pedrada, medio alcoholizado detrás de su mostrador vacío, le mostró por la ventana el hotel que habían construido los gringos para su uso exclusivo.

—Todo aquello es del Generalicio —le dijo mostrándole un panorama de tejados simétricos—. Se lo obsequió la Continental. Unas compañías obsequian al Generalicio, otras al Vitalicio. El gerente de la Nacional del Oro y del Gas le invitó a tomar un cóctel en su residencia. Los mozos de chaqueta blanca, los gerentes en mangas de camisa. Le diseñaron sus proyectos.

—Todo esto —le dijo el gringo— necesita ahora la aprobación del Congreso. Una simple formalidad para los inversionistas.

Los gringos le palmeaban en el hombro y le ofrecían habanos. Hintenso recuperó su yo, se sintió otra vez entre los suyos cuando los vecinos del pueblo y otros venidos de la provincia vecina, reunidos en asamblea, le recibieron en el salón del Municipio, en peligro de hundimiento por su vejez. Propietarios, mineros, maestros, comerciantes, campesinos, estudiantes, artesanos, amas de casa. Hintenso, sentado en la testera, descubrió una generación de nuevos ojos que se concentraban en él. "Honorable: habrá visto usted que antes que se apruebe el Contrato por el Congreso todas esas compañías ya se han apoderado de la provincia. Primero tomaron el oro, ahuyentando a los buscadores de las riberas del río. Después el petróleo. Ahora dice que buscan uranio. No sabemos qué tiene que hacer el uranio con la ganadería y las piñas, pero también las toman. La caña también, y el caucho, ¡maldita provincia tan rica!, expropian, asolan, expulsan a los nativos, sin indemnización, para que trabaje la draga. La Policía está con ellos.

—Señor diputado: ya hay prohibición de transitar por determinados lugares. Tienen policía propia y otorgan pasaportes. Una hora duraron las exposiciones. Finalmente el Presidente de la Junta de defensa del pueblo hizo una síntesis:

—Honorable, es una cosa bárbara. El gobierno está asociado a esta barbaridad. Sólo nos queda usted, digno heredero de su ilustre progenitor. Nunca le hemos exigido nada. Es la primera vez que le pedimos que rompa su silencio.

Hintenso tosió, se puso la mano en el pecho y en voz muy baja dio su respuesta:

—Aunque padezco de afonía... hablaré en el Parlamento. Les doy mi pa-la-bra...

Regresó a la capital y empezó a estudiar para penetrar en el dédalo de compañías, propuestas, contratos, subcontratos, subrogaciones, fideicomisos. Vio que todos los hilos se anudaban en un Contrato y en una Ley que delegaba a la Promoción Financiera la amortización y el pago de intereses de la deuda externa "para salvar el honor de la nación". La nación, por su parte, para "incentivar" la inversión extranjera, alquilaba a la Promoción tres provincias por 99 años, que ella a su vez subalquilaba a la Nacional del Oro y del Gas, a la Development, la Continental y otras subsidiarias, con el derecho de explotar y agotar los tres reinos de la naturaleza, comprendiendo, en el vegetal, a los nativos.

El Ministro de Bellas Artes inició una serie de artículos en los diarios —todos subvencionados— saludando la era augural de la Segunda República que se abría con el

Contrato. Un movimiento de colmena elevaba la temperatura de los salones y pasillos del Congreso. Los diputados conferenciaban en grupos con los agentes de la Financiera y después uno a uno. Salían todos convencidos.

El Presidente de la Cámara exudaba patriotismo. Llamó a su despacho al diputado Hintenso.

—¡Doctor Hintenso, mi viejo, mi dilecto amigo! Tenemos que llevar con decoro ese grandioso plan. Su voto es el más importante.

—Hay rumores indecorosos de soborno a ministros y diputados...

—¡El soborno a funcionarios nacionales es un incremento al ingreso *per capita*! Pero lo que interesa al Vitalicio y al Generalicio (señaló los retratos de ambos) es el voto de usted, por dos razones: su prestigio de honradez y el ser diputado de la provincia elegida para iniciar el Desarrollo.

Hintenso se dio por notificado y dejó de concurrir al Parlamento. Se encerró en su cuarto del hotel, se encerró con el Contrato (267 páginas) y el proyecto de Ley (media carilla).

Los leyó diez veces, veinte veces, en el diván, en la cama, en el *water-closet*. Analizó, comparó, examinó, enjuició, le dio vueltas al asunto y concluyó: "Nunca hubiera imaginado tanta desvergüenza. Tengo que hablar, no hay otro recurso, tengo que hablar. ¡Y el maldito Tinajeras que ya no está aquí!". Cuidadosamente escribió en tres días un discurso. Cuando lo tuvo pulido, lo aprendió de memoria:

"Ilustres ministros y egregios diputados: en los días de mi lejana infancia yo reverencié el Capital; en los días de mi dorada juventud yo amé el Progreso, pero ¡ah! honorables patricios, ya próximo a la madurez me posee la inquietud de descubrir qué más hay bajo la piel ebúrnea de esas deidades contemporáneas...".

Grandes titulares anunciaban la fecha del debate en el Congreso. Los días que faltaban los ocupó en repetir el discurso de memoria, colocado delante del espejo, pronunciando la frase cabalística: "Pido la palabra". Y después: "Ilustres ministros y egregios diputados: en los días de mi lejana infancia...".

Notó con júbilo que el entrenamiento aclaraba su voz. Afuera los camareros se alarmaron al oír una voz desconocida en su cuarto.

Llegó el magno día. Se vistió cuidadosamente y se dirigió al Congreso acompañado de tres delegados de la Provincia.

—Otros ya están en las tribunas desde temprano, doctor.

El público hacía cola para entrar custodiado por escuadrones de soldados provistos de bombas lacrimógenas. En las calles vecinas los carros blindados aguardaban en manadas. Enfrente a la escalinata principal grupos de estudiantes vociferaban y ostentaban carteles: "Abajo el contrato." "Gobierno civil." "El chancho al horno" (se referían al honorable Nájera). "Los siameses comen a cuatro carrillos" (se referían a dos ministros pequeños y voraces).

Después de su breve ausencia el recinto le pareció novedoso. Quórum pleno, tribunas repletas de industriales, banqueros, políticos y periodistas extranjeros y más arriba, en las galerías, la multitud escalonada hasta la base de la cúpula. Logró divisar en una galería la delegación de su distrito y comenzó a sentir la fiebre. Un latir persistente le golpeaba las sienes. "Tanta gente, el calor."

Pero no era tanto el calor de la atmósfera como la violencia que se caldeó desde el comienzo de la sesión. El contrato había resquebrajado la unidad monolítica de la misma mayoría a causa de que un grupo había recibido coimas de privilegio más altas que otro.

Un diputado denunció solemnemente que el Presidente de la asamblea asistió la noche anterior a una orgía ofrecida por el gerente de la Compañía Nacional del Oro. "Me dio la gana" explicó el Presidente. "Déjenlo rumiar el soborno" replicó otro diputado.

Cosa curiosa, Hintenso ya no veía las palabras, sino que las escuchaba normalmente. Calmado el primer alboroto, desde el estrado ministerial se dio lectura al Contrato, ya encuadernado en terciopelo verde con cintas doradas.

La lectura era larga y monótona: "... si se descubriese yacimientos de esmeraldas, topacio u otras piedras preciosas... ingresarán libres de impuestos armas para el servicio de policía de la Empresa...".

Hintenso maduraba su táctica. Llamó al ujier y le instruyó que le echara doble whisky en la limonada. A su lado, el honorable Kunkar miraba asombrado a su pasivo colega transformado en una fragua.

El Ministro de Bellas Artes, asesor literario del Contrato, con su pequeña nariz de búho, sus anteojos de ratón y escandalosa vocecilla de enano, apeló a los dioses indígenas transportándolos "a la era augural del cohete interplanetario y el existencialismo que impone abrir paso libre a la generosa inversión extranjera".

Le siguió su colega siamés el Ministro de la Deuda Pública, también enano, de cara grande y gruesas cejas, que sorprendió al público por el contraste de su tamaño con una voz de bajo que diríase de un gigante. "Se descubren cada día nuevos minerales radiactivos" —dijo con voz de trueno.

—¿Y el oro? —interrumpió un diputado.

—El oro es viejo, pero el contrato es nuevo —replicó haciendo temblar el micrófono.

Entre tanto circulaba entre los diputados opositores este pareado, original del honorable Anzoleaga:

Chiquitos como ratones,
robando como leones.

Hintenso repasaba su discurso en la memoria:

"Ilustres ministros y egregios diputados: en los días de mi lejana infancia yo reverencié el Capital; en los días de mi dorada juventud yo amé el Progreso..."

Llenaba el ámbito la voz de Tadeo Nájera que se puso de pie secándose la frente con un pañuelo. "Está sudando petróleo", murmuró el honorable Kunkar entrando en confidencia con Hintenso, pero éste no le respondió, preocupado, preocupadísimo porque su intención era hablar después de Nájera. El H. Nájera: *"... misoneístas, oscurantistas, protestan por la cláusula que autoriza a la Compañía a desplazar aldeas. ¡Así es, señores, el torrente avasallador de la civilización! En lugar de miserables cabañas que cobijan a pobladores más miserables aún, nos traerá la Compañía casas prefabricadas de aluminio y con servicio higiénico...".*

"... parece también alarmar el plazo de 99 años... ¡noventa y nueve años son un minuto en la vida de los pueblos!"

Aplausos y denuestos chocaban en la sala.

"... se olvida que al término de ese período las maquinarias pasarán a poder del Estado, gratuitamente. ¿Se imaginan mis ilustres colegas la enorme cantidad de maquinaria que se habrá acumulado en ese período de noventa y nueve años?..."

Ovaciones, silbidos, golpes en los pupitres. Todos estaban caldeados.

El Presidente agitaba la campanilla con ambas manos hasta que el tumulto acústico permitió oír una frase que partía de todos lados:

"¡Pido la palabra!" "¡Pido la palabra!". Había llegado el momento. Hintenso se sintió elevado por el huracán colectivo. Bebió whisky con limonada, se puso de pie, apoyó ambas manos sobre el pupitre para tomar impulso y pronunció también:

—¡Pido la palabra!

Cobró mayor confianza y con voz que dominó a las demás vociferó:

—¡Pi-do-la-pa-la-bra!

Se hizo un silencio. El Presidente dejó de tocar la campanilla. Dirigió la vista hacia el sector donde estaban de pie Hintenso y su vecino Kunkar, les miró fijamente y exclamó:

—Calma, señores... tiene la palabra... ¡el honorable Kunkar!

Tranquilamente el honorable Kunkar apagó su cigarrillo en el cenicero y empezó:

"Ilustres ministros y egregios diputados: en los días de mi lejana infancia yo reverencié el Capital; en los días de mi dorada juventud yo amé el Progreso, pero ¡ah! honorables patricios..."

Y continuó repitiendo íntegro, sin fallar en una sílaba, todo el discurso de Hintenso.

—¡Ladrón! —le gritó Hintenso.

Kunkar continuó repitiendo su discurso.

—¡Ladrón, ése es mi discurso! —exclamó Hintenso y se lanzó contra Kunkar.

—¡Déjelo hablar, vendido! —gritaron los diputados opositores dirigiéndose a Hintenso.

El estrépito hacía temblar la cúpula. Todos los diputados estaban de pie. En vano el Presidente agitaba la campanilla con una mano y hacía señas de callar con la otra. Nuevamente, entonces, comenzó a girar alrededor de Hintenso el carrusel de las palabras pintadas, con formas de caballitos, de autos, de aviones, en rotación centrífuga que desde el centro se extendió hasta los bordes del hemiciclo intentando llevar a Hintenso en su giro junto con los bustos de Cicerones y Dantones de la cornisa. Se inflaron las cortinas, los pilares dóricos ondularon como columnas salomónicas por las que el público de las tribunas resbalaba hasta los pupitres. La muchedumbre de las galerías parecía venirse abajo como invadiendo una cancha de fútbol; el Presidente tocaba la campanilla, los diputados alzaban los brazos y abrían las bocas, la campanilla gritaba y las bocas sonaban como campanillas. La repercusión de los ruidos y las voces se acercaba y se alejaba de Hintenso, oprimido por una atmósfera compacta de bultos sordos que reculaban empujándose sobre su banca mientras él de pie luchaba por apartarlos.

Luchaba por apartarlos para escuchar su nombre porque entre la algazara y entre las cabezas que le estorbaban adivinó que se leía la lista para la votación final.

Su nombre... Venía la F... ¿Fajardo? Sí... ¿Fernández? Sí... ¿Fragoso? No... La G... ¿Gallardo? Sí... ¿García? Sí y los diputados y ujieres seguían parados delante de él tapándolo. Y llegó la H... ¿Heguigorri? Sí...

Entonces él oyó: "¿Hintenso?" y él gritó: "No, no" pero indudablemente no le oían porque el Secretario repitió: "¿Honorable Hintenso?" y sintió voces desconocidas que chillaban: "¡Sí, dice que sí!" mientras él repetía enronquecido: "¡No, he dicho que no!" hasta que el Secretario pasó al siguiente nombre al mismo tiempo que un silencio de gruesas cortinas descendió sobre Hintenso, se introdujo en sus sesos, se derramó entre sus neuronas y le empapó de tinta sin pensamiento.

...."¡Pido la palabra, presidente! He dicho que no, que no, mil veces no, y ahora fundamentaré mi no. Me robaron mi discurso en el aire, al vuelo, pero me hicieron un favor porque era un discurso melifluo y cartuchón. Ahora puedo improvisar otro, otro y más claro. Premisa mayor: en este negocio de vender mi provincia están asociados el Vitalicio, su mujer, su suegro y los ganapanes de sus cuñados, y en el negocio subsidiario tiene participación el zonzo de su hijo, el Generalicio que, si no fuera por eso, ser hijo del antedicho, no habría pasado de Teniente Segundo. Y los partidos demócratas, los ministros, la prensa libre y la mayoría del Congreso, bribonísimos colegas, están comprados por las compañías que explotan este *rackett* del Desarrollo. Premisa menor: pero yo, Honorato Hintenso, hijo legítimo de mi pueblo, no me alquilo, yo no acepto meter el dedo en el engranaje de progreso extranjero y peonaje nacional. Conclusión: la consigna es aprobar el Contrato, pero a esas compañías que pretenden envasarnos en lata y vendernos en el mercado mundial, les doy este aviso económico: ¡que ninguno de sus geólogos con casco, ni sus piratas nucleares ni tan sólo un jefe de *public-relations* entrará allá, y si van acompañados de marines les expulsaremos a dinamita, a machete o a tiros de máuser modelo 1906!... Mi voz es ahora, honorables sobornados, como el ruido del avión que en la noche os obliga a mirar hacia arriba..."

—Doctor... ¡doctor!

El ujier, alarmado, le sacudía por los hombros. Hintenso despertó. Su discurso se borró inaudito dentro de él.

—¿Está enfermo, doctor?

El recinto se había llenado de penumbras, los pliegues del cortinón en que apoyaba su nuca casi le cubrían. Se levantó apoyándose en el ujier.

—Me quedé dormido, tuve un desmayo... ¿Qué hora es?

—Cerca de media noche.

—¿Se fueron todos?

—Todos, la sesión terminó a las once.

Le zumbaban los oídos y le acometió un acceso de tos.

—¿Quién ganó?

—El gobierno, honorable, ¿para qué pregunta?

—Yo voté en contra.

—No, doctor, usted votó "sí".

Tomado del brazo por el empleado recorrió el Salón de

los Pasos Perdidos, un largo pasillo, las escaleras donde aún
se movían porteros y barrenderos. Cruzaron la explanada y
el ujier llamó un taxi.

Llegó a su hotel en cuyo *hall* algunos delegados de su distrito charlaban, seguramente comentando los incidentes de
la jornada. Callaron y se abrieron al verle y él pasó sin salu-
darlos. No esperó al ascensor, subió por la escalera y lentamente se dirigió a su habitación. La abrió, tocó el
interruptor que encendió simultáneamente una gran lámpara velada y la luz de la mesa de noche, arrojó el sombrero, cerró la puerta con llave y se paró mucho rato en el
centro de la alfombra.

Se había disipado todo murmullo, todo rumor, aun el de
sus sienes. Una paz, un silencio amigo y duradero, ya sin
ninguna ansia de hablar. Apagó la luz de la lámpara y paso
a paso fue hacia el velador cuya pantalla proyectaba un
pequeño círculo que se doblaba en un ángulo del "Diálogo
de la Elocuencia". Se pasó la mano por las mejillas cual si
fuera a afeitarse. Abrió el cajón donde asomó la negra
culata cuadrada de la Lugger. Comprobó que estaba bala
en boca. Se quitó el saco, se echó en la cama con las almohadas en la espalda y los pies estirados, medio sentado, y
esperó... Se desabrochó la camisa y apoyó la boca del cañón
sobre la piel desnuda... ¡Pum!

Durante tres horas las burbujas del aire ensangrentado
brotaron de sus labios en silbantes palabras que salían en
tropel, impelidas por el huracán de los pulmones. "Señores diputados, dije que no, no quisieron oírme... No... no...
y no..."

—Está delirando —dijo el cura inclinado sobre su boca.

"La palabra... por última vez pido la palabra." Después
sólo un murmullo monótono movió sus labios.

—Está rezando —dijo el cura y le dio la absolución.

Por fin fue callando, en un *pianissimo* que parecía alejándose. El entierro del diputado de las Haches Mudas fue ruidoso, con misa cantada, dobles de campanas y banda de
música. Todo el cortejo comentaba el suicidio y calló al oír los
discursos de los representantes del Vitalicio y del Generalicio,

del Congreso, el Partido y de la Financier Promotion.
Luego volvió a sonar la banda militar con los tambores des-
templados de la marcha fúnebre.

Ya en el cementerio, poco antes del anochecer, en
seguida del responso cantado, tronaron cañonazos y salvas
de fusilería y, en el momento de expedir su cuerpo en el
buzón oscuro, un desolado y larguísimo toque de corneta le
abrió paso hacia el silencio sin mancha, al silencio que nos
precede y que nos aguarda.

JORGE FERRETIS
(Río Verde, San Luis de Potosí, México, 1902 - 1962)

VIBRANTE narrador de problemáticas relativas al desenvolvimiento cultural, histórico y político de la sociedad hispanoamericana. Jorge Ferretis fue periodista y diputado. Su producción literaria comprende novela, cuento y ensayo. "Anibalito" se incluyó en la colección póstuma *Libertad obligatoria* de 1967 junto con los relatos "Un olor de santidad", "El fugitivo", "Un hombre feo", "Un trompo en el corazón", "La casa nueva", "Fulgor de trompeta", "Nejayote" y "Libertad obligatoria".

En el cuento seleccionado, Ferretis aprovecha la perspectiva de la caricatura como un modo de diversificar el potencial convencionalismo de una narración de fuerte preocupación social. Primero, aparece la figura del compasivo cobrador de alquileres y escritor que compone la risueña novela de su propia relación. Luego, la de su mujer, Vicenta o doña Bisonte, objeto literario que usa Anibalito para su obra. Las descripciones humorísticas —realizadas con el arte clásico de la novela picaresca— penetran en los motivos, situaciones y personajes del cuento. A Anibalito lo "arrinconaban dos esdrújulas: único y minúsculo". A Vicenta "vasta y oscura, ejecutiva y fea" se le añade "una pelambrera hirsuta [que] volvía más imponente su belicosidad, y como complemento, tenía una verruga en la nariz".

En medio de las escenas divertidas dadas en torno a estos dos personajes se levanta una especie de contrapeso narrativo hacia lo serio y dramático que corresponde a las víctimas de don Isidro, el dueño de propiedades destinadas a alquiler; pero no se trata de una instancia narrativa gratuita. El espíritu de abuso de lo comercial de esas escenas se conecta al de la novela que ha dejado Anibalito, también objeto de aprovechamiento. El poder del dinero mide las relaciones y desarma orgullos, dignidades y escrúpulos morales. Ferretis encuentra una original veta humorística en la confrontación misma de lo social.

ANIBALITO *

É S T A es la historia de Aníbal; pero no del brioso vencedor
de los romanos, sino de Aníbal Sánchez, un contemporáneo
taciturno, introvertido y enclenque. Era casi rubio; daba la
impresión de ser viejo aunque sólo andaba en 37 años, y sopor-
taba su pesado nombre con resignación. Cuando su mujer se
indignaba, cual si con humillarlo quisiera empequeñecerlo
más, usaba su diminutivo como interjección: ¡Anibalito!

Por despiadado contraste. Vicenta, su mujer, era vasta y
oscura, ejecutiva y fea. Una pelambre hirsuta volvía más
imponente su belicosidad, y como complemento, tenía una
verruga en la nariz. Nadie podía explicarse cómo Aníbal,
racionalista tímido, pudo haber incurrido en semejante
matrimonio. Sólo forzando mucho la imaginación podría
suponerse que cuando tal matrimonio se perpetró, Vicenta
fuese grácil y llevadera.

En uno de los escasísimos lapsos de paz hogareña, la
mujer, a pesar de su dureza fisonómica, amaneció sonriente. Era una sonrisa que se deducía, cual si se la vislum-
brase al través de aquella máscara de hosquedad; y como
recurso supremo para retener la bienaventuranza, Aníbal
intentó ser gracioso. Urgía una broma para expresarle cuán
lejos estaba de detestarla por sus torturas. Dijo lo que se le
ocurrió de pronto, y su única equivocación consistió en
absolver en tono de penitente:

* Reproducido con autorización de la Editorial Fondo de Cultura Económica, México, D. F., México. *Libertad obligatoria.*
México: Fondo de Cultura Económica, 1967, pp. 38-53.

—A veces pienso que te deberías llamar doña Bisonte; pero he sido feliz contigo.

¡El pobre creyó que era una galantería! Sin embargo, cual si a ella la hubiese mordido en el hígado una sierpe, su gesto se volvió tan repentinamente tenebroso, que lo alarmó. Y no pudo siquiera titubear, pues Vicenta estalló:

—¡Apodos, a tu abuela! ¡Infeliz, que nunca has sabido mantenerme con decencia! ¡Nunca has ganado lo que cualquier hombre de verdad!

El aluvión de improperios continuó como en ostentación de gallardías, pues Vicenta paseaba por la habitación como en un foro. Sentíase digna de un auditorio cálido, y no de aquel oyente a quien arrinconaban dos esdrújulas: único y minúsculo. Para rematar algunos períodos, acercábase peligrosamente a él, y acentuaba la expresión final con una patada sobre el suelo.

Aníbal, mezcla de humildad y estoicismo, aguardaba en medio de la borrasca. Su desaprobación era casi imperceptible, pues apenas la manifestaba moviendo su pequeña y cauta cabeza.

Nuestro personaje ganaba, ciertamente, poco dinero. Desde seis años atrás era cobrador de alquileres, al servicio de don Isidro, un propietario que conoció a sus padres, y que tenía numerosas pertenencias. El propietario se atormentaba con un ratonil empeño en disimularlas, y para ello, registraba muchas a nombre de ciertos parientes, a los que judicialmente maniataba (en previsión de alguna pillería) mediante documentos privados. Aníbal, en su manía de no creer en defectos humanos, negaba que aquel hombre fuera tacaño por naturaleza. Imaginaba que su conducta sería un truco para conocer a sus servidores, y hasta fantaseaba suponiendo que el día menos pensado don Isidro se quitaría frente a él su careta de preocupación económica; que le confesaría su bonanza, y que en premio a su honorabilidad de cobrador le regalaría una casa. Pero los años transcurrieron, y bajo los hábitos de su tacañería el propietario ocultaba su opulencia como inconfesado delito.

La inquebrantable Vicenta lloraba una vez por año. Aniversario de la muerte del único hijo que en su juventud tuviera, y que sólo les vivió diez meses. Años atrás, en aquel aniversario, la mujer se dejaba consolar por su marido y aceptaba flores; pero al correr del tiempo, fue encontrando consuelo más eficaz y progresivo en el aguardiente. Sin embargo, no era una borracha consuetudinaria. En aquel día ritual, se embriagaba para aullar sin recato, porque la aliviaba un desahogo. Después, sólo empinaba el codo cuando el fastidio la urgía. Cuando lo empinaba, solía monologar enumerando desdichas; luego se dormía, y en consecuencia, también Aníbal disfrutaba de unas horas apacibles.

En un cuarto con trebejos él tenía una mesa con papeles. Había explicado que necesitaba recluirse para ordenar los apuntes de sus cobros; pero la suspicaz Vicenta se había mofado de tal ingenuidad. Sabía que se encerraba a leer, pues también sabía que defraudaba a su hogar, gastando en libros viejos lo que podría gastar en más ropa y comida. Al principio, ella combatió tan perjudicial hábito de lectura; pero sus regaños sólo conseguían que él se quedara leyendo en cualquier banca pública. Dedujo la mujer que los jardines con bancas son los que hacen gandul a nuestro pueblo. Hasta proyectó sugerir al gobierno la supresión de ellos; no obstante, acabó por hacerse desentendida.

—Dios me endosó un haragán —decía— y Dios habrá de premiar mi sacrificio.

En su trabajo, el cobrador también encontraba ciertas amarguras. Don Isidro renegaba siempre contra los que se acogían al beneficio de las rentas "congeladas", pues lo mismo estaba prohibido a los propietarios aumentarlas, que lanzar a sus inquilinos. Don Isidro tenía que aguantarse, llamándolos ladrones y maldiciendo leyes antiprogresistas, que impedían transformar caserones infectos en edificios modernos. Las leyes enemigas de la civilización impedían que la urbe se hermoseara más de prisa, y que los tales edificios se rentasen un mil por ciento más. En tales condiciones, la oportunidad de lanzar a cualquier "congelado" era motivo de júbilo para propietarios.

Se presentó el caso de una mujer que cosía en máquina, para mantener a cinco niños. Debía dos meses de alquiler, y Aníbal recibió orden de no cobrarle. Si ella le quería pagar, debía decirle que le llevaría su recibo en la semana siguiente. Era la táctica para que los inquilinos rebasaran los tres meses de adeudo, y pudieran ser lanzados de sus viviendas por autoridades. Se preparaba el golpe judicial para la mañana de los sábados, pues al medio día cerrábanse los juzgados. Ni a dónde recurrir, y las víctimas del procesamiento, con sus muebles, trastos y ropas en la calle, tenían que malbaratar lo que podrían y desaparecer.

Aquel sábado empezaban temprano, porque eran tres los lanzamientos tramitados por don Isidro. Tocó primero a la mujer de los cinco niños, y naturalmente, ante los ejecutores no valieron súplicas ni situaciones patéticas. La mujer era alta, delgada, blanquísima, de cabellos negros y ojos blandos como terciopelo. Tenía gravemente enferma a una niña de tres años, y a pesar de una fiebre alta, en menos de media hora se encontraba en la acera. Los insomnios, el hambre y la congoja la habían vuelto más blanca. Sentía como una pesadilla el encontrarse allí, entre su máquina de coser, un camastro desarmado, un quimil[1] de ropa, y frente a ojitos atónitos que la contemplaban en silencio. Algún sollozo que se le atoraba en el cuello la hacía cubrir y apretar más sobre su pecho a la chiquitina inconsciente. Y por primera vez, Aníbal intentó ser poderoso.

En ocasiones semejantes, don Isidro rondaba sin aproximarse, como una bestia en acecho. Pero ante aquella inquilina incapaz hasta de maldecirlo, ordenó que ni siquiera sellasen la entrada de la vivienda, sino que entregasen a su empleado las llaves. Allí quedaría fingiéndose un ocupante nuevo, y don Isidro ahorraría unos pesos en diligencia de reapertura posterior. La mujer, que demasiado conocía al cobrador como empleado suyo, enfocó sobre él una mirada de acusación y de lástima. Fue como si aquellos ojos lo denunciaran al trasluz; él sintió que le tocaban insospechada fibra, y en vez de desmoronarse, como de

---

[1] *quimil:* en México, envoltorio, bulto de ropas; maletín.

costumbre, en disculpas torpes, Aníbal se esforzó en remediar el caso.

Dejó transcurrir varios minutos, tanto para cerciorarse
de que los victimarios irían lejos, cuanto por gozar aquella
increíble sensación de audacia. (No quería escuchar a la
sensatez, a la que imaginó como una bruja negra y gelati-
nosa que le hubiera chupado todos sus ímpetus, dejándolo
incoloro y escuálido.) Imaginaba percibir un sordo rumor
de aquel pegajoso engendro empeñado en hablar a su
razón, y al que si se concretara o materializara tendría que
alejar a puntapiés.

Cuando dejó de fantasear, se aproximó a la mujer, y con
voz que a él mismo pareció desconocida por lo bien tim-
brada y categórica, dijo:

—Señora: todavía alcanza usted abierto el juzgado.
Corra, deposite allí un mes de renta, y regrese a ocupar
su casa.

La mujer lo vio como si también ella estuviese delirando.
Sus ojos eran dos tersas interrogaciones.

Aníbal, para inspirarle confianza, sonrió muy levemente,
como sonríen los poderosos cuando ayudan. Sacó dos billetes de a cien pesos cada uno, y se los tendió agregando:

—No hay tiempo que perder. Me los pagará cuando
pueda.

No obstante, más que las palabras, la mujer entendía los
ojos de aquel hombre. Sin dejar de verlo, tomó los billetes
y se levantó. Aníbal también pudo leer en aquella pálida
faz el repentino y desesperado agradecimiento que le agarrotaba las mandíbulas. Leyó luego una duda que se
le atravesó de pronto y que la mantuvo inmóvil. Él, para
librarla de consultas penosas, sacó otro billete que le
entregó, diciendo:

—Sí; también urgen medicinas y alimentos.

A la mujer le reventaron en llanto los ojos. Sin poder
balbucir palabra, y sólo por sorpresa pudo besar una mano
a su protector. De no haber sido por la vergüenza que él
experimentó, le habrían seguido pareciendo inexistentes
los mirones, que se detenían en torno de ambos. Cuando
ella se hubo marchado, él empezó a darse cuenta de la

insólita situación en que quedaba. Entre atolondramiento y emociones, había recibido en brazos a la niña, que la madre no pensó siquiera llevar por las calles. El hombre, de improviso, se sintió incómodo; luego enojado, y hasta comentó para sí: ¡Abusiva!

Pero en él no surgía una idea sin que suscitara su propia réplica, cual un legítimo engendro socrático. Y un instante después ya se había constituido en defensor de ella, contra él mismo. Reconocía cuán acertado era el instinto maternal, que no había intentado mover a la niña de allí. Y además lo alentador, lo grandioso, consistía en servir para lo que esquivaría cualquier transeúnte anodino. Pensando así, llamó afectuosamente a los otros cuatro niños, y con la acuciosidad de un ayo, los hizo entrar en la vivienda.

Una hora después, la madre regresó acompañada por un médico. Y mientras éste ejercía su profesión en el interior, Aníbal, ayudado por un vecino, metía de la calle todos los objetos, que a la mujer no importaban en aquel trance. Cuando se despidieron, ella lo vio con tan expresiva ternura, que él sintió como si le entregaran un tesoro, y se alejó como si lo fuera recontando. Incorregible fantaseador, pensó que podría continuar siendo providente. La informaría que los caseros, cuando necesitan derrumbar un caserón incosteable, deben pagar fuertes indemnizaciones a los inquilinos para que desocupen. Quizá el podría protegerla, deslumbrarla, y... acaso hasta inspirarle amor.

A medida que aproximábase a su casa, sus ideas revoloteaban menos. Los trescientos pesos los había tomado de rentas que debía liquidar la misma tarde. Don Isidro se los descontaría de sus comisiones del mes, y aún le sobraría algo para llevar a Vicenta.

Cuando más tarde estuvo ante el casero, éste, tremante de cólera, lo insultó por desleal y le quitó el encargo de cobrador. Aníbal consideró inútil y de mal gusto disputar con él, y no incurrió en uno solo de sus conocidos titubeos. Don Isidro, que esperaba disculpas, se exasperó más viendo que no se las ofrecía, y puesto que habían saldado sus cuentas, lo vio salir indiferente.

Algunos días antes, Vicenta notábale algo raro. Su marido no podía tener alguna desusada intención, contrariedad o entusiasmo, sin que ella lo adivinara, con mayor seguridad que los aparatos que localizan minerales.

—A ver —le había dicho—, cuenta, porque a ti algo te pasa.

Aníbal trabajosamente negaba. Después, cuando le notificó que ya no trabajaba con don Isidro ni tenía otro empleo, un nuevo huracán se inició. Pero a diferencia del marido habitual, el nuevo Aníbal tomó de la percha su sombrero, y cuando Vicenta lo embistió, se volvió hacia ella con tal tranquilidad, que la desconcertó y la contuvo. Ya en la calle, se sintió a salvo.

Caminó, con las manos en los bolsillos y sin importarle hacia dónde. Lo abstraía, como visión difusa, el tesoro de ternura que manaba de la mujer pálida. En su mente, las nociones de ternura y de tesoro se fundían.

No era la primera vez que a partir de aquel sábado, sus pasos intentaban llevarlo hacia la casa de ella; pero en cuanto se aproximaba, torcía la dirección. Sería feliz con verla; pero no se perdonaría el hacerla suponer, con su sola presencia, que le cobraba los trescientos pesos.

Al día siguiente, cuando Vicenta reinició su gritería y sus acusaciones de miseria, su marido le preguntó, con voz desconocidamente reposada:

—¿Cuánto necesitas?

—No ajusto esta semana ni con doscientos pesos —pataleó ella—. ¡Y tú, desocupado!

Aníbal sacó de su bolsillo un billete y se lo entregó. Pero... ¿de mil pesos? Aníbal salió, dejándola como atascada de estupefacción. En todo el día no regresó.

Vicenta fue, casi temerosa, a comprar algo.

Lo único que pudo pensar fue que se tratara de una burla con un billete falso; pero cuando se lo admitieron y le entregaron tal cantidad por cambio, su estupor le hizo daño. Sólo hubiera deseado que el billete fuera falso porque ya tenía la firme resolución de castigar al diminuto majadero. Entonces, como si su afán de descubrir maldades no tuviese tregua, temió por su honor. ¿De dónde, si no robando a don Isidro, podía llevarle aquel dineral? Haciéndolo confesar, en ella se erguiría el deber de entregarlo a las autoridades. Y con su instinto de contradicción, si de continuo estaba furiosa por tan poco dinero que le daba, aquel día se volvió amenazadora porque le dio demasiado.

A la mañana siguiente, había en su vivienda una solemnidad de jurado popular. Ella, digna y violenta, empezó por arrebatarle de las manos el sombrero, pues el cónyuge intentó huir aun sin almorzar. Presentía un trance supremo y pugnaba por ocultar su apocamiento, pensando que era todo muy sencillo con algo de aplomo. Hubiera querido empezar hablando de inventos modernos, tales como el cinematógrafo, que transforman situaciones contemporáneas; pero ella lo acosaría sin entender, pidiéndole ir al grano. Logró sentarla, y empezó por donde debió haber acabado:

—Vicenta, es que yo he escrito una novela.

—¿Y a mí eso qué me importa? ¡Buen ocioso eres!

—Es que... mientras le encontraba nombre adecuado, la intitulé "Doña Bisonte".

Ella saltó como si en su persona hubieran probado una silla eléctrica.

—¡Te advertí que te raparía la cara si volvías con tu burla!

Fue como si un rugido lo sujetase por un hombro, mientras recibía manotazos en el rostro. Él quiso explicar a gritos; pero aun contra su voluntad, instintivamente usó sus miembros en defensivo ataque. No se dio cuenta del sitio en que acertó a la rugiente furia tal puntapié, que a pesar de su volumen la sentó en un rincón. Los vecinos apiñábanse a su puerta y él salió como sonámbulo; como si no llevase rostro.

Cuando volvió por la noche, Vicenta no pudo usar los ingeniosos recursos que tenía preparados en su contra, porque él nada comprendía. Volvió con fiebre alta y siete días después murió, también, de fiebre tifoidea, como la enfermita de aquella mujer.

Al día siguiente del entierro, se detuvo ante la casucha un automóvil caro. De él bajó un individuo, y cuando conoció a la viuda, le dijo:

—Señora, perdone que tan pronto venga a saldar cuentas de su señor esposo.

Los ojos de Vicenta chispearon:

—¡A mí ya me dijo un abogado que no tengo obligación de reconocer deudas del difunto! —contestó ásperamente.

—No, señora, si al contrario, nosotros le debemos pagar a usted treinta mil pesos.

La mujer no supo, por un instante, si estaba en los dominios de un insomnio falaz. Hizo que le repitiera todo, pues tardaba en comprender que cinco semanas antes, Aníbal les había enviado una novela; que les había interesado mucho para filmarla; que él ponía como condición que le cambiaran título, y que la empresa se empeñaba en conservar aquél; que si ella se negaba a admitir los treinta mil pesos, otros empresarios menos escrupulosos la defraudarían; que ella debía sacar a luz las demás obras que hubiera dejado su esposo, y ellos se las comprarían.

—¿Verdad, señora, que son muy graciosos los tipos que presenta?

La viuda consideró indispensable sonreír.

Si su buen marido hubiera empezado por explicarle que sus ociosidades valían dinero, habría evitado la última escena bochornosa.

Pronto estuvo realizada la venta, y empezó la búsqueda entre los papeles del autor. Vicenta leyó completa una copia de la novela que de la noche a la mañana la enriquecía. Hasta la descripción de ella misma le pareció graciosa y desprovista de malevolencia. Si el pobrecito aprovechaba su caricatura, era con el fin de convertirla en propietaria de su residencia, envidiada por todo el vecindario. La búsqueda fue volviéndose angustiosa, pues aparte de copias de la novela, sólo encontró apuntes inconexos. Nada. Y una semana después del más minucioso papeleo, se descorazonó. Echó a la basura unos poemas que no interesaron al cinematografista, y cuando estuvo sola murmuró:

—¡Ay, Anibalito! ¡Ahora que empezabas a ser glorioso! Hasta para morir fuiste inoportuno.

HERNANDO TÉLLEZ
(Bogotá, Colombia, 1908 - 1966)

L A prosa del escritor colombiano es reconocidamente una de las más perfeccionistas en cuanto a la depurada expresión de su estilo literario. Hernando Téllez ejerció como periodista y representante diplomático; realizó también una breve incursión en la política como senador. El cuento seleccionado en esta antología se incluyó en la colección de 1950, *Ceniza para el viento y otras historias*.

El miedo, el abuso y la violencia son los elementos que conforman la atmósfera de terror creada en el relato "Lección de domingo" con la irrupción de tres hombres en una escuela pobre. Los once niños instruidos en una lección de la Biblia a cargo de su maestra Marta Amaya pasan a ser rehenes mientras en una pieza contigua su profesora es violada. No hay detención en el hecho de la violación; este acto de violencia es más bien la situación aludida que el lector presiente mientras se desenvuelve el tiempo de terror de los niños.

Eximio estilista, Hernando Téllez domina el arte de la sugerencia tan bien como el de la tensión narrativa y el efecto artístico de las oposiciones: Biblia-violencia; enseñanza-terror; miedo-jactancia. La tensión de esos elementos tan contrastantes, más que la novedad anecdótica, hace de "Lección de domingo" un cuento de poderosa expresión plástica. En esa dolorosa pintura, el mundo de la inocencia es duramente abatido por la realidad de la violencia, y el de la esperanza educacional, brutalmente golpeado por el de la aberración.

LECCIÓN DE DOMINGO *

L o s tres hombres entraron como una tromba al pequeño salón de clases donde la señorita Marta Amaya, nuestra maestra, leía el texto: "Plantó un hombre una viña, y la cercó con seto, y cavó un lagar y edificó una torre, y la arrendó a labradores y se partió lejos...". La voz cadenciosa y monótona se quebró súbitamente. "¿Qué quieren ustedes?", dijo intensamente pálida. Yo comprendí que ella estaba a punto de llorar. Pero ya uno de nosotros —éramos en total once rapaces— estaba llorando: Pablito Mancera, una criatura de nueve años, de cabellos color de melcocha, de rostro pecoso e invariablemente sucio. Uno de los hombres se quedó vigilando a la puerta. Los otros dos nos miraban un poco desconcertados. Vestían trajes claros, y debajo de los sacos de tela liviana —el clima era, por esos meses, sofocante— brillaban las hebillas de los cinturones y asomaban las cachas de los revólveres. ¿Revolucionarios? ¿Gobiernistas? ¡Quién iba a saberlo! La señorita Marta había tratado de explicárnoslo, a su manera. "Debemos confiar en Dios", decía, "para que esto acabe pronto". Pero no acababa. Tan mal iban las cosas de la revolución y de la paz, que al mayor de nosotros, los colegiales, Juan Felipe Gutiérrez, le habían matado ya al padre, y la señorita Marta no podía darnos clase sino los domingos por la tarde. Y solamente de doctrina cristiana. Por eso estaba leyéndonos el evangelio de

* Reproducido con autorización de Editorial Universitaria, S. A., Santiago, Chile. *Cenizas para el viento y otras historias.* Santiago, Chile: Editorial Universitaria, S. A., 1969, pp. 60-65.

San Marcos —"plantó un hombre una viña, etc."— en el
momento de entrar los hombres. "Queremos conversar con
usted", dijo uno dirigiéndose a la señorita Marta. "Y sin
perder tiempo", remató con voz sorda uno de los otros dos,
el que estaba a la puerta.

Debo advertirles que todo esto pasó hace muchos años,
pues ya soy un viejo, y no voy a la escuela. De la significación de lo acontecido esa tarde de domingo, fuera del salón
de clases, no me di cuenta sino transcurrida una buena porción de tiempo. Creo que cuando ya me había convertido
en eso que llaman un hombre. Y lo habría olvidado por
completo si hoy, al abrir incidentalmente una Biblia, no
hubiera tropezado con las palabras de San Marcos en el
Capítulo 12. "Pero si éstas eran las palabras de la señorita
Marta", me dije. Y, al punto, la vi salir del salón, con el rostro demudado, acompañada de dos de los hombres. Echó
sobre nosotros una angustiosa mirada y nos dijo: "Perma-
nezcan juiciosos y tranquilos. Yo volveré pronto". Salieron.
El hombre apostado a la puerta la cerró cuidadosamente
como quien cierra un libro, y avanzó hacia el centro del
salón. Vaciló un poco ante las dos gradas de la tarima
donde se hallaban, como en un trono, el asiento de la señorita Marta y su mesa de trabajo. Nosotros estábamos muy
quietecitos en los bancos, repartidos de dos en dos. Yo no
tenía compañero, pues éramos once y once es un número
impar. El hombre no se atrevía a ocupar el asiento de la
señorita Marta. Eso se veía. Por lo menos así lo pensé.
Supongo que le daba vergüenza por timidez o por temor al
ridículo. De pie, examinó los papeles y cuadernos —nuestros cuadernos— que se hallaban sobre la mesa. Tomó uno,
lo hojeó y, al detenerse en una página, trató de sonreír.
Debió leer el nombre del dueño, escrito en la cubierta, con
la linda y cuidadosa letra de la señorita Marta. "¿Quién es
Roberto Collazos?", preguntó, todavía con el cuaderno
entre las manos. Todos volvimos a mirar a Collazos. Y
Collazos se levantó del banco. "Yo", dijo. La raya del sol
que entraba por una de las ventanas y caía sobre la negra
cabeza de Collazos me permitió calcular que serían aproximadamente las cuatro de la tarde, pues yo había notado

que a esa hora, siempre, en los días de buen sol, aparecía una franja de luz y de polvo, proyectada desde el cielo como un reflector. "¿Conque usted es Collazos?" "Sí, señor." "Está bien. Siéntese." El hombre siguió mirando los cuadernos. "¿Y quién es Cepeda?" Y Cepeda se levantó, como lo había hecho Collazos. "Y ¿quién es Gregorio Villarreal?" Y Gregorio hizo lo mismo que Cepeda y Collazos. "Y ¿quién es Inocencio Cifuentes?" Me incorporé. Y sentí que la cara se me llenaba de calor. No dije nada. No dije como los demás: "yo, señor". El hombre se quedó mirándome con simpatía. "Yo también soy Cifuentes", dijo. Todos reímos, inclusive el pequeño Pablito Mancera a quien, tal vez, le había pasado ya el miedo. El hombre continuó su juego. Y se divertía evidentemente. Y nosotros empezamos a divertirnos también. Uno a uno fuimos respondiendo al llamado que se nos hacía. Se oyeron de nuevo algunas risas cuando le tocó el turno a Benito Díaz, quien tartamudeaba un poco. Y el hombre rió a su vez, jovialmente. Empezábamos a olvidar a la señorita Marta. Empezábamos a olvidar que se la habían llevado los otros dos. Y que los tres entraron, bueno, como ladrones. Empezábamos a olvidar que debajo de los sacos, colgados del cinturón, estaban los revólveres. Empezábamos a olvidar la guerra entre revolucionarios y gobiernistas.

Cuando el hombre decidió sentarse en el asiento de la señorita Marta ya tenía ganada nuestra confianza. Nadie murmuró nada. Nadie disimuló ninguna sonrisa. Nos pareció completamente natural que ocupara ese sitio. Hasta ese momento llevaba la cabeza cubierta con el sombrero. Al sentarse se lo quitó y colocó el fieltro sobre la mesa. Parecía cansado y bueno. Un rostro común y corriente. La piel, amarillenta como la de todos nosotros. Y el pelo, en desorden. Hubo una larga pausa de silencio. El hombre se pasó las manos por la barba y se quedó mirando, durante unos minutos, al vacío. Collazos se levantó. "Señor, ¿podría irme para mi casa?" El hombre pareció sorprendido. "¿Qué dice? Nadie saldrá de aquí todavía. ¿Entiende? ¿Entienden todos?" Collazos se sentó de nuevo. Silencio absoluto. El miedo había regresado a la clase y entraba, de

lleno, a nuestros pechos. Un casi imperceptible hilo de
llanto sonaba a mi espalda. Era, claro está, Pablito Mancera.

No sé cuánto duramos así: el hombre en la tarima, mirándonos, mirando, a veces, el limpio cielo de verano que
se transparentaba a través de los cristales de la ventana, y
nosotros mudos, quietos, amedrentados, mirándonos los
unos a los otros o mirándolo a él. No sé cuánto tiempo.
Pero era absurdo estar así. Yo traté de contar hasta ciento
para acabar con el malestar que sentía. (Mamá me decía
que era un buen recurso para que llegara pronto, por las
noches, el sueño.) Empecé: uno, dos, tres, cuatro... ¿Pero
qué querían esos hombres? Cinco, seis, siete... ¿Iban a
tenernos así, hasta la noche? Pronto serían las cinco de la
tarde, la hora en que la señorita Marta colocaba cuidadosamente entre las páginas de su Biblia un pedacito de
papel como señal para continuar al domingo siguiente, y
también como señal de que, por el momento, todo había
concluido, de que podríamos levantarnos de nuestros bancos y salir, en tropel, calle abajo, y luego dispersarnos a
campo traviesa. Detrás de esa ventana, más allá de ese
muro de cal, por detrás de la espalda del hombre sentado
en la silla de la señorita Marta, estaba el campo, y el olor
del campo, y nuestras casas y mamá esperándome: "Venan-
cio, ¿aprendiste mucho?"... ¿En qué iba? Siete, ocho,
nueve, diez, once, doce... De pronto la atmósfera se rompió
con un grito. Con dos gritos. Con tres gritos. Era la señorita
Marta. "Auxilio." "Auxilio." "Auxilio." Les confieso que
las lágrimas me empezaron a brotar de los ojos. Y recuerdo
que hubo un estremecimiento en los bancos. El hombre se
puso en pie, eléctricamente, y una máscara de ferocidad
cayó sobre su rostro hasta entonces apacible, casi amigo.
"Quietos", dijo, y con un gesto veloz, automático, desen-
fundó el revólver. Se detuvo, sin embargo, a medio
camino de su impulso y, sin levantar el arma, sin apuntar
hacia nosotros, la colocó sobre la mesa. "El que diga una
palabra..." No concluyó, porque un nuevo grito, esta vez
sofocado, llegó en el aire. No puedo referirles qué hicieron entonces mis compañeros, porque yo agaché la cabeza

y me tapé el rostro con las manos. Sentía húmedas las mejillas y la frente. Y entre las comisuras de los labios, el sabor de mis lágrimas. Un desagradable sabor a sal. Además, estaba temblando, como si tuviera fiebre. Y la saliva se me había acabado. Los sollozos de Pablito Mancera me llegaban claros, continuos y desesperados.

¿Ustedes desean saber cuánto tiempo pasó hasta cuando los otros dos hombres se presentaron a la puerta del salón? Pero eso es exigirme demasiado. Y estoy seguro de que si ustedes se encuentran alguna vez con Collazos, con Villarreal o con Cepeda o con Pablito Mancera, no conseguirían saber más de lo que yo les cuento. El tiempo es una cosa vaga e imprecisa, una cosa que a veces se detiene como un tren que falla y otras sigue raudo, como un río impetuoso. Lo único que puedo decirles es que en medio de ese trozo de tiempo yo quedé sumergido, con el corazón palpitante de miedo. Pensé que si me movía, el hombre podía matarme. Le bastaría con levantar el arma y apuntar. Algo muy sencillo, muy fácil. ¿No es cierto? Mejor quedarme quieto. Me dolían las manos por la presión de los músculos. "Puede matarnos, matarnos a todos", pensaba yo. Y rectificaba: "No, a todos no, porque le faltarían en el revólver cinco cápsulas". "¿Son cinco o seis las que lleva el tambor?" Y luego volvía el miedo, como en oleadas, a golpear en mi pecho. Pablito Mancera seguía llorando, débilmente, tenuemente, como si se hallara en trance de morir. Y no se oía nada más que ese susurro de pena en todo el silencio de la clase, en todo el silencio de la casa, probablemente en todo el silencio del pueblo y de los campos.

El estrépito de la puerta, al entrar los dos hombres, me obligó a levantar la cabeza. El que estaba en la tarima descendió las gradas con el arma en las manos. "Vamos, vamos", dijo uno. El que nos había acompañado colocó el revólver en el cinturón y preguntó, bajando la voz: "¿Y yo qué voy a hacer?". "Cállate. Hablaremos afuera. No es necesario que los muchachos se enteren." "¿Muy difícil?" El interrogado sonrió siniestramente, se acercó a la oreja de su compañero y debió decirle algo muy gracioso porque ambos estallaron en carcajadas. El otro volvió a mirarnos, paseó los ojos por toda la clase, intentó hablarnos, pero tal vez no encontró las palabras que buscaba y, dándonos la espalda, salió primero que sus compañeros. Yo seguí el ruido de los pasos hasta que se perdieron en el final del corredor, entre la yerba de la calle, entre el pesado silencio de esa hora luminosa e inolvidable de domingo por la tarde, la hora de la lección de doctrina cristiana que nos daba a los once rapaces de nuestro pueblecito, nuestra maestra, la señorita Marta Amaya.

Las dos habitaciones vecinas del salón de clase estaban destinadas una para comedor y la otra para alcoba de la maestra. Después había una pequeña cocina. Y después, la huerta. Nada más. Nuestra escuela era pobre, como el pueblo, como nosotros, como la señorita Marta Amaya que allí había llegado, nombrada por el Gobernador, hacía dos años, sola, con su sombrero de paja, su falda de tela clara y su maleta de cuero que podía abrirse como un fuelle. Era realmente bonita la señorita Marta. Y a mí siempre me pareció buena. Y ahora, ahora la señorita Marta estaba como muerta, pero no estaba muerta, entre su cama, con la blusa desgarrada y los senos al aire y la falda tirada sobre el piso, y una de las piernas colgando, como un péndulo, del borde del lecho. No debía estar muerta, a pesar de que tenía los ojos cerrados, porque yo veía cómo ondulaba y ondulaba ese pecho desnudo...

ALEJO CARPENTIER
(La Habana, Cuba, 1904 - París, Francia, 1980)

E x i m i o narrador de una obra que alcanza los mejores
momentos del barroco hispano en el siglo xx. Alejo Carpentier llegó a París cuando tenía veinticuatro años; allí
asistió al desarrollo del surrealismo y conoció a las figuras
más relevantes de este movimiento. Después de una
década de permanencia en Francia, regresó por algunos
años a su país para salir nuevamente a Caracas en 1945
donde residirá por catorce años. La experiencia de la vida
artística parisiense será significativa en el autor, pero su
obra no escoge el camino del surrealismo sino que el rasgo
de modernidad de éste para nutrir originalmente su ten-
dencia barroca y su inspirada concepción de lo real maravilloso. Carpentier vuelve a Cuba en 1959.

El escritor cubano entendió el barroco como una sensibilidad artística más que como una escuela de referencia a
un período determinado de producción. Este modo que
para Carpentier reaparece en la historia del arte es visto
con especial productividad al fundirse con la estética de la
modernidad. El espíritu de lo sincrético —que para el autor
es el verdadero ser del barroco— permea su obra en registros tales como el tratamiento yuxtapositivo del tiempo,
el enfoque convergente de lo espacial y la configuración macrocósmica del lenguaje a través de una apropiación
totalizante del mismo. Otros rasgos de esa comprensión amal-
gamada de lo barroco provocan en su narrativa una delibe-
rada recurrencia de motivos, el viaje entre ellos, como
búsqueda de raíces, y el apoyo de otras artes —la arquitectura

y la música por ejemplo— en la plasmación de un discurso
de plenitud y exceso literarios. El exceso, sin embargo,
nunca llega en Carpentier al atestamiento; es, más bien
—como él mismo lo explicara en su obra *La novela latinoamericana en vísperas de un nuevo siglo y otros ensayos*—
el "horror al vacío", mesurado por una construcción de
perfección arquitectónica. Este afán de balance se deja ver
en su fecunda idea de lo real maravilloso, concepto que a
diferencia de la fría y arbitraria yuxtaposición surrealista
encuentra en la formación plural de la lengua y en el concierto diverso de la cultura americana una poderosa invención de sincretismo.

   Los pasos perdidos y *Concierto barroco*, exquisitas novelas de Carpentier, son obras de referencia insoslayable en
el proceso de la literatura hispanoamericana. La primera
de ellas se dirige al encuentro de un movimiento narrativo de
nuevas dimensiones en el tratamiento de la temporalidad.
La segunda vierte la celebración gozosa de la unión entre
lo moderno y lo barroco, explorando con atrevimiento el
fulgor de la intertransmisión cultural. Los aspectos de una
modernidad barroca a los que hemos apuntado tienen un
enfoque igualmente intenso en los cuentos de Carpentier,
narraciones de consumado dominio estilístico y de lenguaje; verdaderos clásicos en el género como se puede
apreciar en los relatos "El camino de Santiago", "Viaje a la
Semilla", y "Semejante a la noche", cuento que destruye el
artificio de las cronologías, reviviendo la visión focal, paralela y cosmogónica del tiempo.

SEMEJANTE A LA NOCHE *

> Y caminaba, semejante a la noche
> Ilíada: Canto 1

I

E L mar empezaba a verdecer entre los promontorios todavía en sombra, cuando la caracola del vigía anunció las cincuenta naves negras que nos enviaba el rey Agamenón. Al oír la señal, los que esperaban desde hacía tantos días sobre las boñigas de las eras, empezaron a bajar el trigo hacia la playa donde ya preparábamos los rodillos que servirían para subir las embarcaciones hasta las murallas de la fortaleza. Cuando las quillas tocaron la arena, hubo algunas riñas con los timoneles, pues tanto se había dicho a los micenianos que carecíamos de toda inteligencia para las faenas marítimas, que trataron de alejarnos con sus pértigas. Además, la playa se había llenado de niños que se metían entre las piernas de los soldados, entorpecían las maniobras, y se trepaban a las bordas para robar nueces de bajo los banquillos de los remeros. Las olas claras del alba se rompían entre gritos, insultos y agarradas a puñetazos, sin que los notables pudieran pronunciar sus palabras de bienvenida, en medio de la baraúnda. Como yo había esperado algo más solemne, más festivo, de nuestro encuentro con los que venían a buscarnos para la guerra, me retiré, algo decepcionado, hacia la higuera en cuya rama gruesa gustaba de montarme, apretando un poco las rodillas sobre la madera, porque tenía un no sé qué de flancos de mujer.

A medida que las naves eran sacadas del agua, al pie de las montañas que ya veían el sol, se iba atenuando en mí la mala impresión primera, debida sin duda al desvelo de la noche de espera, y también al haber bebido demasiado, el día anterior, con los jóvenes de tierras adentro, recién llegados a esta costa, que habrían de embarcar con nosotros, un poco después del próximo amanecer. Al observar las filas de cargadores de jarras, de odres negros, de cestas, que ya se movían hacia las naves, crecía en mí, con un calor de orgullo, la conciencia de la superioridad del guerrero. Aquel aceite, aquel vino resinado, aquel trigo sobre todo, con el cual se cocerían, bajo ceniza, las galletas de las noches en que dormiríamos al amparo de las proas mojadas, en el misterio de alguna ensenada desconocida, camino de la Magna Cita de Naves —aquellos granos que habían sido aechados[1] con ayuda de mi pala, eran cargados ahora para mí, sin que yo tuviese que fatigar estos largos músculos que tengo, estos brazos hechos al manejo de la pica de fresno, en tareas buenas para los que sólo sabían de oler la tierra; hombres, porque la miraban por sobre el sudor de sus bestias, aunque vivieran encorvados encima de ella, en el hábito de deshierbar y arrancar y rascar, como los que sobre la tierra pacían. Ellos nunca pasarían bajo aquellas nubes que siempre ensombrecían, en esta hora, los verdes de las lejanas islas de donde traían el silfión de acre perfume. Ellos nunca conocerían la ciudad de anchas calles de los troyanos, que ahora íbamos a cercar, atacar y asolar. Durante días y días nos habían hablado, los mensajeros del rey de Micenas, de la insolencia de Príamo, de la miseria que amenazaba a nuestro pueblo por la arrogancia de sus súbditos, que hacían mofa de nuestras viriles costumbres; trémulos de ira, supimos de los retos lanzados por los de

[1] *aechados:* ahechados, cribados.

Ilios a nosotros, acaienos de largas cabelleras, cuya valentía no es igualada por la de pueblo alguno. Y fueron clamores de furia, puños alzados, juramentos hechos con las palmas en alto, escudos arrojados a las paredes, cuando supimos del rapto de Elena de Esparta. A gritos nos contaban los emisarios de su maravillosa belleza, de su porte y de su adorable andar, detallando las crueldades a que era sometida en su abyecto cautiverio, mientras los odres derramaban el vino en los cascos. Aquella misma tarde, cuando la indignación bullía en el pueblo, se nos anunció el despacho de las cincuenta naves negras. El fuego se encendió entonces en las fundiciones de los bronceros, mientras las viejas traían leña del monte. Y ahora, transcurridos los días, yo contemplaba las embarcaciones alineadas a mis pies, con sus quillas potentes, sus mástiles al descanso entre las bordas como la virilidad entre los muslos del varón, y me sentía un poco dueño de esas maderas que un portentoso ensamblaje, cuyas artes ignoraban los de acá, transformaba en corceles de corrientes, capaces de llevarnos a donde desplegábase en acta de grandezas el máximo acontecimiento de todos los tiempos. Y me tocaría a mí, hijo de talabartero, nieto de un castrador de toros, la suerte de ir al lugar en que nacían las gestas cuyo relumbre nos alcanzaba por los relatos de los marinos; me tocaría a mí la honra de contemplar las murallas de Troya, de obedecer a los jefes insignes, y de dar mi ímpetu y mi fuerza a la obra del rescate de Elena de Esparta —másculo empeño, suprema victoria de una guerra que nos daría, por siempre, prosperidad, dicha y orgullo. Aspiré hondamente la brisa que bajaba por la ladera de los olivares, y pensé que sería hermoso morir en tan justiciera lucha, por la causa misma de la Razón. La idea de ser traspasado por una lanza enemiga me hizo pensar, sin embargo, en el dolor de mi madre, y en el dolor, más hondo tal vez, de quien tuviera que recibir la noticia con los ojos secos —por ser el jefe de la casa. Bajé lentamente hacia el pueblo, siguiendo la senda de los pastores. Tres cabritos retozaban en el olor del tomillo. En la playa, seguía embarcándose el trigo.

II

Con bordoneos de vihuela y repiques de tejoletas,[2] feste-
jábase, en todas partes, la próxima partida de las naves. Los
marinos de *La Gallarda* andaban ya en zarambeques[3] de
negras horras,[4] alternando el baile con coplas de sobado
—como aquella de la Moza del Retoño, en que las manos
tentaban el objeto de la rima dejado en puntos por las
voces. Seguía el trasiego del vino, el aceite y el trigo, con
ayuda de los criados indios del Veedor, impacientes por
regresar a sus lejanas tierras. Camino del puerto, el que iba
a ser nuestro capellán arreaba dos bestias que cargaban con
los fuelles y flautas de un órgano de palo. Cuando me tropezaba con gente de la armada, eran abrazos ruidosos, de
muchos aspavientos, con risas y alardes para sacar las mujeres a sus ventanas. Éramos como hombres de distinta raza,
forjados para culminar empresas que nunca conocerían el
panadero ni el cardador de ovejas, y tampoco el mercader
que andaba pregonando camisas de Holanda, ornadas de
caireles[5] de monjas, en patios de comadres. En medio de la
plaza, con los cobres al sol, los seis trompetas del Adelantado se habían concertado en folías,[6] en tanto que los atam-
bores borgoñones atronaban los parches,[7] y bramaba, como
queriendo morder, un sacabuche[8] con fauces de tarasca.

Mi padre estaba en su tienda oliente a pellejos y cordo-
banes, hincando la lezna en una acción con el desgano de
quien tiene puesta la mente en espera. Al verme, me tomó
en brazos con serena tristeza, recordando tal vez la horrible
muerte de Cristobalillo, compañero de mis travesuras juveniles, que había sido traspasado por las flechas de los indios

---

[2] *tejoletas:* tarreña; pieza de barro cocido que se maneja y hace
sonar como las castañuelas.

[3] *zarambeques:* danza de negros, alegre y bulliciosa.

[4] *horras:* esclavas que han sido libertadas.

[5] *caireles:* adornos a modo de flecos.

[6] *folías:* música ligera de carácter popular.

[7] *parches:* tambores.

[8] *sacabuche:* instrumento músico de metal a modo de trompeta.

de la Boca del Drago. Pero él sabía que era locura de todos, en aquellos días, embarcar para las Indias —aunque ya dijeran muchos hombres cuerdos que aquello era engaño común de muchos y remedio particular de pocos. Algo alabó de los bienes de la artesanía, del honor —tan honor como el que se logra en riesgosas empresas— de llevar el estandarte de los talabarteros en la procesión del Corpus; ponderó la olla segura, el arca repleta, la vejez apacible. Pero, habiendo advertido tal vez que la fiesta crecía en la ciudad y que mi ánimo no estaba para cuerdas razones, me llevó suavemente hacia la puerta de la habitación de mi madre. Aquél era el momento que más temía, y tuve que contener mis lágrimas ante el llanto de la que sólo habíamos advertido de mi partida cuando todos me sabían ya asentado en los libros de la Casa de la Contratación. Agradecí las promesas hechas a la Virgen de los Mareantes por mi pronto regreso, prometiendo cuanto quiso que prometiera, en cuanto a no tener comercio deshonesto con las mujeres de aquellas tierras, que el Diablo tenía en desnudez mentidamente edénica para mayor confusión y extravío de cristianos incautos, cuando no maleados por la vista de tanta carne al desgaire. Luego, sabiendo que era inútil rogar a quien sueña ya con lo que hay detrás de los horizontes, mi madre empezó a preguntarme, con voz dolorida, por la seguridad de las naves y la pericia de los pilotos. Yo exageré la solidez y marinería de *La Gallarda,* afirmando que su práctico[9] era veterano de Indias, compañero de Nuño García. Y, para distraerla de sus dudas, le hablé de los portentos de aquel mundo nuevo, donde la Uña de la Gran Bestia y la Piedra Bezar curaban todos los males, y existía, en tierra de Omeguas, una ciudad toda hecha de oro, que un buen caminador tardaba una noche y dos días en atravesar, a la que llegaríamos, sin duda, a menos de que halláramos nuestra fortuna en comarcas aún ignoradas, cunas de ricos pueblos por sojuzgar. Moviendo suavemente la cabeza, mi madre habló entonces de las mentiras y jactancias de los indianos, de amazonas y antropófagos, de las

---

[9] *práctico:* piloto que gobierna la embarcación.

tormentas de las Bermudas, y de las lanzas enherboladas
que dejaban como estatua al que hincaban. Viendo que
a discursos de buen augurio ella oponía verdades de mala
sombra, le hablé de altos propósitos, haciéndole ver la miseria de tantos pobres idólatras, desconocedores del signo de
la cruz. Eran millones de almas, las que ganaríamos a nuestra santa religión, cumpliendo con el mandato de Cristo a
los Apóstoles. Éramos soldados de Dios, a la vez que soldados del rey, y por aquellos indios bautizados y encomen-
dados, librados de sus bárbaras supersticiones por nuestra
obra, conocería nuestra nación el premio de una grandeza
inquebrantable, que nos daría felicidad, riquezas y poderío
sobre todos los reinos de la Europa. Aplacada por mis palabras, mi madre me colgó un escapulario del cuello y me dio
varios ungüentos contra las mordeduras de alimañas pon-
zoñosas, haciéndome prometer, además, que siempre me
pondría, para dormir, unos escarpines de lana que ella misma
hubiera tejido. Y como entonces repicaron las campanas de
la catedral, fue a buscar el chal bordado que sólo usaba en
las grandes oportunidades. Camino del templo, observé
que, a pesar de todo, mis padres estaban como acrecidos de
orgullo por tener un hijo alistado en la armada del Adelantado. Saludaban mucho y con más demostraciones que de
costumbre. Y es que siempre es grato tener un mozo de
pelo en pecho, que sale a combatir por una causa grande
y justa. Miré hacia el puerto. El trigo seguía entrando en las
naves.

III

Yo la llamaba mi prometida, aunque nadie supiera aún
de nuestros amores. Cuando vi a su padre cerca de las
naves, pensé que estaría sola, y seguí aquel muelle triste,
batido por el viento, salpicado de agua verde, abarandado
de cadenas y argollas verdecidas por el salitre, que conducía a la última casa de ventanas verdes, siempre cerradas.
Apenas hice sonar la aldaba vestida de verdín, se abrió la
puerta, y, con una ráfaga de viento que traía garúa de olas,

entré en la estancia donde ya ardían las lámparas, a causa
de la bruma. Mi prometida se sentó a mi lado, en un hondo
butacón de brocado antiguo, y recostó la cabeza sobre mi
hombro con tan resignada tristeza que no me atreví a inte-
rrogar sus ojos que yo amaba, porque siempre parecían
contemplar cosas invisibles con aire asombrado. Ahora, los
extraños objetos que llenaban la sala cobraban un significado nuevo para mí. Algo parecía ligarme al astrolabio, la
brújula y la Rosa de los Vientos; algo, también, al pez-sie-
rra que colgaba de las vigas del techo, y a las cartas de Mer-
cator y Ortellius que se abrían a los lados de la chimenea,
revueltos con mapas celestiales habitados por Osas, Canes
y Sagitarios. La voz de mi prometida se alzó sobre el silbido
del viento que se colaba por debajo de las puertas, pregun-
tando por el estado de los preparativos. Aliviado por la
posibilidad de hablar de algo ajeno a nosotros mismos, le
conté de los sulpicianos y recoletos que embarcarían con
nosotros, alabando la piedad de los gentileshombres y cul-
tivadores escogidos por quien hubiera tomado posesión de
las tierras lejanas en nombre del rey de Francia. Le dije
cuanto sabía del gigantesco río Colbert, todo orlado de
árboles centenarios de los que colgaban como musgos pla-
teados, cuyas aguas rojas corrían majestuosamente bajo un
cielo blanco de garzas. Llevábamos víveres para seis meses.
El trigo llenaba los sollados[10] de *La Bella* y *La Amable*.
Íbamos a cumplir una gran tarea civilizadora en aquellos
inmensos territorios selváticos, que se extendían desde el
ardiente Golfo de México hasta las regiones de Chicaguá,
enseñando nuevas artes a las naciones que en ellos residían.
Cuando yo creía a mi prometida más atenta a lo que le
narraba, la vi erguirse ante mí con sorprendente energía,
afirmando que nada glorioso había en la empresa que
estaba haciendo repicar, desde el alba, todas las campanas
de la ciudad. La noche anterior, con los ojos ardidos por el
llanto, había querido saber algo de ese mundo de allende
el mar, hacia el cual marcharía yo ahora, y, tomando los ensayos de Montaigne, en el capítulo que trata de los carruajes,

[10] *sollados:* piso o cubierta inferior de una embarcación.

había leído cuanto a América se refería. Así se había enterado de la perfidia de los españoles, de cómo con el caballo
y las lombardas, se habían hecho pasar por dioses. Encendida de virginal indignación, mi prometida me señalaba el
párrafo en que el bordelés escéptico afirmaba que "nos
habíamos valido de la ignorancia e inexperiencia de los
indios, para atraerlos a la traición, lujuria, avaricia y crueldades, propias de nuestras costumbres". Cegada por tan
pérfida lectura, la joven que piadosamente lucía una cruz
de oro en el escote, aprobaba a quien impíamente afirmara
que los salvajes del Nuevo Mundo no tenían por qué trocar
su religión por la nuestra, puesto que se habían servido
muy útilmente de la suya durante largo tiempo. Yo comprendía que, en esos errores, no debía ver más que el despecho de la doncella enamorada, dotada de muy ciertos
encantos, ante el hombre que le impone una larga espera,
sin otro motivo que la azarosa pretensión de hacer rápida
fortuna en una empresa muy pregonada. Pero, aun comprendiendo esa verdad, me sentía profundamente herido
por el desdén a mi valentía, la falta de consideración por
una aventura que daría relumbre a mi apellido, lográndose,
tal vez, que la noticia de alguna hazaña mía, la pacificación
de alguna comarca, me valiera algún título otorgado por el
rey —aunque para ello hubieran de perecer, por mi mano,
algunos indios más o menos. Nada grande se hacía sin
lucha, y en cuanto a nuestra santa fe, la letra con sangre
entraba. Pero ahora eran celos los que se traslucían en el
feo cuadro que ella me trazaba de la isla de Santo
Domingo, en la que haríamos escala, y que mi prometida,
con expresiones adorablemente impropias, calificaba de
"paraíso de mujeres malditas". Era evidente que, a pesar
de su pureza, sabía de qué clase eran las mujeres que solían
embarcar para el Cabo Francés, en muelle cercano, bajo la
vigilancia de los corchetes, entre risotadas y palabrotas de
los marineros; alguien —una criada, tal vez— podía
haberle dicho que la salud del hombre no se aviene con
ciertas abstinencias y vislumbraba, en un misterioso mundo
de desnudeces edénicas, de calores enervantes, peligros
mayores que los ofrecidos por inundaciones, tormentas, y

mordeduras de los dragones de agua que pululan en los ríos de América. Al fin empecé a irritarme ante una terca discusión que venía a sustituirse, en tales momentos, a la tierna despedida que yo hubiera apetecido. Comencé a renegar de la pusilanimidad de las mujeres, de su incapacidad de heroísmo, de sus filosofías de pañales y costureros, cuando sonaron fuertes aldabonazos, anunciando el intempestivo regreso del padre. Salté por una ventana trasera sin que nadie, en el mercado, se percatara de mi escapada, pues los transeúntes, los pescadores, los borrachos —ya numerosos en esta hora de la tarde— se habían aglomerado en torno a una mesa sobre la que a gritos hablaba alguien que en el instante tomé por un pregonero del Elixir de Orvieto, pero que resultó ser un ermitaño que clamaba por la liberación de los Santos Lugares. Me encogí de hombros y seguí mi camino. Tiempo atrás había estado a punto de alistarme en la cruzada predicada por Fulco de Neuilly. En buena hora una fiebre maligna —curada, gracias a Dios y a los ungüentos de mi santa madre— me tuvo en cama, tiritando, el día de la partida: aquella empresa había terminado, como todos saben, en guerra de cristianos contra cristianos. Las cruzadas estaban desacreditadas. Además, yo tenía otras cosas en que pensar.

El viento se había aplacado. Todavía enojado por la tonta disputa con mi prometida, me fui hacia el puerto, para ver los navíos. Estaban todos arrimados a los muelles, lado a lado, con las escotillas abiertas, recibiendo millares de sacos de harina de trigo entre sus bordas pintadas de arlequín. Los regimientos de infantería subían lentamente por las pasarelas, en medio de los gritos de los estibadores, los silbatos de los contramaestres, las señales que rasgaban la bruma, promoviendo rotaciones de grúas. Sobre las cubiertas se amontonaban trastos informes, mecánicas amenazadoras, envueltos en telas impermeables. Un ala de aluminio giraba lentamente, a veces, por encima de una borda, antes de hundirse en la oscuridad de un sollado. Los caballos de los generales, colgados de cinchas, viajaban por sobre los techos de los almacenes, como corceles wagnerianos. Yo contemplaba los últimos preparativos desde lo alto de una pasarela de hierro, cuando, de pronto, tuve la

angustiosa sensación de que faltaban pocas horas —apenas
trece— para que yo también tuviese que acercarme a aquellos buques, cargando con mis armas. Entonces pensé en
la mujer; en los días de abstinencia que me esperaban; en la
tristeza de morir sin haber dado mi placer, una vez más, al
calor de otro cuerpo. Impaciente por llegar, enojado aún
por no haber recibido un beso, siquiera, de mi prometida,
me encaminé a grandes pasos hacia el hotel de las bailari-
nas. Christopher, muy borracho, se había encerrado ya con
la suya. Mi amiga se me abrazó, riendo y llorando, afirmando que estaba orgullosa de mí, que lucía más guapo
con el uniforme, y que una cartomántica le había asegurado
que nada me ocurriría en el Gran Desembarco. Varias
veces me llamó *héroe,* como si tuviese una conciencia del
duro contraste que este halago establecía con las frases
injustas de mi prometida. Salí a la azotea. Las luces se
encendían ya en la ciudad, precisando en puntos luminosos
la gigantesca geometría de los edificios. Abajo, en las
calles, era un confuso hormigueo de cabezas y sombreros.
    No era posible, desde este alto piso, distinguir a las muje-
res de los hombres en la neblina del atardecer. Y era sin
embargo, por la permanencia de ese pulular de seres desconocidos, que me encaminaría hacia las naves, poco después
del alba. Yo surcaría el Océano tempestuoso de estos
meses, arribaría a una orilla lejana bajo el acero y el fuego,
para defender los Principios de los de mi raza. Por última
vez, una espada había sido arrojada sobre los mapas de
Occidente. Pero ahora acabaríamos para siempre con la
nueva Orden Teutónica, y entraríamos, victoriosos, en el
tan esperado futuro del hombre reconciliado con el hombre.
Mi amiga puso una mano trémula en mi cabeza, adivinando,
tal vez, la magnanimidad de mi pensamiento. Estaba desnuda bajo los vuelos de su peinador entreabierto.

IV

    Cuando regresé a mi casa, con los pasos inseguros de
quien ha pretendido burlar con el vino la fatiga del cuerpo

ahíto de holgarse sobre otro cuerpo, faltaban pocas horas
para el alba. Tenía hambre y sueño, y estaba desasosegado, al
propio tiempo, por las angustias de la partida próxima. Dis-
puse mis armas y correajes sobre un escabel y me dejé caer en
el lecho. Noté entonces, con sobresalto, que alguien estaba
acostado bajo la gruesa manta de lana, y ya iba a echar mano
al cuchillo cuando me vi preso entre brazos encendidos de
fiebre, que buscaban mi cuello como brazos de náufrago,
mientras unas piernas indeciblemente suaves se trepaban a
las mías. Mudo de asombro quedé al ver que la que de tal
manera se había deslizado en el lecho era mi prometida.
Entre sollozos me contó su fuga nocturna, la carrera temerosa de ladridos, el paso furtivo por la huerta de mi padre,
hasta alcanzar la ventana, y las impaciencias y los miedos
de la espera. Después de la tonta disputa de la tarde, había
pensado en los peligros y sufrimientos que me aguardaban,
sintiendo esa impotencia de enderezar el destino azaroso
del guerrero que se traduce, en tantas mujeres, por la
entrega de sí misma —como si ese sacrificio de la virginidad, tan guardada y custodiada, en el momento mismo de
la partida, sin esperanza de placer, dando el desgarre propio para el goce ajeno, tuviese un propiciatorio poder de
ablación ritual. El contacto de un cuerpo puro, jamás pal-
pado por manos de amante, tiene un frescor único y peculiar dentro de sus crispaciones, una torpeza que sin
embargo acierta, un candor que intuye, se amolda y encuentra, por oscuro mandato, las actitudes que más estrecha-
mente machihembran los miembros. Bajo el abrazo de mi
prometida, cuyo tímido vellón parecía endurecerse sobre
uno de mis muslos, crecía mi enojo por haber extenuado mi
carne en trabazones de harto tiempo conocidas, con la
absurda pretensión de hallar la quietud de días futuros en
los excesos presentes. Y ahora que se me ofrecía el más
codiciable consentimiento, me hallaba casi insensible bajo
el cuerpo estremecido que se impacientaba. No diré que mi
juventud no fuera capaz de enardecerse una vez más aquella noche, ante la incitación de tan deleitosa novedad. Pero
la idea de que era una virgen la que así se me entregaba, y
que la carne intacta y cerrada exigiría un lento y sostenido

empeño por mi parte, se me impuso con el temor al acto
fallido. Eché a mi prometida a un lado, besándola dulcemente en los hombros, y empecé a hablarle, con sinceridad
en falsete, de lo inhábil que sería malograr júbilos nupciales en la premura de una partida; de su vergüenza al resultar empreñada; de la tristeza de los niños que crecen sin un
padre que los enseñe a sacar la miel verde de los troncos
huecos, y a buscar pulpos debajo de las piedras. Ella me
escuchaba, con sus grandes ojos claros encendidos en la
noche, y yo advertía que, irritada por un despecho sacado
de los trasmundos del instinto, despreciaba al varón que,
en semejante oportunidad, invocara la razón y la cordura, en
vez de roturarla y dejarla sobre el lecho, sangrante como
un trofeo de caza, de pechos mordidos, sucia de zumos, pero
hecha mujer en la derrota. En aquel momento bramaron
las reses que iban a ser sacrificadas en la playa y sonaron las
caracolas de los vigías. Mi prometida, con el desprecio pintado en el rostro, se levantó bruscamente, sin dejarse tocar,
ocultando ahora, menos con gesto de pudor que con ademán
de quien recupera algo que estuviera a punto de malbaratar, lo que de súbito estaba encendiendo mi codicia. Antes
de que pudiera alcanzarla, saltó por la ventana. La vi alejarse a todo correr por entre los olivos, y comprendí en
aquel instante que más fácil me sería entrar sin un rasguño
en la ciudad de Troya, que recuperar a la Persona perdida.

Cuando bajé hacia las naves, acompañado de mis padres,
mi orgullo de guerrero había sido desplazado en mi ánimo
por una intolerable sensación de hastío, de vacío interior,
de descontento de mí mismo. Y cuando los timoneles
hubieron alejado las naves de la playa con sus fuertes pértigas, y se enderezaron los mástiles entre las filas de remeros, supe que había las horas de alardes, de excesos, de
regalos, que preceden las partidas de soldados hacia los
campos de batalla. Había pasado el tiempo de las guirnal-
das, las coronas de laurel, el vino en cada casa, la envidia de
los canijos, y el favor de las mujeres. Ahora, serían las dia-
nas, el lodo, el pan llovido, la arrogancia de los jefes, la sangre derramada por error, la gangrena que huele a almíbares
infectos. No estaba tan seguro ya de que mi valor acrecería

la grandeza y la dicha de los acaienos de largas cabelleras. Un soldado viejo que iba a la guerra por oficio, sin más entusiasmo que el trasquilador de ovejas que camina hacia el establo, andaba contando ya, a quien quisiera escucharlo, que Elena de Esparta vivía muy gustosa en Troya, y que cuando se refocilaba en el lecho de Paris sus estertores de gozo encendían las mejillas de las vírgenes que moraban en el palacio de Príamo. Se decía que toda la historia del doloroso cautiverio de la hija de Leda, ofendida y humillada por los troyanos, era mera propaganda de guerra, alentada por Agamenón, con el asentimiento de Menelao. En realidad, detrás de la empresa que se escudaba con tan elevados propósitos, había muchos negocios que en nada beneficiarían a los combatientes de poco más o menos. Se trataba sobre todo —afirmaba el viejo soldado— de vender más alfarería, más telas, más vasos con escenas de carreras de carros, y de abrirse nuevos caminos hacia las gentes asiáticas, amantes de trueques, acabándose de una vez con la competencia troyana. La nave, demasiado cargada de harina y de hombres, bogaba despacio. Contemplé largamente las casas de mi pueblo, a las que el sol daba de frente. Tenía ganas de llorar. Me quité el casco y oculté mis ojos tras de las crines enhiestas de la cimera que tanto trabajo me hubiera costado redondear —a semejanza de las cimeras magníficas de quienes podían encargar sus equipos de guerra a los artesanos de gran estilo, y que, por cierto, viajaban en la nave más velera y de mayor eslora.

LUISA MERCEDES LEVINSON
(Buenos Aires, Argentina, 1914 - 1987)

L A obra de la escritora argentina —premiada y traducida a varios idiomas— busca el enlace entre la sensualidad de la naturaleza y el erotismo. La búsqueda de esa comunicación crea una prosa de gran vitalidad y un lenguaje lleno de encantamiento. Dos personajes perseguidos por el pasado de su marginalidad y de la victimización crean un sensual juego de relaciones en el bello cuento de Levinson, "Más allá del Gran Cañón". La trayectoria artística de Luisa Mercedes Levinson comienza en la mitad de la década de los cuarenta, época en que comienza a publicar cuentos en revistas, y se extiende hasta la década de los ochenta con la considerable producción narrativa de seis novelas, tres colecciones de cuentos, obras de teatro y crónica.

MÁS ALLÁ DEL GRAN CAÑÓN

No muy lejos del río Colorado y del Gran Cañón está la hornalla. Es una hendidura menor y nos es tan difícil descenderla, pero una vez allí se toma conciencia de estar adentro de un pedazo de entraña destrozada y de formar parte de ella. Ya se sabe que en lo hondo de la tierra no hay demasiadas diferencias entre hombre, árbol, piedra o animal.

América es exagerada: el desierto es como el fin del mundo, y el viento es un rebenque que azota con frío o con calor según de qué lado sople. Pero tapándose las narices con algún trapo para no respirar arena, hasta se puede sembrar algo si se tiene el coraje de bajar al río unas cuantas veces con un balde grande para regar un poco.

A veces cuando se acaba la harina hay que amasar con polvo de raíces, pero el gusto de la tierra del desierto no es tan malo, si no se tiene otra cosa.

En aquellos tiempos pocos pasajeros atravesaban el desierto de Arizona, pero la diligencia, vacía o no, lo hacía una vez cada mes, y Joe y la mujer blanca oían el *tlac* durante todo el día, desde la hornalla. Y el *tlac* crecía, se les metía adentro y despertaba las evocaciones, las mezclaba con las músicas de antes y los fantasmas viejos, y ellos dos quedaban silenciosos, separados, esperando. La mujer caminaba por el rancho de la hornalla, de uno a otro lado, malhumorada o eufórica o temerosa. Se ataba y se desataba el pelo, se refregaba los ojos y el cuello y se ponía polvos de arroz sobre las marcas de la cara. Y los dos, sin hablar, se atareaban, no podían estarse quietos, barrían el suelo de tierra apisonada, tan colorada como una herida, pasaban un trapo sobre las piedras que servían de paredes y Joe componía la silla desclavada y ponía en fila las figuras que había modelado: ángeles con cuernos y sexos en las alas para conjurar el mal. Después las escondía porque la diligencia ya estaba cerca, ya se apagaba el último *tlac* y el silencio les caía encima como una tapa. Joe trepaba para espiar un poco, nunca se sabe qué puede traer una diligencia. A veces pasaba de largo, cuando acarreaba pasajeros de autoridad.

Podía confiarse en el mandadero, pero de todos modos era preferible la cautela. Buen hombre el mandadero, un poco sediento, es verdad pero eso le ayudaba a contar los sucedidos.

Esta vez todo andaba bien: el mandadero estaba dando voces a la entrada de la hornalla y Joe le ayudó a descender y allí estaba con el agua ardiente y un poco de *whisky* Bourbon, y azúcar y tabaco y hasta chocolate, unas semillas y papas también, total esta vez la diligencia no llevaba pasajeros. Joe encendía un fuego grande con los cactus juntados en todo el mes, y el mandadero narraba historias de negros linchados porque habían violado a una chica (la mujer escondió la cara entre la gasa colorada que le había regalado Joe) y contaba del presidente alto y flaco padre nuestro de los Estados Unidos de América que parecía un gran negro blanco, sabía cosas de árboles y su voz resonaba como una banda de música en la plaza. Y el presidente decía que el Gran Cañón y el desierto y el río Colorado también eran América y por eso "the best of the world".

Cuando el mandadero ya se había ido con las mazorcas escasas y un poco de avena y las tortas, cuando dejaban de resonar los últimos *tlac* de la diligencia, Joe y la mujer blanca, con dificultad, iban integrándose a la vida de siempre, es decir, a cumplir con la ley como buenos súbditos que eran: la mujer se volvía a atar los bigudíes,[1] empuñaba el látigo y salía del rancho chasqueando contra el suelo y gritando:

---

[1] *bigudíes:* rizadores para el pelo.

—¡Hey Joe, vamos de una vez, que tanta historia! Ustedes los negros son peor que la peste, unos haraganes que no sirven para nada. Hey...

Daba con el rebenque en el suelo y alguna vez en el lomo inclinado de Joe que cavaba y, si tenía suerte, sembraba un poco mientras se entregaba con lenta alegría a su canción:

> Gracias señor,
> Gracias Moisés
> Tu negro te canta,
> Tu negro soez.
> El niño Jesús le enseñó a esperar.
> Acá no hay Jordán para cruzar.

Al anochecer, Joe, sudoroso, bajaba al rancho de la hornalla; la mujer llevaba suelto el largo pelo castaño casi sin trazas de rulos. Tenía preparada la comida y el balde lleno de agua. Se arrodillaba junto a Joe y empezaba a lavarle los pies y los muslos, a frotarlo con el cepillo y con las yemas de los dedos, un poco ásperos también. Joe dejaba hacer mientras comía la harina de maíz o de cebada rociada con la leche de la cabra. Después, desnudo y brillante, se acomodaba sobre la mesa, los talones debajo de las nalgas. La mujer le alcanzaba el tambor y el látigo y Joe cantaba sosteniendo el ritmo con la percusión, enervado pero dulce porque la mujer bailaba al son de los chasquidos y del tambor. Algún rebencazo la alcanzaba en el vientre o en el trasero y ella se desprendía la falda, el corpiño, y los grandes pechos blancos se derramaban adueñándose del rayo de luna que horadaba el hueco de la hornalla. Joe cantaba:

> Hay que cruzar... hay que cruzar
> El agua es mucha, nos va a tapar
> Oh, Jordán.

Hasta que la mujer, exhausta, desnuda, emblanquecido el cuerpo de humedad caliente, esperaba y la vela se apagaba del todo, sólo el blancor del rayo de luna, ahora sobre un pecho, ahora en el otro hasta que Joe rodaba sobre ella por el suelo de tierra apisonada hasta el cuero de búfalo que en un día de suerte había cazado. Y el ritmo de la noche iba ganando todo el desierto, frío, ahí arriba, caliente, aquí abajo.

Pero a la primera pinta de sol la mujer se desperezaba y empuñaba el látigo y Joe empezaba a trepar hornalla arriba, con la pala y la azada a cuestas, y la mujer dando chasquidos gritaba otra vez:

—¡Hey, negro de porquería! Una tiene que deslomarse con el látigo para que siembre alguna cosa. ¿Cómo va a andar nuestra América con negros que sólo sirven para engullir?

Ya Joe y su canción se inclinaban, pesaban, subían, y la mujer se dejaba estar sobre la piel de búfalo, encendía la pipa y echaba humo: se había olvidado que tenía la cara marcada, sólo la noche y los brazos de Joe le habían dejado su huella dulce, adentro, y ella, entredormida, sólo sabía que el mundo era redondo porque sus pechos y su vientre eran redondos y porque hacía calor o frío y Joe le daba duro a la pala y el rastrillo para traer algunos granos, y a veces podía cazar alguna buena presa, si tenía suerte.

Las noches y los días estaban encadenados por los eslabones de la necesidad, del placer y del viento. Una mañana como otras, se oyó, lejos, el *tlac* de la diligencia, y al oscurecer el mandadero se apeó y bajó a la hornalla. Era en el mes de las lluvias y el desierto, por dos o tres semanas, había florecido de amarillo. El mandadero estaba empapado. Arriba, en la diligencia, esperaban un par de viajeros, gente inofensiva, dijo, pero nunca se sabe, por eso Joe no subió ni para ayudar con las provisiones. Pero el mandadero tenía que secarse la ropa empapada, beber con tranquilidad y contar los sucedidos: el presidente leñador, alto y desmañado como un negro blanco, había declarado la guerra a los ricos plantadores, a los de la suerte y el algodón. Y ya no había ni ricos ni esclavos ni guerra tampoco porque el mundo se había dado vuelta. Los negros del norte, ahora, eran como los blancos del sur, antes: la noche era día y el día noche. Joe y la mujer daban vueltas los ojos en redondo, los clavaban en los rincones, como alfilerazos fugaces, y después, atemorizados, miraban para el cielo que quedaba muy arriba, desde la hornalla.

El mensajero ya había saciado su sed y se había ido. Sólo la noche les caía encima y los embadurnaba de negrura o de blancor según el paso de las nubes más abajo o justo frente a la luna recién salida. De pronto la negrura quedó fija en la hornalla, como para siempre, y los dos se tumbaron, cada uno en su rincón. A la madrugada, la mujer empuñó el látigo. Como todos los días Joe se puso el pantalón caqui y tomó la azada y la pala del rincón. Una gran tristeza los inundaba y no miró a la mujer. Ella tampoco gritó los insultos de costumbre; se demoró estirando el pelo pesado, con los dedos, sin enroscarlo con los bigudíes. Estaba de pie, apoyada contra la roca, y empezó a surgir en ella la evocación, detallada, resucitada: el prostíbulo de Austin y los mineros sentándola sobre el mostrador, abriéndole la blusa para toquetearle los pechos bien a gusto y rociarlos con buches de cerveza, y ella riendo, porque el frío y las burbujas hacen cosquillas, algo así como la voz de Joe cuando canta una canción nueva, pero distinto, porque con la canción los pechos no se erizan de frío sino de dulzura caliente. Siempre tuvo pechos grandes y muy blancos, aún cuando la cara se le llenó de pústulas y la echaron del prostíbulo.

—¡Fuera, fuera. Viruela... Viruela negra!... —y todos se apartaron de ella. Sólo Joe, el esclavo del patio, la ayudó. Ella corría, jadeando, corrió hasta la mina pidiendo protección.

—¡Fuera! ¡Maldición! Una mujer en la mina ¡jetta![2] y con pústulas. ¡Fuera!... ¡Viruela!...

Las pústulas se oscurecían, ya eran verdosas, violeta, negruzcas y echaban zumos, dolor y después picor. Joe la seguía, la sostenía en el camino mientras los otros gritaban:

—¡La peste, fuera, fuera!

Todo ardía en ella; no supo si fue Joe o las apariciones quienes la llevaban en brazos, no supo si Joe se lo dijo con palabras o con la piel:

—Te llevaré por los caminos de sol y de frío hasta la gran noche de la luna llena.

[2] *¡jetta!*: variante de yeta. En lenguaje lunfardo significa mala suerte, influjo maléfico.

Por fin encontraron un refugio, una gruta o cabaña abandonada, a la entrada del desierto. Durante el día Joe se iba
y la dejaba, tirada en el camastro, ardiendo o tiritando.
Pero a la noche volvía con una jarra de leche. Joe era un
esclavo huido —pensaba la mujer— lo podrían linchar. Ella
dudó: ¿debía o no denunciarlo? A lo mejor tendría que
hacerlo, pero todavía no. Joe traía el *whisky* Bourbon,
que hace olvidar el hedor y el deber, y con Joe llegaba la
calma. Ella bajaba la manta, y los pechos de buche de
paloma blanca se esparcían ahí, inmaculados; ella refrescaba
sus manos con costras contra ese frescor de carne blanca casi
ajena, y contemplaba esos pechos lucientes como objetos del
pasado, jarras de alabastro o pantallas de lámparas.

Ahora la mujer, apoyada en la pared de la hornalla, veía
cosas demasiado lejanas con sus ojos cegados, aunque muy
abiertos. Luchaba por espantar los viejos recuerdos, pero
se obcecaba con ellos, mezclando los tiempos, mientras
Joe, arriba, canturreaba tristemente.

—¡Hey, Joe, deja de cantar, o quieres que te azote?
—gritó la mujer por costumbre poniendo las manos junto a
la boca como trompeta, para que suba la voz. Pero no pudo
dejar de caer, otra vez, en el pozo de las memorias; tenía
que agotarlo, beberlas todas, una a una, no podía hacer otra
cosa con esa evocación persistente que no quería morir. Y
la mujer murmuró casi en voz alta: "La cara marcada con
hendiduras, con hornallas como el desierto, y yo excluida,
fuera del baile y del deseo de los mineros blancos, para
siempre". (Lanzó una risa amarga.) Total, ella solamente
había tenido viruela; había otras con pestilencias peores y se
habían quedado... Pero después de ella empezaron dos
mineros con las pústulas negras de la viruela, y los dos reventaron. Ésos ya no descenderían ni a la mina ni a la cama,
solamente a la hornalla del campo santo, y después a la del
infierno... (La mujer rió otra vez con su risa mala.)

Joe, desde lejos, cantaba, elevando la voz muy arriba,
ahora; arrastrándola muy abajo:

> *Jesus Christ... in my eye...*
> *Jesus Christ... in heaven...*

Jesus Christ... in the sky...
Jesus Christ... is seven.
Hills and hills,
Fields and fields,
Seven bells,
Seven hells...
In my eyeeeeeeee.

—¡Basta negro, o querés la gran paliza!... Un negro siempre será un negro color infierno. ¡Basta!

Joe le llevaba hielo, noche a noche, en aquella cabaña escondida. ¿Cómo hacía para llegar con el hielo hasta ahí, casi a la entrada del desierto? ¡Qué abrigada, sucia y dulce era la cabaña esa!... Era lindo el hielo sobre las pústulas; flores de hielo traía Joe en sus palmas violeta.

—¡Negra linda del infierno como yo! —decía Joe contento—. No te vas a morir como los mineros porque Joe te lleva adentro, entre la sangre y la piel. Ya sos parte de Joe y Joe no muere.

Y despacio bajaba la manta y un pecho se derramaba sobre el camastro, después el otro y Joe se arrodillaba, serio y grave:

—Son la vía láctea que bajó a la tierra... Sagrados, sagrados y blancos hasta cegar...

Joe juntaba las manos y cantaba sin palabras comprensibles:

Jillo holly yellow hey...
Jillo holly yellow hell...
Jillo, jallo.

Las pústulas fueron secándose una a una y empezó otra vez la huida, con la cara bien cubierta por la gasa colorada que Joe le había comprado en Texas y la capota con el lazo celeste bajo la barbilla. La gran llanura empezaba ahí, arenosa y purpúrea; caminar, caminar. Por fin encontraron la diligencia: al cochero le había dado el mal del sol y Joe tomó las riendas.

—¡Sólo un lagarto negro soporta este sol del demonio! —había dicho el cochero escupiendo. Se acomodó con la mujer adentro de la diligencia. Tenía los ojos nublados y no vio las marcas de la cara; ella le ponía compresas de Bourbon en las sienes. Actuaba con cuidado, para que no resbalara la gasa que le tapaba la cara marcada, aunque hacía un calor del infierno, ya no podía más y los huesos le sonaban y pinchaban adentro del cuerpo enflaquecido. La diligencia seguía por el desierto. Joe sabía de una hornalla chica con una cabaña que una vez había albergado a un negro huido. Quedaba un poco más allá del Gran Cañón, y el río Colorado pasaba cerca con agua dulce para beber. Pero en la hornalla habitaban los demonios que odian a los hombres y las mujeres, negros o no. Por suerte Joe podía modelar las figuras que exorcizan —su abuela le había pasado los secretos de las espinas de tuna—[3] y cada tormenta arrojaba una figura al Gran Cañón para apaciguar a los demonios grandes y alimentar a los chicos. Porque Joe había encontrado la hornalla que pronto fue "el rancho de la hornalla" y entre cascotes y arena empezó a sembrar. Pudo comprar la cabra y un día vino solo el macho cabrío y quedó.

—¿Ves? Son mis ángeles que llamaron al chivo —decía mientras modelaba y aditaba falos de cactus pinchudos lilavioleta. Las semillas fecundaban y les daban de comer.

Una vez el mandadero trajo un calzón largo con puntilla para la mujer, y una falda rosa fuerte con miriñaque que Joe había encargado.

Ahora la mujer, ahí apoyada, los sacaba con cuidado de la maleta vieja, los palpaba y estiraba mientras seguía enredando con los recuerdos, como una araña, sin poder desprenderse. El almuerzo no estaba preparado cuando Joe bajó a la hornalla. Estaba cabizbajo y parecía triste. Por fin mientras comía su galleta y los dos bebían la leche, se miraron fijo a los ojos, por primera vez ese día. La mujer como despertándose se enderezó para empuñar el látigo. Pasó las yemas por sus cuerdas trenzadas, como una despedida; después se lo entregó a Joe. Luego cargó con la pala y la azada y empezó a subir hornalla arriba. Joe la miraba; él también subió. La veía alejarse con melancolía, pero encendió la

---

[3] *tuna:* planta cactácea; nopal.

pipa de ella y empezó a chasquear con el látigo, mientras inspiraba y exhalaba el humo de la pipa. Porque los dos eran buenos hijos de América, súbditos obedientes de su presidente y no iban a transgredir la ley, aunque fuera una ley hija de la guerra.

La mujer cavaba y después sembró porque era la época. Joe volvió a la hornalla siempre fumando, preparó el cocido y chasqueó el látigo también, lanzando los improperios de rigor con su voz potente, un poco ritmados como una letanía. Claro está, por la noche todo estuvo bien; como cuando estuvieron escondidos en la otra cabaña, Joe ungió toda la piel blanca de ella, la inmaculada de los pechos y la otra de la cara y el vientre. De pronto levantó a la mujer en alto y la depositó suavemente sobre la mesa de piedra, en un sitial que había preparado con florecitas amarillas del desierto, porque estaban en el mes de las lluvias.

Gravemente, como si fuera un objeto sagrado, Joe le entregó el látigo y la mujer, un poco cansada, desganadamente al principio, empezó a chasquear, después alcanzó a Joe en las pantorrillas, fue enardeciéndose, le dio en los hombros, en el pecho. Joe bailaba, bailó más y más para ella, balanceándose como una serpiente, un tigre, un búfalo en celo hasta arrodillarse frente a la mujer, riendo como el río Colorado, llorando con la tempestad y el viento hasta apresar toda la blancura de ella entre sus brazos duros para exprimirla de luna, para cubrirla de tormenta y cumplir una vez más la otra ley oscura de la tierra, con infierno y con cielo.

JOSÉ LEZAMA LIMA
(La Habana, Cuba, 1910-1976)

JOSÉ Lezama Lima es una de las figuras mayores de la literatura hispanoamericana. Su obra poética, narrativa y ensayística lleva la producción de la imagen a la erudición exquisita. La originalidad de la creación del escritor cubano se dio siempre enlazada a la invención de una estética cuya repercusión llena todo el acontecer artístico de la segunda mitad del siglo XX y seguirá siendo estudiada en el futuro. Su obra goza de la complejidad del barroco y de la pasión por aprehender el cuerpo de la imagen. La complejidad verbal y conceptual de la obra de Lezama Lima no quieren intimidar al lector sino, como el mismo autor lo afirmara, desean desafiarlo. El estímulo de la creación habitaba para Lezama en las garras de lo difícil.

Refiriéndose a la cuentística de Lezama Lima, José Ángel Valente indica que "estos textos ilustran, acaso mejor que otros más extensos, muchos de los elementos centrales de lo que fue o es el sistema poético de Lezama: la vivencia oblicua, la actuación del imposible sobre el posible, el choque entre la causalidad y lo incondicionado y la creación, en fin de una sobrecausalidad —la causalidad metafórica. (...) La poesía, la escritura vuelve a ser así, como Lezama quería, 'el órgano de lo desconocido', el espacio de manifestación de lo maravilloso, de la '*terateia*'. Está pues el lector ante cuentos maravillosos o de lo maravilloso, en el mismo sentido en que Novalis definió el cuento (Marchen). Lo propio del cuento —escribe Novalis— es ser como un sueño, sin coherencia. Un conjunto de cosas e incidentes maravillosos (...) Una *historia* insertada en el cuento es ya una injerencia extraña". ("El pulpo, la araña y la imagen". Prólogo a *Juego de las decapitaciones*. Barcelona: Montesinos Editor, 1984, pp. 11-12).

El escritor cubano desarrolló —especialmente en las décadas de los cuarenta, cincuenta y primera mitad de los sesenta— una actividad intelectual y artística de vital importancia en las letras cubanas. El espacio de las revistas que editaba, el de su creación literaria y ensayística, y el riquísimo diálogo de Lezama Lima fueron sumamente influyentes en los artistas e intelectuales de esa época. La difusión internacional de la obra del escritor cubano comienza después de la publicación de su primera novela, *Paradiso,* en 1966. José Lezama Lima se graduó de abogado, pero ejerció sólo algunos años. Después de la revolución cubana fue Director del Departamento de Literatura y Publicaciones del Consejo Nacional de Cultura; también desempeñó, por algunos años, un cargo directivo en la Unión Nacional de Escritores y Artistas Cubanos. Fue el editor de importantes revistas literarias como *Verbum*, *Nadie Parecía*, *Espuela de Plata* y la conocida revista *Orígenes,* que apareció entre 1944 y 1956.

El cuento "Cangrejos, golondrinas" se publicó primeramente en la revista *Orígenes* en 1946; luego se incluyó en las colecciones de cuentos *Cangrejo, golondrinas* (1977), *Juego de las decapitaciones* (1984) y *Relatos* (1987).

CANGREJOS, GOLONDRINAS *

E U G E N I O Sofonisco, herrero, dedicaba la mañana del domingo a las cobranzas del hierro trabajado. Salía de la incesancia áurea de su fragua y entraba con distraída oblicuidad en la casa de los mayores del pueblo. No se podía saber si era griego o hijo de griegos. Sólo alcanzaba su plenitud rodeado por la serenidad incandescente del metal. Guardaba un olvido que le llevaba a ser irregular en los cobros, pero irreductible. Volvía siempre silbando, pero volvía y no se olvidaba. Tenía que ir a la casa del filólogo que le había encargado un freno para el caballo joven del hijo de su querida, y aunque el ayuda de cámara le salía al paso, Sofonisco estaba convencido de que el filólogo tenía que hacer por la mano de su ayuda de cámara los pagos que engordaban los días domingos. Para él, cobrar en monedas era mantener la eternidad recíproca que su trabajo necesitaba. Mientras trabajaba el hierro, las chispas lo mantenían en el oro instantáneo, en el parpadeo estelar. Cuando recibía las monedas, le parecía que le devolvían las mismas chispas congeladas, cortadas como el pan.

Agudo y locuaz, le gustaba aparecer como lastimero y sollozante. El domingo que fue a casa del filólogo se entró al ruedo, oblicuo como de costumbre, y al atravesar el largo patio que tenía que recorrer antes de tocar la primera puerta, vio en el centro del patio una montura con la inscripción de ilustres garabatos aljamiados.[1] Ilustró la punta de sus dedos recorriendo la tibiedad de aquella piel y la frialdad de los garabatos en *argentium* de Lisboa. Apoyado en su distracción avanzaba convencido, cuando la voz del mayordomo del filólogo llenó el patio, la plaza y la villa. Insolencia, decía, venir cuando no se le llama, nos repta en el oído con la punta de sus silbidos y se pone a manosear la montura que no necesita de su voluptuosidad. Orosmes, soplillo malo. No vienes nunca y hoy que se te ocurre, mi señor el filólogo fue a desayunar a casa del tío de un meteorólogo de las Bahamas que nos visita, y no está ni tiene por qué estar. Usted viene a cobrar y no a acariciar la plata de las monturas que no son suyas. Empieza por hacer las cosas mal, y después acaricia su maldad. Un herrero con delectación morosa. Te disfrazas de distraído amante del *argentium,* pero en el puño se te ve el rollo de los cobros, las papeletas de la anotación cuidadosa. Te finges distraído y acaricias, pero tu punto final es cerrar el pañuelo con arena aún más sucia y con las monedas en que te recuestas y engordas. No te quiero ver más por aquí, te presentas en el instante que sólo a ti corresponde, alargas la mano y después te vas. No tienes por qué acariciar la plata de ninguna montura. La voz se calló, desaparecieron los carros de ese Ezequiel, y Sofonisco saltó de su distracción a una retirada lenta, disimulada.

El domingo siguiente se levantó con una vehemencia indetenible para volver a repetir la cobranza en casa del filólogo. Se sentía avergonzado de los gritos del mayordomo, vaciló, y le dijo a su mujer la urgencia de aquel cobro y el malestar que lo aguantaba en casa. La mujer de Sofonisco se cambió los zapatos, se alisó, mientras adoptaba la dirección de la casa del filólogo. Se le olvidó acariciar la montura antes de que su mano cayese tres veces en el aldabón.

No le salió al paso el mayordomo, sino la esposa del filólogo. Insignificante y relegada cuando su esposo estaba en

---

[1] *aljamiados:* escritos en aljamía, es decir, hecho en lengua castellana con caracteres arábigos.

casa, si éste viajaba adquiría una posición rectificadora y durante la ausencia del esposo presumía de modificar y humillar al mayordomo. Le había mandado que ayudase a fregar la loza, que abandonase el plumerillo y sus insistentes acudidas a la más lejana insinuación a su presencia, llenada con mimosas vacilaciones. Había visto la humillación de la noble distracción de Sofonisco, anonadado por la crueldad y los chillidos del mayordomo. Y ahora quería limpiarle el camino, reconciliarse.

A la presentación del deseo de cobranza, contestó con muchas zalemas que su esposo continuaba las visitas dominicales al meteorólogo de las Bahamas, ya que tenían mucho que hablar acerca de la influencia de la literatura birmana en el siglo II de la Era Cristiana. Ella no tenía dinero en casa, pero se afanaría por hacer el pago en cualquier forma. Sorprendió una indicación lejana. Ah, sígame, le dijo. La traspasó por pasadizos hasta que llegaron como a un oasis de frío, estaban en la nevera de la casa. Le enseñó colgada una buena pierna de res. Es suya, le dijo, se la cambio por el recibo. No tengo por ahora otra manera de pagarle. Quizás el domingo siguiente el mayordomo le entregue unas cuantas monedas que le envía mi esposo el filólogo. Pero no, dijo como iluminada, prefiero pagarle yo ahora mismo. Es suya, llévesela como quiera, pero no la arrastre, requiere un buen hombro. Vaya a buscar a su esposo. Las puertas quedarán abiertas para que no se moleste. Dispense, adiós.

Al llegar a su casa el herrero descansó la pierna de la res cerca del baúl, indeciso ante la situación definitiva del nuevo monumento que se elevaba en su cámara. Tenía unos fluses[2] que nunca usaba, esperando una solemnidad que nunca lo saludaba, los empapeló y los llevó hasta una esquina donde fueron desenvueltos en un cromatismo xántico.[3] Izó la pierna y la situó en el respeto de una elevación que no evitase la tajada diaria al alcance de la mano, y salió a airearse, el olor penetrante de la res le había comunicado

[2] *fluses:* ternos, trajes.
[3] *xántico:* de color amarillo.

una respiración mayor que necesitaba de la frecuencia de
los árboles en el aire que él iba a incorporar.

La esposa se desabrochó, esperando el regreso del herrero
para hacer cama. Desnuda se acercó a la pierna de la res, la
contempló, acariciándola con los ojos desde lejos. La pierna
trasudó como una gota de sangre que vino a reventar contra
su seno. No reventó; al golpe duro de la gota de sangre en el
seno sintió deseos de oscurecer el cuarto antes de que regre-
sase el herrero. Sintió miedo de verse el seno y miedo de ver
el esposo. El sueño, uno al lado del otro, los distanció por
dos caminos que terminaban en la misma puerta de hierro
con inscripciones ilegibles. Cierto que ella era analfabeta;
él, había comenzado a leer en griego en su niñez; a contar
los dracmas limpiando calzado en Esmirna y había hecho
chispas en los trabajos de la forja colada en la villa de
Jagüey Grande. Cuando dormía, después que había penetrado con su cuerpo en su esposa, diversificaba su sueño,
ocurriéndosele que recibía un mensaje de Lagasch, alcalde
de Mesopotamia, comprando todas sus cabras. Al terminar el sueño, soñaba que estaba en el principio de la
noche, en el sitio donde se iniciaba la inscripción de los
soplos benévolos.

Al despertar la esposa tuvo valor para contemplarse el
seno. Había brotado una protuberancia carmesí que trató
de ocultar, pero el tamaño posterior la llevó a hablar con
Sofonisco de la nueva vergüenza aparecida en su cuerpo. Él
no le dijo lo que tenía que hacer. Se sintió tan indeciso, después consideró la aparición de algo sagrado, luego respetaba más que nunca a su mujer, pero no la tocaba ya. Todos
los vecinos le hablaron del negro Tomás, cuyo padre había
alcanzado una edad que los abuelos del pueblo en su niñez
ya lo recordaban como viejo. Había curado viruelas,
andaba con largo cayado de rama de naranjo, cuando se
tornaban negras, abrazándose con blancas. Allí fue y el
negro le habló con sílaba lenta, de imprescindible recuerdo:
me alegra el herrero y me voy a entretener en devolverle a
su esposa como un metal. Hay que hacer primero el túnel y
después salida. Yo tengo el aceite del túnel, no preveo la
salida que Dios tiene que ayudar. Hay un aceite de nueces

de Ipuare, en el Brasil, que es caliente y abre brecha e inicia el recorrido. Con esa dinamita aceitada su pelota desaparecerá, no desaparece, va hacia dentro, buscando una salida. Se lo pone una semana, dejando caer la gota de aceite hirviendo a la misma altura donde cayó la gota de sangre. Después, vuelva. Algo tiene que ocurrir. Ya no se espera que algo ocurra. Antes, cuando tocaban la puerta, se sentía que podía ser Dios. Ahora se piensa que sea un cobrador y no se abre. Mientras se aplica el aceite hirviendo, tiene que tocarla su esposo todos los días. Ya tiene túnel, ahora espere salida.

Se sentía penetrada, la penetración estaba en tan mínima dosis en su recorrido que no sentía dolor. El topo seguido de la comadreja, el oso hormiguero seguido de una larga cadena la recorrían. Buscaban una salida, mientras sentía que la protuberancia carmesí se iba replegando en el pozo de su cuerpo. Un día encontró la salida: por una caries se precipitó la protuberancia. Desde entonces empezó a temblar, tomar agua —orinar—, tomar agua, se convirtió en el terrible ejercicio de sus noches. Estaba convencida que había sanado. ¿Acaso no había visto ella misma a la protuberancia caer en el suelo y desaparecer como una nube que nunca se pudo ver? Tuvo que ir de nuevo a ver al negro Tomás. Hubo túnel y salida, le dijo, ésta la ganó usted. Yo no podía prever que una caries sería la puerta. Ahora le hace falta no el aceite que quema, sino el que rodea la mirada. Yo no podía ver a una caries como una puerta, pero conozco ese aceite de calentura natural que se va apoderando de usted como un gato convertido en nube. Vaya a ver al negro Alberto, y él, que ya no baila como diablito, le ofrecerá los colores de sus recuerdos, las combinaciones que le son necesarias para su sueño. Usted fue recorrida por animales lentos, de cabeceo milenario. Ahora salga, siga con sus pasos la lección que le va a dictar su mirada. Tiene que convertir en cuerda floja todo cuanto pise.

Fue a ver al negro Alberto. Vivía en una casa señorial de Marinao, la casa solariega de los Marqueses de Bombato había declinado lentamente hacia el solar. En 1850, los Marqueses daban fiestas nocturnas, maldiciendo la llegada de la aurora. En 1870, se había convertido en una casona gris de cobrar contribuciones. En 1876, era el estado ciudad de un solar de Marinao. Ahora se guardaba una colilla para ser fumada tres horas después, en el blasón de una puerta de caoba. La pila bautismal recibía diariamente la materia que hace abominables a las pajareras. El negro Alberto estaba sentado en una pieza que tenía la destreza de trabajo de un sillón de Voltaire con la destreza simbólica de un sillón Flaubert. Al verla se levantó para otorgarle las primeras palmatorias.

Ya hubo túnel, le preguntó con una solemnidad jacarandosa. Con una elasticidad madura que guardaba la enseñanza de sus gestos.

Lo hubo y la caries sirvió de puerta. Pero a pesar de que yo vi, estaba muy despierta, rebotar la bolita contra el suelo que todos los días abrillanto, no me siento bien y sufro.

Alberto había sido diablito en su juventud. Cuando era adolescente bailaba desnudo, a medida que recorría los años iba aumentando su colección de túnicas. Cuando se retiró mostraba sus colecciones a los enviados por el negro. Tomás con fines curativos. Transcurría diseñando los vestidos que ya no podía ponerse para ninguna fiesta, y su mujer costurera copiaba como si en eso consistiese su fidelidad. Algunos se complicaban en laberintos de hilos, sedas y cordones, que rememoraba a Nijinsky entrevisto por Jacques Emile Blanche. Otros se aventuraban en el riesgo sigiloso de dos colores contrastados con una lentitud de trirreme. Los fue entreabriendo en presencia de la esposa de Sofonisco. Las correas con campanillas que ceñían sus brazos y piernas estaban invariablemente resueltas siguiendo las vetas de oro en el fondo verde oscuro del cobre. Las más retorcidas combinaciones dejaban impávida a la mujer del griego. Parecía que ya Alberto tocaría el final de su colección de túnicas y ni él se intranquilizaba ni la visitante mostraba la serenidad que había ido a rescatar. Por fin, mostró entre las últimas túnicas, la lila que mostraba grabada en sus espaldas una paloma. Los collares que ceñían sus brazos y sus piernas ya no eran circulares. En la boca de la paloma no se observaban ramas de trigo o aceitunas, sino muy roja, mostraba su boca en doble rojez. Alberto anotó fríamente en su memoria: blanco, lila y rojo. Como quien vuelve del sueño aparta los pañuelos que se le tienden, la esposa del herrero dijo: ya estoy en la orilla.

Fue a pagarle los servicios suntuosos del negro Alberto. Recordó lo horrible que era para ella cobrar, llevar a su casa aquella enorme pierna de res. Pensó que pagar era como lanzar una maldición a un rostro que no la había provocado.

No busque, le dijo Alberto, coja el hueso de la pierna y entiérrelo. Recuérdelo, pero no lo mire. La ironía del túnel es la paloma, siempre encuentra salida. Yo creí que había que despertarla, pero su propia sangre la llevaba a poner la mano en un cuerpo blanco. La paloma blanca y la lengua roja colocan su mirada en lo cotidiano de la mañana.

Sin embargo, le contestó, el negro Tomás me aconsejaba que Sofonisco me tocara y yo comprendía que él me tenía miedo. Me pasaban cosas extrañas y él huía. Me abrazaba, pero mostraba en el fondo de sus averiguaciones carnales una indiferencia, como si me hubiese convertido en una imagen desatada de la carne. Ahora me recordará con más precisión y podré caber de nuevo dentro de él sin atemorizarlo. Entonces se sacó del seno un hilo que el negro Alberto, siempre avisado, fue tirando, cuando todo el hilo estaba desconcertado por el suelo, lo cogió y lo lanzó en la saya de su mujer, que seguía cosiendo, recorriendo mansamente sus diseños.

Habían pasado los años que ya mostraba el hijo de Sofonisco y el pitagórico siete se mostraba con el ritmo que golpeaba la pelota contra el suelo. Su frenesí lo llevaba a golpear tan rápidamente que parecía que en ocasiones la pelota buscaba su mano como si fuera un muro, con la confianza de ser siempre interrumpida. Otras veces, después de tropezar con el suelo la pelota se levantaba como si fuese a trazar la altura de un fantasma imposible. La madre contemplaba con una lánguida extrañeza aquel frenesí de su hijo. Crecía, se volvía rojo como cuando el padre martillaba las chispas. Parecía estar ciego en el momento en que le pegaba a la pelota contra el suelo y luego, casi con indiferencia, no recobraba el orgullo de la mirada al ver la altura alcanzada. Al alcanzar una altura increíble para el golpe de su pequeña mano, alcanzó una altura misteriosa que nunca más podría rebasar. La pelota vaciló, recorrió una canal invisible y al fin se quedó dormida en la pantalla de grueso cartón verde que cubría el bombillo.[4] La madre del nuevo Sofonisco se movilizó jubilosa para entregarle a su hijo la alegría del reencuentro. Como si hubiese resuelto la invención de poblar el aire de peces, fue al patio y cogió la vara que alzaba a la tendedora lo más alto posible de las manchas de la tierra. Le dio un golpe muy ligero a la pelota para que rodase por la pantalla. No pudo prever la velocidad devoradora que adquiriría la pelota, muy superior a la huida de sus piernas. Le cayó en la nuca. El niño escondió la pelota para que llenase el mismo tiempo que le estaba dedicado al día siguiente. El herrero se fue a dormir, sus músculos estaban muy espesos por su ración diaria de martillazos y necesitaba del aceite flexible del sueño. El niño necesitaba esconder algo para dormirse. Ella ocupó su lugar: dormir sin despertar al que estaba a su lado. Soñó que por carecer de piernas, circulizada, se movía pero sin poder definir ningún camino. Con una lentitud secular soñó que le iban brotando retoños, después prolongaciones, por último, piernas. Cuando iba a precisar que caminaba, se encontró la entrada de un túnel. Ya ella sabía, el sueño era de fácil interpretación llevado por sus recuerdos y se sintió fatigada al sentirse la más aburrida de las aburridas.

Dejó el sueño en el momento en que entraba en el túnel, pero al despertar se llevó la mano a la nuca y allí estaba de nuevo la protuberancia carmesí. Ya está ahí, dijo, como quien recibe lo esperado.

Viene como siempre, contestó Sofonisco despertándose, a hacer su mal y lo peor es que tenemos que salir con él. Cualquiera que se quede sin el otro hasta el último momento, hasta entrar, es el que no podrá recordar.

Hay que averiguarlo, seguirlo, dijo ella, ya es la segunda

---

[4] *bombillo:* lámpara, bombilla.

vez y ahora viene a destruir como quien trabaja sobre un cuerpo relaxo que no tiene prolongaciones para atraer o rechazar. *Puerta, túnel, caries, la paloma encuentra salida,* todo eso está ya desinflado. Y no sé si el negro Tomás, al surgir el nuevo hecho en la misma persona, no se distraerá, fingirá que se pone al acoso para descansar. Yo misma he borrado la posibilidad de la sorpresa que mi cuerpo recién lavado puede ofrecer. Me veo obligada a recorrer un camino donde los deseos están cumplidos.

Sí, dijo Sofonisco, que ya no se rodeaba de un halo de chispas, pero eso sucede delante de mí y no puedo contemplar un espectáculo tan terrible cuando estoy dormido y siento que te acuestas a mi lado.

Entonces, dijo ella, tengo que buscar tu salud y aunque estoy ya convertida en cristal, tengo que girar para que tus ojos no se oscurezcan.

De pronto, cuando llega el cangrejo, dijo el herrero tiritando, me veo obligado a retroceder y ya no puedo tocarte. Cuando tú luchas con esas contradicciones que te han sido impuestas, me asomo y veo que lo que me transparentaba se borra, que es necesario reencontrarlo después de un paréntesis peligroso. Aunque tú ya no tengas curiosidad, me es necesario comprender una destreza, la forma que tú adquieres para caer en tu separación de mi cuerpo. Esa monotonía que tú esbozas, esa impertinencia para comprobar tus deseos, revela un endurecimiento que yo disculpo, pues en los caminos que te van a imponer requiere una gran opacidad, ya que la luz te iría reduciendo, descubriéndote en un momento en que ya tú no puedes ser conocida por nadie.

Ah, tú, silabeó la esposa, ahora es cuando surges y ya no necesitas tocarme. Cuando surge ese escorpión sobre mi cuerpo te entretienes con los esfuerzos que yo hago para quitármelo de encima. Cuando veas que ya no puedo quitármelo entonces empezará tu madurez. Al día siguiente, con la flor del aretillo[5] sobre el seno, fue a ver al negro Tomás.

[5] *aretillo:* árbol silvestre de Cuba.

Atravesó la bahía. El negro la situó entre una esquina y un farol que se alejaba cinco metros. Precipitadamente le dejó el frasco con aceite y el negro se hizo invisible. La esposa del herrero distinguió círculos y casas. El semicírculo de la línea de la playa, el círculo de los carruseles que lanzaban chispas de fósforo y latigazos, y más arriba las casas en rosa con puertas anaranjadas y las verjas en crema de mantecado. Negros vestidos de diablito avanzaban de la playa a los carruseles y allí se disolvían. Empezaban desenrrollándose acostados en el suelo, como si hubiesen sido abandonados por el oleaje. Se iban desperezando, ya están de pie y ahora lanzan gritos agudos como pájaros degollados. Después solemnizan y cuando están al lado de los carruseles las voces se han hecho duras, unidas como una coral que tiene que ser oída. Los carruseles, como si mascasen el légamo de ultratumba, cortan sus rostros con cuchilladas que dejan un sesgo de luna embetunada con hollín y calabaza. La calabaza fue una fruta y ahora es una máscara y ha cambiado su ropa ante nuestro rostro como si la carne se convirtiese en hueso y por un rayo de sol nocturno el esqueleto se rellenase con almohadas nupciales. Aquellas casas girando parecen escaparse, y golpean nuestro costado. Es lo insaciable; los diablitos avanzan hasta los carruseles y éstos lo rechazan otra vez y otra hasta la playa. Los soldados momificados soportan aquella lava. Uno saca su espada y surge una nalga por encantamiento y pega como un tambor. Un negrito de siete años, hijo de Alberto el de las túnicas, vestido de marinero veneciano, empina un papalote[6] para conmemorar la coincidencia de la espada y la nalga. La esposa, portadora del cangrejo, acostumbrada a las chispas del herrero griego, retrocede de la esquina hasta el farol. Cuando los diablos son botados hasta la playa, ella avanza cautelosamente hasta la esquina. Cuando los diablitos llegan hasta los bordes del carrusel, ella retrocede hasta el farol. Sintió pánico y la voz le subía hasta querer romper sus tapas, pero el cangrejo que llevaba en la nuca le servía de tapón. Las grandes presiones concentradas en los coros

---

[6] *papalote:* cometa (juguete).

de los negros se sintieron un poco tristes al ver que nada más podían trasladarla de la esquina hasta el farol. Y a la limitación, a la encerrona de su pánico oponían la altura de sus voces en un crescendo de mareas sin fin. Después supo que un poeta checo que asistía para hacer color local, acostumbrado a los crepúsculos danzados en el Albaicín, había comenzado a tiritar y a llorar, teniendo un policía que protegerlo con su capota y llevarlo al calabozo para que durmiese sin diablos. Al día siguiente, las páginas de su cuaderno lucían como pétalos idiotas entre el petróleo y la gelatina de las tambochas,[7] devueltas por los pescadores eruditos a las aguas muertas de la bahía.

Y más allá de los carruseles, las casas pobladas hasta reventar, con las claraboyas cerradas para evitar que la luz subdivida a los cuerpos. Bailándole a las esquinas, a los santos, al fango tirado contra cualquier pared, en cada casa apretada se repite la caminata de la playa hasta el carrusel. De pronto, un cuerpo envuelto en un trapo anaranjado es lanzado más allá de las puertas. Los soldados enloquecidos lanzan tiros como cohetes. Pero las casas cerradas, llenas hasta reventar, desdeñan el fuego artificial. "Aquí te encontré y aquí te maté." Y la cuchillada... Ah... La esposa del herrero siente que le clavan la cabeza y retrocede hasta el farol. Pasan por encima de ella, como en un asalto, todo el botín de la fiesta. Recibe una claridad, la mañana comienza a acariciarla. Empieza a sentir, a recuperar y sorprende que el frasco de aceite del Brasil hierve queriendo reventar. Cree que aún separa a los grupos, pide permiso y nadie la rodea. La lancha que la devuelve como única tripulante le permite un sueño duro que galopa en el petróleo. Sale de la lancha con pasos raudos, como si la fuese a tripular de nuevo. Cuando llega a su casa percibe a su esposo y a su hijo respetuosos de las costumbres de siempre. Y lleva el aceite hirviendo hasta su nuca. Ya encontró camino, le dice de nuevo al negro Tomás cuando lo visita, y saldrá más allá del túnel. Por la mañana lanza de nuevo la protuberancia carmesí. Ahora ha saltado por el túnel de la cuenca del ojo

---

[7] *tambochas*: hormigas venenosas.

izquierdo. Pero la zozobra que la continúa es insoportable. El esposo alejado de ella, en una soledad duplicada se lleva de continuo el índice a los labios. Y aunque está solo y muy lejos de ella, repite ese gesto, que la vecinería a su vez comenta y repite. Y el hijo, más huraño, antes de entrar en el sueño, se obstaculiza a sí mismo en tal forma que la pelota rueda como si fuese agua muerta o una cucaracha despreciada cuyo vuelo es seguido con indiferencia.

¿Qué les pasa a ustedes?, dice después de la sobremesa, lanzándole la pelota a su hijo, que la deja correr, importándole nada su desenvolvimiento.

Estás en vacaciones, ahora se dirige al esposo, para ver si tiene mejor suerte, no quieres hacer nada y las monturas de hierro van formando por toda la casa una negrura que será imposible limpiar cuando nos mudemos.

Nos mudaremos, le contesta casi por añadidura y los hierros se quedarán, ya con ellos no se puede hacer ni una sola chispa. Me gusta más ver una luciérnaga de noche que arrancarles una chispa a esos hierros de día.

Ahora, le decía días más tarde el negro Tomás, no puedo predecir el combate de la golondrina y la paloma. Ni en qué forma le hablarán. Sé que la golondrina no puede penetrar en la casa y conozco la sombra de la paloma. Sin embargo, una golondrina se obstinará en penetrarla y la paloma le hará daño. Siempre que pelean la golondrina y la paloma se hace sombra mala.

Buscaba la huida de su casa. Con un paquete a su lado, por si tenía que permanecer en los parques a la noche, mostraba aún sobre su seno la flor del aretillo. En varias ocasiones la flor rodaba, queriendo escapársele, pero su indiferencia aun podía extender la mano y recuperarla. Su atención fue indicando los carros de golondrinas que borraban las nubes. No era su intención, hasta donde su mirada podía extenderse, poner la mano en el cuello de ninguna de ellas. El verso de Pitágoras, *domesticas hirundines ne habeto,* que aconseja no llevar las golondrinas a la casa, existía para ella. Observaba sus perfectas escuadras, sus inclinaciones incesantes y geométricas. Apenas pudo hacer

un vertiginoso movimiento con la mano derecha para ahuyentar a una golondrina que se apartaba de la bandada y
había partido como una flecha marcada a hundirse en su
rostro. Rechazada, volvió un instante a la estación de partida como para no perder la elasticidad que la lanzaba de
nuevo, como el rayo se hace visible mientras la nube retrocede. Aterrorizada asió a la golondrina por el cuello y
comenzó a apretarla. Cuando sintió la frialdad de las plumas, asqueada abrió las manos para que se escapase.
Entontada, el ave ya no tenía fuerzas para alejarse y la rondaba a una distancia bobalicona. Le hacía señas y gritos a
la golondrina para que huyese, pero ella insistía, idiotizada
como en las caricias de un borracho. Tuvo que huir volviendo el rostro para asegurar que el ave ya no tenía fuerza
para perseguirla. A la otra mañana, como sucede siempre
en la vergüenza de la conciencia, repasó aquel sitio donde
se había manifestado el conjuro. Al lado del paquete, la
golondrina lucía con sofocada torpeza la última frialdad.
Pudo oír los comentarios de las esquinas que le indicaban
que la golondrina había hecho esfuerzos contrahechos para
acercarse al paquete. Esa misma noche soñó, mientras el
herrero y su hijo guardaban de ella una distancia regida por
la prudencia: la golondrina era de cartón mojado; el rocío
había traspasado los papeles del paquete y algodonado los
cordeles que lo custodiaban. Dentro, un niño gelatinoso,
deshuesado en una herrería que manipulaba con martillos
de agua, ofrecía su ombligo con una protuberancia carmesí
para que abrevase el pico de caoba de la golondrina.

Después de tanto guerrear había ido volviendo a sus
paseos del crepúsculo. Tuvo deleite de atar dos recuerdos,
entremezclándolos y separándole después sus pinzas irónicas. Creían que la habían dejado serena, no la huían, pero
ya a su lado nada se ponía en marcha para su destino. Creía
recordar las cosas que pasaban a su lado con una dureza de
arañazo. Alejaba tanto el rostro que se le acercaba o
la mano que se le tendía que los gozaba como una estampa
borrosa. Podía reducir el cielo al tamaño de una túnica y
la paloma que le echaba la sombra a la otra inmovilizada
con su lengua de rojez contrastada en la túnica lila. Gozaba de

una sombra que le enviaba la paloma que no se acerca
nunca tanto como la golondrina cuando está marcada. La
luz la iba precisando cuando ya el herrero y su hijo no sentían el paseo del cangrejo por su nuca o por el seno que
había impulsado con levedad acompasada la flor del aretillo. El cangrejo sentía que le habían quitado aquel cuerpo
que él mordía duro y que creía suyo. Le habían quitado
aquel cuerpo que él necesitaba para lo propio suyo, semejante al enconado refinamiento de las alfombras cuando
reclaman nuestros pies.

JUAN CARLOS ONETTI
(Montevideo, Uruguay, 1909 - Madrid, España, 1994)

E n la producción narrativa del siglo XX en lengua española, difícilmente se puede encontrar una obra comparable a la de Onetti en cuanto a la singular dimensión y profundidad de su vertiente existencialista. Su obra abarca un período de sesenta años, desde la publicación de su primer cuento "Avenida de Mayo-Diagonal-Avenida de Mayo" en 1933 hasta su última novela, *Cuando ya no importe,* en 1993. Curiosamente, hasta 1965 —fecha en la que Onetti ya había publicado su obra más importante (diez novelas y tres colecciones de cuentos)— la atención crítica de su obra había sido mínima. La inclusión de un estudio de Ángel Rama en la segunda edición de *El pozo* en 1965 y —como anota el crítico Hugo Verani— la publicación de las *Obras completas* en 1970, marcan el cambio de actitud hacia Onetti: reediciones de su narrativa, compilaciones de sus novelas cortas y cuentos, una abundante actividad crítica en torno a su producción, traducciones de su obra al inglés, italiano, portugués, francés, alemán y el otorgamiento del Premio Cervantes en 1980. Onetti nunca buscó esta fama; detestaba, como él mismo lo indicara, la idea de "llegar a ser escritor".

Escribir era para Onetti una fuerza, una necesidad vital, también una entrega deseada a la soledad, al escrutinio de sí mismo, sin esperanzas ni soluciones. El escribir onettiano coincidía con la actividad de impulso aislado como el de sus personajes, sin cifrarse en la propuesta de alternativas ni de mensajes (esos encargos quedan para "la mensajería", agregaría sarcásticamente). La caracterización que Onetti hace de Jean Paul Sartre en cuanto a su actitud de escritor (como productor lo veía como "escritor poco brillante") es, probablemente, el retrato más cercano del propio Onetti. Sartre estaba para el escritor uruguayo entre aquellos "que escriben para sí mismos y para cualquiera. Los que nacieron para escribir, los que escriben sin el propósito trivial, emocionante y ridículo de agradar, de obtener elogios, de contribuir a causas extraliterarias". ("Nada más importante que el existencialismo" en *Réquiem por Faulkner y otros artículos*. Montevideo: Arca, 1976, p. 147.) El escribir sin recompensas de ningún tipo signa la genial obra de Onetti, preparada para esa envolvente imagen de desintegración reinante en el universo de sus personajes y ambientes.

Antes de su incorporación a la colección de 1951, el cuento "Un sueño realizado" se había publicado en *La Nación* en 1941. La constitución multisignificacional de este relato seguirá ofreciendo diversos enfoques sobre su perfil laberíntico y teatralizado que fusiona en un haz vida, espectáculo y sueño. Antonio Muñoz Molina nos acerca a la cuentística del narrador uruguayo con una hermosa nota sobre la experiencia de su lectura: "He leído muchas veces cada uno de esos cuentos. Algunos de ellos no sólo han influido en mis ideas sobre la literatura y han modelado mi propia forma de escribir y de imaginar la ficción: *El infierno tan temido, La cara de la desgracia, La casa en la arena, Bienvenido Bob, Un sueño realizado*, forman parte no sólo de mi herencia literaria, sino de mi propia vida, me la han acompañado, me la han amargado, la han nutrido, me han servido para comprender lo que estaba viendo fuera de los libros, para conocer la ternura y tener miedo de la desolación" (Prólogo a *Cuentos completos (1933-1993)*. Madrid: Alfaguara, 1994, p. 11).

Juan Carlos Onetti trabajó y escribió colaboraciones en el semanario *Marcha*, ocupó el cargo de Director de Bibliotecas Municipales en Montevideo, escribió para el diario uruguayo *Acción*, y trabajó para la agencia de noticias Reuter en Buenos Aires. En 1962 recibió el Premio Nacional de Literatura. En 1974 es encarcelado en Montevideo por el gobierno militar, con la extravagante acusación de haber premiado —como integrante del jurado de *Marcha*— un cuento considerado "pornográfico". Se exilia al año siguiente en Madrid, donde publicaría otras tres novelas, y residiría hasta su muerte en mayo de 1994.

UN SUEÑO REALIZADO *

L A broma la había inventado Blanes; venía a mi despacho —en los tiempos en que yo tenía despacho y al café
cuando las cosas iban mal y había dejado de tenerlo— y
parado sobre la alfombra, con un puño apoyado sobre el
escritorio, la corbata de lindos colores sujeta a la camisa
con un broche de oro y aquella cabeza —cuadrada, afei-
tada, con ojos oscuros que no podían sostener la atención
más de un minuto y se aflojaban en seguida como si Blanes estuviera a punto de dormirse o recordara algún
momento limpio y sentimental de su vida que, desde
luego, nunca había podido tener—, aquella cabeza sin una
sola partícula superflua alzada contra la pared cubierta de
retratos y carteles, me dejaba hablar y comentaba redon-
deando la boca:

—Porque usted, naturalmente, se arruinó dando el
Hamlet.

O también:

—Sí, ya sabemos. Se ha sacrificado siempre por el arte y
si no fuera por su enloquecido amor por el *Hamlet...*

Y yo me pasé todo ese montón de años aguantando tanta
miserable gente, autores y actores y actrices y dueños de
teatro y críticos de los diarios y la familia, los amigos y los
amantes de todos ellos, todo ese tiempo perdiendo y
ganando un dinero que Dios y yo sabíamos que era necesario que volviera a perder en la próxima temporada, con
aquella gota de agua en la cabeza pelada, aquel puño en las

costillas, aquel trago agridulce, aquella burla no comprendida del todo de Blanes:

—Sí, claro. Las locuras a que lo ha llevado su desmedido amor por *Hamlet*...

Si la primera vez le hubiera preguntado por el sentido de aquello, si le hubiera confesado que sabía tanto de *Hamlet* como de conocer el dinero que puede dar una comedia desde su primera lectura, se habría acabado el chiste. Pero tuve miedo a la multitud de bromas no nacidas que haría saltar mi pregunta y sólo hice una mueca y lo mandé a paseo. Y así fue que pude vivir los veinte años sin saber qué era el *Hamlet*, sin haberlo leído, pero sabiendo, por la intención que veía en la cara y el balanceo de la cabeza de Blanes, que el *Hamlet* era arte, el arte puro, el gran arte, y sabiendo también, porque me fui empapando de eso sin darme cuenta, que era además un actor o una actriz, en este caso siempre una actriz con caderas ridículas, vestida de negro con ropas ajustadas, una calavera, un cementerio, un duelo, una venganza, una muchachita que se ahoga. Y también William Shakespeare.

Por eso, cuando ahora, sólo ahora, con una peluca rubia peinada al medio que prefiero no sacarme para dormir, una dentadura que nunca logró venirme bien del todo y que me hace silbar y hablar con mimo, que encontré en la biblioteca de este asilo para gente de teatro arruinada al que dan un nombre más presentable, aquel libro tan pequeño encuadernado en azul oscuro donde había unas hundidas letras doradas que decían *Hamlet,* me senté en un sillón sin abrir el libro, resuelto a no abrir nunca el libro y a no leer una sola línea, pensando en Blanes, en que así me vengaba de su broma, y en la noche en que Blanes fue a encontrarme en el hotel de alguna capital de provincia y, después de dejarme hablar, fumando y mirando el techo y la gente que entraba en el salón, hizo sobresalir los labios para decirme, delante de la pobre loca:

—Y pensar... Un tipo como usted que se arruinó por el *Hamlet.*

Lo había citado en el hotel para que se hiciera cargo de un personaje en un rápido disparate que se llamaba, me parece, *Sueño realizado*. En el reparto de la locura aquella había un galán sin nombre y este galán sólo podía hacerlo Blanes porque, cuando la mujer vino a verme, no quedábamos allí más que él y yo; el resto de la compañía pudo escapar a Buenos Aires.

La mujer había estado en el hotel a mediodía y como yo estaba durmiendo, había vuelto a la hora que era, para ella y todo el mundo en aquella provincia caliente, la del fin de la siesta y en la que yo estaba en el lugar más fresco del comedor comiendo una milanesa redonda y tomando vino blanco, lo único bueno que podía tomarse allí. No voy a decir que a la primera mirada —cuando se detuvo en el halo de calor de la puerta encortinada, dilatando los ojos en la sombra del comedor y el mozo le señaló mi mesa y en seguida ella empezó a andar en línea recta hacia mí con remolinos de la pollera[1]— yo adiviné lo que había adentro de la mujer ni aquella cosa como una cinta blanduzca y fofa de locura que había ido desenvolviendo, arrancando con suaves tirones, como si fuese una venda pegada a una herida, de sus años pasados, solitarios, para venir a fajarme con ella, como una momia, a mí y algunos de los días pasados en aquel sitio aburrido, tan abrumado de gente gorda y mal vestida. Pero había, sí, algo en la sonrisa de la mujer que me ponía nervioso y me era imposible sostener los ojos en sus pequeños dientes irregulares exhibidos como los de un niño que duerme y respira con la boca abierta. Tenía el pelo casi gris peinado en trenzas enroscadas y su vestido correspondía a una vieja moda; pero no era el que se hubiera puesto una señora en los tiempos en que fue inventado, sino, también esto, el que hubiera usado entonces una adolescente. Tenía una pollera hasta los zapatos, de aquellos que llaman botas o botinas, larga, oscura, que se iba abriendo cuando ella caminaba y se encogía y volvía a temblar al paso inmediato. La blusa tenía encajes y era ajustada, con un gran camafeo[2] entre los senos agudos de muchacha y la blusa y la pollera se unían y estaban divididas por una

[1] *pollera:* falda.
[2] *camafeo:* joya de ónice u otra piedra preciosa..

rosa en la cintura, tal vez artificial ahora que pienso, una flor de corola grande y cabeza baja, con el tallo erizado amenazando el estómago.

La mujer tendría alrededor de cincuenta años y lo que no podía olvidarse en ella, lo que siento ahora cuando la recuerdo caminar hacia mí en el comedor del hotel, era aquel aire de jovencita de otro siglo que hubiera quedado dormida y despertara ahora un poco despeinada, apenas envejecida, pero a punto de alcanzar su edad en cualquier momento, de golpe, y quebrarse allí en silencio, desmoronarse roída por el trabajo sigiloso de los días. Y la sonrisa era mala de mirar porque uno pensaba que frente a la ignorancia que mostraba la mujer del peligro de envejecimiento y muerte repentina en cuyos bordes estaba, aquella sonrisa sabía, o, por lo menos, los descubiertos dientecillos presentían el repugnante fracaso que los amenazaba.

Todo aquello estaba ahora de pie en la penumbra del comedor y torpemente puse los cubiertos al lado del plato y me levanté. "¿Usted es el señor Langman, el empresario del teatro?" Incliné la cabeza sonriendo y la invité a sentarse. No quiso tomar nada; separados por la mesa le miré con disimulo la boca con su forma intacta y su poca pintura, allí justamente en el centro donde la voz, un poco española, había canturreado al deslizarse entre los filos desparejos de la dentadura. De los ojos, pequeños y quietos, esforzados en agrandarse, no pude sacar nada. Había que esperar que hablara y, pensé, cualquier forma de mujer y de existencia que evocaran sus palabras iban a quedar bien con su curioso aspecto y el curioso aspecto iba a desvanecerse.

—Quería verlo por una presentación. Quiero decir que tengo una obra de teatro...

Todo indicaba que iba a seguir, pero se detuvo y esperó mi respuesta; me entregó la palabra con un silencio irresistible, sonriendo. Estaba tranquila, las manos enlazadas en la falda. Aparté el plato con la milanesa a medio comer y pedí café. Le ofrecí cigarrillos y ella movió la cabeza, alargó un poco la sonrisa, lo que quería decir que no fumaba. Encendí el mío y empecé a hablarle, buscando sacármela de encima sin violencias, pero pronto y para siempre, aunque con un estilo cauteloso que me era impuesto no sé por qué.

—Señora, es una verdadera lástima... Usted nunca ha estrenado, ¿verdad? Naturalmente. ¿Y cómo se llama su obra?

—No, no tiene nombre —contestó—. Es tan difícil de explicar... No es lo que usted piensa. Claro, se le puede poner un título. Se le puede llamar *El sueño, El sueño realizado, Un sueño realizado.*

Comprendí, ya sin dudas, que estaba loca y me sentí más cómodo.

Bien; *Un sueño realizado,* no está mal el nombre. Siempre he tenido interés, digamos personal, desinteresado en otro sentido, en ayudar a los que empiezan. Dar nuevos valores al teatro nacional. Aunque es innecesario decirle que no son agradecimientos lo que se cosecha, señora. Hay muchos que me deben a mí el primer paso, señora, muchos que hoy cobran derechos increíbles en la calle Corrientes y se llevan los premios anuales. Ya no se acuerdan de cuando venían casi a suplicarme...

Hasta el mozo del comedor podía comprender, desde el rincón junto a la heladera donde se espantaba las moscas y el calor con la servilleta, que a aquel bicho raro no le importaba ni una sílaba de lo que yo decía. Le eché una última mirada con un solo ojo, desde el calor del pocillo de café y le dije:

—En fin, señora. Usted debe saber que la temporada aquí ha sido un fracaso. Hemos tenido que interrumpirla y me he quedado sólo por algunos asuntos personales. Pero ya la semana que viene me iré yo también a Buenos Aires. Me he equivocado una vez más, qué vamos a hacer. Este ambiente no está preparado, y a pesar de que me resigné a hacer una temporada con sainetes y cosas así..., ya ve cómo me ha ido. De manera que... Ahora, que podemos hacer una cosa, señora. Si usted puede facilitarme una copia de su obra yo veré si en Buenos Aires... ¿Son tres actos?

Tuvo que contestar, pero sólo porque yo, devolviéndole el juego, me callé y había quedado inclinado hacia ella, rascando con la punta del cigarrillo en el cenicero. Parpadeó:

—¿Qué?

—Su obra, señora. *Un sueño realizado.* ¿Tres actos?

—No, no son actos.

—O cuadros. Se extiende ahora la costumbre de...

—No tengo ninguna copia. No es una cosa que yo haya escrito —seguía diciéndome ella. Era el momento de escapar.

—Le dejaré mi dirección de Buenos Aires y cuando usted la tenga escrita...

Vi que se iba encogiendo, encorvando el cuerpo; pero la cabeza se levantó con la sonrisa fija. Esperé, seguro de que iba a irse; pero un instante después ella hizo un movimiento con la mano frente a la cara y siguió hablando.

—No, es todo distinto a lo que piensa. Es un momento, una escena, se puede decir, y allí no pasa nada, como si nosotros representáramos esta escena en el comedor y yo me fuera y ya no pasara nada más. No —contestó—, no es cuestión de argumento, hay algunas personas en una calle y las casas y dos automóviles que pasan. Allí estoy yo y un hombre y una mujer cualquiera que sale de un negocio de enfrente y le da un vaso de cerveza. No hay más personas, nosotros tres. El hombre cruza la calle hasta donde sale la mujer de su puerta con la jarra de cerveza y después vuelve a cruzar y se sienta junto a la misma mesa, cerca mío, donde estaba al principio.

Se calló un momento y ya la sonrisa no era para mí ni para el armario con mantelería que se entreabría en la pared del comedor; después concluyó:

—¿Comprende?

Pude escaparme porque recordé el teatro intimista y le hablé de eso y de la imposibilidad de hacer arte puro en estos ambientes y que nadie iría al teatro para ver eso y que, acaso sólo, en toda la provincia, yo podría comprender la calidad de aquella obra y el sentido de los movimientos y el símbolo de los automóviles y la mujer que ofrece un *bock* de cerveza al hombre que cruza la calle y vuelve junto a ella, junto a usted, señora.

Ella me miró y tenía en la cara algo parecido a lo que había en la de Blanes cuando se veía en la necesidad de pedirme dinero y me hablaba de *Hamlet:* un poco de lástima y todo el resto de burla y antipatía.

—No es nada de eso, señor Langman —me dijo—. Es algo que yo quiero ver y que no lo vea nadie más, nada de público. Yo y los actores, nada más. Quiero verlo una vez, pero que esa vez sea tal como yo se lo voy a decir y hay que hacer lo que yo diga y nada más. ¿Sí? Entonces usted, haga el favor, me dice cuánto dinero vamos a gastar para hacerlo y yo se lo doy.

Ya no servía hablar de teatro intimista ni de ninguna de esas cosas allí, frente a frente con la mujer loca que abrió la cartera y sacó dos billetes de cincuenta pesos —"con esto contrata a los actores y atiende los primeros gastos y después me dice cuánto más necesita"—. Yo, que tenía hambre de plata, que no podía moverme de aquel maldito agujero hasta que alguno de Buenos Aires contestara a mis cartas y me hiciera llegar unos pesos. Así que le mostré la mejor de mis sonrisas y cabeceé varias veces mientras que guardaba el dinero en cuatro dobleces en el bolsillo del chaleco.

—Perfectamente, señora. Me parece que comprendo la clase de cosa que usted... —mientras hablaba no quería mirarla porque estaba pensando en Blanes y también en la cara de la mujer—. Dedicaré la tarde a este asunto y si podemos vernos... ¿Esta noche? Perfectamente, aquí mismo; ya tendremos al primer actor y usted podrá explicarnos claramente esa escena y nos pondremos de acuerdo para que *Sueño, Un sueño realizado...*

Acaso fuera simplemente porque estaba loca; pero podía ser también que ella comprendiera, como lo comprendía yo, que no me era posible robarle los cien pesos y por eso no quiso pedirme recibo, no pensó siquiera en ella y se fue luego de darme la mano, con un cuarto de vuelta de la pollera en sentido inverso a cada paso, saliendo erguida de la media luz del comedor para ir a meterse en el calor de la calle como volviendo a la temperatura de la siesta que había durado un montón de años y donde había conservado aquella juventud impura que estaba siempre a punto de deshacerse podrida.

Pude dar con Blanes en una pieza desordenada y oscura, con paredes de ladrillos mal cubiertos detrás de plantas, esteras verdes, detrás del calor húmedo del atardecer. Los cien pesos seguían en el bolsillo de mi chaleco y hasta no encontrar a Blanes, hasta no conseguir que me ayudara a dar a la mujer loca lo que ella pedía a cambio de su dinero, no me era posible gastar un centavo. Lo hice despertar y esperé con paciencia que se bañara, se afeitara, volviera a acostarse, se levantara nuevamente para tomar un vaso de leche —lo que significaba que había estado borracho el día anterior— y otra vez en la cama encendiera un cigarrillo; porque se negó a escucharme antes y todavía entonces cuando arrimé aquellos restos de sillón de tocador en que estaba sentado y me incliné con aire grave para hacerle la propuesta, me detuvo diciendo:

—¡Pero mire un poco ese techo!

Era un techo de tejas, con dos o tres vigas verdosas y unas hojas de caña de la India que venían de no sé dónde, largas y resecas. Miré al techo un poco y no hizo más que reírse y mover la cabeza.

—Bueno. Déle —dijo después.

Le expliqué lo que era y Blanes me interrumpía a cada momento, riéndose, diciendo que todo era mentira mía, que era alguno que para burlarse me había mandado la mujer. Después me volvió a preguntar qué era aquello y no tuve más remedio que liquidar la cuestión ofreciéndole la mitad de lo que pagara la mujer una vez deducidos los gastos y le contesté que, en verdad, no sabía lo que era ni de qué se trataba ni qué demonios quería de nosotros aquella mujer. Pero ya me había dado cincuenta pesos y que eso significaba que podíamos irnos a Buenos Aires o irme yo, por lo menos, si él quería seguir durmiendo allí. Se rió y al rato se puso serio y de los cincuenta pesos que le dije haber conseguido adelantados quiso veinte en seguida. Así que tuve que darle diez, de lo que me arrepentí muy pronto porque aquella noche cuando vino al comedor del hotel ya estaba borracho y sonreía torciendo un poco la boca y con la cabeza inclinada sobre el platillo de hielo empezó a decir:

—Usted no escarmienta. El mecenas de la calle Corrientes y toda calle del mundo donde una ráfaga de arte... Un hombre que se arruinó cien veces por el *Hamlet* va a jugarse desinteresadamente por un genio ignorado y con corsé.

Pero cuando vino ella, cuando la mujer salió de mis espaldas vestida totalmente de negro, con velo, un paraguas diminuto colgando de la muñeca y un reloj con cadena del cuello y me saludó y extendió la mano a Blanes con la sonrisa aquella un poco apaciguada en la luz artificial, él dejó de molestarme y sólo dijo:

—En fin, señora; los dioses la han guiado hasta Langman. Un hombre que ha sacrificado cientos de miles por dar correctamente el *Hamlet*.

Entonces pareció que ella se burlaba mirando un poco a uno y un poco a otro; después se puso grave y dijo que tenía prisa, que nos explicaría el asunto de manera que no quedara lugar para la más chica duda y que volvería solamente cuando todo estuviera pronto. Bajo la luz suave y limpia, la cara de la mujer y también lo que brillaba en su cuerpo, zonas del vestido, las uñas en la mano sin guante, el mango del paraguas, el reloj con su cadena, parecían volver a ser ellos mismos, liberados de la tortura del día luminoso; y yo tomé de inmediato una relativa confianza y en toda la noche no volví a pensar que ella estaba loca, olvidé que había algo con olor a estafa en todo aquello y una sensación de negocio normal y frecuente pudo dejarme enteramente tranquilo. Aunque yo no tenía que molestarme por nada, ya que estaba allí Blanes, correcto, bebiendo siempre, conversando con ella como si se hubieran encontrado ya dos o tres veces, ofreciéndole un vaso de whisky, que ella cambió por una taza de tilo. De modo que lo que tenía que contarme a mí se lo fue diciendo a él y yo no quise oponerme porque Blanes era el primer actor y cuanto más llegara a entender de la obra mejor saldrían las cosas. Lo que la mujer quería que representáramos para ella era esto (a Blanes se lo dijo con otra voz y aunque no lo mirara, aunque al hablar de eso bajara los ojos, yo sentía que lo contaba ahora de un modo personal, como si confesara alguna cosa cualquiera íntima de su vida y que a mí me lo había dicho como el que cuenta esa misma cosa en una oficina, por ejemplo, para pedir un pasaporte o cosa así):

—En la escena hay casas y aceras, pero todo confuso, como si se tratara de una ciudad y hubieran amontonado todo eso para dar una impresión de una gran ciudad. Yo salgo, la mujer que voy a representar yo sale de una casa y se sienta en el cordón de la acera, junto a una mesa verde. Junto a la mesa está sentado un hombre en un banco de cocina. Ése es el personaje suyo. Tiene puesta una tricota[3] y gorra. En la acera de enfrente hay una verdulería con cajones de tomate en la puerta. Entonces aparece un automóvil que cruza la escena y el hombre, usted, se levanta para atravesar la calle y yo me asusto pensando que el coche lo atropella. Pero usted pasa antes que el vehículo y llega a la acera de enfrente en el momento que sale una mujer vestida con traje de paseo y un vaso de cerveza en la mano. Usted lo toma de un trago y vuelve en seguida que pasa un automóvil, ahora de abajo para arriba, a toda velocidad; y usted vuelve a pasar con el tiempo justo y se sienta en el banco de cocina. Entretanto yo estoy acostada en la acera, como si fuera una chica. Y usted se inclina un poco para acariciarme la cabeza.

La cosa era fácil de hacer, pero le dije que el inconveniente estaba, ahora que lo pensaba mejor, en aquel tercer personaje que salía de su casa a paseo con el vaso de cerveza.

—Jarro —me dijo ella—. Es un jarro de barro con asa y tapa.

Entonces Blanes asintió con la cabeza y le dijo:

—Claro, con algún dibujo, además, pintado.

Ella dijo que sí y parecía que aquella cosa dicha por Blanes la había dejado muy contenta, feliz, con esa cara de felicidad que sólo una mujer puede tener y que me da ganas de cerrar los ojos para no verla cuando se me presenta, como si la buena educación ordenara hacer eso. Volvimos a hablar de la otra mujer y Blanes terminó por estirar la

---

[3] *tricota:* suéter.

mano diciendo que ya tenía lo que necesitaba y que no nos preocupáramos más. Tuve que pensar que la locura de la loca era contagiosa, porque cuando le pregunté a Blanes con qué actriz contaba para aquel papel me dijo que con la Rivas y aunque yo no conocía a ninguna con ese nombre no quise decir nada porque Blanes me estaba mirando furioso. Así que todo quedó arreglado, lo arreglaron ellos dos y yo no tuve que pensar para nada en la escena; me fui en seguida a buscar al dueño del teatro y lo alquilé por dos días pagando el precio de uno, pero dándole mi palabra de que no entraría nadie más que los actores.

Al día siguiente conseguí un hombre que entendía de instalaciones eléctricas y por un jornal de seis pesos me ayudó también a mover y repintar un poco los bastidores. A la noche, después de trabajar cerca de quince horas, todo estuvo pronto y sudando y en mangas de camisa me puse a comer sándwiches con cerveza mientras oía sin hacer caso historias de pueblo que el hombre me contaba. El hombre hizo una pausa y después dijo:

—Hoy vi a su amigo bien acompañado. Esta tarde, con aquella señora que estuvo en el hotel anoche con ustedes. Aquí todo se sabe. Ella no es de aquí; dicen que viene los veranos. No me gusta meterme, pero los vi entrar en un hotel. Sí, qué gracia; es cierto que usted también vive en un hotel. Pero el hotel donde entraron esta tarde era distinto... De ésos, ¿eh?

Cuando al rato llegó Blanes le dije que lo único que faltaba era la famosa actriz Rivas y arreglar el asunto de los automóviles, porque sólo se había podido conseguir uno, que era del hombre que me había estado ayudando y lo alquilaría por unos pesos, además de manejarlo él mismo. Pero yo tenía mi idea para solucionar aquello, porque como el coche era un cascajo[4] con capota, bastaba hacer que pasara primero con la capota baja y después alzada o al revés. Blanes no me contestó nada porque estaba completamente borracho, sin que me fuera posible adivinar de dónde había conseguido dinero. Después se me ocurrió que

---

[4] *cascajo:* trasto inservible.

acaso hubiera tenido el cinismo de recibir directamente
dinero de la pobre mujer. Esa idea me envenenó y seguía
comiendo los sándwiches en silencio mientras él, borracho
y canturreando, recorría el escenario, se iba colocando en
posiciones de fotógrafo, de espía, de boxeador, de jugador
de rugby, sin dejar de canturrear, con el sombrero caído
sobre la nuca y mirando a todos lados, desde todos los
lados, rebuscando vaya a saber el diablo qué cosa. Como a
cada momento me convencía más de que se había embo-
rrachado con dinero robado, casi, a aquella pobre mujer
enferma, no quería hablarle y cuando acabé dé comer los
sándwiches mandé al hombre que me trajera media docena
más y una botella de cerveza.

A todo esto Blanes se había cansado de hacer piruetas;
la borrachera indecente que tenía le dio por el lado sentimental y vino a sentarse cerca de donde yo estaba, en un
cajón, con las manos en los bolsillos del pantalón y el sombrero en las rodillas, mirando con ojos turbios, sin mover-
los, hacia la escena. Pasamos un tiempo sin hablar y pude
ver que estaba envejeciendo y el cabello rubio lo tenía des-
colorido y escaso. No le quedaban muchos años para seguir
haciendo el galán ni para llevar señoras a los hoteles, ni
para nada.

—Yo tampoco perdía el tiempo —dijo de golpe.

—Sí, me lo imagino —contesté sin interés.

Sonrió, se puso serio, se encajó el sombrero y volvió a
levantarse. Me siguió hablando mientras iba y venía, como
me había visto hacer tantas veces en el despacho, todo
lleno de fotos dedicadas, dictando una carta a la muchacha.

—Anduve averiguando de la mujer —dijo—. Parece que
la familia o ella misma tuvo dinero y después ella tuvo
que trabajar de maestra. Pero nadie, ¿eh?, nadie dice que
esté loca. Que siempre fue un poco rara, sí. Pero no loca.
No sé por qué le vengo a hablar a usted, oh padre adoptivo
del triste Hamlet, con la trompa untada de manteca de
sándwich... Hablarle de esto.

—Por lo menos —le dije tranquilamente—, no me meto
a espiar en vidas ajenas. Ni a dármelas de conquistador con
mujeres un poco raras —me limpié la boca con el pañuelo

y me la vuelta para mirarlo con cara aburrida—. Y tampoco
me emborracho vaya a saber con qué dinero.

Él se estuvo con las manos en los riñones, de pie, mirándome a su vez, pensativo, y seguía diciéndome cosas desagradables, pero cualquiera se daba cuenta de que estaba
pensando en la mujer y que no me insultaba de corazón,
sino para hacer algo mientras pensaba, algo que evitara que
yo me diera cuenta que estaba pensando en aquella mujer.
Volvió hacia mí, se agachó y se alzó en seguida con la botella de cerveza y se fue tomando lo que quedaba sin apu-
rarse, con la boca fija al gollete, hasta vaciarla. Dio otros
pasos por el escenario y se sentó nuevamente, con la botella entre los pies y cubriéndola con las manos.

—Pero yo le hablé y me estuvo diciendo —dijo—. Quería
saber qué era todo esto. Porque no sé si usted comprende
que no se trata sólo de meterse la plata en el bolsillo. Yo le
pregunté qué era esto que íbamos a representar y entonces
supe que estaba loca. ¿Le interesa saber? Todo es un sueño
que tuvo, ¿entiende? Pero la mayor locura está en que ella
dice que ese sueño no tiene ningún significado para ella, que
no conoce al hombre que estaba sentado en tricota azul, ni
a la mujer de la jarra, ni vivió tampoco en una calle parecida
a este ridículo mamarracho que hizo usted. ¿Y por qué,
entonces? Dice que mientras dormía y soñaba eso era feliz,
pero no es feliz la palabra sino otra clase de cosa. Así que
quiere verlo todo nuevamente. Y aunque es una locura
tiene su cosa razonable. Y también me gusta que no haya
ninguna vulgaridad de amor en todo esto.

Cuando nos fuimos a acostar, a cada momento se entre-
paraba en la calle —había un cielo azul y mucho calor—,
para agarrarme de los hombros y las solapas y preguntarme si yo entendía, no sé qué cosa, algo que él no debía
entender tampoco muy bien, porque nunca acababa de
explicarlo.

La mujer llegó al teatro a las diez en punto y traía el
mismo traje negro de la otra noche, con la cadena y el reloj,
lo que me pareció mal para aquella calle de barrio pobre
que había en escena y para tirarse en el cordón de la acera
mientras Blanes le acariciaba el pelo. Pero tanto daba: el

teatro estaba vacío; no estaba en la platea más que Blanes, siempre borracho, fumando, vestido con una tricota azul y una gorra gris doblada sobre una oreja. Había venido temprano acompañado de una muchacha, que era quien tenía que asomar en la puerta de al lado de la verdulería a darle su jarrita de cerveza; una muchacha que no encajaba, ella tampoco, en el tipo de personaje, el tipo que me imaginaba yo, claro, porque sepa el diablo cómo era en realidad; una triste y flaca muchacha, mal vestida y pintada que Blanes se había traído de cualquier cafetín, sacándola de andar en la calle por una noche y empleando un cuento absurdo para traerla, era indudable. Porque ella se puso a andar con aires de primera actriz y al verla estirar el brazo con la jarrita de cerveza daban ganas de llorar o de echarla a empujones. La otra, la loca, vestida de negro, en cuanto llegó se estuvo un rato mirando el escenario con las manos juntas frente al cuerpo y me pareció que era enormemente alta, mucho más alta y flaca de lo que yo había creído hasta entonces. Después, sin decir palabra a nadie, teniendo siempre, aunque más débil, aquella sonrisa de enfermo que me erizaba los nervios, cruzó la escena y se escondió detrás del bastidor por donde debía salir. La había seguido con los ojos, no sé por qué, mi mirada tomó exactamente la forma de su cuerpo alargado vestido de negro y apretada a él, ciñéndolo, lo acompañó hasta que el borde del telón separó la mirada del cuerpo.

Ahora era yo quien estaba en el centro del escenario y como todo estaba en orden y habían pasado ya las diez, levanté los codos para avisar con una palmada a los actores. Pero fue entonces que, sin que yo me diera cuenta de lo que pasaba por completo, empecé a saber cosas y qué era aquello en que estábamos metidos, aunque nunca pude decirlo, tal como se sabe el alma de una persona y no sirven las palabras para explicarlo. Preferí llamarlos por señas y cuando vi que Blanes y la muchacha que había traído se pusieron en movimiento para ocupar sus lugares, me escabullí detrás de los telones, donde ya estaba el hombre sentado al volante de su coche viejo que empezó a sacudirse con un ruido tolerable. Desde allí, trepado en un cajón, buscando esconderme porque yo nada tenía que ver en el disparate que iba a empezar, vi cómo ella salía de la puerta de la casucha, moviendo el cuerpo como una muchacha —el pelo espeso y casi gris, suelto a la espalda, anudado sobre los omóplatos con una cinta clara— daba unos largos pasos que eran, sin duda, de la muchacha que acababa de preparar la mesa y se asoma un momento a la calle para ver caer la tarde y estarse quieta sin pensar en nada; vi cómo se sentaba cerca del banco de Blanes y sostenía la cabeza con una mano, afirmando el codo en las rodillas, dejando descansar las yemas sobre los labios entreabiertos y la cara vuelta hacia un sitio lejano que estaba más allá de mí mismo más allá también de la pared que yo tenía a mi espalda. Vi cómo Blanes se levantaba para cruzar la calle y lo hacía matemáticamente antes que el automóvil que pasó echando humo con su capota alta y desapareció en seguida. Vi cómo el brazo de Blanes y el de la mujer que vivía en la casa de enfrente se unían por medio de la jarrita de cerveza y cómo el hombre bebía de un trago y dejaba el recipiente en la mano de la mujer que se hundía nuevamente, lenta y sin ruido, en su portal. Vi, otra vez, al hombre de la tricota azul cruzar la calle un instante antes de que pasara un rápido automóvil de capota baja que terminó su carrera junto a mí, apagando en seguida su motor, y mientras se desgarraba el humo azuloso de la máquina, divisé a la muchacha del cordón de la acera que bostezaba y terminaba por echarse a lo largo en las baldosas, la cabeza sobre un brazo que escondía el pelo, y una pierna encogida. El hombre de la tricota y la gorra se inclinó entonces y acarició la cabeza de la muchacha, comenzó a acariciarla y la mano iba y venía, se enredaba en el pelo, estiraba la palma por la frente, apretaba la cinta clara del peinado, volvía a repetir sus caricias.

Bajé del banco, suspirando, más tranquilo, y avancé en puntas de pie por el escenario. El hombre del automóvil me siguió, sonriendo intimidado y la muchacha flaca que se había traído Blanes volvió a salir de su zaguán para unirse a nosotros. Me hizo una pregunta, una pregunta corta, una sola palabra sobre aquello y yo contesté sin dejar de mirar a Blanes y a la mujer echada; la mano de Blanes, que seguía acariciando la frente y la cabellera desparramada de la mujer, sin cansarse, sin darse cuenta de que la escena había concluido y que aquella última cosa, la caricia en el pelo de la mujer, no podía continuar siempre. Con el cuerpo inclinado, Blanes acariciaba la cabeza de la mujer, alargaba el brazo para recorrer con los dedos la extensión de la cabellera gris desde la frente hasta los bordes que se abrían sobre el hombro y la espalda de la mujer acostada en el piso. El hombre del automóvil seguía sonriendo, tosió y escupió a un lado. La muchacha que había dado el jarro de cerveza a Blanes, empezó a caminar hacia el sitio donde estaba la mujer y el hombre inclinado, acariciándola. Entonces me di vuelta y le dije al dueño del automóvil que podía ir sacándolo, así nos íbamos temprano y caminé junto a él, metiendo la mano en el bolsillo para darle unos pesos. Algo extraño estaba sucediendo a mi derecha, donde estaban los otros, y cuando quise pensar en eso tropecé con Blanes que se había quitado la gorra y tenía un desagradable olor a bebida y me dio una trompada en las costillas gritando:

—No se da cuenta que está muerta, pedazo de bestia.

Me quedé solo, encogido por el golpe, y mientras Blanes iba y venía por el escenario, borracho, como enloquecido, y la muchacha del jarro de cerveza y el hombre del automóvil se doblaban sobre la mujer muerta, comprendí qué era aquello, qué era lo que buscaba la mujer, lo que había estado buscando Blanes borracho la noche anterior en el escenario y parecía buscar todavía, yendo y viniendo con sus prisas de loco: lo comprendí todo claramente como si fuera una de esas cosas que se aprenden para siempre desde niño y no sirven después las palabras para explicar.

AUGUSTO ROA BASTOS
(Asunción, Paraguay, 1917)

E N el discurso de entrega del Premio Cervantes en 1989, Roa Bastos se refiere a las fuentes artísticas de su propia obra, sugiriendo, al hacerlo, una reflexión sobre los vasos comunicantes de un espacio moderno, iniciado en la literatura occidental con el *Quijote*: "El núcleo generador de mi novela, en relación con el *Quijote*, fue la de imaginar un *doble* del caballero de la Triste Figura cervantino y metamorfosearlo en el Caballero Andante de lo Absoluto; es decir, un Caballero de la Triste Figura que creyese, alucinadamente, en la escritura del poder y en el poder de la escritura, y que tratara de realizar este mito de lo absoluto en la realidad de la Ínsula Barataria que él acababa de inventar; en la simbiosis de la realidad real con la realidad simbólica, de la tradición oral y de la palabra escrita" (*Augusto Roa Bastos.* Barcelona: Anthropos, 1990, p. 43). El gran escritor paraguayo había puesto a prueba ese enfrentamiento con las llamadas de continua renovación de la modernidad en *Yo el Supremo*, novela de magistral arquitectura en la que la Historia y la Escritura buscan diversos puntos de convergencia, plurales y contradictorios hasta alcanzar un momento óptimo de realización dialéctica del género novela, fluctuante entre la destrucción y su renacimiento.

Este camino de imbricación con los planos más audaces de la modernidad los había iniciado tempranamente en su cuentística, publicada entre 1953 y 1969. Relatos como "El baldío", "Él y el otro", "El pájaro mosca", "Bajo el puente" y "Moriencia" ofrecían ese encuentro inventivo de la escritura que alcanzaría un nivel notable en los cuentos "Borrador de un informe" y "Juegos nocturnos". Este último —del volumen *Moriencia*— venía a desintegrar las ordenaciones de la lectura y los programas de posibles estéticas del cuento en los ojos de un lector-narrador, desplazados en una fragmentaria e incierta noción de realidad.

Hacia 1942 Roa Bastos trabajaba como Secretario de Redacción del diario *País* de Asunción. En 1959, su primera novela, *Hijo de hombre,* gana el Concurso de Narrativa Internacional organizado por la Editorial Losada. Su oposición a la dictadura de Stroessner le cuesta la expulsión de su país; se dirige a Francia. En 1976 obtiene un puesto como profesor de guaraní y de literatura latinoamericana en la Universidad de Toulouse. Era el segundo exilio del escritor paraguayo; el primero, en 1947 —resultado de una guerra civil—, lo había llevado a Buenos Aires. En 1989, tras el derrocamiento de Stroessner puede regresar a su país; el mismo año recibía el Premio Cervantes, una de las distinciones más prestigiosas de la literatura hispánica.

En la primera mitad de la década de los noventa, después de lo que el mismo Roa Bastos llama "diecisiete años de silencio novelístico", publica otras cuatro magníficas novelas, añadiendo —a una producción ya riquísima— nuevas perspectivas artísticas y ahorrando la necesidad de considerársele como "escritor del boom" o del "postboom". Escritor del siglo xx, entre los mejores de la narrativa hispanoamericana, complejo y universal, moderno y humanista.

JUEGOS NOCTURNOS *

N o ... —dijo el hombre sin sacar los ojos de las páginas del libro, ni el húmedo cigarro de la boca—. Tendría que levantarme, caminar un poco, probar algún bocado, antes de que lleguen ellos. Después debo apagar la luz y ya no puedo hacer ningún ruido. Los dos entran ahí y se están a los arrumacos y a las caricias, mientras yo me hundo en la nada del sueño. ¡Véanlo al *voyeur*!, dice Pepe. ¿Huum? Ah... Tal vez sí, tal vez no; todo es y no es. Lo único que podemos inventar son nuestros vicios, pero pongamos las cosas en claro. Si no vienen, me jorobo; de acuerdo. Pero no por lo que oiga o vea de esos mocosos, sino por el tiempo perdido en la espera de que vengan o falten. Por ahí anda la cosa. ¿Se han dado cuenta de que lo que está por suceder produce siempre en los que esperan un estado de desconfianza, de sospecha? Una intoxicación, ¿comprenden? Miedo. Miedo de uno mismo, qué sé yo. Como el ratón en la fabulilla de Kafka. Pero esos dos qué saben de Kafka ni de Mongo. El bajo vientre no sufre cólicos metafísicos; mientras ellos se aman están inmunizados contra la realidad. Ya quisiera yo estar en su lugar, pichones. Ustedes llegan y se meten en el jardín. La casa a oscuras para ustedes solos; del lado de afuera, se entiende; el rinconcito de siempre, entre el ligustro y la tapia del fondo, bajo la cinacina. ¡Avanti, tórtolos!, pónganse en lo suyo. Más no puedo darles, pero a ver si encuentran en todo Olivos un lugar más apropiado que éste para lo que ustedes necesitan.

* © Augusto Roa Bastos, 1969.

Luego, el humor triste ladeándose hacia el sarcasmo en la voz que burbujea otra vez la lectura: "... La invisibilidad de los pobres es una de las cosas más importantes acerca de ellos. No están simplemente descuidados y olvidados como en la vieja retórica reformista; lo que es mucho peor: no se los ve...", ja... cómo se las ingenian estos profetas de la decadencia para no quedar mal. ¡Si serán chorlos! Las Estadísticas ahora en lugar de las Escrituras. "... Millones de personas se apegan al hambre como una defensa contra la muerte por inanición... mutilados en cuerpo y en espíritu... existiendo en planos que están por debajo de la decencia humana..." ¡Y me lo vienen a decir ahora! Mányenlo[1] a Job lamentándose sobre las computadoras electrónicas.

Desde algunas cuadras, la música chirriante de un amplificador arrastra sus ecos entre los árboles y rebota contra los vidrios con un tenue susurro. La luz del velador, encapuchada con una vieja cartulina de almanaque, agranda aún más la figura tendida en la cama. Las tostaduras del foco han rajado el cucurucho en unas estrías de luz más viva, que no alcanzan a alterar sin embargo la densidad uniforme de la penumbra. En el círculo iluminado sólo emergen el libro y la mano que lo sostiene, subiendo y bajando sobre el lento y desigual balanceo del pecho. A veces la respiración se detiene, y el aire acumulado se va desagotando en la emisión de las frases con el contenido desinflarse de un suspiro, de un bostezo. La cabeza se mueve apenas siguiendo las líneas, sin interrumpir la inmovilidad de flotación en la que el hombre parece encallado.

"... Si esa gente no se está muriendo de hambre, tiene hambre, y ha engordado de hambre, porque ése es el resultado de las comidas baratas..." Lo que es relativamente cierto. Y de lo que se tira y no se aprovecha, agregaría yo. Por qué no van a revisar los tachos de basura alineados en las veredas. Las calles de los barrios son un asco, dice Pepe.

---

[1] *mányenlo:* en el sur de Hispanoamérica, especialmente en Argentina, manyar se utiliza coloquialmente con el significado de comer; del italiano *mangiare*.

Pero no solamente allí, digo. El despilfarro es el mismo arriba y abajo. Yo suelo remover esos tachos con un palo, si consigo espantar a los perros y gatos que parecen buscar su alma entre los desperdicios. Hay de todo, créanmelo; si hasta a veces me entran ganas de robarles algo a los bichos para llevármelo a casa. Cualquier cantidad de comida, como para alimentar regimientos, poblaciones enteras de subdesarrollados. Sí, pero esos tachos de basura en qué barrios y delante de qué casas están, me dice el marido de Julia, friccionando la rodilla de la mujer por debajo de la mesa. En cualquiera, doctor. Vaya y vea, va a encontrarlos hasta en los sumideros de Lacarra y Avenida del Trabajo. El abogado pica el anzuelo, se levanta y dice alargando la jeta hacia mí: yo los llevo en el coche. Para qué se me habrá ocurrido meterles el bolazo[2] de que los grasas[3] despilfarran tanto como los de arriba. De todos modos fue lindo ver a Pepe, al arquitecto, a Martín, a Mac Gregor, revolviendo como cirujas[4] los tachos del antiguo bañado[5] de Flores, mientras las mujeres en los coches daban gritos arrugando la nariz y llamando idiotas a los maridos. "... Los pobres van quedando cada vez más fuera de la experiencia y la conciencia de la nación..." Ese cuento, míster Harrington, yo se lo rifo.

Por un instante las estrías de luz brillan en los ralos cabellos pegoteados a la frente. La música del altoparlante viene y va con las ráfagas que traen los ecos de un bailable, mientras él continúa murmurando:

—Pero si sólo se tratara de comer, está el plancton, ¿es ésa la palabra, ustedes que leen *Selecciones*? Podría ser la solución, ¿no? Todos de nuevo al mar, a vivir en el mar, a comer en el mar, donde hay comida para todos, con sus infinitas praderas de algas, de detritos orgánicos en escabeche, galaxias de gelatina para una ensalada de nunca acabar. ¡Maldito el día en que se nos ocurrió salir del mar,

---

[2] *meterles el bolazo:* mentirles.
[3] *los grasas:* los pobres; la gente ordinaria.
[4] *cirujas:* traperos; personas que recogen basura y trastos viejos.
[5] *bañado:* terreno húmedo, pantanoso.

plantarnos en dos patas y largarnos a andar por la maldita tierra! Porque el fuego, la rueda, los metales, la invención del Ego o de la Bomba, los viajes interestelares, no nos han compensado bastante de lo que perdimos al desalojar la placenta originaria. Ah no, che, a mí no me digas, me mira Pepe desde un rincón parpadeando mucho. Los dioses también salieron del mar. Minga, digo, pero sé que tiene razón porque no todo es asunto de comida, de glándulas bien o mal satisfechas. "... La belleza y los mitos son máscaras perennes de la pobreza..." Así es como abrillantan la fruta picada y nos meten el gusano hasta en la sopa. El que traga amargo no puede escupir dulce, decía mi abuelo. En mi país, que es el país del mito por excelencia, dijo una vez Campos Cervera, usted ve a los chicos comiendo tierra tranquilamente en los suburbios de Asunción. Cuando Saint-Exupéry anduvo por allá organizando el servicio de la Air-France, lo llevé una tarde para que lo viera y escribiera sobre eso. Al franchute se le llenaron los ojos de lágrimas. No lo quería creer. Fue a buscar el Mito, y encontró eso. Pero después, ni una palabra sobre los chicos comedores de tierra; a lo sumo unas referencias sobre la selva invasora que se come las calles de Asunción por debajo de las piedras del pavimento. Bueno, no exageremos, le dije al poeta paraguayo, para llevar un poco a broma la cosa. Fíjese que no me parece mal que los vivos coman tierra, si después ella nos ha de comer a nosotros. Y una torta de buena tierra colorada no sé por qué va a resultarles a los chicos más desabrida que una de hojaldre, sobre todo si no lo han probado nunca. ¿Usted piensa que la Revolución (yo siempre uso la erre mayúscula para prevenir los salpullidos sectarios); usted piensa, agarro y le digo aquella vez, que la Revolución les va a dar esa torta de hojaldre? Me miró tapándose el ojo que veía mal. La salvación que se alcanza antes de tiempo y sin verdadera projimidad no tiene sentido, pero es ese sentido lo que busco, dijo. Gran tipo el paraguayo, pero le faltaba humor. Cuando lo andaban persiguiendo, vivió un tiempo conmigo; nadie iba a ir a casa a buscarlo. Todavía me habla a veces, la voz pesada, cansada, lejana. Una noche casi le abro la puerta sin recordar que estaba muerto. Pero aquella tardecita le dije eso de que no todo es asunto de estómago, que la pobreza esencial es de otro carácter. Me lo llevé a la estación de Olivos. Y si no, mírela: la mujer está en el andén con la valija, esperando la entrada del convoy, comida por ese apuro terrible con el que va a llegar tarde a cualquier parte. El tren se detiene y la mujer se arrima a la plataforma, hace como que va a subir, pero no sube. Cuando el tren arranca, da un paso. El poeta corre para ayudarla, y la vieja se desata en improperios contra él, en húngaro, en alemán, qué sé yo. Después va a sentarse de nuevo en el banco, con la raída maleta sobre las rodillas, muy modosa y tranquila, esperando el próximo tren. Él me mira. Viene aquí todas las tardes a la misma hora, le digo. Se está un buen rato, jugando a tomar un tren, pero ninguno de éstos ha de ser el que ella espera. Un día irá a parar bajo las ruedas, y entonces habrá llegado, dice.

Los ojos acuosos reflotan en la claridad, mientras pugna por prender el cigarro. El último fósforo se apaga. Y otra vez la telaraña de hilitos luminosos pegada a la cara. "... Tal gente carece, además, de alojamiento adecuado, de educación, de atención médica... El gobierno ha documentado lo que esto significa para el cuerpo de los pobres, y las cifras se citarán a lo largo de este libro... Pero hay algo aún más importante: esta pobreza doblega y deforma el espíritu..." ¡Acabáramos!, esto sí que es mndar en la lluvia sin mojarse.

Se sienta en la cama, rascándose la nuca con el pulgar. Después se pone de pie despacio, la cara vuelta hacia la ventana, hasta comprobar que los ecos del amplificador continúan rebotando en los vidrios, y entonces va al baño. El flojo pijama magnifica todavía más en la penumbra la silueta monumental. Al salir enciende la luz del pasillo y pasa a la cocina. Sobre la hornalla[6] hay una sartén con sobras de frituras entre la grasa endurecida. Se queda mirando los restos de comida, los brazos cruzados sobre el abdomen. Por un momento sólo se oye su voz farfullando en la oscuridad:

---

[6] *hornalla:* hornillo.

—Es algo más sutil, más insidioso, que utiliza nuestro cuerpo, los reflejos, la miseria de la costumbre, para rebajarlo a uno. Una especie de bronca sorda, de calambre moral que fumiga su ardor en todas direcciones... hmmm... hmmm... que acumula este sarro en la boca...

Se oye chocar el escupitajo contra la loza de la pileta, y en seguida el chorro del grifo. La voz se aleja y la silueta reaparece en el dormitorio contra la claridad de la pantalla. Se sienta en la cama, y el pie choca contra la caja que está debajo. La levanta escuchando los ecos del bailable que pasan haciendo retemblar tenuemente los vidrios. De adentro saca un viejo ventilador, lo pone sobre una silla, frente a él, y aprieta otra perilla que cuelga de la cabecera; pero entonces el ruido del motor y de las aspas tapa la música de afuera. Lo apaga mientras se restaña el sudor con un extremo de la sábana.

—"... Cuando se vive en los barrios residenciales, es fácil suponer que nuestra sociedad es en verdad una sociedad opulenta..." ¡Basta de pavadas, míster Harrington! En su país, un hombre honorable puede ser salvado de bigamia, como decía alguien, si prueba que tiene tres mujeres. La *sociedad opulenta* no es más que una sensibilidad. Ríanse si quieren, pero la pueden encontrar en cualquier parte. No hay barreras de clase, de raza ni de religión. A la inglesa, por ejemplo, la conocí en el tren de pura casualidad, viajando juntos de Olivos a Retiro. En el bombardeo de Londres por los alemanes había perdido al marido, piloto de la RAF, que estaba disfrutando de una corta licencia. Después de la guerra, Caroline se vino para acá. Puso una *boutique* en Santa Fe y Paraná. Terminó invitándome a su casa. Estas cosas acaban sucediendo así. Cenábamos fiambres, buen whisky si tenía. Yo me sentaba un rato al piano. Caroline deliraba por Elgar, pero no pude aprender el más roñoso fragmento para hacerle el gusto. Opté por regalarle un disco con el concierto interpretado por Casals. Hay un trino del andante en el que las cuerdas murmuran claramente: *homo homini lupus*. ¿Es una broma de Elgar o de Casals? No sé si se han dado cuenta alguna vez. Caroline escuchaba el disco con todo el cuerpo, marcando los compases con los nudillos y tarareando los temas, sin el menor sentido del ritmo ni de la melodía. Al llegar cierta hora se ponía excitada. La primera vez que pasó aquello me asusté un poco, para qué voy a negarlo. Se puso rígida y con gestos de sonámbula prendió la radio y apagó las luces. En el silencio que siguió, lejos muy lejos, debajo del mar o al extremo del mundo, comenzó a sonar el Big Ben en la audición de la BBC. Después me contó que era la hora en que había muerto el marido. Volvía a sentir entre las campanadas, explicó mordiendo el pañuelo y aferrándome la mano como una posesa, la explosión de las bombas y el fragor del desmoronamiento. Erizada contra mi mano, estrangulaba un grito de espanto y una sarta de palabras en inglés, inentendibles por la desesperación. En medio del polvo cortado por los coletazos de los reflectores, del alarido de las sirenas, del infierno de las baterías antiaéreas que destrozaban el cielo en busca de los incursores, un hombre altísimo y tan pálido que brillaba en la oscuridad, al menos para Caroline, salía de entre las ruinas humeantes. *¡Patrick... Pat...!,* gemía ella. Y Pat, muy ceremonioso, venía a ponerse entre Caroline y yo, hasta que se extinguía la última campanada. Cuando ella volvía a encender la luz, yo alcanzaba a ver todavía en las pupilas grises la puntita de una locura feliz, que se desvanecía rápidamente. Estos chicos, no. Entran y van a su rincón con toda naturalidad, sin complejidades, no sé si me explico. Son sanos, tienen la sangre joven y caliente, nada de los retorcimientos de un ego hastiado, torturado, como el de ustedes, de un superego con las fibras del freno todas quemadas. Esos dos pelafustanes aman la vida, se aman. No tienen más que eso. Son pobres, pero son ricos. Y si la dicha existe sobre la tierra, ellos son dichosos. Ustedes lo tienen todo, y les falta la mitad. Yo tengo el piano, tengo a Mozart, a Bach, a Beethoven. Tengo la casa. A ellos les basta con la sombra que les echa sobre los yuyos del jardincito. Soy más pobre que ellos, ¿ven la diferencia? ¿Por qué no los invitás a que pasen adentro?, dice ingenuamente Pepe desde su butaca, distraído con sus paisajes de sol cargados de nieve. No creas que no lo he pensado, le digo. Las noches lluviosas de

los sábados, sobre todo. He imaginado a la muchacha
entrando de la lluvia con el pelo empapado y la cara hume-
ando al rojo bajo las gotitas, avergonzada, un poco asustada. Yo les hubiera podido tocar un rato esos valses
románticos de mis tiempos del liceo, o los nocturnos. Todavía puedo hacerlos chapalear sobre el teclado, si se ofrece;
la jubilación no me los ha borrado de los dedos del todo...
Pero, ¿los invitaste o no?, parpadea Pepe. Eso hubiera sido
aguarles la fiesta, digo, peor que la lluvia. Además se
habría roto el pacto, se habría terminado el misterio. Les
podrías tirar una loneta por la ventana, dice el marido de
Julia, mientras ella está en el *living* dándole a la canasta con
las otras. Se oye el mosconeo de sus charlas, los golpes de
las fichas, sus risas de gallinas viejas. Los miro largo rato sin
verlos. No, botarates, ustedes ni muertos podrían entender
lo que está más allá de la punta de sus narices...

La mano del hombre cae de golpe sobre la perilla y
apaga la luz, al oír los pasos que se acercan, que entran al
jardín y se desplazan hacia el rincón preferido, un poco más
allá de la ventana. Hay un silencio pesado y corto; luego el
rumor de las voces enredadas en un runruneo de bocas que
no se aman sino que discuten. La voz del hombre corta
ásperamente el hilito quejumbroso de la muchacha; la va
rodeando en oleadas de una ira sorda de dientes apretados
y músculos en tensión. Se hincha en las palabrotas y
revienta por fin en la palabra infame, en el sonido de un
bofetón, en el que todo el cuerpo ha debido cargar su peso
porque restalla como una explosión y envía al otro cuerpo
contra la pared. En seguida, las zancadas del hombre se
alejan haciendo rechinar la arena sobre las lajas, aplastando los tallos secos del jardín.

Los sollozos de la boca aplastada contra la pared se van
aplacando poco a poco en unos gañidos de animal apaleado.
El clic de la perilla vuelve a encender la luz, pero entonces
los quejidos cesan de golpe y se oye un pataleo asustado, el
rumor de un cuerpo caído de rodillas levantándose abrazado a la pared, huyendo a tropezones con su propio pánico,
que agita al pasar los rosales secos, que embiste ciegamente
contra la madera carcomida del portón.

—No... —dijo el hombre, sentado en la cama, restregándose los ojos—. No sé... —dijo luchando por recordar algo.

Hizo girar los ojos turbios de sueño a su alrededor, intentando un impulso de levantarse, pero se desmoronó de nuevo. Después se agachó, oprimió la perilla del ventilador, parpadeó dos o tres veces hasta oír que el zumbido encerrado en la caja llenaba la habitación, y se quedó dormido con el círculo de luz subiendo y bajando sobre el pecho.

JOSÉ REVUELTAS
(Durango, México, 1914 - México, D. F., 1976)

N A R R A D O R , ensayista y dramaturgo de activa participación en la vida política de su país. Su espíritu de enfrentamiento con el sistema le costó la cárcel a la temprana edad de dieciocho años y nuevamente unos treinta y seis años después, durante los acontecimientos de la rebelión estudiantil de 1968 en México. Su obra ha recibido una amplia atención crítica; análisis sociológicos, filosóficos y estéticos han abordado el gran genio creativo del autor mexicano.

Para Revueltas, la labor del escritor no se separa de la que en su concepto debía asumir un intelectual: un sólido compromiso con la sociedad de su tiempo, con el hacerse cultural e histórico que permite conocer la tradición y crear el futuro; actitud que, en lugar de transferirse en una producción de cauce realista, lleva al autor mexicano al cuestionamiento de una estética unidimensional y de una escritura predeterminada. El cuento seleccionado "Hegel y yo" pone en evidencia el reto de un estilo desenfadado y de un arte narrativo complejo.

HEGEL Y YO *

AGENTE *del Ministerio Público:* ... y todavía no se contentó usted con la forma de haber dado muerte a su víctima, sino que a puntapiés, es decir, a patadas, condujo la cabeza del occiso hasta el basurero próximo...

El Fut: Sí señor, cómo lo había de negar yo. Así fue, tal como usted lo dice. Pero no lo hice por mal, señor. Verdá de Dios que no lo hice por mal. ¿Cómo quería que yo agarrara esa cabeza con las manos, cuantimás habiéndolo yo matado, digo, siendo yo el autor de la muerte de ese occiso? No lo hice por mal, señor...

Agente del Ministerio Público: ¿Así que lo hizo por bien...?

El Fut: Sí señor, como todo mundo puede ver si lo mira en mi corazón. Lo hice por bien...

Es curioso, pero aquí estamos, en la misma cárcel, Hegel y yo. Hegel, con toda su filosofía de la historia y su Espíritu Absoluto. Verdaderamente curioso. Debo precisar: en la misma celda, desde que me lo trajeron, de la calle, a vivir conmigo. Un auténtico regalo filosófico. Lo acepté con extrañeza y desconfianza: aquí eso molesta. Forrado en piel, una piel de cochino bien curtida, reluciente, olorosa. Pero basta de bromas: forrado en su propia piel, en su propio pellejo, limpio, colorado, que despedía ese aroma de

* Reproducido con autorización de Ediciones Era, México, D. F., México. *Material de los sueños*. México: Ediciones Era, S. A., 1974, pp. 9-24, I.S.B.N.: 968-411-016-2.

agua de colonia, pero de todos modos un pellejo de cochino. Lo miré: un semi-enano, además giboso. Es decir, no un enano natural: semi-enano de un metro y centímetros, tan sólo a causa de que le habían amputado las piernas de raíz, desde el tronco. Con todo y las piernas, completo, debió tener su buena estatura regular, y es fuerte. Yo mismo ayudé a que las ruedas del carrito salvaran el quicio de la celda, que levanta más de media cuarta del suelo. Hasta que vino a mi celda todo el mundo lo había llamado *Ejel,* simple y bárbaramente. Tuve que imponer sobre la población entera de la Crujía Circular —a gritos, pero metódicos y con arreglo a cierta periodicidad, por la ventanilla de la puerta, pues entonces no se nos dejaba salir al corredor— la pronunciación correcta del nombre, *Jeguel,* Hegel. Le vino de la sucursal de un Banco en las calles de Hegel, de Jorge Guillermo Federico Hegel. La radio-patrulla disparó varias ráfagas de ametralladora. Ocho balas repartidas entre los dos muslos. Ahí quedó *Hegel* tirado a media calle, con su piel de cochino perforada: *real* y *racionalmente* se hizo necesario amputar. Pero me importa una chingada[1] *Hegel.* Lo que trato de recordar es otra cosa, desde que falta Medarda, desde que no viene. Otra cosa, que me da vueltas y no me deja. El muy cabrón quiso matarme, para quedarse con la celda solo. El muy retecabrón. Me lo dijo él mismo después. Se había puesto al habla con dos de sus valedores. "Va un *azul* para cada uno: cincuenta *baros* a cada quien, ustedes dicen", me contó. Le daba risa. "Te salía barato, cien pesos... *por mí",* le dije y me eché en la cama, sin hablar. Medarda nomás dejó de venir. Primero un sábado, y luego otro y otro y otro, hasta que ya no vino. Quisiera verla de nuevo, su presencia irritante, ese no sentir piedad hacia ella, su talle macizo, impuro. Su rostro se aleja, se esfuma hacia el fondo, es un óvalo vacío, sin color, como si alguien lo hubiese recortado —cuidadosamente, siguiendo con precisión la línea externa, sus límites— para arrancarlo de algún retrato en cuyo lugar quedara al desnudo la cartulina gris sobre la que

[1] *chingada:* vulgarismo en México.

estaba montada la fotografía y, no obstante, todo lo demás, tal como habría sido siempre, durante la vida entera, quieto e intacto desde que posó ante el fotógrafo: a la espalda, un decorado nuboso, informe, con las dos líneas horizontales de diminutos cirros[2] flotantes, lo único que le hacía parecer cielo, y en el primer término, una consola con aquel florero vacío encima, inexplicables los dos. El entorno de Medarda: fuera de sus límites —el rostro, el cuerpo, el vestido—, la nada; y aún éstos, en la sima del olvido, la nada también. Pero no es olvido, no. Tiene razón *Hegel* cuando dice: "la memoria no es lo que se recuerda, sino lo que olvidamos", más o menos, porque lo dice de varios modos, muchas veces contrapuestos. Por ejemplo: "la memoria es lo que uno hace y nadie ha visto, lo que no tiene recuerdo". Añade luego: "no somos sino pura memoria y nada más". Tiene razón: nuestros actos, los actos *profundos* dice él, son esa parte de la memoria que no acepta el recuerdo, sin que importe el que haya habido testigos o no. Nadie es testigo de nadie ni de nada, cada quien lleva encima su propio recuerdo no visto, no oído, sin testimonios. He aquí pues el retrato de Medarda con el rostro vacío. Es peor que si le hubieran sacado los ojos: ella es la que no me ve. Ella, ella, Medarda.

¿Dónde, dónde diablos fue que comenzó todo esto? ¿Dónde comenzaron estas cosas? ¿En Panamá? No son las cosas mismas lo que recuerdo, sino su halo, su periferia, lo que está más allá de aquello que las circunscribe y define. Bien, el trópico. Sea. Era duro, ahogaba. Panamá: las calles, rectas, amplias, limpias, del *Canal Zone,* las ventanas con su tela de alambre para los mosquitos. El negro aquel se empeñaba en no bajar de la *guagua,*[3] el camión[4] de pasajeros entre Balboa y Panamá, la ciudad. Echaba la cabeza hacia atrás, con el mentón apuntando a lo alto, desafiante pero ya vencido de antemano, heroicamente seguro de la derrota, con una cólera desarmada y vacía en medio de la distraída, inatenta indiferencia de aquellos blancos

---

[2] *cirros:* rizos; nubes que tienen apariencia de zarcillos.

[4] *guagua:* autobús.

[4] *camión:* autobús.

panameños del camión. "¡Conozco mis derechos, no pueden obligarme a bajar, soy un ciudadano de Panamá igual que cualquier otro!" Bueno, más bien semiblancos, lo que quiere decir seminegros, empleados en las oficinas de la Zona, nativos, en una palabra, que ya comenzaban a impacientarse pues el chofer se había negado a continuar mientras el negro no bajara. "Baja, negro; te digo que aquí no puede viajá... —la voz del chofer era calmosa, persuasiva, tolerante—. Po eso hay guagua esclusiva pa lo negro. Esto no es lo tuyo, viejo..." Lo decía de espaldas al negro, sin volverse, encarándolo a través del espejo retrovisor, lo que daba cierta irrealidad a su actitud, como si el negro no existiera. "Mira, negro, que si no te baja, uno de esto caballero tendrá la gentileza de ir a llamá un guardia que te obligue. Mira que te lo pide un negro tan negro como tú, tan bembón[5] como tú." El chofer rió por lo gracioso de su repentina ocurrencia respecto a la negritud de ambos, esa conciencia natural, ese consentimiento mutuo que debía unirlos en la aceptación de su común ser inferior. En efecto, era tan negro, o más, que el negro de la protesta. O quizá me lo parecía, porque con los negros sucede así, cuando uno está entre ellos —en sus poblaciones negras, en sus calles negras—, que los ve más negros, según el estado de ánimo en que uno se encuentre o la pesadumbre en que uno se halle. Me pasó en Belice, donde vi a los negros más negros de todos los negros que existen en el mundo. Pero entonces fue que andaba yo verdaderamente reventado, "dado a la mierda es poco", como dice *Hegel*. Le eché al negro el brazo sobre el hombro, le dije que yo bajaría junto con él y que los dos nos iríamos a pie hasta Panamá o hasta donde él quisiera. Negro bembón, simpático. No lo volví a ver, aunque quedamos de que me buscaría en el barco. En Panamá, hubo mucho de todo, pero ahí no fue. No puedo recordarlo. Quién sabe qué me pasa.

Digamos... ¿Guayaquil? El Guayas, ese río, los horribles manglares. Todavía estás en mar abierto y ya comienzas a entrar en esa espada azul. A proa apenas se divisa la tenue

_____
[5] *bembón:* de labios gruesos.

línea del Ande ecuatoriano, apenitas, muy a lo lejos, al este
franco, mejor dicho, al nor-noreste un poco caído, para ser
exactos. Te entra por todo el cuerpo, manglares y manglares y manglares, a babor y estribor, sólo manglares y nada
más manglares en cada ribera, por las dos bandas, una infinita cabeza de Medusa. Te enredas, te enredas, todo te
enreda, no puedes salir de Guayaquil, has de morir en
Guayaquil. Bueno, ahí me pasé tres meses borracho, ni
más ni menos, con mi amigo *El Jaibo,* pues nos quedamos
en tierra, nos dejó el barco. Tres meses, todo el tiempo
que empleó el *"Batalla de Calpulalpan"* en dar la vuelta
por el sur, y luego, ya de subida por la costa atlántica, cruzar el Canal y volver al Pacífico para encontrarse otra vez
con el Guayas y navegarlo hasta fondearse en Guayaquil.
Aquello no era más que sudor. Tres meses empapados en
sudor, envueltos en brumas, aguaceros y manglares.

Tampoco fue en Salina Cruz. Entonces Salina Cruz estaba
abandonado, arena, hierros viejos, los muros del ante-puerto
comidos por la sal, el dique seco hecho una porquería, arma-
duras, quillas, pedazos de cubierta que tintineaban con el
viento, "una tristeza para hombres de mar", decía el jefe de
máquinas.

Allí en Salina Cruz *La Tortuguita* contagió a todos los
marineros de gonorrea. Yo me salvé. Me había molestado
la idea de aguardar turno y éramos cosa de veinte o veinticinco a quienes *La Tortuguita* nos gustó desde el primer
momento y no quisimos ir con ninguna otra. Tampoco eran
muchas. Cinco o seis en aquel triste burdel y cantina y restaurante y tienda. Entraban niñas a comprar algo, manteca
—la vi— derretida, por supuesto, líquida a fuerza del calor.
Los cuartos quedaban a espaldas de la trastienda, pequeños
recintos de madera con puertas que abrían a las orillas de
un patio cuadrado, de cemento, a mitad del cual salía un
tubo con una llave de agua. También entraban por agua,
con sus botes. Pero ¿dónde, dónde fue? Recuerdo que
bebíamos un aguardiente salvaje *El Jaibo y yo.* Era cuando
ya comenzaba a sentirse muy orgulloso de ser mi amigo. La
manteca licuada, sucia, como un caldo amarillento, pero
desde luego no fue en Salina Cruz donde la conocí, donde

se me metió como una *nigua*[6] entre las uñas. Cuando sucedió o comenzó a suceder esta cosa yo estaba borracho hasta
los huesos, "ebrio absoluto", como lo califican a uno en las
actas de las delegaciones de policía, por eso no recuerdo.
Sí, eso sí: me fui a la cama con aquella mujer, me llevó. Dije
cama. Esa cama, Dios santo. Terminó por molestarme la
idea, esa vez en Salina Cruz, de que todos iríamos con *La
Tortuguita,* uno por uno. Los miraba y me decía: todos
estos nos acostaremos con la muchacha, tú, aquél, el otro,
yo. Al sexto o al séptimo ella vino a sentarse a la mesa. Se
sentó con todo el cuerpo, una acción del cuerpo entero,
sobre la silla. "¡Carambas! —exclamó entre agresiva y dis-
culpándose al mismo tiempo—. ¡Déjenme descansar un
rato!", como a modo de haber visto algún reproche en
nuestras miradas. Para darle una demostración amistosa de
nuestra conformidad con ese descanso, pedimos otra tanda
de cervezas heladas, para ella un anís. A todos nos pareció
correcto que tomara un respiro y lo veíamos muy bien y
natural. Cada uno estábamos inscritos en la lista, por orden
alfabético de nombres, que el jefe de máquinas Quintín
Barba había apuntado sobre una de esas hojas de papel
donde se anotan los tantos del dominó y que extrajo de la
bolsa del pecho de su camisola, donde llevaba otras también en blanco, en las columnas impresas de los dos bandos
de jugadores, "Ellos", "Nosotros". Puso su nombre al
último para disponer de más tiempo —todo el que se le
antojara— con *La Tortuguita.* "En estas cosas no me gusta
que me estén apurando", decía. Lo cierto es que nadie apu-
raba a nadie. Cada quien aguardaba su turno con paciencia
mientras bebíamos cerveza helada de unas pequeñas botellas —"cuartitos", la cuarta parte de un litro, para consu-
mirla pronto y no dejar que se calentara en el envase—, y
luego, al pasar adentro con *La Tortuguita,* la ocupaba el
tiempo justo, a lo legal sin carreras. Quintín Barba, como
jefe de máquinas, podía anotarse en cualquier orden, lo

---

[6] *nigua:* insecto parecido a la pulga, pero diminuto y aplanado.
Se aloja debajo de las uñas de los pies de las personas y de los animales para incubar sus larvas, produciendo comezón y llagas.

respetábamos como jefe de máquinas. Las demás muchachas —y ahora recuerdo con precisión que eran cinco— se
habían ido a cubrir del sol bajo la enramada que la señora
patrona llamaba *el merendero,* a unos cuantos pasos del
cobertizo donde bebíamos y donde también estaba la sinfonola. No habíamos advertido su actitud, cabizbajas y
como pensativas. Una de ellas extendía con el dedo un
charquito de bebida que nadie había limpiado y dibujaba
monos sobre la superficie de la mesa, muy abismada en sí,
pero llorosa. Las otras prestaban gran atención a sus monos
y de cuando en cuando añadían alguna cosa al dibujo también con el dedo. Por fin, la misma de los monos levantó la
vista hacia nosotros y al ver que algunos estábamos mirán-
dolas, esto pareció darle confianza, se puso en pie y vino.
Que si no queríamos invitarles —"ofertarles" dijo— unas
cervezas, anís no, pues no deseaban cobrar comisión por su
consumo, nomás cervezas, o que siquiera les diéramos
algunos veintes para tocar la sinfonola "con lo que ustedes
les guste". Curioso que a ninguno se nos hubiera ocurrido
meterle un veinte a la sinfonola. Nos dimos cuenta que
estaban sentidas; las había herido la preferencia de todos
—sin exceptuar uno— por *La Tortuguita.* Es que las putas
de pueblo son distintas a las de ciudad, son muy sencillas,
casi no son putas. Como Medarda; casi no era. Casi no es.
Era, es: con ella se pierden los tiempos del verbo.

Lo cierto es que Quintín, el jefe de máquinas, sabía su
cuento. Se puso al último de la lista, claro, por las razones
honradamente dadas, pero además porque como jefe de
máquinas estaba enterado de que zarparíamos hasta el día
siguiente, después del toque de diana, y quería quedarse
"de dormitorio" con *La Tortuguita,* lo que así fue. A los
tres, cuatro días, a bordo, se armó la gran bronca por lo del
contagio. Con la lista de los tantos del dominó en su poder
("Ellos", "Nosotros"), Quintín Barba se proponía descubrir al culpable, en el supuesto de que *La Tortuguita* no
hubiera estado enferma desde antes de comenzar con el
primero de los tripulantes. En el caso, habría algunos no con-
tagiados y entonces era de atribuirse al primer enfermo, sin la
menor duda, el contagio de los demás. "Ellos", "Nosotros",

separar la buena de la mala mies, como en los Evangelios. Sobre el culpable pesaba la amenaza de permanecer encerrado en el pañol de cadenas por todo el resto del crucero. Pero no hubo ningún culpable fuera de *La Tortuguita* misma, la pobre, que a lo mejor ni siquiera sabía que estaba enferma. Quintín Barba se sintió jodido por completo. "Dado a la mierda es poco", hubiera comentado *Hegel.*

"Mira —me dice—, todo *acto profundo* (y no es necesario que tú mismo seas profundo para que hagas un acto profundo) es *inmemorial.* O sea, es tan antiguo que no se guarda memoria de su comienzo, nadie sabe de dónde arranca, en qué parte se inicia o si no se inicia en parte alguna. El acto profundo no tiene principio, no ha comenzado jamás, pero tan sólo porque no existe la memoria de ese acto, no hay ninguna data que lo testimonie ni podrá haberla nunca. Es anterior a la data, un acto no registrado, pero hecho, la suma de una larga serie de actos fallidos hasta llegar a él, en la soledad más absolutamente vacía de testigos. Entonces, por cuanto estás aquí (digo, aquí en la cárcel o donde estés, no importa), por cuanto estás y *eres* en algún sitio, algo tienes que ver con ese acto. Más bien, no *algo* sino *todo;* tienes que ver *todo* con ese acto que desconoces. Es un acto *tuyo.* Está inscrito en tu memoria antigua, en lo más extraño de tu memoria, en tu memoria *extraña,* no dicha, no escrita, no pensada, apenas sentida, y que es la que te mueve hacia tal acto. Tan extraña, que es una memoria sin lenguaje, carente en absoluto de signos propios y ha de abrirse camino en virtud de los recursos más inesperados. Así, esta memoria repite, sin que nos demos cuenta, todas las frustraciones anteriores a su data, hasta que no acierta de nuevo con el acto profundo original que, ya por esto solamente, es tuyo. Pero solamente por esto, pues es tuyo sin que te pertenezca. Lo contrario es la verdad: tú eres quien le pertenece, con lo que, por ende, dejas de pertenecerte a ti mismo. El acto profundo está en ti, agazapado y acechante en el fondo de tu memoria: de esa memoria de *lo no ocurrido.* Tiendes a cometerlo en cualquier momento; el que lo cometas o no, tampoco es asunto tuyo ni de que reúnas las condiciones para ello. Se ha vuelto cosa del puro azar, al alcance involuntario de cualquiera. Bien, he dicho *come-terlo* y esto es inexacto hasta cierto punto. Es un acto que acepta todas las formas: cometerlo, perpetrarlo, consu-marlo, realizarlo, está simplemente fuera de toda califica-ción moral. El calificarlo queda para quienes lo anotan y lo datan, o sea, los periodistas y los historiadores, que lo han de ajustar entonces necesariamente, a una determinada norma crítica vigente, con lo que no hacen sino borrar sus huellas y falsificarlo, erigiéndolo así en un Mito más o menos válido y aceptable durante cierto período: Landrú, Gengis-Kan, Galileo, Napoleón, el Marqués de Sade o Jesucristo o Lenin, da lo mismo. O *El Fut,* que resulta un magnífico ejemplo de excelente pateador de cabezas, ade-más un ejemplo que tenemos en casa, aquí en la Crujía *D.*"

A pesar de cuanto pueda decirse —y no se quién diga algo al respecto fuera de mí, en esta cárcel— me gusta escu-char a *Hegel*, bien que no llegue a comprenderlo del todo. Transcribo sus palabras con enormes dudas, pues ahí mismo sucede, nomás escritas, que pierden la vivacidad, la transparencia y el acento con que *Hegel* las pronuncia, lo que me obliga a presentar subrayadas aquellas que, apa-rentemente, son más significativas. Se expresa con toda intención —y yo diría, mala intención—, por medio del uso y abuso de los contrasentidos —ya lo he dicho—, y de aquí resulta la gran oscuridad de sus ideas. Cuando se lo hago notar, sonríe desde su rincón. (Ahora esto ha cambiado: Hegel ya no tiene *un rincón.* Fue cosa nada más de adqui-rir la silla de ruedas, que sustituyó al primitivo carrito —una silla mecánica, con manubrio, velocidades, frenos y una palanca que la impulsa— para que no permanezca en ningún sitio y se mueva como un demonio sin reposo, ya dentro de la celda misma o en el corredor, en todas direc-ciones, y amenace con atropellar, sin consideración alguna, a quienquiera que sea, por lo que siempre se le cede el paso —sin que pueda uno comprenderlo— con enigmática doci-lidad y, aunque esto parezca todavía más extraño, con una especie de gratitud, de complacencia agradecida.) *Hegel* sonríe, pues, cuando opongo alguna objeción a la oscuridad de sus ideas y lo contradictorio de sus términos. Replica que no hay una sola idea verdadera que no sea oscura, ni una sola palabra, tampoco, que pueda tener un sentido único, todo depende del tiempo y la colocación: de lo que se comprometan a decir y a suscitar las palabras y las ideas. Para él, el lenguaje es un rodeo, un extravío pernicioso.

Desde la época de "su rincón", hasta que obtuvo su magnífica silla de ruedas, esto le llevó a *Hegel* sus buenos seis meses, qué digo, ocho, de paciente espera. Paciente, desesperada, rabiosa, furibunda, impotente espera. No era cosa de desaprovechar yo la extraordinaria oportunidad de un buen ejercicio físico que me brindaba la presencia del carrito aquí en la celda. Con un fuerte empujón del pie, la planta apoyada en la plataforma, lograba yo disparar el carrito de una pared a la otra y recibirlo de rechazo del mismo modo, gracias al impulso que tomaba con el choque en virtud del hule macizo que lo ceñía. *Hegel* se sujetaba convulsamente, las manos crispadas, a los bordes de la plataforma, el pequeño trozo de cuerpo en tensión y los dos muñones que le quedaban de las piernas, de pronto muy vivos, erectos, replegados hacia la caja pélvica, como a la defensiva. Era interesante, lo de los muñones, cómo traicionaban su inmenso terror, mientras con la activísima mirada de sus ojillos grises seguía todos los brutales desplazamientos del carrito y lanzaba una especie de mugido breve y rasposo al golpear cada vez con la pared. Nunca llegó a caerse del carrito, durante estos juegos. Lo sabía hacer.

No descubro nada excepcional al darme cuenta que puedo encontrar lo que busco si tan sólo logro reconstruir con exactitud los hechos, uno a uno y uno tras otro, desde el principio, pero sucede que es el principio mismo lo que se me escapa, y en esto habría que darle la razón a *Hegel:* aquí hay algo que no ha comenzado, el extremo del hilo se me va. Las cosas podrían comenzar hoy, por ejemplo, en este mismo instante. En rigor pueden comenzar hoy, si decido que aquí es el punto donde comienzan: esta celda, esta cárcel, este tiempo, este sobrecogimiento maldito.

Escucharé las voces que gritan mi nombre como un eco que se aproxima; vendrán a sacudir la puerta —la golpean, la escupen, se cagan en ella, estremecen sus hierros antes de abrirla—; saldré al corredor, cruzaré el patio y heme allí, de pronto, en la sala de defensores, y al fondo, silenciosa, impenetrable, Medarda. Pero no, no la sala de defensores: es la nave con paredes de hielo, herida por una luz blanca que no proviene de ninguna parte, la bóveda donde guardan los muertos. Medarda está a la mitad de este anfiteatro, abandonada en el piso, sin nadie. Me aproximo, pues la blancura de la luz no me deja ver sino contornos grotescos, como si padeciera cataratas. La imagen se precisa hasta causarme vértigo: desnuda, el vientre y los senos monstruosamente hinchados por los gases, igual que globos a punto de estallar. La descomposición está muy avanzada, pero del cuerpo no se desprende ningún mal olor y esto es lo que me aterra. Rompe en mis oídos la diabólica carcajada de *Hegel* que mira con regocijo el modo con que termino de vomitar, pues no tuve tiempo de echar la porquería fuera del camastro y estoy cubierto de la cabeza a los pies. Espera a que lance yo las últimas boqueadas y así pueda oírlo en plenitud. "Eres un mal asesino —ríe y me apunta con el índice, bullente, divertido feliz—, sigues soñando con la puta muerta." *Hegel* lo sabe muy bien. Son ya varias las veces que me ocurre. Y con esta pesadilla siempre acabo vaciándome del estómago.

JUAN RULFO

(Jalisco, México, 1918 - 1986)

L A S dos obras narrativas que publica Rulfo a mediados de
la década de los cincuenta han pervivido con esa actualidad
y universalización que caracteriza a las grandes obras artísticas. Referirse al poder de síntesis de la prosa de Rulfo es
tratar de penetrar en una de las claves de su narrativa, es
decir, entender el modo como la brevedad de la frase da
energía en su escritura a la palabra y la ductilidad con que
ésta crea ambientes, psicologías, contextos e imágenes plurales. La obra de Rulfo recibió premios importantes, se tra-
dujo a numerosos idiomas y ha cautivado a lectores de las
más diversas latitudes. Los padres de Rulfo murieron
cuando el autor era un niño, por lo cual debió estar varios
años en un orfanato y trabajar desde muy joven.

"Anacleto Morones" se incluye en la única colección de
relatos de Rulfo, publicada originalmente en 1953. Dos
visiones diferenciales se cruzan en este cuento de Rulfo: los
tejidos de lo religioso y lo profano, la superstición y el milagro. Su enlace permite la formación de correlaciones múltiples que se van abriendo, paulatinamente, hacia el
encuentro de la verdad, escondida en el sepulcro del patio
del personaje Lucas Lucatero. Al magistral perspectivismo
de la narración se añade el fino humor rulfiano, integrado
con prestancia a la atmósfera "irreal" del cuento.

ANACLETO MORONES *

¡V I E J A S , hijas del demonio! Las vi venir a todas juntas, en procesión. Vestidas de negro, sudando como mulas bajo el mero rayo del sol. Las vi desde lejos como si fuera una recua levantando polvo. Su cara ya ceniza de polvo. Negras todas ellas. Venían por el camino de Amula, cantando entre rezos, entre el calor, con sus negros escapularios grandotes y renegridos sobre los que caía en goterones el sudor de su cara.

Las vi llegar y me escondí. Sabía lo que andaban haciendo y a quién buscaban. Por eso me di prisa a esconderme hasta el fondo del corral, corriendo ya con los pantalones en la mano.

Pero ellas entraron y dieron conmigo. Dijeron: "¡Ave María Purísima!".

Yo estaba acuclillado en una piedra, sin hacer nada, solamente sentado allí, con los pantalones caídos, para que ellas me vieran así y no se me arrimaran. Pero sólo dijeron: "¡Ave María Purísima!". Y se fueron acercando más.

¡Viejas indinas![1] ¡Les debería dar vergüenza! Se persignaron y se arrimaron hasta ponerse junto a mí, todas juntas, apretadas como en manojo, chorreando sudor y con los pelos untados a la cara como si les hubiera lloviznado.

* Reproducido con autorización de la Editorial Fondo de Cultura Económica, México, D. F., México. *El llano en llamas.* 2.ª ed., octava reimpresión. México: Fondo de Cultura Económica, 1986, pp. 171-190.

1 *indinas:* descaradas.

—Te venimos a ver a ti, Lucas Lucatero. Desde Amula venimos, sólo por verte. Aquí cerquita nos dijeron que estabas en tu casa; pero no nos figuramos que estabas tan adentro; no en este lugar ni en estos menesteres. Creímos que habías entrado a darle de comer a las gallinas, por eso nos metimos. Venimos a verte.

¡Esas viejas! ¡Viejas y feas como pasmadas[2] de burro!

—¡Díganme qué quieren! —les dije, mientras me fajaba los pantalones y ellas se tapaban los ojos para no ver.

—Traemos un encargo. Te hemos buscado en Santo Santiago y en Santa Inés, pero nos informaron que ya no vivías allí, que te habías mudado a este rancho. Y acá venimos. Somos de Amula.

Yo ya sabía de dónde eran y quiénes eran; podía hasta haberles recitado sus nombres, pero me hice el desentendido.

—Pues sí, Lucas Lucatero, al fin te hemos encontrado, gracias a Dios.

Las convidé al corredor y les saqué unas sillas para que se sentaran. Les pregunté que si tenían hambre o que si querían aunque fuera un jarro de agua para remojarse la lengua.

Ellas se sentaron, secándose el sudor con sus escapularios.

—No, gracias —dijeron—. No venimos a darte molestias. Te traemos un encargo. ¿Tú me conoces, verdad, Lucas Lucatero? —me preguntó una de ellas.

—Algo —le dije—. Me parece haberte visto en alguna parte. ¿No eres, por casualidad, Pancha Fregoso, la que se dejó robar por Homobono Ramos?

—Soy, sí, pero no me robó nadie. Ésas fueron puras maledicencias. Nos perdimos los dos buscando garambuyos.[3] Soy congregante y yo no hubiera permitido de ningún modo...

—¿Qué, Pancha?

—¡Ah!, cómo eres mal pensado, Lucas. Todavía no se te quita lo de andar criminando[4] gente. Pero, ya que me conoces,

---

[2] *pasmadas:* heridas abiertas, llagas.
[3] *garambuyos:* garambullos; cacto que tiene por fruto una tuna pequeña roja.
[4] *criminando:* (acriminar), acusando.

quiero agarrar la palabra para comunicarte a lo que
venimos.

—¿No quieren ni siquiera un jarro de agua? —les volví a
preguntar.

—No te molestes. Pero ya que nos ruegas tanto, no te
vamos a desairar.

Les traje una jarra de agua de arrayán y se la bebieron.
Luego les traje otra y se la volvieron a beber. Entonces les
arrimé un cántaro con agua del río. Lo dejaron allí, pendiente, para dentro de un rato, porque, según ellas, les iba a
entrar mucha sed cuando comenzara a hacerles la digestión.

Diez mujeres, sentadas en hilera, con sus negros vestidos
puercos de tierra. Las hijas de Ponciano, de Emiliano, de
Cresceniano, de Toribio el de la taberna y de Anastasio el
peluquero.

¡Viejas carambas! Ni una siquiera pasadera. Todas caídas por los cincuenta. Marchitas como floripondios engarruñados[3] y secos. Ni de dónde escoger.

—¿Y qué buscan por aquí?

—Venimos a verte.

—Ya me vieron. Estoy bien. Por mí no se preocupen.

—Te has venido muy lejos. A este lugar escondido. Sin
domicilio ni quién dé razón de ti. Nos ha costado trabajo
dar contigo después de mucho inquirir.

—No me escondo. Aquí vivo a gusto, sin la moledera de
la gente. ¿Y qué misión traen, si se puede saber? —les pregunté.

—Pues se trata de esto... Pero no te vayas a molestar en
darnos de comer. Ya comimos en casa de la Torcacita. Allí
nos dieron a todas. Así que ponte en juicio. Siéntate aquí
enfrente de nosotras para verte y para que nos oigas.

Yo no me podía estar en paz. Quería ir otra vez al corral.
Oía el cacareo de las gallinas y me daban ganas de ir a
recoger los huevos antes que se los comieran los conejos.

—Voy por los huevos —les dije.

—De verdad que ya comimos. No te molestes por
nosotras.

<hr />

[5] *engarruñados:* arrugados.

—Tengo allí dos conejos sueltos que se comen los huevos. Orita regreso.

Y me fui al corral.

Tenía pensado no regresar. Salirme por la puerta que daba al cerro y dejar plantada a aquella sarta de viejas canijas.[6]

Le eché una miradita al montón de piedras que tenía arrinconado en una esquina y le vi la figura de una sepultura. Entonces me puse a desparramarlas, tirándolas por todas partes, haciendo un reguero aquí y otro allá. Eran piedras de río, boludas, y las podía aventar lejos. ¡Viejas de los mil judas! Me habían puesto a trabajar. No sé por qué se les antojó venir.

Dejé la tarea y regresé.

Les regalé los huevos.

—¿Mataste los conejos? Te vimos aventarles de pedradas. Guardaremos los huevos para dentro de un rato. No debías haberte molestado.

—Allí en el seno se pueden empollar, mejor déjenlos afuera.

—¡Ah, cómo serás!, Lucas Lucatero. No se te quita lo hablantín. Ni que estuviéramos tan calientes.

—De eso no sé nada. Pero de por sí está haciendo calor acá afuera.

Lo que yo quería era darles largas. Encaminarlas por otro rumbo, mientras buscaba la manera de echarlas fuera de mi casa y que no les quedaran ganas de volver. Pero no se me ocurría nada.

Sabía que me andaban buscando desde enero, poquito después de la desaparición de Anacleto Morones. No faltó alguien que me avisara que las viejas de la Congregación de Amula andaban tras de mí. Eran las únicas que podían tener algún interés en Anacleto Morones. Y ahora allí las tenía.

Podía seguir haciéndoles plática o granjeándomelas de algún modo hasta que se les hiciera de noche y tuvieran que largarse. No se hubieran arriesgado a pasarla en mi casa.

---

[6] *canijas:* tercas, porfiadas.

Porque hubo un rato en que se trató de eso: cuando la hija de Ponciano dijo que querían acabar pronto su asunto para volver temprano a Amula. Fue cuando yo les hice ver que por eso no se preocuparan, que aunque fuera en el suelo había allí lugar y petates[7] de sobra para todas. Todas dijeron que eso sí no, porque qué iría a decir la gente cuando se enteraran de que habían pasado la noche solitas en mi casa y conmigo allí dentro. Eso sí que no.

La cosa, pues, estaba en hacerles larga la plática, hasta que se les hiciera de noche, quitándoles la idea que les bullía en la cabeza. Le pregunté a una de ellas.

—¿Y tu marido qué dice?

—Yo no tengo marido, Lucas. ¿No te acuerdas que fui tu novia? Te esperé y te esperé y me quedé esperando. Luego supe que te habías casado. Ya a esas alturas nadie me quería.

—¿Y luego yo? Lo que pasó fue que se me atravesaron otros pendientes que me tuvieron muy ocupado; pero todavía es tiempo.

—Pero si eres casado, Lucas, y nada menos que con la hija del Santo Niño. ¿Para qué me alborotas otra vez? Yo ya hasta me olvidé de ti.

—Pero yo no. ¿Cómo dices que te llamabas?

—Nieves... Me sigo llamando Nieves. Nieves García. Y no me hagas llorar, Lucas Lucatero. Nada más de acordarme de tus melosas promesas me da coraje.

—Nieves... Nieves. Cómo no me voy a acordar de ti. Si eres de lo que no se olvida... Eras suavecita. Me acuerdo. Te siento todavía aquí en mis brazos. Suavecita. Blanda. El olor del vestido con que salías a verme olía a alcanfor. Y te arrejuntabas mucho conmigo. Te repegabas tanto que casi te sentía metida en mis huesos. Me acuerdo.

—No sigas diciendo cosas, Lucas. Ayer me confesé y tú me estás despertando malos pensamientos y me estás echando el pecado encima.

—Me acuerdo que te besaba en las corvas. Y que tú

---

[7] *petates:* esteras de palma; se usan para dormir sobre ellas.

decías que allí no, porque sentías cosquillas. ¿Todavía tienes hoyuelos en la corva de las piernas?

—Mejor cállate, Lucas Lucatero. Dios no te perdonará lo que hiciste conmigo. Lo pagarás caro.

—¿Hice algo malo contigo? ¿Te traté acaso mal?

—Lo tuve que tirar. Y no me hagas decir eso aquí delante de la gente. Pero para que te lo sepas: lo tuve que tirar. Era una cosa así como un pedazo de cecina. ¿Y para qué lo iba a querer yo, si su padre no era más que un vaquetón?[8]

—¿Conque eso pasó? No lo sabía. ¿No quieren otra poquita de agua de arrayán? No me tardaré nada en hacerla. Espérenme nomás.

Y me fui otra vez al corral a cortar arrayanes. Y allí me entretuve lo más que pude, mientras se le bajaba el mal humor a la mujer aquella.

Cuando regresé ya se había ido.

—¿Se fue?

—Sí, se fue. La hiciste llorar.

—Sólo quería platicar con ella, nomás por pasar el rato. ¿Se han fijado cómo tarda en llover? ¿Allá en Amula ya debe haber llovido, no?

—Sí, anteayer cayó un aguacero.

—No cabe duda de que aquél es un buen sitio. Llueve bien y se vive bien. A fe que aquí ni las nubes se aparecen. ¿Todavía es Rogaciano el presidente municipal?

—Sí, todavía.

—Buen hombre ese Rogaciano.

—No. Es un maldoso.[9]

—Puede que tengan razón. ¿Y qué me cuentan de Edelmiro, todavía tiene cerrada su botica?

—Edelmiro murió. Hizo bien en morirse, aunque me esté mal el decirlo; pero era otro maldoso. Fue de los que le echaron infamias al Niño Anacleto. Lo acusó de abusionero[10] y de brujo y de engañabobos. De todo eso anduvo

---

[8] *vaquetón:* engañador, descrado.

[9] *maldoso:* maldadoso en México.

[10] *abusionero:* agorero, supersticioso.

hablando en todas partes. Pero la gente no le hizo caso y Dios lo castigó. Se murió de rabia como los huitacoches.[11]

—Esperemos en Dios que esté en el infierno.

—Y que no se cansen los diablos de echarle leña.

—Lo mismo que a Lirio López, el juez, que se puso de su parte y mandó al Santo Niño a la cárcel.

Ahora eran ellas las que hablaban. Las dejé decir todo lo que quisieran. Mientras no se metieran conmigo, todo iría bien. Pero de repente se les ocurrió preguntarme:

—¿Quieres ir con nosotras?

—¿Adónde?

—A Amula. Por eso venimos. Para llevarte.

Por un rato me dieron ganas de volver al corral. Salirme por la puerta que da al cerro y desaparecer.

¡Viejas infelices!

—¿Y qué diantres voy a hacer yo a Amula?

—Queremos que nos acompañes en nuestros ruegos. Hemos abierto, todas las congregantes del Niño Anacleto, un novenario de rogaciones para pedir que nos lo canonicen. Tú eres su yerno y te necesitamos para que sirvas de testimonio. El señor cura nos encomendó le lleváramos a alguien que lo hubiera tratado de cerca y conocido de tiempo atrás, antes que se hiciera famoso por sus milagros. Y quién mejor que tú, que viviste a su lado y puedes señalar mejor que ninguno las obras de misericordia que hizo. Por eso te necesitamos, para que nos acompañes en esta campaña.

¡Viejas carambas! Haberlo dicho antes.

—No puedo ir —les dije—. No tengo quien me cuide la casa.

—Aquí se van a quedar dos muchachas para eso, lo hemos prevenido. Además está tu mujer.

—Ya no tengo mujer.

—¿Luego la tuya? ¿La hija del Niño Anacleto?

—Ya se me fue. La corrí.

—Pero eso no puede ser, Lucas Lucatero. La pobrecita debe andar sufriendo. Con lo buena que era. Y lo jovencita.

---

[11] *huitacoches:* pájaros pequeños.

Y lo bonita. ¿Para dónde la mandaste, Lucas? Nos conformamos con que siquiera la hayas metido en el convento de las Arrepentidas.

—No la metí en ninguna parte. La corrí. Y estoy seguro de que no está con las Arrepentidas; le gustaba mucho la bulla y el relajo. Debe de andar por esos rumbos, desfajando pantalones.

—No te creemos, Lucas, ni así tantito te creemos. A lo mejor está aquí, encerrada en algún cuarto de esta casa rezando sus oraciones. Tú siempre fuiste muy mentiroso y hasta levantafalsos. Acuérdate, Lucas, de las pobres hijas de Hermelindo, que hasta se tuvieron que ir para El Grullo[12] porque la gente les chiflaba la canción de "Las güilotas"[13] cada vez que se asomaban a la calle, y sólo porque tú inventaste chismes. No se te puede creer nada a ti, Lucas Lucatero.

—Entonces sale sobrando que yo vaya a Amula.

—Te confiesas primero y todo queda arreglado. ¿Desde cuándo no te confiesas?

—¡Uh!, desde hace como quince años. Desde que me iban a fusilar los cristeros.[14] Me pusieron una carabina en la espalda y me hincaron delante del cura y dije allí hasta lo que no había hecho. Entonces me confesé hasta por adelantado.

—Si no estuviera de por medio que eres el yerno del Santo Niño, no te vendríamos a buscar, contimás[15] te pediríamos nada. Siempre has sido muy diablo, Lucas Lucatero.

—Por algo fui ayudante de Anacleto Morones. Él sí que era el vivo demonio.

—No blasfemes.

—Es que ustedes no lo conocieron.

—Lo conocimos como santo.

---

[12] *El Grullo:* pueblo en el estado de Jalisco, México.

[13] *güilotas:* se llama así a las palomas, pero en este contexto parece derivarse de güilas que significa prostitutas.

[14] *cristeros:* partidarios de una rebelión en contra de las leyes seculares que fueron iniciadas después de la revolución en México.

[15] *contimás:* cuanto más; aquí significa "de ninguna manera".

—Pero no como santero.

—¿Qué cosas dices, Lucas?

—Eso ustedes no lo saben; pero él antes vendía santos. En las ferias. En la puerta de las iglesias. Y yo le cargaba el tambache.[16] Por allí íbamos los dos, uno detrás de otro, de pueblo en pueblo. Él por delante y yo cargándole el tambache con las novenas de San Pantaleón, de San Ambrosio y de San Pascual, que pesaban cuando menos tres arrobas.

"Un día encontramos a unos peregrinos. Anacleto estaba arrodillado encima de un hormiguero, enseñándome cómo mordiéndose la lengua no pican las hormigas. Entonces pasaron los peregrinos. Lo vieron. Se pararon a ver la curiosidad aquella. Preguntaron: '¿Cómo puedes estar encima del hormiguero sin que te piquen las hormigas?'.

"Entonces él puso los brazos en cruz y comenzó a decir que acababa de llegar de Roma, de donde traía un mensaje y era portador de una astilla de la Santa Cruz donde Cristo fue crucificado.

"Ellos lo levantaron de allí en sus brazos. Lo llevaron en andas hasta Amula. Y allí fue el acabóse; la gente se postraba frente a él y le pedía milagros.

"Ése fue el comienzo. Y yo nomás me vivía con la boca abierta, mirándolo engatusar al montón de peregrinos que iban a verlo.

—Eres puro hablador y de sobra hasta blasfemo. ¿Quién eras tú antes de conocerlo? Un arreapuercos. Y él te hizo rico. Te dio lo que tienes. Y ni por eso te acomides[17] a hablar bien de él. Desagradecido.

—Hasta eso, le agradezco que me haya matado el hambre, pero eso no quita que él fuera el vivo diablo. Lo sigue siendo, en cualquier lugar donde esté.

—Está en el cielo. Entre los ángeles. Allí es donde está, más que te pese.

—Yo sabía que estaba en la cárcel.

---

[16] *tambache:* bulto, atado.

[17] *acomides:* (acomedirse), tener disposición para hacer algo; acceder a ayudar, prestarse para hacer un servicio.

—Eso fue hace mucho. De allí se fugó. Desapareció sin dejar rastro. Ahora está en el cielo en cuerpo y alma presentes. Y desde allá nos bendice. Muchachas. ¡Arrodíllense! Recemos el "Penitentes somos Señor", para que el Santo Niño interceda por nosotras.

Y aquellas viejas se arrodillaron, besando a cada Padrenuestro el escapulario donde estaba bordado el retrato de Anacleto Morones.

Eran las tres de la tarde.

Aproveché ese ratito para meterme en la cocina y comerme unos tacos de frijoles. Cuando salí ya sólo quedaban cinco mujeres.

—¿Qué se hicieron las otras? —les pregunté.

Y la Pancha, moviendo los cuatro pelos que tenía en sus bigotes, me dijo:

—Se fueron. No quieren tener tratos contigo.

—Mejor. Entre menos burros más olotes.[18] ¿Quieren más agua de arrayán?

Una de ellas, la Filomena, que se había estado callada todo el rato y que por mal nombre le decían *la Muerta,* se culimpinó encima de una de mis macetas y, metiéndose el dedo en la boca, echó fuera toda el agua de arrayán que se había tragado, revuelta con pedazos de chicharrón y granos de huamúchiles:[19]

—Yo no quiero ni tu agua de arrayán, blasfemo. Nada quiero de ti.

Y puso sobre la silla el huevo que yo le había regalado:

—¡Ni tus huevos quiero! Mejor me voy.

Ahora sólo quedaban cuatro.

—A mí también me dan ganas de vomitar —me dijo la Pancha—. Pero me las aguanto. Te tenemos que llevar a Amula a como dé lugar. Eres el único que puede dar fe de la santidad del Santo Niño. Él te ha de ablandar el alma. Ya hemos puesto su imagen en la iglesia y no sería justo echarlo a la calle por tu culpa.

—Busquen a otro. Yo no quiero tener vela en este entierro.

18 *olotes:* mazorca de maíz.
19 *huamúchiles:* semillas comestibles del árbol huamúchil.

—Tú fuiste casi su hijo. Heredaste el fruto de su santidad. En ti puso él sus ojos para perpetuarse. Te dio a su hija.

—Sí, pero me la dio ya perpetuada.

—Válgame Dios, qué cosas dices, Lucas Lucatero.

—Así fue, me la dio cargada como de cuatro meses cuando menos.

—Pero olía a santidad.

—Olía a pura pestilencia. Le dio por enseñarles la barriga a cuantos se le paraban enfrente, sólo para que vieran que era de carne. Les enseñaba su panza crecida, amoratada por la hinchazón del hijo que llevaba dentro. Y ellos se reían. Les hacía gracia. Era una sinvergüenza. Eso era la hija de Anacleto Morones.

—Impío. No está en ti decir esas cosas. Te vamos a regalar un escapulario para que eches fuera el demonio.

—... Se fue con uno de ellos. Que dizque la quería. Sólo le dijo: "Yo me arriesgo a ser el padre de tu hijo". Y se fue con él.

—Era fruto del Santo Niño. Una niña. Y tú la conseguiste regalada. Tú fuiste el dueño de esa riqueza nacida santidad.

—¡Monsergas![20]

—¿Qué dices?

—Adentro de la hija de Anacleto Morones estaba el hijo de Anacleto Morones.

—Eso tú lo inventaste para achacarle cosas malas. Siempre has sido un invencionista.

—¿Sí? y qué me dicen de las demás. Dejó sin vírgenes esta parte del mundo, valido de que siempre estaba pidiendo que le velara su sueño una doncella.

—Eso lo hacía por pureza. Por no ensuciarse con el pecado. Quería rodearse de inocencia para no manchar su alma.

—Eso creen ustedes porque no las llamó.

—A mí sí me llamó —dijo una a la que le decían Melquiades—. Yo le velé su sueño.

—¿Y qué pasó?

---

[20] *monsergas*: patrañas, embustes.

Nada. Sólo sus milagrosas manos me arroparon en esa hora en que se siente la llegada del frío. Y le di gracias por el calor de su cuerpo; pero nada más.

—Es que estabas vieja. A él le gustaban tiernas; que se les quebraran los güesitos; oír que tronaran como si fueran cáscaras de cacahuete.

—Eres un maldito ateo, Lucas Lucatero. Uno de los peores.

Ahora estaba hablando *la Huérfana,* la del eterno llorido. La vieja más vieja de todas. Tenía lágrimas en los ojos y le temblaban las manos:

—Yo soy huérfana y él me alivió de mi orfandad; volví a encontrar a mi padre y a mi madre en él. Se pasó la noche acariciándome para que se me bajara mi pena.

Y le escurrían las lágrimas.

—No tienes, pues, por qué llorar —le dije.

—Es que se han muerto mis padres. Y me han dejado sola. Huérfana a esta edad en que es tan difícil encontrar apoyo. La única noche feliz la pasé con el Niño Anacleto, entre sus consoladores brazos. Y ahora tú hablas mal de él.

—Era un santo.

—Un bueno de bondad.

—Esperábamos que tú siguieras su obra. Lo heredaste todo.

—Me heredó un costal de vicios de los mil judas. Una vieja loca. No tan vieja como ustedes; pero bien loca. Lo bueno es que se fue. Yo mismo le abrí la puerta.

—¡Hereje! Inventas puras herejías.

Ya para entonces quedaban solamente dos viejas. Las otras se habían ido yendo una tras otra, poniéndome la cruz y reculando y con la promesa de volver con los exorcismos.

—No me has de negar que el Niño Anacleto era milagroso —dijo la hija de Anastasio—. Eso sí que no me lo has de negar.

—Hacer hijos no es ningún milagro. Ése era su fuerte.

—A mi marido lo curó de la sífilis.

—No sabía que tenías marido. ¿No eres la hija de Anastasio el peluquero? La hija de Tacho es soltera, según yo sé.

—Soy soltera, pero tengo marido. Una cosa es ser señorita y otra cosa es ser soltera. Tú lo sabes. Y yo no soy señorita, pero soy soltera.

—A tus años haciendo eso, Micaela.

—Tuve que hacerlo. Qué me ganaba con vivir de señorita. Soy mujer. Y una nace para dar lo que le dan a una.

—Hablas con las mismas palabras de Anacleto Morones.

—Sí; él me aconsejó que lo hiciera, para que se me quitara lo hepático. Y me junté con alguien. Eso de tener cincuenta años y ser nueva es un pecado.

—Te lo dijo Anacleto Morones.

—Él me lo dijo, sí. Pero hemos venido a otra cosa; a que vayas con nosotras y certifiques que él fue un santo.

—¿Y por qué no yo?

—Tú no has hecho ningún milagro. Él curó a mi marido. A mí me consta. ¿Acaso tú has curado a alguien de la sífilis?

—No, ni la conozco.

—Es algo así como la gangrena. Él se puso amoratado y con el cuerpo lleno de sabañones. Ya no dormía. Decía que todo lo veía colorado como si estuviera asomándose a la puerta del infierno. Y luego sentía ardores que lo hacían brincar de dolor. Entonces fuimos a ver al Niño Anacleto y él lo curó. Lo quemó con un carrizo ardiendo y le untó de su saliva en las heridas y, sácatelas, se le acabaron sus males. Dime si eso no fue un milagro.

—Ha de haber tenido sarampión. A mí también me lo curaron con saliva cuando era chiquito.

—Lo que yo decía antes. Eres un condenado ateo.

—Me queda el consuelo de que Anacleto Morones era peor que yo.

—Él te trató como si fueras su hijo. Y todavía te atreves... Mejor no quiero seguir oyéndote. Me voy. ¿Tú te quedas, Pancha?

—Me quedaré otro rato. Haré la última lucha yo sola.

—Oye, Francisca, ora que se fueron todas, ¿te vas a quedar a dormir conmigo, verdad?

—Ni lo mande Dios. ¿Qué pensaría la gente? Yo lo que quiero es convencerte.

—Pues vámonos convenciendo los dos. Al cabo qué pierdes. Ya estás revieja, como para que nadie se ocupe de ti, ni te haga el favor.

—Pero luego vienen los dichos de la gente. Luego pensarán mal.

—Que piensen lo que quieran. Qué más da. De todos modos Pancha te llamas.

—Bueno, me quedaré contigo; pero nomás hasta que amanezca. Y eso si me prometes que llegaremos juntos a Amula, para yo decirles que me pasé la noche ruéguete y ruéguete. Si no, ¿cómo le hago?

—Está bien. Pero antes córtate esos pelos que tienes en los bigotes. Te voy a traer las tijeras.

—Cómo te burlas de mí, Lucas Lucatero. Te pasas la vida mirando mis defectos. Déjame mis bigotes en paz. Así no sospecharán.

—Bueno, como tú quieras.

Cuando oscureció, ella me ayudó a arreglarle la ramada a las gallinas y a juntar otra vez las piedras que yo había desparramado por todo el corral, arrinconándolas en el rincón donde habían estado antes.

Ni se las malició que allí estaba enterrado Anacleto Morones. Ni que se había muerto el mismo día que se fugó de la cárcel y vino aquí a reclamarme que le devolviera sus propiedades.

Llegó diciendo:

—Vende todo y dame el dinero, porque necesito hacer un viaje al Norte. Te escribiré desde allá y volveremos a hacer negocio los dos juntos.

—¿Por qué no te llevas a tu hija —le dije yo—. Eso es lo único que me sobra de todo lo que tengo y dices que es tuyo. Hasta a mí me enredaste con tus malas mañas.

—Ustedes se irán después, cuando yo les mande avisar mi paradero. Allá arreglaremos cuentas.

—Sería mucho mejor que las arregláramos de una vez. Para quedar de una vez a mano.

—No estoy para estar jugando ahorita —me dijo—. Dame lo mío. ¿Cuánto dinero tienes guardado?

—Algo tengo, pero no te lo voy a dar. He pasado las de

Caín con la sinvergüenza de tu hija. Date por bien pagado con que yo la mantenga.

Le entró el coraje. Pateaba el suelo y le urgía irse...

"¡Qué descanses en paz, Anacleto Morones!", dije cuando lo enterré, y a cada vuelta que yo daba al río acarreando piedras para echárselas encima: "No te saldrás de aquí aunque uses de todas tus tretas".

Y ahora la Pancha me ayudaba a ponerle otra vez el peso de las piedras, sin sospechar que allí debajo estaba Anacleto y que yo hacía aquello por miedo de que se saliera de su sepultura y viniera de nueva cuenta a darme guerra. Con lo mañoso que era, no dudaba que encontrara el modo de revivir y salirse de allí.

—Échale más piedras, Pancha. Amontónalas en este rincón, no me gusta ver pedregoso mi corral.

Después ella me dijo, ya de madrugada:

—Eres una calamidad, Lucas Lucatero. No eres nada cariñoso. ¿Sabes quién sí era amoroso con una?

—¿Quién?

—El Niño Anacleto. Él sí que sabía hacer el amor.

JOSÉ LUIS GONZÁLEZ
(Santo Domingo, República Dominicana, 1926 -
México, 1996)

EL escritor puertorriqueño inició su obra narrativa en la
década de los cuarenta; fundamentalmente cuentista aunque también publicó la novela *Balada de otro tiempo* y las
novelas cortas *Paisa*, *Mambrú se fue a la guerra*, *La llegada*
e *Historia con irlandeses*. La cuentística de José Luis González ocupa un lugar destacado en la literatura hispanoamericana; su probado dominio en la narrativa breve
cuenta además con la teorización sobre el cuento, esbozada
en su ensayo *El arte del cuento*, que lo coloca en la tradición reflexiva de los espacios imaginativos de la construcción
del género así como lo hicieron sus precedesores Horacio
Quiroga y Juan Bosch. El cuento "La noche que volvimos
a ser gente" fue escrito en 1970 y se incluyó en los volúmenes *Mambrú se fue a la guerra* y *La tercera llamada y otros
relatos*. La arquitectura de la indiferencia y la lucha desesperada del extranjero por romper esa barrera y alcanzar un
sentido de comunicación —aunque mínimo— se retratan
con vivísima fuerza en los cuentos provenientes de la vivencia de González en Nueva York. La tensión del cuento es
alta, enmarcada dentro de un estilo narrativo muy particular en el que el humor tenue y la nota alegre permiten un
funcionamiento alternado de la situación climática.

En un homenaje al escritor puertorriqueño, publicado a
un mes de su fallecimiento en la revista universitaria *Diálogo* de la Universidad de Puerto Rico, Arcadio Díaz Quiñones se refiere con gran precisión a la enorme pasión

literaria e intelectual de José Luis González: "Actuó como escritor, creando imágenes y dinamizando el imaginario desde la literatura. Contribuyó con una conciencia nueva a crear otro archivo cultural y a desplazar algunos discursos heredados.

Reconstruyó continuamente sus genealogías: sus últimos textos son una considerable sucesión de memorias y testimonios en los que se redefinía. Creía firmemente que las ideas son para confrontarse y modificarse, que era preciso mantener abierta la discusión sobre las verdades del imaginario social y las mitologías culturales" (p. 14).

José Luis González recibió su formación en la Universidad de Puerto Rico; realizó, asimismo, estudios de posgrado en Nueva York. Tres ciudades —Santo Domingo, San Juan y Nueva York— parecían ya un número suficiente de espacios habitados por el joven escritor, pero a los veinticuatro años hay un nuevo desplazamiento, esta vez a Praga y París, y dos años más tarde a México, donde prosigue un doctorado y finalmente se establece cuando el gobierno mexicano le concede la ciudadanía en 1955. José Luis González tenía entonces veintinueve años y ya había publicado *Paisa* y tres libros de cuentos. En México ejerció como profesor de Literatura Iberoamericana y de Sociología de la Literatura en la Universidad Nacional Autónoma de México.

LA NOCHE QUE VOLVIMOS A SER GENTE

A Juan Sáez Burgos

¿Q U E si me acuerdo? Se acuerda el Barrio entero si quieres que te diga la verdad, porque eso no se le va a olvidar ni a Trompoloco, que ya no es capaz de decir ni dónde enterraron a su mamá hace quince días. Lo que pasa es que yo te lo puedo contar mejor que nadie por esa casualidad que tú todavía no sabes. Pero antes vamos a pedir unas cervezas bien frías porque con esta calor del diablo quién quita que hasta me falle la memoria.

Ahora sí, salud y pesetas. Y fuerza donde tú sabes. Bueno, pues de eso ya van cuatro años y si quieres te digo hasta los meses y los días porque para acordarme no tengo más que mirarle la cara al barrigón ése que tú viste ahí en la casa cuando fuiste a procurarme esta mañana. Sí, el mayorcito, que se llama igual que yo pero que si hubiera nacido mujercita hubiéramos tenido que ponerle Estrella o Luz María o algo así. O hasta Milagros, mira, porque aquello fue... Pero si sigo así voy a contarte el cuento al revés, o sea desde el final y no por el principio, así que mejor sigo por donde iba.

Bueno, pues la fecha no te la digo porque ya tú la sabes y lo que te interesa es otra cosa. Entonces resulta que ese día le había dicho yo al foreman,[1] que era un judío buena

---

[1] *foreman:* supervisor. En el contexto del habla puertorriqueña en Nueva York, aparecerán a través del cuento varios términos en inglés o provenientes del inglés. Algunos ejemplos en este cuento

persona y ya sabía su poquito de español, que me diera un overtime porque me iban a hacer falta los chavos para el parto de mi mujer, que ya estaba en el último mes y no paraba de sacar cuentas. Que si lo del canastillo, que si lo de la comadrona... Ah, porque ella estaba empeñada en dar a luz en la casa y no en la clínica donde los doctores y las norsas no hablan español y además sale más caro.

Entonces a las cuatro acabé mi primer turno y bajé al come-y-vete ese del italiano que está ahí enfrente de la factoría. Cuestión de echarme algo a la barriga hasta que llegara a casa y la mujer me recalentara la comida, ¿ves? Bueno, pues me metí un par de hot dogs con una cerveza mientras le tiraba un vistazo al periódico hispano que había comprado por la mañana, y en eso, cuando estaba leyendo lo de un latino que había hecho tasajo a su corteja porque se la estaba pegando con un chino, en eso, mira, yo no sé si tú crees en esas cosas, pero como que me entró un presentimiento. O sea que sentí que esa noche iba a pasar algo grande, algo que yo no podía decir lo que iba a ser. Yo digo que uno tiene que creer porque tú me dirás qué tenía que ver lo del latino y el chino y la corteja con eso que yo empecé a sentir. A sentir, tú sabes, porque no fue que lo pensara, que eso es distinto. Bueno, pues acabé de mirar el periódico y volví rápido a la factoría para empezar el overtime.

Entonces el otro foreman, porque el primero ya se había ido, me dice: ¿Qué, te piensas hacer millonario para poner un casino en Puerto Rico? Así, relajando,[2] tú sabes, y vengo yo y le digo, también vacilando:[3] No, si el casino ya lo tengo. Ahora lo que quiero poner es una fábrica. Y me dice: ¿Una fábrica de qué? Y le digo: Una fábrica de humo. Y entonces me pregunta: ¿Ah, sí? ¿Y qué vas a hacer con

---

son: a) *overtime* (horas extras); b) *norsas* (enfermeras, del inglés *nurses*); b) *crowded* (lleno de gente); d) *ponchar* la tarjeta (marcar o fichar la tarjeta); e) la hora del *rush* (la hora de más tráfico), etcétera.

[2] *relajando:* bromeando.

[3] *vacilando:* bromeando.

el humo? Y yo bien serio, con una cara de palo que había
que ver: ¡Adiós!... ¿Y qué voy a hacer? ¡Enlatarlo! Un vacilón,[4] tú sabes, porque ese foreman era todavía más buena
persona que el otro. Pero porque le conviene, desde luego:
así nos pone de buen humor y nos saca el jugo en el trabajo.
Él se cree que yo no lo sé, pero cualquier día se lo digo para
que vea que uno no es tan ignorante como parece. Porque
esta gente aquí a veces se imagina que uno viene de la
última sínsora[5] y confunde el papel de lija con el papel de
inodoro, sobre todo cuando uno es trigueñito y con la
morusa[6] tirando a caracolillo.[7]

Pero, bueno, eso es noticia vieja y lo que tengo que contarte es otra cosa. Ahora, que la condenada calor sigue y la
cerveza ya se nos acabó. La misma marca, ¿no? Okay. Pues
como te iba diciendo, después que el foreman me quiso
vacilar[8] y yo lo dejé con las ganas, pegamos a trabajar en
serio. Porque eso sí, aquí la guachafita[9] y el trabajo no son
compadres. Time is money, ya tú sabes. Pegaron a llegarme
radios por el assembly line y yo a meterles los tubos: chan,
chan. Sí, yo lo que hacía entonces era poner los tubos. Dos
a cada radio, uno en cada mano: chan, chan. Al principio,
cuando no estaba impuesto, a veces se me pasaba un radio
y entonces, ¡muchacho!, tenía que correrle detrás y al
mismo tiempo echarle el ojo al que venía seguido, y creía
que me iba a volver loco. Cuando salía del trabajo sentía
como que llevaba un baile de San Vito en todo el cuerpo.
A mí me está que por eso en este país hay tanto borracho y
tanto vicioso. Sí, chico, porque cuando tú quedas así lo que
te pide el cuerpo es un juanetazo[10] de lo que sea, que por lo
general es ron o algo así, y ahí se va acostumbrando uno.

---

[4] *un vacilón:* una broma; una tomadura de pelo.
[5] *de la última sínsora:* un lugar impreciso y supuesto muy
lejano, remoto o desconocido.
[6] *morusa:* pelo enmarañado.
[7] *caracolillo:* rizo.
[8] *me quiso vacilar:* quiso tomarme el pelo.
[9] *guachafita:* jaleo, travesura; andar dando vueltas sin propósito.
[10] *juanetazo:* trago.

Yo digo que por eso las mujeres se defienden mejor en el trabajo de factoría, porque ellas se entretienen con el chismorreo y la habladuría y el comentario, ¿ves?, y no se imponen a la bebida.

Bueno, pues ya tenía yo un rato metiendo tubos y pensando boberías cuando en eso viene el foreman y me dice: Oye, ahí te buscan. Yo le digo: ¿A quién, a mí? Pues claro, me dice, aquí no hay dos con el mismo nombre. Entonces pusieron a otro en mi lugar para no parar el trabajo y ahí voy yo a ver quién era el que me buscaba. Y era Trompoloco, que no me dice ni qué hubo sino que me espeta: Oye, que te vayas para tu casa que tu mujer se está pariendo. Sí, hombre, así de sopetón. Y es que el pobre Trompoloco se cayó del coy[11] allá en Puerto Rico cuando era chiquito y según decía su mamá, que en paz descanse, cayó de cabeza y parece que del golpe se le ablandaron los sesos. Tuvo un tiempo, cuando yo lo conocí aquí en el Barrio, que de repente se ponía a dar vueltas como loco y no paraba hasta que se mareaba y se caía al suelo. De ahí le vino el apodo. Eso sí, nadie abusa de él porque su mamá era muy buena persona, médium espiritista ella, tú sabes, y ayudaba a mucha gente y no cobraba. Uno le dejaba lo que podía, ¿ves?, y si no podía no le dejaba nada. Entonces hay mucha gente que se ocupa de que Trompoloco no pase necesidades. Porque él siempre fue huérfano de padre y no tuvo hermanos, así que como quien dice está solo en el mundo.

Bueno, pues llega Trompoloco y me dice eso y yo digo: Ay, mi madre, ¿y ahora qué hago? El foreman, que estaba pendiente de lo que pasaba porque esa gente nunca le pierde ojo a uno en el trabajo, viene y me pregunta: ¿Cuál es el trouble? Y yo le digo: Que vienen a buscarme porque mi mujer se está pariendo. Y entonces el foreman me dice: Bueno, ¿y que tú estás esperando? Porque déjame decirte que ese foreman también era judío y para los judíos la familia siempre es lo primero. En eso no son como los demás americanos, que entre hijos y padres y entre hermanos se

---

[11] *coy:* cuna o catre de lona; también, hamaca.

insultan y hasta se dan por cualquier cosa. Yo no sé si será por la clase de vida que la gente lleva en este país. Siempre corriendo detrás del dólar, como los perros ésos del canódromo que ponen a correr detrás de un conejo de trapo. ¿Tú los has visto? Acaban echando el bofe y nunca alcanzan al conejo. Eso sí, les dan comida y los cuidan para que vuelvan a correr al otro día, que es lo mismo que hacen con la gente, si miras bien la cosa. Así que en este país todos venimos a ser como perros de carrera.

Bueno, pues cuando el foreman me dijo que qué yo estaba esperando, le digo: Nada, ponerme el coat y agarrar el subway antes de que mi hijo vaya a llegar y no me encuentre en casa. Contento que estaba yo ya, ¿sabes?, porque iba a ser mi primer hijo y tú sabes cómo es eso. Y me dice el foreman: No se te vaya a olvidar ponchar la tarjeta para que cobres la media hora que llevas trabajando, que de ahora palante es cuando te van a hacer falta los chavos. Y le digo: Cómo no, y agarro el coat y poncho la tarjeta y le digo a Trompoloco, que estaba parado allí mirando las máquinas como eslembao:[12] ¡Avanza, Trompoloco, que vamos a llegar tarde! Y bajamos las escaleras corriendo para no esperar el ascensor y llegamos a la acera, que estaba bien crowded porque a esa hora todavía había gente saliendo del trabajo. Y digo yo: ¡Maldita sea, y que tocarme la hora del rush! Y Trompoloco que no quería correr: Espérate, hombre, espérate, que yo quiero comprar un dulce. Bueno, es que Trompoloco es así, ¿ves?, como un nene. Él sirve para hacer un mandado, si es algo sencillo, o para lavar unas escaleras en un building o cualquier cosa que no haya que pensar. Pero si es cuestión de usar la calculadora, entonces búscate a otro. Así que vengo y le digo: No, Trompo, qué dulce ni qué carajo. Eso lo compras allá en el Barrio cuando lleguemos. Y él: No, no, en el Barrio no hay de los que yo quiero. Ésos nada más se consiguen en Brooklyn. Y le digo: Ay, tú estás loco, y en seguida me arrepiento porque eso es lo único que no se le puede decir

---

[12] *eslembao:* en Puerto Rico, alelarse; quedarse boquiabierto, pasmado.

a Trompoloco. Y se para ahí en la acera, más serio que un
chavo de queso, y me dice: No, no, loco no. Y le digo: No,
hombre, si yo no dije loco, yo dije bobo. Lo que pasa es que
tú oíste mal. ¡Avanza, que el dulce te lo llevo yo mañana!
Y me dice: ¿Seguro que tú no me dijiste loco? Y yo:
¡Seguro, hombre! Y él: ¿Y mañana me llevas dos dulces?
Mira, loco y todo lo que tú quieras, pero bien que sabe
aprovecharse. Y a mí casi me entra la risa y le digo: Claro,
chico, te llevo hasta tres si quieres. Y entonces vuelve a
poner buena cara y me dice: Está bien, vámonos, pero tres
dulces, acuérdate, ¿ah? Y yo, caminando para la entrada
del subway con Trompoloco detrás: Sí, hombre, tres. Después me dices de cuáles son.

Y bajamos casi corriendo las escaleras y entramos en la
estación con aquel mar de gente que tú sabes cómo es eso.
Yo pendiente de que Trompoloco no se fuera a quedar
atrás porque con el apeñuscamiento y los arrempujones a
lo mejor le entraba miedo y quién iba a responder por él.
Cuando viene el tren expreso lo agarro por un brazo y le
digo: Prepárate y echa palante tú también, que si no nos
quedamos afuera. Y él me dice: No te ocupes, y cuando se
abre la puerta y salen los que iban a bajar, nos metemos
de frente y quedamos prensados entre aquel montón de gente
que no podíamos ni mover los brazos. Bueno, mejor, porque así no había que agarrarse de los tubos. Trompoloco
iba un poco azorado porque yo creo que era la primera vez
que viajaba en subway a esa hora, pero como me tenía a mí
al lado no había problema, y así seguimos hasta Columbus
Circle y allí cambiamos de línea porque teníamos que
bajarnos en la 110 y Quinta para llegar a casa, ¿ves?, y ahí
volvimos a quedar como sardinas en lata.

Entonces yo iba contando los minutos, pensando si ya
mi hijo habría nacido y cómo estaría mi mujer. Y de
repente se me ocurre: Bueno, y yo tan seguro de que va a
ser macho y a lo mejor me sale una chancleta.[13] Tú sabes que
uno siempre quiere que el primero sea hombre. Y la verdad
es que eso es un egoísmo de nosotros, porque a la mamá le

---

[13] *chancleta:* niña, nena.

conviene más que la mayor sea mujer para que después la ayude con el trabajo de la casa y la crianza de los hermanitos. Bueno, pues en eso iba yo pensando y sintiéndome ya muy padre de familia, te das cuenta, cuando... ¡fuácata, ahí fue! Que se va la luz y el tren empieza a perder impulso hasta que se queda parado en la mismita mitad del túnel entre dos estaciones. Bueno, la verdad es que de momento no se asustó nadie. Tú sabes que eso de que las luces se apaguen en el subway no es nada del otro mundo: en seguida vuelven a prenderse y la gente ni pestañea. Y eso de que el tren se pare un ratito antes de llegar a una estación tampoco es raro. Así que de momento no se asustó nadie. Prendieron las luces de emergencia y todo el mundo lo más tranquilo. Pero empezó a pasar el tiempo y el tren no se movía. Y yo pensando: Coño, qué mala suerte, ahora que tenía que llegar pronto. Pero todavía creyendo que sería cuestión de un ratito, ¿ves? Y así pasaron como tres minutos más y entonces una señora empezó a toser. Una señora americana ella, medio viejita, que estaba cerca de mí. Yo la miré y vi que estaba tosiendo como sin ganas, y pensé: Eso no es catarro, eso es miedo. Y pasó otro minuto y el tren seguía parado y entonces la señora le dijo a un muchacho que tenía al lado, un muchacho alto y rubio él, tofete,[14] con cara como de irlandés, le dijo la señora: Oiga, joven, ¿a usted esto no le está raro? Y él le dijo: No, no se preocupe, eso no es nada. Pero la señora como que no quedó conforme y siguió con su tosecita y entonces otros pasajeros empezaron a tratar de mirar por las ventanillas, pero como no podían moverse bien y con la oscuridad que había allá afuera, pues no veían nada. Te lo digo porque yo también traté de mirar y lo único que saqué fue un dolor de cuello que me duró un buen rato.

Bueno, pues siguió pasando el tiempo y a mí empezó a darme un calambre en una pierna y ahí fue donde me entró el nerviosismo. No, no por el calambre, sino porque pensé que ya no iba a llegar a tiempo a casa. Y decía yo para entre mí: No, aquí tiene que haber pasado algo, ya es demasiado

[14] *tofete:* robusto, de contextura fuerte.

de mucho el tiempo que tenemos aquí parados. Y como no tenía nada que hacer, puse a funcionar el coco y entonces fue que se me ocurrió lo del suicidio. Bueno, era lo más lógico, ¿por qué no? Tú sabes que aquí hay muchísima gente que ya no se quieren para nada y entonces van y se trepan al Empire State y pegan el salto desde allá arriba y creo que cuando llegan a la calle ya están muertos por el tiempo que tardan en caer. Bueno, yo no sé, eso es lo que me han dicho. Y hay otros que se le tiran por delante al subway y quedan que hay que recogerlos con pala. Ah, no, eso sí, a los que brincan desde el Empire State me imagino que habrá que recogerlos con secante. No, pero en serio, porque con esas cosas no se debe relajar,[15] a mí se me ocurrió que lo que había pasado era que alguien se le había tirado debajo al tren que iba delante de nosotros, y hasta pensé: Bueno, pues que en paz descanse pero ya me chavó[16] a mí, porque ahora sí que voy a llegar tarde. Ya mi mujer debe estar pensando que Trompoloco se perdió en el camino o que yo ando borracho por ahí y no me importa lo que está pasando en casa. Porque no es que yo sea muy bebelón,[17] pero de vez en cuando, tú me entiendes... Bueno, y ya que estamos hablando de eso, si quieres cambiamos de marca, pero que estén bien frías a ver si se nos acaba de quitar la calor.

¡Aaajá! Entonces... ¿por dónde iba yo? Ah sí, estaba pensando en eso del suicidio y qué sé yo, cuando de repente —¡ran!— vienen y se abren las puertas del tren. Sí, hombre, sí, allí mismo en el túnel. Y como eso, a la verdad, era una cosa que yo nunca había visto, entonces pensé: Ahora sí que a la puerca se le entorchó el rabo. Y en seguida veo que allá abajo frente a la puerta estaban unos como inspectores o algo así porque tenían uniforme y traían unas linternas de esas como faroles. Y nos dice uno de ellos: Take it easy que no hay peligro. Bajen despacio y sin empujar. Y ahí mismo la gente empezó a bajar y a preguntarle al mister aquél:

---

[15] *relajar:* bromear.
[16] *me chavó:* me fastidió.
[17] *bebelón:* variante de *bebón;* bebedor.

¿Qué es lo que pasa, qué es lo que pasa? Y él: Cuando estén todos acá abajo les voy a decir. Yo agarré a Trompoloco por el brazo y le dije: ¿Ya tú oíste? No hay peligro, pero no te vayas a apartar de mí. Y él me decía que sí con la cabeza, porque yo creo que del susto se le había ido hasta la voz. No decía nada, pero parecía que los macos[18] se le iban a salir de la cara: los tenía como platillos y casi le brillaban en la oscuridad, como a los gatos.

Bueno, pues fuimos saliendo del tren hasta que no quedó nadie adentro. Entonces, cuando estuvimos todos alineados allá abajo, los inspectores empezaron a recorrer la fila que nosotros habíamos formado y nos fueron explicando, así por grupos, ¿ves?, que lo que pasaba era que había habido un blackout o sea que se había ido la luz en toda la ciudad y no se sabía cuándo iba a volver. Entonces la señora de la tosecita, que había quedado cerca de mí, le preguntó al inspector: Oiga, ¿y cuándo vamos a salir de aquí? Y él le dijo: Tenemos que esperar un poco porque hay otros trenes delante de nosotros y no podemos salir todos a la misma vez. Y ahí pegamos a esperar. Y yo pensando: Maldita sea mi suerte, mira que tener que pasar esto el día de hoy, cuando en eso siento que Trompoloco me jala[19] la manga del coat y me dice bajito, como en secreto: Oye, oye, panita,[20] me estoy meando. ¡Imagínate tú! Lo único que faltaba. Y le digo: Ay, Trompo, bendito, aguántate, ¿tú no ves que aquí eso es imposible? Y me dice: Pero es que hace rato que tengo ganas y ya no aguanto más. Entonces me pongo a pensar rápido porque aquello era una emergencia, ¿no?, y lo único que se me ocurre es ir a preguntarle al inspector qué se podía hacer. Le digo a Trompoloco: Bueno, espérame un momentito, pero no te vayas a mover de aquí. Y me salgo de la línea y voy y le digo al inspector: Listen, mister, my friend wanna take a leak, o sea que mi amigo quería cambiarle el agua al canario. Y me dice el inspector: Goddamit to hell, can't he hold

---

[18] *macos:* ojos.
[19] *jala:* hala, tira.
[20] *panita:* amigo.

it in a while? Y le digo que eso mismo le había dicho yo,
que se aguantara, pero que ya no podía. Entonces me dice:
Bueno, que lo haga donde pueda, pero que no se aleje
mucho. Así que vuelvo donde Trompoloco y le digo: Vente
conmigo por ahí atrás a ver si encontramos un lugarcito. Y
pegamos a caminar, pero aquella hilera de gente no se acababa nunca. Ya habíamos caminado un trecho cuando
vuelve a jalarme la manga y me dice: Ahora sí que ya no
aguanto, brother. Entonces le digo: Pues mira, ponte detrás
de mí pegadito a la pared, pero ten cuenta que no me vayas
a mojar los zapatos. Y hazlo despacito, para que no se oiga.
Y ni había acabado de hablar cuando oigo aquello que...
bueno, ¿tú sabes cómo hacen eso los caballos? Pues con
decirte que parecía que eran dos caballos en vez de uno. Si
yo no sé cómo no se le había reventado la vejiga. No, una
cosa terrible. Yo pensé: Ave María, éste me va a salpicar
hasta el coat. Y mira que era de esos cortitos, que no llegan
ni a la rodilla, porque a mí siempre me ha gustado estar
a la moda, ¿verdad? Y entonces, claro, la gente que estaba
por allí tuvo que darse cuenta y yo oí que empezaron
a murmurar. Y pensé: Menos mal que está oscuro y no nos
pueden ver la cara, porque si se dan cuenta que somos
puertorriqueños... Ya tú sabes cómo es el asunto aquí. Yo
pensando todo eso y Trompoloco que no acababa. ¡Cristiano, las cosas que le pasan a uno en este país! Después las
cuentas y la gente no te las cree. Bueno, pues al fin Trompoloco acabó, o por lo menos eso creí yo porque ya no se
oía aquel estrépito que estaba haciendo, pero pasaba el
tiempo y no se movía. Y le digo: Oye, ¿ya tú acabaste? Y
me dice: Sí. Y yo: Pues ya vámonos. Y entonces me sale con
que: Espérate, que me estoy sacudiendo. Mira, ahí fue
donde yo me encocoré. Le digo: Pero, muchacho, ¿eso es
una manguera o qué? ¡Camina por ahí si no quieres que
esta gente nos sacuda hasta los huesos después de esa
inundación que tú has hecho aquí! Entonces como que
comprendió la situación y me dijo: Está bien, está bien,
vámonos.

Pues volvimos adonde estábamos antes y ahí nos quedamos esperando como media hora más. Yo oía a la gente

alrededor de mí hablando en inglés, quejándose y diciendo
que qué abuso, que parecía mentira, que si el alcalde, que
si qué sé yo. Y de repente oigo por allá que alguien dice en
español: Bueno, para estirar la pata lo mismo da aquí adentro que allá afuera, y mejor que sea aquí porque así el
entierro tiene que pagarlo el gobierno. Sí, algún boricua
que quería hacerse el gracioso. Yo miré así a ver si lo veía,
para decirle que el entierro de él lo iba a pagar la sociedad
protectora de animales, pero en aquella oscuridad no pude
ver quién era. Y lo malo fue que el chistecito aquél me hizo
su efecto, no te creas. Porque parado allí sin hacer nada y
con la preocupación que traía yo y todo ese problema, ¿tú
sabes lo que se me ocurrió a mí entonces? Imagínate, yo
pensé que el inspector nos había dicho un embuste y que lo
que pasaba era que ya había empezado la tercera guerra
mundial. No, no te rías, yo te apuesto que yo no era el
único que estaba pensando eso. Sí, hombre, con todo lo que
se pasan diciendo los periódicos aquí, de que si los rusos y
los chinos y hasta los marcianos en los platillos voladores...
Pues claro, ¿y por qué tú te crees que en este país hay tanto
loco? Si ahí en Bellevue ya ni caben y creo que van a tener
que construir otro manicomio.

Bueno, pues en esa barbaridad estaba yo pensando
cuando vienen los inspectores y nos dicen que ya nos
tocaba el turno de salir a nosotros, pero caminando en fila
y con calma. Entonces pegamos a caminar y al fin llegamos
a la estación, que era la de la 96. Así que tú ves, no estábamos tan lejos de casa, pero tampoco tan cerca porque eran
unas cuantas calles las que nos faltaban. Imagínate que eso
nos hubiera pasado en la 28 o algo así. La cagazón, ¿no?
Pero, bueno, la cosa es que llegamos a la estación y le digo
a Trompoloco: Avanza y vamos a salir de aquí. Y subimos
las escaleras con todo aquel montón de gente que parecía
un hormiguero cuando tú le echas agua caliente, y al salir a
la calle, ¡ay, bendito! No, no, tiniebla no porque estaban las
luces de los carros y eso, ¿verdad? Pero oscuridad sí porque
ni en la calle ni en los edificios había una sola luz prendida.
Y en eso pasó un tipo con un radio de esos portátiles, y
como iba caminando en la misma dirección que yo, me le

emparejé y me puse a oír lo que estaba diciendo el radio. Y era lo mismo que nos había dicho el inspector allá abajo en el túnel, así que ahí se me quitó la preocupación ésa de la guerra. Pero entonces me volvió la otra, la del parto de mi mujer y eso, ¿ves?, y le digo a Trompoloco: Bueno, paisa, ahora la cosa es en el carro de don Fernando, un ratito a pie y otro andando, así que a ver quién llega primero. Y me dice él: Te voy, te voy, riéndose, ¿sabes?, como que ya se le había pasado el susto.

Y pegamos a caminar bien ligero porque además estaba haciendo frío. Y cuando íbamos por la 103 o algo así, pienso yo: Bueno, y si no hay luz en casa, ¿cómo habrán hecho para el parto? A lo mejor tuvieron que llamar la ambulancia para llevarse a mi mujer a alguna clínica y ahora yo no voy a saber ni dónde está. Porque, oye, lo que es el día que uno se levanta de malas... Entonces con esa idea en la cabeza entré yo en la recta final que parecía un campeón: yo creo que no tardamos ni cinco minutos de la 103 a casa. Y ahí mismo entro y agarro por aquellas escaleras oscuras que no veía ni los escalones y... Ah, pero ahora va a empezar lo bueno, lo que tú quieres que yo te cuente porque tú no estabas en Nueva York ese día, ¿verdad? Okay. Pues entonces vamos a pedir otras cervecitas porque tengo el gaznate más seco que aquellos arenales de Salinas donde yo me crié.

Pues como te iba diciendo, esa noche rompí el récord mundial de tres pisos de escaleras en la oscuridad. Ya ni sabía si Trompoloco me venía siguiendo. Cuando llegué frente a la puerta del apartamento traía la llave en la mano y la metí en la cerradura al primer golpe, como si la estuviera viendo. Y entonces, cuando abrí la puerta, lo primero que vi fue que había cuatro velas prendidas en la sala y unas cuantas vecinas allí sentadas, lo más tranquilas y dándole a la sin hueso que aquello parecía la olimpiada del bembeteo.[21] Ave María, y es que ése es el deporte favorito de las mujeres. Yo creo que el día que les prohíban eso se forma una revolución más grande que la de Fidel Castro.

---

[21] *bembeteo:* conversación, habla.

Pero eso sí, cuando me vieron entrar así de sopetón les pegué un susto que se quedaron mudas de repente. Cuantimás que yo ni siquiera dije buenas noches sino que ahí mismo empecé a preguntar: Oigan, ¿y qué ha pasado con mi mujer? ¿Dónde está? ¿Se la llevaron? Y entonces una de las señoras viene y me dice: No, hombre, no, ella está ahí adentro lo más bien. Aquí estábamos comentando que para ser el primer parto... Y en ese mismo momento oigo yo aquellos berridos que empezó a pegar mi hijo allá en el cuarto. Bueno, yo todavía no sabía si era hijo o hija, pero lo que sí te digo es que gritaba más que Daniel Santos[22] en sus buenos tiempos. Y entonces le digo a la señora: Con permiso, doña, y me tiro para el cuarto y abro la puerta y lo primero que veo es aquel montón de velas prendidas que eso parecía un altar de iglesia. Y la comadrona allí trajinando con las palanganas y los trapos y esas cosas, y mi mujer en la cama quietecita, pero con los ojos bien abiertos. Y cuando me ve dice, así con la voz bien finita: Ay, mi hijo, qué bueno que ya llegaste. Yo ya estaba preocupada por ti. Fíjate, bendito, y que preocupada por mí, ella que era la que acababa de salir de ese brete del parto. Sí, hombre, las mujeres a veces tienen esas cosas. Yo creo que por eso es que les aguantamos sus boberías y las queremos tanto, ¿verdad? Entonces yo le iba a explicar el problema del subway y eso, cuando me dice la comadrona: Oiga, ese muchacho es la misma cara de usted. Venga a verlo, mire. Y era que estaba ahí en la cama al lado de mi mujer, pero como era tan chiquito casi ni se veía. Entonces me acerco y le miro la carita, que era lo único que se le podía ver porque ya lo tenían más envuelto que pastel de hoja. Y cuando yo estoy ahí mirándolo me dice mi mujer: ¿Verdad que ·salió a ti? Y le digo: Sí, se parece bastante. Pero yo pensando: No, hombre, ése no se parece a mí ni a nadie, si lo que parece es un ratón recién nacido. Pero es que así somos todos cuando llegamos al mundo, ¿no? Y me dice mi mujer: Pues salió machito, como tú lo querías. Y yo, por decir algo: Bueno, a ver si la próxima vez formamos la

---

[22] *Daniel Santos:* cantante popular en los años cuarenta.

parejita. Yo tratando de que no se me notara ese orgullo y esa felicidad que yo estaba sintiendo, ¿ves? Y entonces dice la comadrona: Bueno, ¿y qué nombre le van a poner? Y dice mi mujer: Pues el mismo del papá, para que no se le vaya a olvidar que es suyo. Bromeando, tú sabes, pero con su pullita. Y yo le digo: Bueno, nena, si ése es tu gusto... Y en eso ya mi hijo se había callado y yo empiezo a oír como una música que venía de la parte de arriba del building, pero una música que no era de radio ni de disco, ¿ves?, sino como de un conjunto que estuviera allí mismo, porque a la misma vez que la música se oía una risería y una conversación de mucha gente.

Y le digo a mi mujer: Adiós, ¿y por ahí hay bachata?[23] Y me dice: Bueno, yo no sé, pero parece que sí porque hace rato que estamos oyendo eso. A lo mejor es un party de cumpleaños. Y digo yo: ¿Pero así, sin luz? Y entonces dice la comadrona: Bueno, a lo mejor hicieron igual que nosotros, que salimos a comprar velas. Y en eso oigo yo que Trompoloco me llama desde la sala: Oye, oye, ven acá. Sí, hombre, Trompoloco que había llegado después que yo y se había puesto a averiguar. Entonces salgo y le digo: ¿Qué pasa? Y me dice: Muchacho, que allá arriba en el rufo está chévere la cosa. Sí, en el rufo, o sea en la azotea. Y digo yo: Bueno, pues vamos a ver qué es lo que pasa. Yo todavía sin imaginarme nada, ¿ves?

Entonces agarramos las escaleras y subimos y cuando salgo para afuera veo que allí estaba casi todo el building: doña Lula la viuda del primer piso, Cheo el de Aguadilla que había cerrado el cafetín cuando se fue la luz y se había metido en su casa, las muchachas del segundo que ni trabajan ni están en el welfare según las malas lenguas, don Leo el ministro pentecostés que tiene cuatro hijos aquí y siete en Puerto Rico, Pipo y los muchachos de doña Lula y uno de los de don Leo, que ésos eran los que habían formado el conjunto con una guitarra, un güiro,[24] unas maracas y hasta

---

[23] *bachata:* parranda, juerga.
[24] *güiro:* instrumento musical hecho con el fruto de la planta güiro, el cual tiene una cáscara dura; se usaba también como vasija

unos timbales que no sé de dónde los sacaron porque nunca los había visto por allí. Sí, un cuarteto. Oye, ¡y sonaba! Cuando yo llegué estaban tocando "Preciosa" y el que cantaba era Pipo, que tú sabes que es independentista y cuando llegaba a aquella parte que dice: *Preciosa, preciosa te llaman los hijos de la libertad,* subía la voz que yo creo que lo oían hasta en Morovis. Y yo allí parado mirando a toda aquella gente y oyendo la canción, cuando viene y se me acerca una de las muchachas del segundo piso, una medio gordita ella que creo que se llama Mirta, y me dice: Oiga, qué bueno que subió. Véngase para acá para que se dé un palito. Ah, porque tenían sus botellas y unos vasitos de cartón allí encima de una silla, y yo no sé si eran de Bacardí o Don Q, porque desde donde yo estaba no se veía tanto, pero le digo en seguida a la muchacha: Bueno, si usted me lo ofrece yo acepto con mucho gusto. Y vamos y me sirve el ron y entonces le pregunto: Bueno, ¿y por qué es la fiesta, si se puede saber? Y en eso viene doña Lula, la viuda, y me dice: Adiós, ¿pero usted no se ha fijado? Y yo miro así como buscando por los lados, pero doña Lula me dice: No, hombre, cristiano, por ahí no. Mire para arriba. Y cuando yo levanto la cabeza y miro, me dice: ¿Qué está viendo? Y yo: Pues la luna. Y ella: ¿Y qué más? Y yo: Pues las estrellas. ¡Ave María, muchacho, y ahí fue donde yo caí en cuenta! Yo creo que doña Lula me lo vio en la cara porque ya no me dijo nada más. Me puso las dos manos en los hombros y se quedó mirando ella también, quietecita, como si yo estuviera dormido y ella no quisiera despertarme. Porque yo no sé si tú me lo vas a creer, pero aquello era como un sueño. Había salido una luna de este tamaño, mira, y amarilla amarilla como si estuviera hecha de oro, y el cielo estaba todito lleno de estrellas como si todos los cocuyos[25] del mundo se hubieran subido hasta allá arriba y después se hubieran quedado a descansar en aquella inmensidad. Igual que en Puerto Rico cualquier noche

---

para transportar agua. Otros nombres con que se conoce a este instrumento musical, son: *marimbo, güícharo* o *calabazo.*

[25] *cocuyos:* luciérnagas.

del año, pero era que después de tanto tiempo sin poder ver el cielo, por ese resplandor de los millones de luces eléctricas que se prenden aquí todas las noches, ya se nos había olvidado que las estrellas existían. Y entonces, cuando llevábamos yo no sé cuánto tiempo contemplando aquel milagro, oigo a doña Lula que me dice: Bueno, y parece que no somos los únicos que estamos celebrando. Y era verdad. Yo no podría decirte en cuántas azoteas del Barrio se hizo fiesta aquella noche, pero seguro que fue en unas cuantas, porque cuando el conjunto de nosotros dejaba de tocar, oíamos clarita la música que llegaba de otros sitios. Entonces yo pensé muchas cosas. Pensé en mi hijo que acababa de nacer y en lo que iba a ser su vida aquí, pensé en Puerto Rico y en los viejos y en todo lo que dejamos allá nada más que por necesidad, pensé tantas cosas que algunas ya se me han olvidado, porque tú sabes que la mente es como una pizarra y el tiempo como un borrador que le pasa por encima cada vez que se nos llena. Pero de lo que sí me voy a acordar siempre es de lo que le dije yo entonces a doña Lula, que es lo que te voy a decir ahora para acabar de contarte lo que tú querías saber. Y es que, según mi pobre manera de entender las cosas, aquélla fue la noche que volvimos a ser gente.

BIBLIOGRAFÍA
POR ORDEN ALFABÉTICO DE AUTORES

ARÉVALO MARTÍNEZ, RAFAEL

OBRA NARRATIVA

Novela: *Una vida* (1914); *Manuel Aldano* (1914/1922); *La oficina de paz de Orolandia: novela del imperialismo yanqui* (1925); *Las noches en el palacio de la Nunciatura* (1927); *El mundo de los maharachías* (1938); *Viaje a Ipanda* (1939); *Hondura* (1947/1959).

Cuento: "Nuestra Señora de los locos" (1914); "El hombre que parecía un caballo" (1915); "Las fieras del trópico" (1915); "El trovador colombiano" (1915); "El señor Monitot" (1922); "La signatura de la esfinge" (1933); *Cratilo y otros cuentos* (1968); *4 contactos con lo natural y otros relatos* (1971).

OBRA POÉTICA

Maya (1911); *Los atormentados* (1914); *Las rosas de Engaddi* (1918-1921); *Por un camino así* (1947).

OBRA DRAMÁTICA

Los duques de Endor: drama en tres actos en verso (1976).

ENSAYO

Nietzsche el conquistador: la doctrina que engendró la segunda guerra mundial (1943); *Influencia de España en la formación de la nacionalidad centroamericana* (1943); *Concepción del Cosmos* (1954/1956); *¡Ecce Pericles!* (1945).

COMPILACIONES

Obras escogidas: prosa y poesía: 50 años de vida literaria (1959); *Cuentos y poesías* (1961).

ESTUDIOS

Rigoberto Cordero y León. *Rafael Arévalo Martínez, maestro de la profundidad*. Guatemala: Pineda Ibarra, 1962.

María Isabel Serrano Limón. *Tres cuentistas guatemaltecos: Rafael Arévalo Martínez, Mario Monteforte Toledo y Augusto Monterroso*. Tesis, Universidad Nacional Autónoma de México, 1967.

Teresa Arévalo. *Rafael Arévalo Martínez. Biografía de 1884 hasta 1926*. Guatemala, 1971.

Fedro Guillén. "Un kilómetro con Arévalo Martínez". *Revista Nacional de Cultura* [Venezuela] 32.203 (1972): 144-147.

Jorge Rodrigo Ayora. "Psicología de lo grotesco en El hombre que parecía un caballo". *Explicación de Textos Literarios* 2.2 (1974): 117-122.

Manuel Antonio Girón Mena. *Arévalo Martínez. Su vida y su obra*. Guatemala: Editorial "José Pineda Ibarra", 1974.

Mario Alberto Carrera. *Las ocho novelas de Rafael Arévalo Martínez*. Guatemala: Ediciones de la Casa de la Cultura Flavio Herrera de la Universidad de San Carlos, 1975.

Luis Leal. Rafael Arévalo Martínez: renovador y creador de formas literarias. *Hispamérica* 5. 13 (1976): 25-32.

Ramiro Lagos. "Rafael Arévalo Martínez: el poeta que parecía un santuario". *Repertorio Latinoamericano* 4.33 (Segunda Etapa) (1978): 3-7.

María A. Salgado. *Rafael Arévalo Martínez* Boston: Twayne Publishers, 1979.

María A. Salgado. "Arévalo Martínez novelista: el despertar de una conciencia social". *Explicación de Textos Literarios* 8.2 (1979-1980): 159-166.

Harry L. Rosser. "Retrato del narrador como caballo: autoanálisis psico-zoológico de Arévalo Martínez". *Journal of Spanish Studies.Twentieth Century* 8.1-2 (1980): 117-128.

Homenaje a Rafael Arévalo Martínez en el centenario de su nacimiento. Guatemala: Universidad de San Carlos de Guatemala/Editorial Universitaria, 1984. [La parte crítica titulada "escritos sobre Rafael Arévalo Martínez" incluye los siguientes artículos: "Algunos capítulos de Rafael Arévalo Martínez en su tiempo y en su poesía" de César Brañas (pp. 6-16); "Rafael Arévalo Martínez, maestro de la profundidad" de Rigoberto Cordero y León" (pp. 17-35; "Las dos novelas utópicas de Arévalo Martínez, *El mundo de los maharachías, Viaje a Ipanda*", de Mario Alberto Carrera (pp. 36-46). Las secciones "Opiniones sobre Rafael Arévalo Martínez" y "Notas" incorporan trabajos más breves.]

María A. Salgado. "Tres incisiones en el arte del retrato verbal modernista". *Inti* 20 (1984): 57-69.

Ramón L. Acevedo. "Lo grotesco y lo absurdo en *Las noches en el Palacio de la Nunciatura* de Rafael Arévalo Martínez". *Studi di Letteratura Ispano-Americana* 17 (1986): 69-82 .

Harry L. Rosser. "Reflections in an Equine Eye: Arévalo Martínez' 'Psycho-Zoology'". *Latin American Literary Review* 14.28 (1986): 21-30

Dennis A. Klein. "The Supernatural Elements in Selected Stories of Rafael Arévalo Martínez". *Monographic Review/Revista Monográfica* 4 (1988): 60-68.

Ramón Luis Acevedo. "El dictador y la dictadura en 'Las fieras del trópico' de Rafael Arévalo Martínez". *Revista Iberoamericana* 55.146-147 (1989): 475-491 .

Diana M. Rodríguez Lozano Ferragut. *Conceptos ocultistas en la narrativa de Rafael Arévalo Martínez*. Tesis, 1989.

William Lemus. *Psicoanálisis del hombre que parecía un caballo*. Guatemala: Editorial Cultura, 1990.

Catharina V. de Vallejo. "El eje paradigmático como dominante del cuento hispanoamericano y su funcionamiento en "Rosa María" de Rafael Arévalo Martínez" en *Teoría e interpretación del cuento*. Peter Fröhlicher & Georges Güntert, eds. Berlin/New York: Peter Lang, 1995, pp. 460-474.

ARLT, ROBERTO

OBRA NARRATIVA

Novela: *El juguete rabioso* (1926/1950/1958/1969/1975/1982/1985); *Los siete locos* (1929); *Los lanzallamas* (1931/1972/1977/1978); *El amor brujo* (1932/1972).

Cuento: *El jorobadito* (1933/1968/1975); *El criador de gorilas*

(1951/1969/1982/1991); *Cuentos completos* (1996).

OBRA DRAMÁTICA

Trescientos millones (1932); *El fabricante de fantasmas* (1936); *Saverio el cruel* (1936); *La isla desierta* (1938/1965/1990); *La fiesta del hierro* (1940); *El desierto entra en la ciudad* (1942); *Teatro completo* (1968/1976 dos volúmenes).

PROSA VARIA

Cronicón de sí mismo (1969); *Entre crotos y sabihondos: aguafuertes porteñas* (1969); *Juerga de los polichinelas* (1982); *Aguafuertes porteñas: cultura y política* (1994, selección, prólogo y notas de Sylvia Saíta); *Aguafuertes uruguayas y otras páginas* (1996).

TRADUCCIONES

Seven Madmen (1984); *Die Sieben Irren* (1977).

ESTUDIOS

Gaspar Pío del Corro. *La zona novelística de Roberto Arlt*. Córdoba, Argentina: Universidad Nacional de Córdoba, 1971.

Beatriz Pastor Bodmer. *Roberto Arlt y la rebelión alienada*. Gaithersburg, M.D. Hispamérica, 1980.

Aden W. Hayes. *Roberto Arlt: la estrategia de su ficción*. London: Tamesis Books, 1981.

Oscar Masotta. *Sexo y traición en Roberto Arlt*. Buenos Aires: Centro Editor de América Latina, 1982.

Diana Guerrero. *Roberto Arlt, el habitante solitario*. 2.ª ed. Buenos Aires: Catálogos, 1982.

Mirta Arlt & Omar Borre. *Para leer a Roberto Arlt*. Buenos Aires: Torres Agüero Editor, 1984.

Rita Gnutzmann. *Roberto Arlt o el arte del calidoscopio*. s.l.: Servicio Editorial, Universidad del País Vasco, 1984.

Ernesto Goldar. *Proceso a Roberto Arlt*. Buenos Aires: Plus Ultra, 1985.

Mirta Arlt. *Prólogos a la obra de mi padre*. Buenos Aires: Torres Agüero Editor, 1985.

Raúl Larra. *Roberto Arlt, el torturado*. Buenos Aires: Ediciones Ánfora, 1986.

Blas Matamoro. "Güiraldes, Arlt y la novela educativa". *Cuadernos Hispanoamericanos* 432 (1986): 61-69.

Raimundo Rodríguez. *Divagaciones en torno al misterio de un autor: Roberto Arlt y su obra*. Buenos Aires: Nuevo Meridión, 1987.

Ana María Zubieta. *El discurso narrativo arltiano: intertextualidad, grotesco y utopía*. Buenos Aires: Hachette, 1987.

Gerardo Mario Goloboff. *Genio y figura de Roberto Arlt*. Buenos Aires: Editorial Universitaria de Buenos Aires, 1988.

Helena Corbellini. *Roberto Arlt*. Montevideo: Editorial Técnica, 1991.

Rose Corral. *El obsesivo circular de la ficción: asedios a "Los siete locos" y "Los lanzallamas" de Roberto Arlt*. México, D.F. Colegio de México/Fondo de Cultura Económica, 1992.

Fernando Ainsa. "La provocación como antiutopía en Roberto Arlt". *Cuadernos Hispanoamericanos* 11 (1993): 15-22.

Omar Borré. *Arlt y la crítica (1926-1990). Estudio, cronología y biografía*, Buenos Aires: Ediciones América Libre, 1996.

Horacio González. *Arlt, política y locura*. Buenos Aires: Ediciones Colihue, 1996.

Luis Hernández Domingo. *Roberto Arlt, la sombra pronunciada*. Barcelona: Montesinos, 1996.

Hugo Achugar. "El museo de la vanguardia: para una antología de la narrativa vanguardista hispanoamericana", en *Narrativa vanguardista hispanoamericana.* México: Universidad Nacional Autónoma de México, 1996, pp. 7-40.

Hugo J. Verani. "La narrativa hispanoamericana de vanguardia", en *Narrativa vanguardista hispanoamericana.* México: Universidad Nacional Autónoma de México, 1996, pp. 41-73.

BARRETO, HÉCTOR

OBRA NARRATIVA

Cuento: *La noche de Juan y otros cuentos* (1958).

ESTUDIOS

Miguel Serrano. *Ni por mar, ni por tierra: historia de una generación.* Santiago, Chile: Nascimento, 1950, pp. 136-232.

Fernando Marcos. "Prólogo" a *La noche de Juan y otros cuentos.* Santiago, Chile: Prensa Latinoamericana, 1958, pp. 7-14.

Luis Muñoz G. "Héctor Barreto, el héroe olvidado" en *Primer Seminario Nacional en torno al cuento y a la narrativa breve en Chile.* Valparaíso, Chile: Ediciones Universitarias de Valparaíso, 1984, pp. 79-87.

BOMBAL, MARÍA LUISA

OBRA NARRATIVA

Novela: *La última niebla* (1934/1935); *La amortajada* (1938).

Cuento: "Lo secreto" (1934); "Las islas nuevas" (1934/1939); "El árbol" (1934/1939); "Trenzas" (1940); "La historia de María Griselda" (1946); "La maja y el ruiseñor" (1960/1975).

OBRA DRAMÁTICA

"The Foreign Minister"; "Dr. Jekyll and Mr. Hyde"; Believe Me Love" (Inéditas). La información al respecto se encuentra en el artículo de Marjorie Agosín "Conflictos y resoluciones parciales en 'Believe Me Love' de María Luisa Bombal".

Chasqui 9.1 (1979): 76-78.

COMPILACIONES

La última niebla. La amortajada (1984, incluye además cinco cuentos).

TRADUCCIONES

House of Mist (1947, realizada por la autora como reescritura de *La última niebla*); *The Shrouded Woman* (1948); *New Islands and Other Stories* (1982).

ESTUDIOS

Margaret V. Campbell. "The Vaporous World of María Luisa Bombal". *Hispania* 44.3 (1961): 415-419.

Andrew P. Debicki. "Structure, Imagery and Experience in María Luisa Bombal's 'The Tree'". *Studies in Short Fiction* 8 (1971): 123-129.

Hernán Vidal. *María Luisa Bombal: la feminidad enajenada.* San Antonio de Calonge, Gerona: Hijos de José Bosch, 1976.

Lucía Guerra Cunningham. *La narrativa de María Luisa Bombal: una visión de la existencia femenina.* Madrid: Playor, 1980.

Lucía Guerra Cunningham. "Entrevista a María Luisa Bombal". *Hispanic Journal* 3.2 (1982): 119-127.

Marjorie Agosín. "Un cuento de hadas a la inversa: La historia de María Griselda o la belleza aniquilada". *Hispanic Journal* 5.1 (1983): 141-149.

Marjorie Agosín. *Las desterradas del paraíso: protagonistas en la narrativa de María Luisa Bombal.* New York: Senda Nueva de Ediciones, 1983.

Marjorie Agosín. "'Las islas nuevas' o la violación de lo maravilloso". *Hispania* 67.4 (1984): 577-584.

Gabriela Mora. "Rechazo del mito en 'Las islas nuevas' de María Luisa Bombal". *Revista Iberoamericana* 51.132-133 (1985): 853-865.

Lucía Guerra Cunningham. "Visión de lo femenino en la obra de María Luisa Bombal: Una dualidad contradictoria del ser y el deber ser". *Revista Chilena de Literatura* 25 (1985): 87-99.

Francine Masiello. "Texto, ley, transgresión: especulación sobre la novela (feminista) de vanguardia". *Revista Iberoamericana* 51.132-133 (1985): 807-822.

Agata Gligo. *María Luisa: sobre la vida de María Luisa Bombal*. Santiago, Chile: Andrés Bello, 1984.

Marjorie Agosín, Elena Gascón Vera, Joy Renjilian-Burgy, eds. *María Luisa Bombal: apreciaciones críticas*. Tempe, Arizona: Editorial Bilingue, 1987.

Celeste Kostopulos-Cooperman. *The Lyrical Vision of María Luisa Bombal*. London: Tamesis Books, 1988.

Magali Fernández. *El discurso narrativo en la obra de María Luisa Bombal*. Madrid: Pliegos, 1988.

Rita Gnutzmann. "Tres ejemplos de escritura femenina en América Latina". *Letras de Deusto* 19.44 (1989): 91-104.

Kemy Oyarzún. *Poética del desengaño. Deseo, poder, escritura: Barrios, Bombal, Asturias y Yáñez*. Santiago, Chile: Ediciones Literatura Americana Reunida, 1989.

Verity Smith. "Dwarfed by Snow White: Feminist Revisions of Fairy Tale Discourse in the Narrative of María Luisa Bombal and Dulce María Loynaz" en *Feminist Readings on Spanish and Latin-American Literature*. Lisa P. Conde & Stephen M. Hart, eds. Lewiston, New York: Mellen, 1991, pp. 137-149.

Yolanda Montalvo. "La huella de Bécquer en la obra de María Luisa Bombal". *La Torre. Revista de la Universidad de Puerto Rico* 5.20 (1991): 443-459.

Lucía Guerra Cunningham. "Estrategias discursivas en la narrativa de la mujer latinoamericana". *Escritura. Revista de Teoría y Crítica Literarias* 16.31-32 (1991): 115-122.

Bárbara Schulz. "La visión andrógina en "'El árbol' de María Luisa Bombal". *Estudios Filológicos* [Valdivia, Universidad Austral de Chile] 27 (1992): 113-122.

Lucía Guerra Cunningham. "Escritura y trama biográfica en la narrativa de María Luisa Bombal" en *Literatura como intertextualidad. IX Simposio Internacional de Literatura*. Buenos Aires: Instituto Literario y Cultural Hispánico/Palabra Gráfica y Editora, 1993, pp. 118-136. [El congreso —organizado por el Instituto Literario y Cultural Hispánico, California y la Universidad del Norte, Asunción, Paraguay— se realizó entre el 22 y el 27 de julio de 1991.]

BORGES, JORGE LUIS

OBRA NARRATIVA

Cuento: *Historia universal de la infamia* (1935); *El jardín de los senderos que se bifurcan* (1942); *Ficciones* (1944); *El Aleph* (1949); *La hermana de Eloísa* (1955, incluye "La escritura del Dios, "El fin" de Borges, "El doctor Sotiropoulos", "El abra" de Luisa Mercedes Levinson y "La hermana de Eloísa" de Borges y Levinson); *El hacedor* (1960); *El informe de Brodie* (1970); *El congreso* (1971); *El libro de arena* (1975); *Veinticinco agosto 1983 y otros cuentos* (1983).

OBRA POÉTICA

Fervor de Buenos Aires (1923); *Luna de enfrente* (1925); *Cuaderno*

San Martín (1929); Para las seis cuerdas (1965); Obra poética 1923-1967 (1967); El otro, el mismo (1969); Elogio de la sombra (1969); El oro de los tigres (1972); La rosa profunda (1975); La moneda de hierro (1976); Historia de la noche (1977); La cifra (1981); Los conjurados (1985).

ENSAYO

Inquisiciones (1925); El tamaño de mi esperanza (1926/1994); El idioma de los argentinos (1928); Evaristo Carriego (1955); Historia de la eternidad (1936); Otras inquisiciones (1937-1952) (1952); Borges oral (1979); Siete noches (1980).

ESTUDIOS

Ana María Barrenechea. La expresión de la irrealidad en la obra de Jorge Luis Borges. Buenos Aires: Paidós, 1967.

Alberto C. Pérez. Realidad y suprarrealidad en los cuentos fantásticos de Jorge Luis Borges. Miami: Ediciones Universal, 1971.

Saúl Sosnowski. Borges y la cábala: la búsqueda del verbo. Buenos Aires: Hispamérica, 1976.

Jaime Alazraki. Versiones, inversiones, reversiones. El espejo como modelo estructural del relato en los cuentos de Borges. Madrid, Gredos, 1977.

Emilio Bejel. "La afasia de 'Funes el memorioso'". Punto de Contacto/Point of Contact 1.4 (1977): 47-53.

Revista Iberoamericana. Número especial "40 inquisiciones sobre Borges" 43.100-101 (1977).

Gerardo Goloboff. Leer Borges. Buenos Aires: Editorial Huemul, 1978.

Silvia Molloy. Las letras de Borges. Buenos Aires: Sudamericana, 1979.

Gabriela Massuh. Borges: una estética del silencio. Buenos Aires: Editorial de Belgrano, 1980.

Jaime Alazraki. La prosa narrativa de Jorge Luis Borges. 3.ª ed. Madrid: Gredos, 1983.

Stefania Mosca. Jorge Luis Borges, utopía y realidad. Caracas: Monte Ávila Editores, 1983.

Juan Antonio Nuño Montes. "El montón de espejos rotos: 'Funes, el memorioso'". Escritura 8.15 (1983): 105-109.

Edna Aizenberg. The Aleph Weaver. Biblical, Kabbalistic and Judaic Elements in Borges. Potomac, Md: Scripta Humanistica, 1984.

Henry L. Shapiro. "Memory and Meaning: Borges and 'Funes, el memorioso'". Revista Canadiense de Estudios Hispánicos 9.2 (1985): 257-265.

Juan José Barrientos. Borges y la imaginación. México: Instituto Nacional de Bellas Artes: Editorial Katún, 1986.

Harold Bloom, ed. Jorge Luis Borges. New York: Chelsea House, 1986.

Ramona Lagos. Jorge Luis Borges, 1923-1980. Laberintos del espíritu, interjecciones del cuerpo. Barcelona: Edicions del Mall, 1986.

Alberto Julián Pérez. Poética de la prosa de Jorge Luis Borges: hacia una crítica bakhtiniana de la literatura. Madrid: Gredos, 1986.

Donald L. Shaw. Jorge Luis Borges. Ficciones. Barcelona: Laia, 1986.

Jorge Luis Borges. Premio de Literatura en Lengua Castellana "Miguel de Cervantes" 1979. Barcelona: Anthropos, 1989.

Edna Aizenberg. Borges and His Successors. The Borgesian Impact on Literature and the Arts. Columbia: University of Missouri Press, 1990.

Naomi Lindstrom. Jorge Luis Borges: A Study of the Short Fiction. Boston: Twayne Publishers, 1990.

Mary Lusky Friedman. *La morfología de los cuentos de Borges*. Madrid: Fundamentos, 1990.

Antonio Cornejo Polar. "Clave americana para leer a Borges". *Nuevo Texto Crítico* 4.8 (1991): 23-32.

Martin Stabb. *Borges Revisited*. Boston: Twayne Publishers, 1991.

María Kodama. "Borges y España". *Cuadernos Hispanoamericanos* 509 (1992): 7-14.

Antonio Planells. "El centro de los laberintos de Borges". *Revista Interamericana de Bibliografía* 42.1 (1992): 102-120.

Beatriz Sarlo. *Jorge Luis Borges: A Writer on the Edge*. London: Verso, 1993. [Edited by John King.]

Norman Thomas Di Giovanni. *Borges Tradition*. London: Constable, 1994.

Nancy Kason. *Borges y la posmodernidad: un juego con espejos desplazantes*. México: UNAM, 1994.

Horacio Salas. *Borges: una biografía*. Buenos Aires: Planeta, 1994.

Marcos Ricardo Barnatán. *Borges, biografía total*. Madrid: Temas de Hoy, 1995.

Aníbal González Pérez. "Borges y las fronteras del cuento" en *El cuento hispanoamericano*. Enrique Pupo-Walker, coordinador. Madrid: Editorial Castalia, 1995, pp. 211-234.

José M. Cuesta Abad. *Ficciones una crisis. Poética e interpretación en Borges*. Madrid: Gredos, 1996.

Filosofía y literatura en la obra de Jorge Luis Borges. Santiago: Cuadernos Arcis-Lom, 1996.

Alicia Jurado. *Genio y figura de Jorge Luis Borges*. 3.ª ed. Buenos Aires: Universidad de Buenos Aires, 1996. (1.ª ed.: 1964; 2.ª ed.: 1980).

Volodia Zeitelboim. *Los dos Borges. Vida, sueños, enigmas*. Santiago, Chile: Antártica, 1996.

Julio Woscoboinik. *El alma de* El Aleph. *Nuevos aportes a la indagación psicoanalítica de la obra de Jorge Luis Borges*. Buenos Aires: G.E.L., 1996.

BRUNET, MARTA

OBRA NARRATIVA

Novela: *Montaña adentro* (1923); *Bestia dañina* (1926); *María Rosa, flor del Quillén* (1927); *Bienvenido* (1929); *Humo hacia el sur* (1946); *La mampara* (1946); *María Nadie* (1957); *Amasilo* (1962).

Cuento: *Don Florisondo* (1926); *Reloj de sol* (1930); *Cuentos para Mari-Sol* (cuentos para niños) (1941); *Aguas abajo* (1943); *Raíz del sueño* (1949); *Aleluyas para los más chiquitos* (cuentos para niños) (1960). En 1962 se recogen su relatos en *Antología de cuentos*. Los cuentos sobre su personaje Solita se publicaron en las obras completas bajo el título "Solita Sola". Aparentemente fueron escritos hacia fines de la década de los cuarenta.

ENSAYO

El mundo mágico del niño (1959).

ESTUDIOS

Esther Melón de Díaz. *La narrativa de Marta Brunet*. Barcelona: Universidad de Puerto Rico/Editorial Universitaria, 1975.

Marjorie Agosín. Reseña de *Montaña adentro y otros cuentos* de Marta Brunet. *Revista Interamericana de Bibliografía* 29.2 (1979): 221-222.

Marjorie Agosín. "La mimesis de la interioridad: 'Soledad de la sangre' de Marta Brunet y 'El árbol' de María Luisa Bombal" *Neophilologus* 68.3 (1984): 380-388.

Alfredo Alejandro Bernal. "Notas sobre la evolución de la mujer en los cuentos de Marta Brunet". *Chiricu* 3.3 (1984): 19-25.

María Inés Lagos-Pope. "Sumisión y rebeldía: el doble o la representación de la alienación femenina en narraciones de Marta Brunet y Rosario Ferré". *Revista Iberoamericana* 51.132-133 (1985): 731-749.

Gabriela Mora. "Una lectura de 'Soledad de la sangre' de Marta Brunet" en *En torno al cuento: de la teoría general y de su práctica en Hispanoamérica*. Madrid: Ediciones José Porrúa Turanzas, 1985, pp. 191-204.

Marjorie Agosín. "Marta Brunet: A Literary Biography". *Revista Interamericana de Bibliografía/ Inter-American Review of Bibliography* 36.4 (1986): 452-459.

Sonia Riquelme. "Notas sobre el criollismo chileno y el personaje femenino en la narrativa de Marta Brunet". *Discurso Literario: Revista de Temas Hispánicos* 4.2 (1987): 613-622.

Mary G. Berg. "The Short Stories of Marta Brunet". *Monographic Review/Revista Monográfica* 4 (1988): 195-206.

Yosuke Kuramochi. "Marta Brunet, realista: revisión crítica". *Alpha* 6 (1990): 47-56.

Linda Irene Koski. *Women's Experience in the Novels of Four Modern Chilean Writers: Marta Brunet, María Luisa Bombal, Mercedes Valdivieso, and Isabel Allende*. Tesis, 1990.

Hugo Montes Brunet. "Evocación de Marta Brunet". *Atenea: Revista de Ciencia, Arte y Literatura de la Universidad de Concepción* 465-466 (1992): 291-97.

Graciela Tomassini. *Poética del cuento hispanoamericano* por Edelweis Serra, Graciela Tomassini y Stella Maris Colombo. Rosario, Argentina: Universidad Nacional de Rosario, 1994, pp. 95-98.

CABRERA, LYDIA
OBRA LITERARIA Y DE INVESTIGACIÓN FOLKLÓRICA
Contes negres de Cuba (1936); *Cuentos negros de Cuba* (1940); *¿Por qué?* (1948); *El monte* (1954); *Refranes de negros viejos* (1955); *Anagó, vocabulario lucumí: el yoruba que se habla en Cuba* (1957); *La sociedad secreta Abakuá* (1958); *Otán Iyebiyé: las piedras preciosas* (1970); *Ayapá: cuentos de Jicotea* (1971); *La laguna sagrada de San Joaquín* (1973); *Yemayá y Ochún: las diosas del agua* (1974); *Anaforuana. Ritual y símbolos de la iniciación secreta Abakuá* (1975); *Francisco y Francisca: chascarrillos de negros viejos* (1976); *Itinerarios del insomnio: Trinidad de Cuba* (1977); *La regla Kimibisa del Santo Cristo del Buen Viaje* (1977); *Koeko Iyawó. Aprende novicia. Pequeño tratado de regla lucumí* (1980); *Cuentos para adultos, niños y retrasados mentales* (1983); *Vocabulario Congó: el bantú que se habla en Cuba* (1984); *La medicina popular de Cuba. Médicos de antaño, curanderos, santeros y paleros de hogaño* (1984).
TRADUCCIONES
"Susundamba does Not Show Herself by Day" *Latin American Literary Review* 19.37 (1991): 55-66. [Traducción de José Piedra.]
ESTUDIOS
Manuel Pedro González. "Cuentos y recuentos de Lydia Cabrera". *Nueva Revista Cubana* 1.2 (1959): 153-161.

Hilda Perera. *Idapo. El sincretismo en los cuentos negros de Lydia Cabrera*. Miami: Ediciones Universal, 1971.

Rosa E. Valdés-Cruz. *Lo ancestral africano en la narrativa de Lydia Cabrera*. Barcelona: Editorial Vosgos, 1974.

Reinaldo Sánchez y José A. Madrigal, eds. *Homenaje a Lydia Cabrera*. Miami: Ediciones Universal, 1977.

Rosa Valdés-Cruz. "The Short Stories of Lydia Cabrera: Transpositions or Creations?" en *Latin American Women Writers: Yesterday and Today*. Ivette E. Miller and Charles M. Tatum, eds. Pittsburgh, Pennsylvania: Latin American Literary Review, 1977, pp. 148-154.

Rosario Hiriart. *Lydia Cabrera: vida hecha arte*. New York: Eliseo Torres & Sons, 1978.

Estelle Irizarry. "Lydia Cabrera, fabuladora surrealista". *The Contemporary Latin American Short Story*. Rose S. Minc, ed. New York: Senda Nueva, 1979, pp. 105-111.

Rosario Hiriart. "En torno al mundo negro de Lydia Cabrera". *Cuadernos Hispanoamericanos* 359 (1980): 40-42.

Esperanza Figueroa. "Lydia Cabrera: Cuentos negros de Cuba". *Revista Sur* 349 (1981): 89-97.

Suzanne Jill Levine. "A Conversation with Lydia Cabrera". *Review: Latin American Literature and Arts* 31 (1982): 13-15.

Cristina Guzmán. "Diálogo con Lydia Cabrera". *Zona Franca* 3.24 (1981): 34-38.

Hilda Perera. "La Habana intacta de Lydia Cabrera". *Círculo: Revista de Cultura* 13 (1984): 33-38.

Ana María Simo. *Lydia Cabrera: An Intimate Portrait*. New York: Intar Latin American Gallery, 1984.

Gladys Zaldívar. "Lydia Cabrera: de mitos y contemporáneos". Entrevista a la autora cubana aparecida en *Publicaciones de la Asociación de Hispanistas de las Américas*. Colección Monografías. Miami, 1986, pp. 5-15.

Mariela Gutiérrez. *Los cuentos negros de Lydia Cabrera. Estudio morfológico esquemático*. Miami: Ediciones Universal, 1986.

Isabel Castellanos y Josefina Inclán. *En torno a Lydia Cabrera. Cincuentenario de Cuentos negros de Cuba: 1936-1986*. Miami: Ediciones Universal, 1987.

Jorge Emilio Gallardo. "Descubrir a Cuba en París". *Suplemento Literario La Nación* [Buenos Aires] 12 de junio de 1988, p. 2.

Sara Soto. *Magia e historia en los "Cuentos negros, ¿Por qué?" y "Ayapá" de Lydia Cabrera*. Miami: Ediciones Universal, 1988.

Rosario Hiriart, ed. *Cartas a Lydia Cabrera. Correspondencia inédita de Gabriela Mistral y Teresa de la Parra*. Madrid: Torremozas, 1988.

Julio Hernández Miyares. "Lydia Cabrera: Presencia y significación en las letras cubanas". *Círculo: Revista de Cultura* 18 (1989): 129-132.

Rosario Hiriart. "Lydia Cabrera: Perfil literario". *Círculo: Revista de Cultura* 18 (1989): 133-139.

Raquel Romeu. "Dios, animal, hombre o mujer: Jicotea, un personaje de Lydia Cabrera". *Letras Femeninas* 15.1-2 (1989): 29-36.

Mariela Gutiérrez. *El cosmos de Lydia Cabrera. Dioses, animales y hombres*. Miami: Ediciones Universal, 1991.

María Carmen Zielina. *La africanía en el cuento cubano y puertorriqueño: Gerardo del Valle, Lydia Cabrera, José Luis González, Antonio Benítez Rojo, Carmelo Rodríguez Torres y Ana Lydia Vega*. Miami, Florida: Ediciones Universal, 1992.

Mario Campiña. "El mundo afroamericano a través de Lydia Cabrera. Entre dioses festivos". *Quimera* 134 (1995): 63-67.

Julia Cuervo Hewitt. "El cuento afrohispano y sus modalidades" en *El cuento hispanoamericano.* Enrique Pupo-Walker, coordinador. Madrid: Editorial Castalia, 1995, pp. 493-519.

CARPENTIER, ALEJO

OBRA NARRATIVA

Novela: *Ecué-Yamba-O: historia afrocubana* (1933); *El reino de este mundo* (1949); *Los pasos perdidos* (1953); *El acoso* (1956); *El siglo de las luces* (1962); *Concierto barroco* (1974); *El recurso del método* (1974); *La consagración de la primavera* (1978); *El arpa y la sombra* (1979).

Cuento: *Guerra del tiempo: tres relatos y una novela* (1958); *El derecho de asilo* (1972); *Cuentos completos* (1979).

ENSAYO

La música en Cuba (1946); *Tristán e Isolda en tierra firme: reflexiones al margen de una representación wagneriana* (1949); *Tientos y diferencias* (1964); *Literatura y conciencia política en América Latina* (1969); *La ciudad de las columnas* (1970); *Letra y solfa* (1976, recopilación de artículos periodísticos); *La novela latinoamericana en vísperas de un nuevo siglo y otros ensayos* (1981); *Alejo Carpentier: ensayos* (1984, recopilación); *El amor a la ciudad. La Habana de Alejo Carpentier* (1996).

COMPILACIONES

Obras completas (ocho volúmenes, a partir de 1983).

ESTUDIOS

Alexis Márquez Rodríguez. *La obra narrativa de Alejo Carpentier.* Caracas: Universidad Central de Venezuela, 1970.

Helmy F. Giacoman. *Homenaje a Alejo Carpentier: variaciones interpretativas en torno a su obra.* New York: Las Américas, 1970.

Klaus Müller-Bergh. *Alejo Carpentier: estudio biográfico-crítico.* New York: Las Américas, 1972.

Klaus Müller-Bergh, ed. *Asedios a Carpentier: once ensayos críticos sobre el novelista cubano.* Santiago, Chile: Editorial Universitaria, 1972.

Alejo Carpentier. Barcelona: Anthropos, 1988. [Premio de literatura en lengua castellana "Miguel de Cervantes" 1977.]

Roberto González Echevarría. *Alejo Carpentier, the Pilgrim at Home.* Ithaca, New York: Cornell University Press, 1977.

Eduardo González. *Alejo Carpentier: el tiempo del hombre.* Caracas: Monte Ávila Editores, 1978.

Frank Janney. *Alejo Carpentier and his Early Works.* London: Tamesis Books, 1981.

Fernando Burgos. "Conexiones: barroco y modernidad". *Escritura* 11 (1981): 153-162.

Alexis Márquez Rodríguez. *Lo barroco y lo real-maravilloso en la obra de Alejo Carpentier.* México: Siglo Veintiuno, 1982.

Roberto González Echevarría & Klaus Müller-Bergh. *Alejo Carpentier: Bibliographical Guide.* Westport, Connecticut: Greenwood Press, 1983.

Fernando Burgos. "La elección barroca en la obra de Carpentier". *Escritura* 17-18 (1984): 41-49.

Donald L. Shaw. *Alejo Carpentier.* Boston: Twayne Publishers, 1985.

Eduardo L. Espinoza Rodríguez. "La modelación artística en 'Semejante a la noche'". *Universidad de La Habana* 230 (1987): 81-92.

Renaud Richard. "La hora de nadie: significado del reloj temático-estructural de 'Semejante a la noche'". *Iris* [Francia] 2 (1989): 175-185.

Juan Vásquez. "Alejo Carpentier: una poética para la cultura latinoamericana". *Estudios Filológicos* [Valdivia, Chile] 24 (1989): 55-65.

Eduardo Barraza Jara. "'El camino de Santiago': de la disyunción a la conjunción". *Alpha* [Osorno, Chile] 6 (1990): 57-69.

Óscar Velayos Zurdo. *Historia y utopía en Alejo Carpentier*. Salamanca: Universidad de Salamanca, 1990.

Roberto González Echeverría. "Últimos viajes del peregrino". *Revista Iberoamericana* 57.154 (1991): 119-134.

Alexis Márquez Rodríguez. *Ocho veces Alejo Carpentier*. Venezuela: Grijalbo, 1992.

Willy O. Muñoz. "Literatura e historia en 'Semejante a la noche' de Alejo Carpentier". *Siglo XX/20th Century* 11.1-2 (1993): 181-192.

Roberto González Echeverría. "'Semejante a la noche', de Carpentier: historia y ficción" en *El cuento hispanoamericano*. Enrique Pupo-Walker, coordinador. Madrid: Editorial Castalia, 1995, pp. 261-283.

CÉSPEDES, AUGUSTO

OBRA NARRATIVA

Novela: *Metal del diablo* (1946/1960/1966/1974); *Trópico enamorado* (1968/1971).

Cuento: *Sangre de mestizos: relatos de la guerra del Chaco* (1936/1965/ 1973/1983).

ENSAYO / POLÉMICA

El dictador suicida (1956); *Una polémica entre Fernando Díez de Medina y Augusto Céspedes en torno a 40 años de historia de Bolivia* (1957, debate en torno al libro de Céspedes *El dictador suicida*); *El presidente colgado* (1966/1971/1975);

Salamanca o el metafísico del fracaso (1973); *Crónicas heroicas de una guerra estúpida* (1975).

DOCUMENTOS POLÍTICOS E HISTÓRICOS/CRÓNICA NOVELADA

Información del Gabinete sobre la ayuda americana: exposición del diputado Augusto Céspedes (1958-1959); *Bolivia* (1962); *Fundición de estaño en Bolivia. Cámara de Diputados, Legislatura, 1962* (1962); *La táctica del golpe del 21 de julio de 1946* (1973); *Las dos queridas del tirano* (1984).

TRADUCCIONES

Metal do diabo (1967, traducción de Ana Arruda); *Teufelsmetall: Roman* (1990, traducción de *Metal del diablo* por Ana María Brock).

ESTUDIOS

Norma Walker Guice. *La narrativa social de Augusto Céspedes*. Tesis, University of Illinois, Urbana, 1973.

Josep M. Barnadas y Juan José Coy. *Augusto Céspedes: "Metal del diablo". Esquema metodológico de aproximación a la narrativa boliviana*. Cochabamba: Editorial Los Amigos del Libro, 1977.

Josep M. Barnadas y Juan José Coy. *Augusto Céspedes: Sangre de mestizos. Esquema metodológico de aproximación a la narrativa boliviana*. Cochabamba: Editorial Los Amigos del Libro, 1977.

Mercedes Roffe. "Un cuento de Céspedes: realidad y transformación". *Repertorio Latinoamericano* 3.24 (1977): 7.

Renato Prada Oropeza. "La literatura política de Augusto Céspedes". *Texto Crítico* 5.12 (1979): 185-213.

Peter J. Gold. "Augusto Céspedes 'El pozo': The Conflict between Structure and Meaning". *Romance Notes* 23.2 (1982): 129-133.

Ricardo Gullón, ed. *Diccionario de literatura española e hispanoamericana* 2 vols. Madrid: Alianza Editorial, 1993, vol. 1, p. 336.

EMAR, JUAN

OBRA NARRATIVA

Novela: *Miltín* (1934); *Ayer* (1935/ 1985); *Un año* (1935); *Umbral. Primer pilar. El globo de cristal* (1977); *Umbral. Dintel* (1996, prólogo de Pedro Lastra y biografía de Pablo Brodsky); *Umbral. Primer pilar. El globo de cristal* (1996). *Umbral. Segundo pilar. El canto del chiquillo. Recuerdos de viaje de Lorenzo Angol* (1996); *Umbral. Tercer pilar. San Agustín de Tango* (1996); *Umbral. Cuarto pilar* (1996).

Cuento: *Diez. Cuatro animales. Tres mujeres. Dos sitios* (1937/1971).

ENSAYO

Jean Emar. Escritos de arte (1923-1925) (1992, recopilación de Patricio Lizama de colaboraciones de Emar aparecidas en el diario *La Nación* entre 1923 y 1925).

ESTUDIOS

Dámaso Ogaz. "La cosmetología absurda de Juan Emar". *Imagen* [Caracas] 38/39 (1968): 6-7.

Pablo Neruda. "J. E." Prólogo a *Diez* de Juan Emar. Santiago, Chile: Editorial Universitaria, 1971, pp. 9-10.

Erik Martínez. "Juan Emar: la vigencia de un escritor olvidado". *La Quinta Rueda* 9 (1973): 10-11.

Braulio Arenas. "Prólogo" a *Umbral. Primer Pilar. El globo de cristal*. Buenos Aires: Ediciones Carlos Lohlé, 1977, pp. I-XIV.

Adriana Valdés. "La situación de *Umbral* de Juan Emar". *Mensaje* [Santiago de Chile] 264 (1977): 651-656.

Iván Carrasco. "La metalepsis narrativa en *Umbral* de Juan Emar". *Revista Chilena de Literatura* 14 (1979): 85-101.

Marcos Urra Salazar. "Sobre la situación narrativa de *Umbral* de Juan Emar". *Estudios Filológicos* 16 (1981): 183-188.

Oscar Paineán. "La escritura como proceso de búsqueda en *Umbral* de Juan Emar". *Literatura Chilena: Creación y Crítica* 9.1 (31) (1985): 2-5.

Pedro Lastra. "Rescate de Juan Emar" en *Relecturas hispanoamericanas*. Santiago de Chile: Editorial Universitaria, 1986, pp. 63-74.

Manuel Espinoza Orellana. "La obra de Juan Emar". *Literatura Chilena: Creación y Crítica* 11.2 (40) (1987): 2-5.

Guillermo Gotschlich Reyes. "El pájaro verde de Juan Emar: proposición de una poética". *Revista Chilena de Literatura* 32 (1988): 91-107.

Alejandro Canseco-Jerez. *Juan Emar. Estudio*. Santiago, Chile: Ediciones Documentas, 1989.

Alejandro Canseco-Jerez. "La recepción de la obra de Juan Emar a través de la crítica literaria periodística". *Revista Chilena de Literatura* 34 (1989): 129-147.

Pablo Brodsky, Patricio Lizama y Carlos Piña. "Ausencia-presencia de Juan Emar". *Escritura. Revista de Teoría y Crítica Literarias* 15.29 (1990): 199-213.

Patricio Lizama Amestica. *Juan Emar y la vanguardia en Chile: el intelectual y las rupturas*. Tesis, State University of New York, Stony Brook, 1991.

Lucía Invernizzi. "Alejandro Canseco-Jerez estudia a Juan Emar" *Revista Chilena de Literatura* 37 (1991): 89-95.

Alejandro Canseco-Jerez. "Juan Emar, arquitecto de la prosa.

ción". *Revista Chilena de Literatura* 39 (1992): 23-36.

Adriana Castilla de B. "Texto e intertexto en 'Chuchezuma' de Juan Emar". *Revista Chilena de Literatura* 40 (1992): 123-128.

Patricio Lizama A. "Introducción" a *Jean Emar. Escritos de arte (1923-1925)*. Santiago, Chile: Dirección de Bibliotecas, Archivos y Museos, 1992, pp. 9-21.

Patricio Lizama A. "Jean Emar/ Juan Emar: la vanguardia en Chile". *Revista Iberoamericana* 60.168/ 169 (1994): 945-959.

FERRETIS, JORGE

OBRA NARRATIVA

Novela: *Tierra caliente: los que sólo saben pensar* (1935); *Cuando engorda el Quijote* (1937); *El sur quema: tres novelas de México* (1937, incluye *Lo que llaman fracaso, Cuando bajan los cuervos* y *El sur quema*); *San Automóvil: tres novelas* (1938).

Cuento: *Hombres en tempestad* (1941); *El coronel que asesinó un palomo, y otros cuentos* (1952); *Libertad obligatoria* (1967).

ENSAYO

¿Necesitamos inmigración? Apuntes para un libro sobre el problema básico de México (1934).

ESTUDIOS

Guadalupe Martínez Peñaloza. *La obra de Jorge Ferretis*. Tesis, Universidad Nacional Autónoma de México, México, 1965.

Paul Howard Holden. *The Creative Writing of Jorge Ferretis: Ideology and Style*. Tesis, University of Southern California, 1966.

Enrique Pupo Walker. "La transposición de valores pictóricos en la narrativa de Ferretis y Rulfo". *Nueva Narrativa Hispanoamericana* 1.1 (1971): 95-103.

María del Carmen Millán. *Antología de cuentos mexicanos 1*. 8.ª ed. México, D. F.: Editorial Nueva Imagen, 1989, pp. 27-30.

GARMENDIA, JULIO

OBRA NARRATIVA

Cuento: *La tienda de muñecos* (1927); *La tuna de oro* (1951); *La hoja que no había caído en su otoño* (1982); *Opiniones para después de la muerte: 1917-1924* (1984); *La ventana encantada* (1986). Los últimos dos volúmenes consignan, además de relatos, los poemas, crónicas y textos de comentario literario que produjo el autor venezolano.

ESTUDIOS

Domingo Miliani. "Julio Garmendia" en *Prueba de fuego*. Caracas: Monte Ávila Editores, 1973, pp. 49-92. [Reúne tres trabajos de Miliani publicados entre 1970 y 1972.]

Hugo Achugar Ferrari. "Para presentar tres artículos de Julio Garmendia". *Actualidades* 3-4 (1977-1978): 117-132.

Ana María de Rodríguez. "Sobre 'El cuento ficticio' y sus alrededores". *Actualidades* 3-4 (1977-1978): 93-102.

Beatriz González Stephan. "La obra de Julio Garmendia en las historias de la narrativa venezolana". *Actualidades* 3-4 (1977-1978): 37-61.

María Lya Niño de Rivas. "Julio Garmendia: una bibliografía". *Actualidades* 3-4 (1977-1978): 141-155.

Domingo Miliani. "Julio Garmendia". *Actualidades* 3-4 (1977-1978): 7-8.

Mabel Moraña. "A propósito de la recepción de la narrativa de J. Garmendia". *Actualidades* 3-4 (1977-1978): 63-91.

Mabel Moraña. "A seis décadas de un cuento de Garmendia". *Actualidades* 3-4 (1977-1978): 137-140.

Nelson Osorio Tejeda. *"La tienda de muñecos* de Julio Garmendia en la narrativa de la vanguardia hispanoamericana" *Actualidades* 3-4 (1977-1978): 11-36.

Jesús Semprún y Juan Carlos Santaella. *Julio Garmendia ante la crítica.* Caracas: Monte Ávila Editores, 1980.

Julio Barroeta Lara. *Viaje al interior de un cofre de cuentos. Julio Garmendia entre líneas.* Caracas: Academia Nacional de la Historia, 1982.

Ítalo Tedesco. *Julio Garmendia y José Rafael Pocaterra. Dos modalidades del cuento en Venezuela.* Caracas: Academia Nacional de la Historia, 1982.

Amelia Mondragón. "Volviendo a *La tienda de muñecos*". *Escritura. Revista de Teoría y Crítica Literarias* 10.19-20 (1985): 139-149.

Fernando Burgos. "Prosa de renovaciones: *Tienda de muñecos* de Julio Garmendia". *Escritura. Revista de Teoría y Crítica Literarias* 11.22 (1986): 219-229.

Sonia García. "Julio Garmendia: una escritura del humor". *Revista Nacional de Cultura* [Venezuela] 48.265 (1987): 37-45.

Marta de la Vega V. "Cultura popular y populismo en la narrativa de Julio Garmendia". *Escritura. Revista de Teoría y Crítica Literarias* 13.25-26 (1988): 141-148.

Fernando Burgos. "La vanguardia hispanoamericana y la transformación narrativa". *Nuevo Texto Crítico* 3 (1989): 157-169.

José Balza. "Un manifiesto ficticio" en *The Latin American Short Story: Essays on the 25th Anniversary of Seymour Menton's "El cuento hispanoamericano".*

Riverside, California: University of California-Riverside, 1990, pp. 15-16.

Luis Barrera Linares. "Julio Garmendia: mito y realidad/ ambigüedad e ironía". *Escritura. Revista de Teoría y crítica literarias* 33-34 (1992): 21-46.

Carmen de Mora Valcárcel. "Ironía y ficción en la narrativa de Julio Garmendia". *Revista Iberoamericana* 58.159 (1992): 517-526.

Fernando Burgos. "Modos de lo fantástico en la cuentística de Clemente Palma y Julio Garmendia" in *Selected Essays from the International Conference on Myth and Fantasy, 1991.* Joseph Tyler, ed. Carrollton, Georgia: West Georgia International Conference, 1994, pp. 126-134.

Gabriel Jiménez Emán. "Julio Garmendia, o la estética de lo inverosímil". *Revista Iberoamericana* 60.166-167 (1994): 435-440.

Hugo Achugar. "El museo de la vanguardia: para una antología de la narrativa vanguardista hispanoamericana", en *Narrativa vanguardista hispanoamericana.* México: Universidad Nacional Autónoma, 1996, pp. 7-40.

Hugo J. Verani. "La narrativa hispanoamericana de vanguardia", en *Narrativa vanguardista hispanoamericana.* México: Universidad Nacional Autónoma de México, 1996, pp. 41-73.

GONZÁLEZ, JOSÉ LUIS

OBRA NARRATIVA

Novela: *Paisa* (1950/1955); *Mambrú se fue a la guerra y otros relatos* (1972); *Balada de otro tiempo* (1978, traducida al inglés en 1987, *Ballad of Another Time*); *La llegada: crónica con "ficción"* (1980); *El oído de Dios* (1984, novela corta).

Cuento: *En la sombra* (1943); *5 cuentos de sangre* (1945); *El hombre en la calle* (1948); *Cuento de cuentos y once más* (1973); *La tercera llamada y otros relatos* (1980/ 1983); *Veinte cuentos y "Paisa"* (1973); *En Nueva York y otras desgracias* (1973/1975/1981); *Las caricias del tigre* (1984).

COMPILACIONES

Antología personal (1990); *Todos los relatos* (1992, González llama "relato" a la novela corta); *Todos los cuentos* (1992).

ENSAYO Y CRÍTICA

Literatura y sociedad en Puerto Rico: de los cronistas de Indias a la generación del 98 (1976); *El arte del cuento* (1976, pp. 9-35); *Poesía negra de América* (1976, antología en colaboración con Mónica Mansour); *El país de cuatro pisos y otros ensayos* (1980); *Nueva visita al cuarto piso* (1986/1987); "Puerto Rico: una nueva mirada a un nuevo país". *Nuevo Texto Crítico* 2.3 (1989): 59-69.

ESTUDIOS

Francisco Matos Paoli. "José Luis González: cuentista del hombre común", prólogo a *5 cuentos de sangre*. San Juan, 1945, pp. 5-11.

Ángel Rama. "José Luis González o la cortina del silencio sobre Puerto Rico" *En Nueva York y otras desgracias*. 1.ª ed. México: Siglo XXI Editores. 1973, pp. 1-5.

Arcadio Díaz Quiñones. *Conversación con José Luis González*. Río Piedras, Puerto Rico: Ediciones Huracán, 1976.

Juan Escalera Ortiz. "Estilo, técnica y temática en 'La noche que volvimos a ser gente' de José Luis González". *Revista/Review Interamericana* 10.3 (1980): 320-325.

Andrés O. Avellaneda. "Para leer a José Luis González" *En Nueva York y otras desgracias*. Río Piedras: Puerto Rico: Ediciones Huracán, 1981, pp. 9-28.

José B. Fernández. "Entrevista con José Luis González". *Revista Chicano-Riqueña* 9.1 (1981): 47-57.

Rafael Falcón. *La emigración puertorriqueña a Nueva York en los cuentos de José Luis González, Pedro Juan Soto y José Luis Vivas Maldonado*. Tesis, 1982.

Manuel Maldonado Denis. "En torno a *El país de cuatro pisos*: aproximación crítica a la obra sociológica de José Luis González" *Casa de las Américas* 135 (1982): 151-159.

Josefina Rivera de Álvarez. "Los iniciadores de la renovación cuentística del cuarenta y cinco" en *Literatura puertorriqueña: su proceso en el tiempo*. Madrid: Ediciones Partenón, 1983, pp. 490-492. [Citamos las páginas dedicadas específicamente a José Luis González.]

Josefina Rivera de Álvarez. "Los renovadores de la novela en el cuarenta y cinco" en *Literatura puertorriqueña: su proceso en el tiempo*. Madrid: Ediciones Partenón, 1983, pp. 522-523. [Citamos las páginas dedicadas específicamente a José Luis González.]

Rafael Falcón. "'La noche que volvimos a ser gente': una nueva encantadora visión de la emigración puertorriqueña". *Revista Chicano-Riqueña* 12.2 (1984): 70-79.

Raúl A. Roman Riefkohl. "Crónica de una llegada anunciada: *La llegada* de José Luis González". *Cahiers du Monde Hispanique et Luso-Bresilien/ Caravelle* 43 (1984): 69-80.

Federico Patán. "Dos veces José Luis González". *Cuadernos Americanos* 262.5 (1985): 76-81.

Nicholasa Mohr. "Puerto Rican Writers in the United States,

Puerto Rican Writers in Puerto Rico: A Separation beyond Language *The Americas Review: A Review of Hispanic Literature and Art of the USA* 15.2 (1987): 87-92.

Héctor M. Otero. *José Luis González and National Mass Consciousness in Puerto Rico*. Tesis, 1987.

Mary Jo Ramos. "El desplazamiento del jíbaro en tres cuentos de José Luis González". *The Americas Review* 17.3-4 (1989): 98-106.

Mildred Rivera-Martínez y Eduardo Parrilla. "José Luis González en Stanford: un diálogo". *Nuevo Texto Crítico* 2.3 (1989): 71-81.

Edgardo Sanabria Santaliz. "Del cuento al cuento". *Cupey. Revista de la Universidad Metropolitana* 6.1-2 (1989): 45-52.

Manuel Augusto Ossers Cabrera. "Puntos convergentes del cuento 'La mujer', de José Luis González con el cuento 'La mujer', de Juan Bosch. *Revista de Estudios Hispánicos* 17-18 (1990-1991): 197-205.

Arturo Azuela. "Retrato de un narrador", prólogo a *Todos los relatos* de José Luis González. México, D.F.: Universidad Nacional Autónoma de México, 1992, pp. 9-16.

Luis Felipe Díaz. "'En el fondo del caño hay un negrito', de José Luis González: estructura y discurso narcisistas". *Revista Iberoamericana* 59 (1993): 127-143.

Arcadio Díaz Quiñones. "José Luis González: la crítica sin territorio". *Diálogo*. [Universidad de Puerto Rico]. Enero de 1997, pp. 14-15.

Antonio Martorell. "El placer de conocerte. (Palabras leídas en el acto académico in corpore presente efectuado en la rotonda de la torre de la Universidad de Puerto Rico en Río Piedras, el 12 de diciembre de 1996)." *Diálogo*.

[Universidad de Puerto Rico.] Enero de 1997, p. 18.

Ángel G. Quintero Rivera. "Vitalidad y pasión crítica. (Palabras leídas en la Universidad de Puerto Rico, Río Piedras, el 12 de diciembre de 1996.)" *Diálogo*. [Universidad de Puerto Rico.] Enero de 1997, pp. 16-17.

César A. Rey Hernández. "Memoria mexicana de José Luis González". *Diálogo*. [Universidad de Puerto Rico.] Enero de 1997, p. 25.

J. A. Torres Martinó. "¡Hasta luego!, corazón antillano, caribeño, latinoamericano". *Diálogo*. [Universidad de Puerto Rico.] Enero de 1997, p. 19.

GÜIRALDES, RICARDO

OBRA NARRATIVA

Novela: *Raucho: momentos de una juventud contemporánea* (1917); *Rosaura* (1922, había aparecido en 1918 con el título *Un idilio de estación*; *Xaimaca* (1923); *Don Segundo Sombra* (1926).

Cuento: *Cuentos de muerte y de sangre seguidos de Aventuras grotescas y una Trilogía cristiana* (1915); *Seis relatos* (1929).

OBRA POÉTICA

El cencerro de cristal (1915); *Poemas solitarios 1921-1927* (1928); *Poemas místicos* (1928); *Pampa* (1954).

ENSAYO

Semblanza de nuestro país (1972); *Semblanza de nuestro país y otros escritos* (1982).

OBRA VARIA

El sendero (1932); *El libro bravo* (1936). Ambas publicaciones póstumas fueron preparadas por la esposa de Güiraldes, Adelina del Carril.

COMPILACIONES

Obras de Ricardo Güiraldes (1930-1933, incluye tres novelas y un volumen de cuentos); *Rosaura (novela corta) y siete cuentos* (1952); *Obras completas* (1962). *Croquis, dibujos (obra inédita) y poemas de Ricardo Güiraldes* (1967); *Don Segundo Sombra. Prosas y Poemas* (1983); *Guerra, violencia y dignidad. Ricardo Güiraldes. Antología* (1984); *Poemas últimos* (1984).

TRADUCCIONES

Don Segundo Sombra (1932, al francés); *Das Buch von Gaucho Sombra* (1934); *Shadows on the Pampas* (1935); *Don Segundo Sombra* (1940, al italiano).

ESTUDIOS

Peter Earle. "El sentido poético de *Don Segundo Sombra*". *Revista Hispánica Moderna* (1960) 26.3-4: 126-132.

Guillermo Ara. *Ricardo Güiraldes.* Buenos Aires: La Mandrágora, 1961.

Juan Carlos Ghiano. *Ricardo Güiraldes.* Buenos Aires: Pleamar, 1966.

Ivonne Bordelois. *Genio y figura de Ricardo Güiraldes.* Buenos Aires: Editorial Universitaria de Buenos Aires, 1966.

Alberto Blasi. *Güiraldes y Larbaud: una amistad creadora.* Buenos Aires: Nova, 1970.

Peter R. Beardsell. "Güiraldes Role in the Avant-Garde of Buenos Aires". *Hispanic Review* (1974) 42.3: 293-309.

Evelio A. Echevarría. "Nuevo acercamiento a la estructura de *Don Segundo Sombra*". *Revista Iberoamericana* 40.89 (1974): 620-637.

Miriam Curet de De Anda. *El sistema expresivo de Ricardo Güiraldes.* Río Piedras: Editorial Universitaria, Universidad de Puerto Rico, 1976.

Enrique Pupo-Walker. "Elaboración y teoría en los cuentos de Ricardo Güiraldes". *Four Essays on Ricardo Güiraldes (1886-1927).* Editado por Hugo Rodríguez Alcalá. Riverside, California: University of California, 1977, pp. 81-102. [Reproducido en *Cuadernos Americanos* 215.6 (1977): 164-172.]

Hugo Rodríguez Alcalá. "Güiraldes y el ambiente intelectual de su tiempo". *Four Essays on Ricardo Güiraldes (1886-1927).* Editado por Hugo Rodríguez Alcalá. Riverside, California: University of California, 1977, pp. 103-124.

Thomas C. Meehan. "Prefiguración de *Don Segundo Sombra* como contador de cuentos". *Explicación de Textos Literarios* 7.1 (1978): 53-61.

Iván A. Schulman. "La dialéctica del centro: notas en torno a la modernidad de Ricardo Güiraldes". *Cuadernos Americanos* 217.2 (1978): 196-208.

José R. Liberal Villar. *Vida y obra de Ricardo Güiraldes. Ensayo y antología.* Buenos Aires: Ediciones Corregidor, 1980.

Enrique Caracciolo Trejo. "Regreso a *Don Segundo Sombra*". *Revista Iberoamericana* 47.116-117 (1981): 139-143.

Reynaldo L. Jiménez. "*Don Segundo Sombra*: razón y signo de una forma narrativa". *Cuadernos Americanos* 251.6 (1983): 211-227. [Reproducido en *Cuadernos Hispanoamericanos* 432 (1986): 71-83.]

Alberto Blasi. "Ricardo Güiraldes y *Proa*". *Cuadernos Hispanoamericanos* 432 (1986): 29-38.

Jorgelina Loubet. "*Don Segundo Sombra* y la busca espiritual de Ricardo Güiraldes". *Boletín de la Academia Argentina de Letras* 51.201-201 (1986): 303-311.

Sara M. Parkinson. "Ricardo Güiraldes: Su proceso espiritual".

Cuadernos Hispanoamericanos 432 (1986): 39-59.

Robert DiAntonio. "*Don Segundo Sombra*: Sexual Stereotyping and the Voluntary Isolation Syndrome". *Confluencia* 5.2 (1990): 139-141.

Juan Pablo Spicer. *Don Segundo Sombra*: En busca del 'otro'. *Revista de Crítica Literaria Latinoamericana* 19.38 (1993): 361-373.

GUZMÁN, AUGUSTO

OBRA NARRATIVA

Novela: *La sima fecunda* (1933); *Prisionero de guerra* (1937); *Bellacos y paladines* (1964).

Cuento: *Cuentos de Pueblo Chico: nueve relatos de la vida provinciana* (1954); *Pequeño mundo* (1960); *Cuentos* (1975); *Remanso* (1986).

PROSA VARIA

Túpaj Katari (1943); *El Cristo viviente* (1946); *Baptista. Biografía de un orador político* (1949); *El kolla mitrado. Biografía de un obispo colonial, Fray Bernardino de Cárdenas* (1952); *Adela Zamudio* (1955); *En la ruta del indiano: relato de un viaje a Europa* (1957).

ENSAYO

Historia de la novela boliviana (1938); *Gestavalluna: siete siglos de la historia de Cochabamba* (1953); *La novela en Bolivia: proceso 1947-1954* (1955); *Historia social del arte* (1957); *Breve historia de Bolivia* (1969); *Cochabamba* (1972); *Panorama de la novela en Bolivia* (1973); *Poetas y escritores de Bolivia* (1975).

ESTUDIOS

Fernando Díez de Medina. "Augusto Guzmán: gran señor de nuestras letras". *Revista Interamericana de Bibliografía* 23.2 (1973): 179-183.

Evelio A. Echevarría. Reseña de *Panorama de la novela en Bolivia*:

proceso 1834-1973 de Augusto Guzmán. *Revista Interamericana de Bibliografía* 26.1 (1976): 91.

Ricardo Gullón, ed. *Diccionario de literatura española e hispanoamericana* 2 vols. Madrid: Alianza Editorial, 1993, vol. 1, p. 691.

HERNÁNDEZ, EFRÉN

OBRA NARRATIVA

Novela: *Cerrazón sobre Nicómaco* (1946); *La paloma, el sótano y la torre* (1949).

Cuento: *Tachas* (1928); *El señor de palo* (1932); *Cuentos* (1941, incluye "Tachas", "Santa Teresa", "Un gran escritor muy bien agradecido", "El señor de palo", "Un clavito en el aire", "Incompania", "Sobre causas de títeres", "Unos cuantos tomates en una repisita", "Una historia sin brillo"); *Cuentos* (1947, incluye "Tachas", "Santa Teresa", "Un gran escritor muy bien agradecido", "Una historia sin brillo", Cerrazón sobre Nicómaco"); *Sus mejores cuentos* (1956).

OBRA POÉTICA

Entre apagados muros (1943).

OBRA DRAMÁTICA

"Casi sin rozar el mundo. Alta comedia en 3 actos y 4 cuadros" (1956, Separata de la revista *América* 70: 81-93).

ESTUDIOS

María Teresa Bosque Lastra. *La obra de Efrén Hernández*. Tesis, Universidad Iberoamericana, México, 1963.

Alí Chumacero. "Imagen de Efrén Hernández" en *Obras. Poesía. Novela. Cuentos*. México: Fondo de Cultura Económica, 1965, pp. VII-VIII.

Luis Mario Schneider. "Bibliografía de Efrén Hernández" en *Obras. Poesía. Novela. Cuentos*. México: Fondo de Cultura Económica, 1965, pp. 415-423.

Mary M. Harmon. *Efrén Hernández: A Poet Discovered*. Hattlesburg, Mississippi: University and College Press of Mississippi, 1972.

Jesús Luis Benítez. "*Tachas*: elegía en un cincuentenario". *Plural* 8.90 (1979): 67-68.

Edmundo Valadés. "Efrén Hernández o de la inocencia". *México en el Arte* 11 (1985-86): 8-11.

Jesús Luis Benítez. "Entre apagados muros habita Efrén Hernández". *Plural* 15.178 (1986): 38-42.

John S. Brushwood. "Efrén Hernández y la innovación narrativa". *Nuevo Texto Crítico* 1.1 (1988): 85-95.

Fernando Burgos. "La vanguardia hispanoamericana y la transformación narrativa". *Nuevo Texto Crítico* 3 (1989): 157-169.

Hugo Achugar. "El museo de la vanguardia: para una antología de la narrativa vanguardista hispanoamericana", en *Narrativa vanguardista hispanoamericana*. México: Universidad Nacional Autónoma de México, 1996, pp. 7-40.

Hugo J. Verani. "La narrativa hispanoamericana de vanguardia", en *Narrativa vanguardista hispanoamericana*. México: Universidad Nacional Autónoma de México, 1996, pp. 41-73.

HERNÁNDEZ, FELISBERTO
OBRA NARRATIVA

Novela: *Por los tiempos de Clemente Colling* (1942); *El caballo perdido* (1943); *Tierras de la memoria* (1965/1967).

Cuento: *La envenenada* (1931); *Nadie encendía las lámparas* (1947/ 1993); *Las hortensias* (1950); *La casa inundada* (1960).

PROSA VARIA

Fulano de tal (1925); *Libro sin tapa* (1929); *La cara de Ana* (1930).

COMPILACIONES

Las hortensias y otros relatos (1966/1967); *Obras completas* (6 vols. Montevideo, Editorial Arca, 1967-1974); *Cuentos* (1968); *El cocodrilo y otros cuentos* (1968/ 1971); *Diario del sinvergüenza y últimas invenciones* (1974); *La casa inundada y otros cuentos* (1975, selección de Cristina Peri Rossi); *El caballo perdido y otros cuentos* (1976); *Felisberto Hernández: 5 cuentos magistrales, 5 críticas por extranjeros. Bibliografía anotada* (1979, edición de Walter Rela); *Obras completas* (1981-1983, 3 vols. México, Siglo XXI); *Nadie encendía las lámparas y otros cuentos* (1982); *Felisberto Hernández* (1984, selección de cuentos preparada por Ida Vitale, Universidad Nacional Autónoma de México); *Novelas y cuentos* (1985, Biblioteca Ayacucho, edición de José Pedro Díaz); *Narraciones incompletas* (1990); *Narraciones fundamentales* (1993).

ESTUDIOS

Lídice Gómez Mango, ed. *Felisberto Hernández. Notas críticas*. Montevideo: Fundación de Cultura Universitaria, 1970.

Julio Cortázar. "Prólogo" a *La casa inundada y otros cuentos*. Selección de Cristina Peri Rossi. Barcelona: Editorial Lumen, 1975, pp. 5-9.

Alain Sicard, ed. *Felisberto Hernández ante la crítica actual* Caracas: Monte Ávila, 1977. [Valiosa recopilación de estudios y de las discusiones de cada ponencia del seminario en torno a la obra de Felisberto Hernández realizado en 1973-1974 por el Centro de Investigaciones Latinoamericanas de la Universidad de Poitiers. Incluye ensayos de Jean L. Andreu, Jaime Concha, Claude Fell, Gerardo Mario Goloboff, Walter Mignolo, Fernando Moreno Turner, Nicasio Perera San

Martín, Maryse Renaud, Gabriel Saad, Juan José Saer, Jason Wilson, Saúl Yurkievich.]

Walter Rela. *Felisberto Hernández. 5 cuentos magistrales, 5 críticas por extranjeros. Bibliografía anotada.* Montevideo: Editorial Ciencias, 1979. [Los estudios corresponden a Ricardo Latcham, John E. Englekirk, Italo Calvino, Julio Cortázar y Maryse Renaud. La bibliografía anotada comprende desde 1925 a 1979.]

Ricardo Pallarés. *Felisberto Hernández y las lámparas que nadie encendió.* Montevideo: Instituto de Filosofía, Ciencias y Letras, Departamento de Investigación y Estudios Superiores de Letras Americanas, 1980.

Roberto Echavarren. *El espacio de la verdad: práctica del texto en Felisberto Hernández.* Buenos Aires; Sudamericana, 1981.

Escritura: Revista de Teoría y Crítica Literarias 7.13-14 (1982). [Número dedicado a Felisberto Hernández. Incluye estudios de José Pedro Díaz, Jaime Alazraki, Ana María Barrenechea, Sylvia Molloy, Roberto Echavarren, Josefina Ludmer, Washington Lockhart, Jorge Panesi, Gabriela Mora, Rosario Ferré, Enrique Pezzoni, Lucien Mercier, Ángel Rama, Enriqueta Morillas, Ricardo Pallares Cárdenas, Rocío Antúnez, Norah Giraldi, Ana María Hernández, Wilfredo Penco.]

Walter Rela, ed. *Felisberto Hernández. Valoración crítica.* Montevideo: Editorial Ciencias, 1982.

Lisa Behar. "Los límites del narrador: un estudio sobre Felisberto Hernández". *Studi di Letteratura Ispano-Americana* 13-14 (1983): 15-44.

Pier Luigi Crovetto. "Felisberto Hernández e le 'trame' dell'apatia". *Studi di Letteratura Ispano-Americana* 13-14 (1983): 161-180.

José Manuel García Rey. "Aproximación a las claves narrativas de Felisberto Hernández". *Nueva Estafeta* 53 (1983): 75-80.

Silvana Serafin. "Felisberto Hernández: fuga nel mistero dell'immaginazione". *Studi di Letteratura Ispano-Americana* 13-14 (1983): 181-191.

Jaime Alazraki. "Contar como se sueña: para una poética de Felisberto Hernández". *Río de la Plata: Culturas* 1 (1985): 21-43.

Rocío Antúnez. *Felisberto Hernández: el discurso inundado.* México: Editorial Katún, 1985.

Roberto Echavarren. "La estructura temporal de la experiencia en *El caballo perdido*". *Río de la Plata: Culturas* 1 (1985): 45-58.

Francisco E. Feito. "Felisberto Hernández revisited en su desarraigo escritural" en *El Cono Sur: dinámica y dimensiones de su literatura. A Symposium.* Rose S. Minc, ed. Upper Montclair, New Jersey: Montclair State College, 1985, pp. 213-219

Sylvia Molloy. "Creer/crear: espacio del yo en "Tierras de la memoria" de Felisberto Hernández" en *El Cono Sur: dinámica y dimensiones de su literatura. A Symposium.* Rose S. Minc, ed. Upper Montclair, New Jersey: Montclair State College, 1985, pp. 230-240.

Rosario Ferré. El acomodador. *Una lectura fantástica de Felisberto Hernández.* México: Fondo de Cultura Económica, 1986.

Norah Giraldi Dei-Cas. "Genealogía de Felisberto Hernández: un cuento y un cuentista en movimiento o ¿un nuevo Décalogo de Quiroga a F. Hernández? *Río de la Plata: Culturas* 4-6 (1987): 225-235

José Pedro Díaz. "Felisberto Hernández y la década de los años 20". *Río de la Plata: Culturas* 4-6 (1987): 215-223.

Stephanie Merrim. "Felisberto Hernández's Aesthetic of 'lo otro': The Writing of Indeterminacy". *Revista Canadiense de Estudios Hispánicos* 11.3 (1987): 521-540.

Alicia Borinsky. "La historia y el círculo de la domesticidad *Discurso Literario: Revista de Temas Hispánicos* 5.2 (1988): 389-394. [Sobre María Luisa Bombal y Felisberto Hernández.]

Hugo J. Verani. "Felisberto Hernández: la inquietante extrañeza de lo cotidiano". *Cuadernos Americanos* 3.14 (1989): 56-76.

Virginia Cánova. *La creación literaria en Felisberto Hernández como arma contra la alienación.* Montevideo: Puntosur editores, 1990.

Alberto Madrid. "Felisberto Hernández: despistando al lector o la celebración de la textualidad". *Cuadernos Hispanoamericanos* 488 (1991): 107-112.

Alberto Giordano. *La experiencia narrativa: Juan José Saer, Felisberto Hernández, Manuel Puig.* Rosario: Beatriz Viterbo Editora, 1992.

Frank Graziana. "La lujuria de ver: la proyección fantástica en 'El acomodador' de Felisberto Hernández". *Revista Iberoamericana* 58.160-161 (1992): 1027-1039.

Jorge Panesi. *Felisberto Hernández.* Rosario: Beatriz Viterbo Editora, 1993.

Horacio Xaubet. *Autobiografía y (meta)ficción en tres relatos de Felisberto Hernández.* Montevideo: Linardi y Risso, 1995.

Hugo Achugar. "El museo de la vanguardia: para una antología de la narrativa vanguardista hispanoamericana", en *Narrativa vanguardista hispanoamericana.* México: Universidad Nacional Autónoma de México, 1996, pp. 7-40.

Hugo J. Verani. "La narrativa hispanoamericana de vanguardia", en *Narrativa vanguardista hispanoamericana.* México: Universidad Nacional Autónoma de México, 1996, pp. 41-73.

LEVINSON, LUISA MERCEDES

OBRA NARRATIVA

Novela: *La casa de los Felipes* (1951/1969); *Concierto en mí* (1956); *La isla de los organilleros* (1964); *A la sombra del búho: una génesis en busca del héroe* (1972); *El último zelofonte* (1984).

Cuento: *La hermana de Eloísa* (1955); *La pálida Rosa de Soho* (1959); *Las tejedoras sin hombre* (1967).

OBRA DRAMÁTICA

Tiempo de Federica. Julio Riestra ha muerto (1963).

CRÓNICA

Por los caminos de la vieja joven Europa (1971).

PROSA VARIA

Mitos y realidades de Buenos Aires (1981); *Úrsula y el ahorcado. Sumergidos* (1981).

COMPILACIONES

El estigma del tiempo (1977, cuentos); *El pesador del tiempo* (1980, cuentos); *Páginas de Luisa Mercedes Levinson* (1984); *Obras completas* (cuyo primer volumen es de 1986).

ESTUDIOS

Ricardo Mosquera. *Los símbolos en la novela "A la sombra del búho".* Ediciones de la Universidad Argentina John F. Kennedy. [Clase inaugural de un seminario sobre la novela de Luisa Mercedes Levinson *A la sombra del búho*, realizada el 19 de junio de 1975.]

Solomon Lipp. "Los mundos de Luisa Mercedes Levinson: cuentista". *Revista Iberoamericana* 45.108-109 (1979): 583-593.

Esther A. Azzario. "Presagio y transfiguración en dos cuentos fantásticos de Luisa Mercedes Levinson". *Revista Universitaria de Letras* 2.1 (1980): 98-104.

Rolando Costa Picazo. Introducción a la traducción *The Island of the Organ Grinders* (*La isla de los organilleros*). *Latin American Literary Review* 12.24 (1984): 58-59.

Bella Jozef. "Carta de Buenos Aires: Luisa Mercedes Levinson y Beatriz Guido". *Coloquio/Letras* 104-105 (1988): 143-145.

Bella Jozef. "In Memoriam: Luisa Mercedes Levinson y Beatriz Guido". *Revista Iberoamericana* 54.144-145 (1988): 1021-1023.

Osvaldo Rubén Sabino. "Alusión mítica y alegoría política en 'La isla de los organilleros' de Luisa Mercedes Levinson". Tesis, Boston University, 1992.

María del Carmen Suárez. *Potencia del símbolo en la obra de Luisa Mercedes Levinson*. Buenos Aires: Ediciones Último Reino, 1993.

Mirta Arlt, Pedro Orgambide *et al*. *Luisa Mercedes Levinson. Estudios sobre su obra*. Buenos Aires: Ediciones Corregidor, 1995.

LEZAMA LIMA, JOSÉ

OBRA NARRATIVA

Novela: *Paradiso* (1966); *Oppiano Licario* (1977).

Cuento: *Cangrejos, golondrinas* (1977); *Juego de las decapitaciones* (1984); *Relatos* (1987).

OBRA POÉTICA

Muerte de Narciso (1937); *Enemigo rumor* (1941); *Aventuras sigilosas* (1945); *La fijeza* (1949); *Dador* (1960); *Fragmentos a su imán* (1977).

ENSAYO

Arístides Fernández (1950); *Analecta del reloj* (1953); *La expresión americana* (1957); *Tratados en La Habana* (1958); *La cantidad hechizada* (1970); *Esferaimagen. Sierpe de Don Luis de Góngora, Las imágenes posibles* (1970); *Las eras imaginarias* (1971); *Introducción a los vasos órficos* (1971).

COMPILACIONES

Obras completas (1975-1977); *Órbita de Lezama Lima* (1966); *Poesías completas* (1970, La Habana); *Poesía completa* (1975, Barcelona); *El reino de la imagen* (1981); *Confluencias: selección de ensayos* (1988, selección de Abel E. Prieto); *Poesía* (1992, Cátedra, edición de Emilio de Armas); *José Lezama Lima: diarios (1939-49, 1956-58)* (1994, México, compilación de Ciro Bianchi Ross); *Fascinación de la memoria: textos inéditos de José Lezama Lima* (1994, selección de Iván González Cruz). La correspondencia de Lezama Lima fue publicada por Editorial Orígenes en Madrid en 1979; el volumen se titula *Cartas: 1939-1976*; también se publicó el libro de José Rodríguez Feo, *Mi correspondencia con Lezama Lima* (La Habana 1989 y México, 1991).

ESTUDIOS

Pedro Simón, ed. *Recopilación de textos sobre José Lezama Lima*. La Habana: Casa de las Américas, 1970.

Luis F. Fernández Sosa. *José Lezama Lima y la crítica anagógica*. Miami: Ediciones Universal, 1977.

Margarita Junco Fazzolari. "*Paradiso*" y el sistema poético de Lezama lima*. Buenos Aires: Fernando García Cambeiro, 1979.

Carmen Ruiz Barrionuevo. *El "Paradiso" de Lezama Lima: elucidación crítica*. Madrid: Ínsula, 1980.

Jaime Valdivieso. *Bajo el signo de Orfeo: Lezama Lima y Proust*. Madrid: Orígenes, 1980.

Juan Coronado. *Paradiso múltiple: un acercamiento a Lezama Lima*. México: Universidad Nacional Autónoma de México, 1981. *Coloquio internacional sobre la obra de José Lezama Lima*. Madrid: Fundamentos, 1984. [Université de Poitiers, 1982.]

Ester Gimbernat de González. *"Paradiso": entre los confines de la transgresión*. Veracruz, México: Universidad Veracruzana, 1982.

Eugenio Suárez-Galbán Guerra. "Martí y Lezama". *Ínsula* 37.428-429 (1982): 8.

Ciro Bianchi Ross. "Asedio a Lezama Lima". *Quimera* 30 (1983): 30-46.

Hernán Lavín Cerda. "José Lezama Lima o la agonía verbal: peregrino inmóvil para siempre". *Cuadernos Americanos* 250.5 (1983): 84-94.

Raymond D. Souza. *The Poetic Fiction of José Lezama Lima*. Columbia: University of Missouri Press, 1983.

Armando Romero. "José Lezama Lima o el epos de la imaginación". *Cuadernos Hispanoamericanos* 412 (1984): 133-140.

José Ángel Valente. "El pulpo, la araña y la imagen". Prólogo a *Juego de las decapitaciones*. Barcelona: Montesinos Editor, 1984, pp. 7-13.

Enrico-Mario Santí. "La invención de Lezama Lima". *Vuelta* 9.102 (1985): 45-49.

Carlos Espinosa. *Cercanía de Lezama Lima*. La Habana: Editorial Letras Cubanas, 1986.

Eugenio Suárez Galbán, ed. *Lezama Lima*. Madrid: Taurus, 1987.

Irlemar Chiampi Cortez. "Teoría de la imagen y teoría de la lectura en Lezama Lima". *Nueva Revista de Filología Hispánica* 35.2 (1987): 485-501. [Reproducido en *Casa de las Américas* 177 (1989): 48-57.]

Reynaldo González. "Aventuras sigilosas de la imagen", prólogo a *Relatos* de José Lezama Lima. Madrid: Alianza Editorial, 1987, pp. 9-16.

Justo C. Ulloa. *Sobre José Lezama Lima y sus lectores: guía y compendio bibliográfico*. Boulder, Colorado: Society of Spanish and Spanish-American Studies, 1987.

Reynaldo González. *Lezama Lima: el ingenuo culpable*. La Habana: Editorial Letras Cubanas, 1988.

Rita Molinero. *José Lezama Lima, o el hechizo de la búsqueda*. Madrid: Playor, 1989.

Gustavo Pellón. *José Lezama Lima's Joyful Vision: A study of Paradiso and Other Prose Works*. Austin, Texas: University of Texas Press, 1989.

Emilio Bejel. *José Lezama Lima, Poet of the Image*. Gainesville: University of Florida Press, 1990.

Alina Camacho Rivero de Gingerich. *La cosmovisión poética de José Lezama Lima en "Paradiso" y "Oppiano Licario"*. Miami: Ediciones Universal, 1990.

Enrique Márquez. *José Lezama Lima: bases y génesis de un sistema poético*. New York: P. Lang, 1991.

Abel E. Prieto. "Lezama: entre la poética y la poesía". *Revista Iberoamericana* 57.154 (1991): 17-24.

Justo C. Ulloa. "*Paradiso* y la estética de la derivación". *Revista Iberoamericana* 57.154 (1991): 101-107.

Leonor A. de Ulloa. "'Cangrejos, golondrinas': metástasis textual". *Revista Iberoamericana* 57.154 (1991): 91-100.

Ricardo Alfredo Bello. *Lezama Lima: lector de Pascal.* Valencia: Secretaría de Cultura, 1992.

Víctor Bravo. *El secreto en geranio convertido: una lectura de "Paradiso".* Caracas: Monte Ávila Editores, 1992.

LUGONES, LEOPOLDO

OBRA NARRATIVA

Novela: *El ángel de la sombra* (1926).

Cuento: *Las fuerzas extrañas* (1906); *Cuentos fatales* (1924).

OBRA POÉTICA

Las montañas del oro (1897); *Los crepúsculos del jardín* (1905); *Lunario sentimental* (1909); *Odas seculares* (1910) *El libro fiel* (1912); *El libro de los paisajes* (1917); *Las horas doradas* (1922); *Romancero* (1924-1925); *Poemas solariegos* (1928); *Romances de Río Seco* (1938).

ENSAYOS Y DISCURSOS

Homenaje a la memoria de Emilio Zola (1902) ; *La reforma educacional, un ministro y doce académicos* (1903); *El imperio jesuítico: ensayo histórico* (1904); *Las limaduras de Hephaestos. I. Piedras liminares* (1910); *Las limaduras de Hephaestos. II. Prometeo* (1910); *Historia de Sarmiento. Estudio encargado por el presidente del Consejo Nacional de Educación Dr. José M. Ramos Mexia* (1911/1931/1945/1988); *Elogio de Ameghino* (1915); *El payador. Hijo de la pampa* (1916); *Rubén Darío: pronunciado en el homenaje público que los intelectuales argentinos tributaron a la memoria de Rubén Darío* (1916); *La torre de Casandra* (1919); *Las industrias de Atenas* (1919); *Estudios helénicos* (1923); *La grande Argentina* (1930); *La patria fuerte* (1930); *Roca* (1938/1980 inconcluso); *Diccionario etimológico del castellano usual* (1944, inconcluso).

PROSA VARIA

La guerra gaucha (1905, se estructura en episodios de trasfondo histórico. (Pedro Luis Barcia lo llama "contario", refiriéndose con este término a la unidad interna existente a través del volumen); *Filosofícula* (1924).

COMPILACIONES

Poesías. Leopoldo Lugones (1917); *Los caballos de Abdera: cuentos escogidos* (1919); *Antología poética* (1942); *Obras poéticas completas* (1948); *Antología de la prosa* (1949); *Obras en prosa* (1962); *Las primeras letras de Leopoldo Lugones* (1963); *La lluvia de fuego* (1961/1981); *Selección de verso y prosa de Leopoldo Lugones (excerpta): estudio biográfico y crítico de la obra* (1971); *Los cien mejores poemas de Leopoldo Lugones* (1971); *El payador y antología de poesía y prosa* (1979); *Antología poética. Leopoldo Lugones* (1982); *Cuentos desconocidos* (1982); *Cancionero de Aglaura: cartas y poemas inéditos* (1984); *La estatua de sal* (1985-1986); *Cuentos fantásticos* (1987); *El espejo negro y otros cuentos* (1988); *Leopoldo Lugones. Cuento, poesía y ensayo: antología* (1989); *Las fuerzas extrañas. Cuentos fatales* (1992).

ESTUDIOS

Noé Jitrik. *Leopoldo Lugones, mito nacional.* Buenos Aires: Editorial Palestra, 1960.

Jorge Luis Borges. *Leopoldo Lugones.* 2.ª ed. Buenos Aires: Editorial Pleamar, 1965.

Julio Irazusta. *Genio y figura de Leopoldo Lugones.* Buenos Aires: Editorial Universitaria de Buenos Aires, 1969.

Gaspar Pío del Corro. *El mundo fantástico de Lugones.* Córdoba, Argentina: Universidad Nacional de Córdoba, 1971.

Robert M. Scari. "El cuento 'La lluvia de fuego' de Leopoldo Lugones". *Journal of Spanish Studies. Twentieth Century* 1.2 (1973): 113-121.

Joan E. Ciruti. "Leopoldo Lugones: The Short Stories". *Revista Interamericana de Bibliografía* 25.2 (1975): 134-149.

Alix Zuckerman. *"Las fuerzas extrañas* de Leopoldo Lugones: análisis crítico" en *Estudios críticos sobre la prosa modernista.* José Olivio Jiménez, ed. New York: Eliseo Torres, 1975, pp. 237-253.

Bernardo Canal Feijoo. *Lugones y el destino trágico. Erotismo, teosofismo, telurismo.* Buenos Aires: Plus Ultra, 1976.

Paula K. Speck. *"Las fuerzas extrañas*: Leopoldo Lugones y las raíces de la literatura fantástica en el Río de la Plata". *Revista Iberoamericana* 42.96-97 (1976): 411-426.

Saúl Yurkievich. "Leopoldo Lugones o la pluralidad operativa" en *Celebración del modernismo.* Barcelona: Tusquets Editor, 1976, pp. 49-74.

Robert M. Scari. "El idealismo del joven Lugones". *Cuadernos Americanos* 218.3 (1978): 237-248.

Pedro Luis Barcia. "Composición y temas de *Las fuerzas extrañas*". En *Las fuerzas extrañas.* Buenos Aires: Ediciones del 80, 1981, pp. 9-45.

Pedro Luis Barcia. "Los cuentos desconocidos de Leopoldo Lugones". En *Cuentos desconocidos.* Pedro Luis Barcia, ed. Buenos Aires: Ediciones del 80, 1982, pp. 7-52.

María Angélica Semilla. "La organización narrativa de 'La estatua de sal'" en *El realismo mágico en el cuento hispanoamericano.* Ángel Flores, ed. México: Premià, 1985, pp. 86-98.

Luis Emilio Soto. "Ciencia y ocultismo en los cuentos de Lugones" en *El realismo mágico en el cuento hispanoamericano.* Ángel Flores, ed. México: Premià, 1985, pp. 42-46.

Carmen de Mora Valcárcel. "La literatura fantástica argentina en los años veinte. Leopoldo Lugones". *Río de la Plata. Culturas* 4-6 (1987): 207-214.

Sylvia Lago. *La flecha hacia el vacío: introducción a la obra de Leopoldo Lugones.* Montevideo: Universidad de la República, 1988.

Enrique Marini Palmieri. *El modernismo literario hispanoamericano. Caracteres esotéricos en las obras de Darío y Lugones.* Buenos Aires: F. García Cambeiro, 1989.

Beth Pollack. *The Supernatural and the Occult as Literary Elements in Selected modernista Short Stories.* Tesis, 1989. [Valle Inclán, Palma (Clemente), Quiroga, Lugones.]

Juan Carlos Ghiano. "Lugones y *Las fuerzas extrañas*" en *El realismo mágico en el cuento hispanoamericano.* Ángel Flores, ed. 2.ª. ed. México: Premià, 1990, pp. 25-41.

Nancy Kason. "The Fantastic Stories in *Las fuerzas extrañas* by Leopoldo Lugones" en *The Shape of the Fantastic.* Olena H. Saciuk, ed. New York: Greenwood, 1990, pp. 93-99.

Rafael Olea Franco. "Lugones y el mito gauchesco: un capítulo de historia cultural argentina". *Nueva Revista de Filología Hispánica* 38.1 (1990): 307-331.

Noé Jitrik. "Las narraciones fantásticas de Leopoldo Lugones". Introducción al volumen de compilación de cuentos *Las fuerzas extrañas. Cuentos fatales.* México: Editorial Trillas, 1992, pp. 7-48.

Cristina Sáenz de Tejada. "Abuela Julieta": un cuento de amor esotérico. *Chasqui* 21.1 (1992): 92-100.

Enrique Zuleta Álvarez. "Borges, Lugones y el nacionalismo". *Cuadernos Hispanoamericanos* 505-507 (1992): 535-549.

Carmen Ruiz Barrionuevo. *"Las fuerzas extrañas* de Leopoldo Lugones" en *El cuento hispanoamericano.* Enrique Pupo-Walker, coordinador. Madrid: Editorial Castalia, 1995, pp. 171-190.

LYRA, CARMEN

OBRA NARRATIVA

Novela: *En una silla de ruedas* (1918/1960/1984).

Cuento: *Las fantasías de Juan Silvestre* (1918/1986); *Los cuentos de mi tía Panchita* (1920/1936/1966/1979/1984/1988/1991). Los cuentos de la autora publicados en diarios y revistas tales como "Bananos y hombres" de 1931 se pueden revisar en el volumen *Los otros cuentos de Carmen Lyra,* editado en 1985.

OBRA DRAMÁTICA

Ensueño de Noche Buena (1919); *Señorita Sol* (1919).

ENSAYO

Siluetas de la Materna (1929).

COMPILACIONES

Obras completas de María Isabel Carvajal, "Carmen Lyra" (1972, Tomo I); *Carmen Lyra* (1972); *Relatos escogidos de Carmen Lyra* (1977, "es una antología que reúne casi toda la obra narrativa de Carmen Lyra publicada en diarios y revistas entre 1907 y 1959. Abarca unos treinta años de trabajo ininterrumpido de esta autora —1906-1936— en el campo de la narrativa". San José: Editorial Costa Rica, 1977, p. 21); *Los otros cuentos de Carmen Lyra* (1985).

ESTUDIOS

Odilie Cantillano. *Carmen Lyra y los "Cuentos de mi tía Panchita": aspectos folklóricos, literarios y lingüísticos.* Tesis doctoral, The University of Arizona, 1972. [Las fuentes y variantes del cuento "La suegra del diablo" se estudian en la sección "Aspectos folklóricos", pp. 44-53.]

Luisa González y Carlos Luis Sáenz. "La obra literaria de Carmen Lyra" en *Carmen Lyra.* San José, Costa Rica: Ministerio de Cultura, Juventud y Deportes, Departamento de Publicaciones, 1972, pp. 9-33.

Alfonso Chase. "Prólogo" a *Relatos escogidos* de Carmen Lyra. San José: Editorial Costa Rica, 1977, pp. 7-29.

Ramón L. Acevedo. *"En una silla de ruedas:* el intimismo sentimental de Carmen Lyra" en *La novela centroamericana.* Río Piedras, Puerto Rico: Universitaria, 1982, pp. 201-213.

Carlos L. Sáenz. *"Cuentos de mi tía Panchita". La Nación* [Costa Rica], 6 de junio de 1976, p. 40.

Alfonso Chase. "Carmen Lyra: maestra y compañera". Prólogo a *Los otros cuentos de Carmen Lyra.* San José, Costa Rica: Editorial Costa Rica, 1985, pp. 7-14.

Flora Ovares Ramírez y Seidy Araya Solano. "Las manifestaciones intertextuales de *Bananos y hombres* de Carmen Lyra". *Káñina. Revista de Artes y Letras de la Universidad de Costa Rica* 9.2 (1985): 103-108.

Benedicto Víquez Guzmán. *"Los cuentos de mi tía Panchita": modelo, género e interpretación.* San José, Costa Rica: Editorial Alma Mater, Ciudad Universitaria "Rodrigo Facio", Universidad de Costa Rica, 1986.

Alfonso Chase. "Juan Silvestre: personaje y presencia en la narrativa de Carmen Lyra", introducción a *Las fantasías de Juan Silvestre* de

Carmen Lyra. San José: Editorial Costa Rica, 1986, pp. 9-17.

Luz Ivette Martínez S. "Los orígenes de la narrativa femenina en Costa Rica: Carmen Lyra y Yolanda Oreamuno" en *Carmen Naranjo y la narrativa femenina en Costa Rica*. San José, Costa Rica: Editorial Universitaria Centroamericana, 1987, pp. 19-50.

MENESES, GUILLERMO

OBRA NARRATIVA

Novela: *Canción de negros* (1934); *Campeones* (1939); *El mestizo José Vargas* (1942); *El falso cuaderno de Narciso Espejo* (1952); *La misa de Arlequín* (1962).

Cuento: "Juan del cine" (1930); *La balandra Isabel llegó esta tarde* (1934/1938); *Tres cuentos venezolanos* (1938); *La mujer, el as de oros y la luna: seis cuentos y dos sketchs* (1948); *Diez cuentos* (1968).

OBRA DRAMÁTICA

El marido de Nieves Mármol: comedia en tres actos (1944).

ENSAYO

Espejos y disfraces: cuatro textos sobre arte y literatura (1967).

COMPILACIONES

Cable cifrado: ejercicio narrativo (1961); *Cinco novelas* (1972); *Espejos y disfraces* (1981, además del ensayo del mismo título incluye novela y cuento); *El arte, la razón y otras menudencias* (1982, reúne los artículos periodísticos de Meneses).

CRÍTICA, ANTOLOGÍAS

Antología del cuento venezolano (1955); *Venezuela álbum* (1956); "Veinticinco años de novela venezolana" (1963); *El cuento venezolano: 1900-1940* (1966); *Caracas en la novela venezolana* (1966); *Muros de Venezuela* (1967); *Libro de Caracas* (1967).

ESTUDIOS

Judit Gerendas. *La misa de Guillermo Meneses*. Caracas: Universidad Central de Venezuela, 1969.

Domingo Miliani. "Guillermo Meneses. Homenaje. El método joyceano en un cuento de juventud" en *Prueba de fuego*. Caracas: Monte Ávila Editores, 1973, pp. 162-178.

José Balza. "La sucesión simultánea". *Plural* 4.11 (1975): 65-66. [Reseña de *Cinco novelas*.]

Francisco Rivera. "Los espejos de Guillermo Meneses, 1911-1978". *Vuelta* 3.31 (1979): 44-45.

Salvador Tenreiro. "Aproximaciones a *El falso cuaderno de Narciso Espejo*: hacia una teoría del personaje menesiano". *Revista Nacional de Cultura* [Venezuela] 239 (1978): 132-140.

Osvaldo Larrazábal Henríquez. "La culminación en la obra novelística de Guillermo Meneses". *Caravelle* 32 (1979): 169-176.

Arlette Machado. *Asedio a Guillermo Meneses*. Caracas: Monte Ávila Editores, 1982.

Laura Corbalán. "Guillermo Meneses: lo otro como doble". *Hispamérica* 11.31 (1982): 79-84.

Elba Azócar de Campos. "'La mano junto al muro': síndrome innovador". *Revista Nacional de Cultura* [Venezuela] 46.253 (1984): 120-135.

Lyda Zacklin. "Meneses: hacia lo irrepresentable". *Revista Nacional de Cultura* [Venezuela] 46.252 (1984): 94-104.

Lyda Zacklin. *La narrativa de Guillermo Meneses*. Caracas: Dirección de Cultura, Universidad Central de Venezuela, 1985. [Este ensayo incluye una bibliografía sobre la obra de Meneses aparecida especialmente en revistas y diarios venezolanos entre 1939 y 1981; véanse pp. 157-163 del libro de Zacklin].

Alexis Márquez Rodríguez. "Sobre la novela *Campeones* de Guillermo Meneses" en *Acción y pasión en los personajes de Miguel Otero Silva y otros ensayos*. Caracas: Academia Nacional de la Historia, 1985, pp. 173-188.

Carlos Moriyón Mojica. "Asedio a la figura del narrador. Un ejemplo práctico: 'La mano junto al muro' de Guillermo Meneses". *Castilla. Boletín del Departamento de Literatura Española* 13 (1988): 79-118.

Julio César Sánchez. *Abyección y sacralidad: ensayo sobre la cuentística de Guillermo Meneses*. Maracay: Secretaría de Cultura del Estado Aragua, 1991.

Javier Lasarte y Hugo Achugar, eds. *Guillermo Meneses ante la crítica*. Caracas: Monte Ávila editores, 1992.

Elba Azócar de Campos. *Innovaciones en la cuentística de Guillermo Meneses*. Caracas: Universidad Simón Bolívar, 1992.

Javier Lasarte Valcárcel. "Nacionalismo populista y desencanto. Poéticas de modernidad en la narrativa de Guillermo Meneses". *Revista Iberoamericana* 60.166-167 (1994): 77-96.

Lourdes C. Sifontes Grego. "Guillermo Meneses: del cuento al cuaderno metaficcional". *Revista Iberoamericana* 60.166-167 (1994): 169-184.

NOVÁS CALVO, LINO

OBRA NARRATIVA

Novela: *El negrero: vida novelada de Pedro Blanco Fernández de Trava* (1933); *Un experimento en el barrio chino* (1936); *No sé quién soy* (1945); *En los traspatios* (1946).

Cuento: *La luna nona y otros cuentos* (1942); *Cayo Canas: cuentos cubanos* (1946); *El otro cayo* (1959); *Maneras de contar* (1970).

COMPILACIONES

Angusola y los cuchillos (Málaga: Dador, 1991, selección e introducción de Raymond D. Souza. Aunque se pueden conseguir ejemplares, este libro no ha sido puesto en circulación hasta ahora).

ESTUDIO

José Antonio Portuondo. "Lino Novás Calvo y el cuento hispanoamericano". *Cuadernos Americanos* 31-36 (1947): 245-263.

Alberto Gutiérrez de la Solana. *Maneras de narrar. Contraste de Lino Novás Calvo y Alfonso Hernández Catá*. New York: E. Torres, 1972.

Myron Litchblau. "Técnica narrativa de *El negrero* de Lino Novás Calvo" en *Homenaje a Lydia Cabrera*. Reinaldo Sánchez *et al.*, eds. Miami: Ediciones Universal, 1978, pp. 221-227.

Stephen T. Clinton. "The Scapegoat Archetype as a Principle of Composition in Novás Calvo's El dedo encima". *Hispania* 62.1 (1979): 56-61.

Raymond D. Souza. *Lino Novás Calvo*. Boston: Twayne Publishers, 1981.

Guillermo Cabrera Infante. "*La luna nona* de Lino Novás". *Vuelta* 7.80 (1983): 42-43.

Estela García de Avilés. "Lino Novás Calvo: Un cuentista auténticamente cubano y profundamente universal". *Horizontes: Revista de la Universidad Católica de Puerto Rico* 27.53 (1983): 21-30.

Alberto Gutiérrez de la Solana. "In memoriam de Lino Novás Calvo". *Círculo: Revista de Cultura* 13 (1984): 7-10.

Lorraine Elena Roses. *Voices of the Storyteller: Cuba's Lino Novás*

Calvo. New York: Greenwood Press, 1986.

Lorraine Elena Roses. "La doble identidad de Lino Novás Calvo". *Linden Lane Magazine* 5.3 (1986): 3-4.

Myron I. Lichtblau. "Modalidades irónicas en 'No le sé desil' de Lino Novás Calvo" en *Actas del VIII Congreso de la Asociación Internacional de Hispanistas*. David A. Kossoff *et al.*, eds. Madrid: Istmo, 1986, pp. 161-164.

Rosa M. Cabrera. "Aproximaciones al tema de la esclavitud en Pedro Blanco, el Negrero, de Lino Novás Calvo" en *Actas del VIII Congreso de la Asociación Internacional de Hispanistas*. David A. Kossoff *et al.*, eds. Madrid: Istmo, 1986, pp. 293-299.

Héctor R. Romero. "El realismo mágico y lo fantástico: un acercamiento a Lino Novás Calvo". *Iris* 2 (1988): 101-108.

Roberto Herrera Rodríguez. "La revolución cubana vista a través de un cuento de Lino Novas Calvo". *Círculo: Revista de Cultura* 19 (1990): 131-136.

Raymond D. Souza. "De-oralizing the Word: Lino Novás Calvo's 'La luna de los ñáñigos'". *Afro-Hispanic Review* 10.2 (1991): 22-26.

Alberto Gutiérrez de la Solana. "Lino Novás Calvo: Literatura de congoja y opresión". *Círculo: Revista de Cultura* 20 (1991): 95-101.

ONETTI, JUAN CARLOS

OBRA NARRATIVA (se anotan solamente las primeras ediciones).

Novela: *El pozo* (1939); *Tierra de nadie* (1941); *Para esta noche* (1943); *La vida breve* (1950); *Los adioses* (1954); *Una tumba sin nombre* (1959, retitulada *Para una tumba sin nombre* en ediciones posteriores); *La cara de la desgracia* (1960); *El astillero* (1961); *Tan triste como ella* (1963, incluye *La cara de la desgracia*); *Juntacadáveres* (1964); *La muerte y la niña* (1973); *Dejemos hablar al viento* (1979); *Cuando entonces* (1988); *Cuando ya no importe* (1993).

Cuento (incluyendo recopilaciones): *Un sueño realizado y otros cuentos* (1951); *El infierno tan temido* (1962); *Jacob y el otro. Un sueño realizado y otros cuentos* (1965); *Cuentos completos* (1967, Buenos Aires, Centro Editor de América Latina); *Cuentos completos* (1968, Caracas, Monte Ávila), *La novia robada y otros cuentos* (1968); *Las máscaras del amor* (1968, edición de Emir Rodríguez Monegal); *Cuentos completos* (1974, Buenos Aires, Ediciones Corregidor) *Presencia y otros cuentos* (1986); *Cuentos completos (1933-1993)* (1994, Madrid, Alfaguara); *Los cuentos de 1933 a 1950* (1995, prólogo de Jorge Ruffinelli).

COMPILACIONES (NOVELA Y CUENTO) / ARTÍCULOS PERIODÍSTICOS

Novelas cortas completas (1968); *Obras completas* (1970); *Tiempo de abrazar y los cuentos de 1933 a 1950* (1974, edición de Jorge Ruffinelli); *Réquiem por Faulkner* (1976); *Cuentos secretos. Periquito el aguador y otras máscaras* (1986, compilación de María Angélica Petit); *Obra selecta* (1989, Biblioteca Ayacucho, edición de Hugo Verani); *Periquito el aguador y otros textos: 1939-1984* (1994).

ESTUDIO

Ángel Rama. "Origen de un novelista y de una generación literaria" en *El pozo*. 2.ª ed. Montevideo: Arca, 1965, pp. 57-111.

Reinaldo García Ramos, ed. *Recopilación de textos sobre Juan Carlos Onetti*. La Habana: Casa de las Américas, 1969.

Fernando Ainsa. *Las trampas de Onetti*. Montevideo: Editorial Alfa, 1970.

Lídice Gómez Mango. *En torno a Juan Carlos Onetti. Notas críticas*. Montevideo: Fundación de la Cultura Universitaria, 1970.

Hugo J. Verani. "Contribución a la bibliografía de Juan Carlos Onetti". *Revista Iberoamericana* 38.80 (1972): 523-548.

John Deredita. "El doble en dos cuentos de Onetti" en *El cuento hispanoamericano ante la crítica*. Enrique Pupo-Walker, ed. Madrid: Castalia, 1973, pp. 150-164.

Cuadernos Hispanoamericanos. 292-294 (1974). [Números dedicados a Juan Carlos Onetti.]

Jorge Ruffinelli, ed. *Onetti*. Montevideo: Biblioteca de *Marcha*, 1973.

Helmy F. Giacoman. *Homenaje a Juan Carlos Onetti*. New York: Las Américas Publishing Company, 1974.

Djelal Kadir. *Juan Carlos Onetti*. Boston: Twayne Publishers, 1977.

Marilyn R. Frankenthaler. *J. C. Onetti: la salvación por la forma*. New York: Ediciones Abra, 1977.

Josefina Ludmer. *Onetti: los procesos de construcción del relato*. Buenos Aires: Sudamericana, 1977.

Fernando Curiel. *Onetti: obra y calculado infortunio*. México: Universidad Nacional Autónoma de México, 1980.

Texto Crítico 6.18-19 (1980). [Números dedicado a Juan Carlos Onetti.].

Omar Prego y María Angélica Petit. *Juan Carlos Onetti o la salvación por la escritura*. Madrid: Sociedad General Española de Librería, 1981.

Hugo J. Verani. *Onetti: el ritual de la impostura*. Caracas: Monte Ávila, 1981.

Jorge Ruffinelli. "Análisis de 'Un sueño realizado'" en *El realismo mágico en el cuento hispanoamericano*. Ángel Flores, ed. México: Premià, 1985, pp. 167-177.

María C. Milián-Silveira. *El primer Onetti y sus contextos*. Madrid: Editorial Pliegos, 1986.

Harriet S. Turner. "Dinámica reflexiva en dos cuentos de Onetti". *Actas del VIII Congreso de la Asociación Internacional de Hispanistas* II. Madrid: Istmo, 1986, pp. 645-652.

Beatriz Bayce. *Mito y sueño en la narrativa de Onetti*. Montevideo: Arca, 1987.

Hugo J. Verani, ed. *Juan Carlos Onetti*. Madrid: Taurus, 1987. [Valiosa recopilación de estudios publicados en revistas y libros. Incluye ensayos de Jorge Ruffinelli, Mario Benedetti, Ángel Rama, José Pedro Díaz, Fernando Ainsa, Claude Fell, Félix Grande, Jaime Concha, David Lagmanovich, Hugo Verani, Zunilda Gertel, Sylvia Molloy, Gabriel Saad, Josefina Ludmer, Jorge Rodríguez Padrón, Saúl Yurkievich, Raúl Crisafio, Djelal Kadir, Omar Prego y María Angélica Petit.]

Hugo J. Verani. "El palimpsesto de la memoria: *Dejemos hablar al viento* de Onetti. *Nuevo Texto Crítico* 1.2 (1988): 329-342.

Debra Castillo. "Escritura / mujer: El signo de ruptura en Dostoievski y Onetti". *Discurso Literario: Revista de Temas Hispánicos* 6.2 (1989): 329-349.

Rómulo Cosse, ed. *Juan Carlos Onetti, papeles críticos: medio siglo de escritura*. Montevideo: Librería Linardi y Risso, 1989.

Juan Carlos Onetti. Barcelona: Anthropos, 1990. [Premio Cervantes.]

Coloquio Internacional: la obra de Juan Carlos Onetti. Madrid: Fundamentos, 1990. [Centre de Recherches Latinoamericaines, Université de Poitiers.]

Ronald Méndez-Clark. *Onetti y la (in)fidelidad a las reglas del juego*. Lanham, Maryland: University Press of America, 1992.

Elena M. Martínez. *Onetti: estrategias textuales y operaciones del lector*. Madrid: Editorial Verbum, 1992.

J. Guillermo Renart. "Bases narratológicas para una nueva lectura de 'El infierno tan temido' de Onetti". *Revista Iberoamericana* 58.160-161 (1992): 1133-1151.

Ramón Chao. *Un posible Onetti*. Barcelona: Ronsel, 1994.

Antonio Muñoz Molina. "Sueños realizados: invitación a los relatos de Juan Carlos Onetti", prólogo a *Cuentos completos (1933-1993)*. Madrid: Alfaguara, 1994, pp. 9-24.

Alonso Cueto. "Los cuentos de Juan Carlos Onetti" en *El cuento hispanoamericano*. Enrique Pupo-Walker, coordinador. Madrid: Editorial Castalia, 1995, pp. 285-309.

PALACIO, PABLO

OBRA NARRATIVA

Novela: *Débora* (1927/1985/ 1992); *Vida del ahorcado* (1932/1984).

Cuento: *Un hombre muerto a puntapiés* (1927/1992).

OBRA DRAMÁTICA

"Comedia inmortal" (1926, revista *Esfinge*).

COMPILACIONES

Obras completas de Pablo Palacio (1964/1994); *Un hombre muerto a puntapiés. Débora* (Santiago de Chile, 1971); *Obras escogidas* (Guayaquil, s.f.); *Obras completas* (Guayaquil, 1976/Quito, 1986); *Débora; y Un hombre muerto a puntapiés* (Quito, 1985); *Un hombre muerto a puntapiés y otros relatos* (Loja, Ecuador, 1986).

ESTUDIOS

Hernán Rodríguez Castelo. Estudio Preliminar en *Obras escogidas* de Pablo Palacio. Guayaquil: Ariel, s.f., pp. 9-17.

Alejandro Carrión. "Pablo Palacio". Introducción a *Obras completas de Pablo Palacio*. Quito: Editorial Casa de la Cultura Ecuatoriana, 1964, pp. VII-XXXII.

Louise Thorpe Crissman. *The Works of Pablo Palacio: An Early Manifestation of Contemporary Tendencies in Spanish American Literature*. Tesis de doctorado, Universidad de Maryland, 1973.

Alejandro Carrión *et al. Cinco estudios y dieciséis notas sobre Pablo Palacio*. Ecuador: Casa de la Cultura Ecuatoriana, Núcleo del Guayas, 1976.

Jorge Ruffinelli. "Pablo Palacio: Literatura, locura y sociedad". *Revista de Crítica Literaria Latinoamericana* 5.10 (1979): 47-60.

Humberto E. Robles. "Pablo Palacio: El anhelo insatisfecho". *Caravelle. Cahiers du Monde Hispanique et Luso Bresilien* 34 (1980): 141-156.

Renato Prada Oropeza. "La metaliteratura de Pablo Palacio". *Hispamérica* 10.28 (1981): 2-17.

Miguel Donoso Pareja, ed. *Recopilación de textos sobre Pablo Palacio*. La Habana: Casa de las Américas, 1987.

David Quintero. "Un hombre muerto a puntapiés: Lectura introductoria". *Revista Iberoamericana* 54.144-145 (1988): 725-737.

Alfredo Pareja Diezcanseco. *El reino de la libertad en Pablo Palacio*. Quito: Facultad Latinoamericana de Ciencias Sociales,

FLACSO, 1988. [Conferencia de A. Pareja, dictada el 20 de octubre de 1987.]

Wilfrido H. Corral. "La recepcion canónica de Palacio como problema de la modernidad y la historiografía literaria hispanoamericana". *Nueva Revista de Filología Hispánica* 35.2 (1987): 773-788. Reproducido en *Revista Iberoamericana* 54.144-145 (1988): 709-724.

Fernando Burgos. "La vanguardia hispanoamericana y la transformación narrativa". *Nuevo Texto Crítico* 3 (1989): 157-169.

Fernando Burgos. "La producción novelística de la vanguardia hispanoamericana". *Estudios en homenaje a Enrique Ruiz Fornells*. Erie, Pennsylvania: ALDEEU, 1990. pp. 38-43.

David Quintero. *Ideología y representación en Pablo Palacio*. Tesis, University of Washington, 1991.

María del Carmen Fernández. *El realismo abierto de Pablo Palacio: en la encrucijada de los 30*. Quito, Ecuador: Ediciones Libri Mundi, Enrique Grosse-Luermen, 1991.

Mari Dahl. "Reacciones frente al espejo palaciano: La condena, la locura y la modernidad". *Dactylus* [Austin, Texas] 12 (1993): 71-83.

Obras completas de Pablo Palacio. Quito: Editorial Casa de la Cultura Ecuatoriana, 1994, pp. 5-56. [Véase la sección "Estudios Especiales", pp. 59-92; los trabajos publicados en *Cinco estudios y dieciséis notas sobre Pablo Palacio*.]

Celina Manzoni. *El mordisco imaginario: crítica de la crítica de Pablo Palacio*. Buenos Aires: Editorial Biblos, 1994.

Hugo Achugar. "El museo de vanguardia: para una antología de la narrativa hispanoamericana", en *Narrativa vanguardista hispanoamericana*. México: Universidad Nacional Autónoma de México, 1996, pp. 7-40.

Hugo J. Verani. "La narrativa hispanoamericana de vanguardia", en *Narrativa vanguardista hispanoamericana*. México: Universidad Nacional Autónoma de México, 1996, pp. 41-73.

PARRA, TERESA DE LA

OBRA NARRATIVA

Novela: *Ifigenia: diario de una señorita que escribió porque se fastidiaba* (1924); *Las memorias de Mamá Blanca* (1929).

Cuento: "El ermitaño del reloj"; "Historia de la señorita grano de polvo, bailarina del sol"; "Flor de loto: una leyenda japonesa"; "Un evangelio indio: Buda y la leprosa"; "El genio del pesacartas". Algunos de estos relatos aparecieron en 1915; otros permanecieron inéditos hasta 1982. En 1922 publica el relato "Mamá X", narración que posteriormente se integra a su segunda novela.

ENSAYO

"Tres Conferencias" (1961/1965/1982/1992, escritas entre 1929 y 1930).

COMPILACIONES

Obras completas de Teresa de la Parra (1965); *Obra (Narrativa. Ensayo. Cartas)* (1982); *Teresa de la Parra. Obra escogida* (1992, dos volúmenes).

ESTUDIOS

Ramón Díaz Sánchez, *Teresa de la Parra: clave para una interpretación; glosas de cartas, fotografías y fragmentos del diario de la escritora desde su revelación literaria en Caracas, 1922, hasta su muerte en Madrid, 1936*. Caracas: Ediciones Garrido, 1954.

Víctor Fuenmayor, *El inmenso llamado: las voces en la escritura de Teresa de la Parra*. Caracas: Dirección de Cultura de la Universidad Central de Venezuela, 1974.

Ronni Gordon Stillman. "Teresa de la Parra, Venezuelan Novelist and Feminist" en *Latin American Women Writers: Yesterday and Today*. Ivette E. Miller and Charles M. Tatum, eds. Pittsburgh, Pennsylvania: Latin American Literary Review, 1977, pp. 42-48.

Velia Bosch. *Teresa de la Parra ante la crítica*. Caracas: Monte Ávila Editores, 1980.

Rosario Hiriart. *Más cerca de Teresa de la Parra: diálogos con Lydia Cabrera*. Caracas: Monte Ávila Editores, 1980.

Carmen Piedrahita. "Literatura sobre la problemática femenina en Latinoamérica". *Cuadernos Americanos* 236.3 (1981): 222-238.

Velia Bosch. *Lengua viva de Teresa de la Parra. Relectura de la obra de Teresa de la Parra*. Caracas: Editorial Pomaire, 1983.

Doris Meyer. "'Feminine' Testimony in the Works of Teresa de la Parra, María Luisa Bombal, and Victoria Ocampo" en *Contemporary Women Authors of Latin America: Introductory Essays*. Doris Meyer y Margarite Fernández Olmos, eds. Brooklyn, New York: Brooklyn College Press, 1983, pp. 3-15.

Laura Febres. *Cinco perspectivas críticas sobre la obra de Teresa de la Parra*. Caracas: Editorial Arte, 1984.

Edna Aizenberg. "El Bildungsroman fracasado en Latinoamérica: el caso de *Ifigenia*, de Teresa de la Parra". *Revista Iberoamericana* 51.132-133 (1985): 539-546.

Francine Masiello. "Texto, ley, transgresión: especulación sobre la novela (feminista) de vanguardia". *Revista Iberoamericana* 51.132-133 (1985): 807-822. [Cubre Teresa de la Parra, Norah Lange y María Luisa Bombal.]

José G. Simón. "Teresa de la Parra, pionera del movimiento feminista". *Círculo: Revista de Cultura* 14 (1985): 85-89.

Elizabeth Garrels. *Las grietas de la ternura: nueva lectura de Teresa de la Parra*. Caracas: Monte Ávila Editores, 1986.

Velia Bosch. *Teresa de la Parra. Conversación biográfica*. Caracas: Alfadil Ediciones, 1987.

Louis Antoine Lemaitre. *Mujer ingeniosa. Vida de Teresa de la Parra*. Madrid: Editorial La Muralla, 1987.

Bertie Acker. "*Ifigenia*: Teresa de la Parra's Social Protest". *Letras Femeninas* 14.1-2 (1988): 73-79.

Eliana Moya-Raggio. "El sacrificio de Ifigenia: Teresa de la Parra y su visión crítica de una sociedad criolla". *La Torre: Revista de la Universidad de Puerto Rico* 2.5 (1988): 161-171

Velia Bosch. "Iconografía de Teresa de la Parra, 1889-1936". *Revista Nacional de Cultura* [Venezuela] 50.272 (1989): 134-156.

Velia Bosch. "Teresa de la Parra: su tiempo, su espacio vital y creador, su muerte prematura". *Revista Nacional de Cultura* [Venezuela] 50.272 (1989): 127-133.

Fuenmayor, Víctor. "El cratilismo en *Las memorias de Mamá Blanca*". *Revista Nacional de Cultura* [Venezuela] 50.272 (1989): 21-32.

Gladys García Riera. "Teresa de la Parra: bibliografía actual". *Revista Nacional de Cultura* [Venezuela] 50.272 (1989): 113-126.

Israel Peña. "Teresa de la Parra y Romain Rolland". *Revista Nacional de Cultura* [Venezuela] 50.272 (1989): 52-54.

Alicia Perdomo H. "Tres fascinantes cuentos de Teresa". *Revista*

Nacional de Cultura [Venezuela] 50.22 (1989): 74-87.

Elsa K. Gambarini. "The Male Critic and the Woman Writer: Reading Teresa de la Parra's Critics" en *In the Feminine Mode: Essays on Hispanic Women Writers.* Noel Valis and Carol Maier, eds. Lewisburg; London: Bucknell UP & Associated UPs, 1990, pp. 177-194.

Janet N. Gold. "Teresa de la Parra: Keeping the Contradictions Alive" en *La escritora hispánica.* Actas de la decimotercera conferencia anual de literatura hispánicas en Indiana University of Pennsylvania. Nora Erro-Orthmann y Juan Cruz Mendizábal, eds. Miami: Ediciones Universal, 1990, pp. 243-250.

Herbert Graig. "Teresa de la Parra y la introducción de Marcel Proust en Hispanoamérica". *Ensayos de literatura europea e hispanoamericana.* Félix Menchacatorre, ed. San Sebastián: Univ. del País Vasco; 1990, pp. 115-120.

Kimberly Ann Nance. "Pied Beauty': Juxtaposition and Irony in Teresa de la Parra's *Las memorias de Mamá Blanca*". *Letras Femeninas* 16.1-2 (1990): 45-49.

Nissa Torrents. "La escritura femenina de Teresa de la Parra" en *Coloquio Internacional: escritura y sexualidad en la literatura hispanoamericana.* Alain Sicard, ed. Madrid: Centre de Recherches Lat. Am. y Fundamentos, 1990, pp. 61-77.

Nelson Osorio Tejeda. "Para una lectura crítica de *Las memorias de Mamá Blanca*". *Revista de Crítica Literaria Latinoamericana* 17.33 (1991): 307-313.

Douglas Bohorquez. "Del amor y la melancolía en la escritura de Teresa de la Parra". *Revista Iberoamericana* 60.166-167 (1994): 15-30.

QUIROGA, HORACIO

OBRA NARRATIVA

Novela: *Historia de un amor turbio* (1908); *Pasado amor* (1929).

Cuento: *El crimen del otro* (1904); *Los perseguidos* (1905); *Cuentos de amor, de locura y de muerte* (1917); *Cuentos de la selva para los niños* (1918); *El salvaje* (1920); *Anaconda* (1921); *El desierto* (1924); *La gallina degollada y otros cuentos* (1925); *Los desterrados* (1926); *Más allá* (1935).

OBRA POÉTICA

Los arrecifes de coral (1901), incluye también prosa).

OBRA DRAMÁTICA

Las sacrificadas (1920).

ENSAYO

"El manual del perfecto cuentista". *El Hogar* (abril 10, 1925); "El capital invisible". *Caras y Caretas* (octubre 22, 1927); "La profesión literaria". *El Hogar* (enero 6, 1928); "La inicua ley de propiedad literaria". *La Nación* (diciembre 9, 1928); "Los tres fetiches". *El Hogar* (agosto 19, 1927); "La retórica del cuento". *El Hogar* (diciembre 21, 1928); "Ante el tribunal" *El Hogar* (septiembre 11, 1930).

OBRA VARIA

El diario de viaje a París en *Revista del Instituto Nacional de Investigaciones y Archivos* (1949/1950); *Cartas inéditas* (1959, dos tomos).

COMPILACIONES

Cuentos (1937-1945, 13 tomos); *Sus mejores cuentos* (1943); *Cuentos escogidos* (1950); *Cuentos* (1964); *Cuentos. Selección según orden cronológico, estudio preliminar y notas críticas e informativas* (1968); *Sus mejores cuentos* (1971); *Cuentos escogidos* (1978); *Cuentos* (1981, Biblioteca Ayacucho, edición de

Emir Rodríguez Monegal); *Cuentos completos* (1987, 2.ª ed.). *Los desterrados* (1987); *Cuentos de amor de locura y de muerte* (1987); *A la deriva y otros cuentos* (1989); *Cuentos* (1991, Cátedra, edición de Leonor Fleming). La obra más completa hasta ahora es la edición crítica realizada por la Colección Archivos, *Todos los cuentos* (1993); *Novelas completas* (1994).

ESTUDIOS

Emma Susana Speratti Piñero. "Realismo e imaginación en la obra de Horacio Quiroga" en *La literatura fantástica en Argentina*. Ana María Barrenechea y Emma Susana Speratti Piñero. México: Imprenta Universitaria, 1957, pp. 17-36.

Noé Jitrik. *Horacio Quiroga*. Buenos Aires: Centro Editor de América Latina, 1967.

Emir Rodríguez Monegal. *Genio y figura de Horacio Quiroga*. Buenos Aires: Editorial Universitaria de Buenos Aires, 1967.

Jaime Alazraki. "Relectura de Horacio Quiroga" en *El cuento hispanoamericano ante la crítica*. Enrique Pupo-Walker, ed. Madrid; Editorial Castalia, 1973, pp. 64-80.

Nicolás Bratosevich. *El estilo de Horacio Quiroga en sus cuentos*. Madrid: Editorial Gredos, 1973.

Ángel Flores. *Aproximaciones a Horacio Quiroga*. Caracas: Monte Ávila, 1976.

Elsa K. Gambarini. *La narratología en los cuentos fantásticos de Horacio Quiroga*. Tesis doctoral, Yale University, 1979.

Peter R. Beardsell. "Irony in the Stories of Horacio Quiroga". *Ibero-Amerikanisches Archiv* 6.2 (1980): 95-116.

Elsa K. Gambarini. "El discurso y su transgresión: 'El almohadón de plumas' de Horacio Quiroga". *Revista Iberoamericana* 46.112-113 (1980): 443-457.

José Luis Martínez Morales. *Horacio Quiroga: teoría y práctica del cuento*. Veracruz, México: Universidad Veracruzana, 1982.

Leónidas Morales Toro. "Historia de una ruptura: el tema de la naturaleza en Quiroga". *Revista Chilena de Literatura* 22 (1983): 73-92.

Robert M. Scari. "Horacio Quiroga y los fenómenos parapsicológicos". *Cuadernos Hispanoamericanos* 397 (1983): 123-132.

Elsa K. Gambarini. "Un cambio de código y su descodificación en 'El espectro' de Horacio Quiroga". *Inti* 20 (1984): 29-40.

Olver Gilberto de León. "Horacio Quiroga: l'amour, la folie et la mort". *Amérique Latine* 24 (1985): 64-67.

Karl-Hermann Korner. "Horacio Quiroga, écologiste hispano-américain et sémiologue avant la lettre". *Bulletin Hispanique* 87. 3-4 (1985): 387-409.

Darío A. Cortés. "El vínculo cuentístico de *Los desterrados* de Horacio Quiroga". *Explicación de Textos Literarios* 14.1 (1985-1986): 33-39.

Inés Malinow. "Dos escritores y dos cuentos americanos: Horacio Quiroga y Julio Cortázar; 'Las moscas' y 'Axolotl': técnicas narrativas. *Inti* 22-23 (1985-1986): 385-389.

Elsa K. Gambarini. "La escritura como lectura: la parodia en 'El crimen del otro' de Horacio Quiroga". *Revista Iberoamericana* 52.135-136 (1986): 475-488.

Evelio A. Echevarría. "Jack London y Horacio Quiroga". *Revista Iberoamericana* 53.140 (1987): 635-642.

Edmundo Gómez. "Horacio Quiroga y las 'misiones' de su escritura". *Río de la Plata: Culturas* 4-6 (1987): 245-252.

Luis Martul Tobío y Kathleen Nora March. "Ejes conceptuales del pensamiento de Horacio Quiroga". *Cuadernos Hispanoamericanos* 443 (1987): 72-87.

Gabriela Mora. "Horacio Quiroga y Julio Cortázar: teóricos del cuento". *Revista Canadiense de Estudios Hispánicos* 11.3 (1987): 559-572.

Darío Puccini. "Horacio Quiroga o las 'heridas' de la transición". *Casa de las Américas* 29.170 (1988): 108-112.

Emma Susana Speratti Piñero. "Horacio Quiroga, precursor de la relación cine-literatura en la América Hispana". *Nueva Revista de Filología Hispánica* 36.2 (1988): 1239-1249.

Leonor Fleming. "Horacio Quiroga: escritor a la intemperie". *Revista de Occidente* 113 (1990): 95-111.

Emilia Perassi. "Scienziati, pazzi e sognatori: appunti intorno ad un racconto di Horacio Quiroga: 'El vampiro'". *Quaderni Ibero-Americani* 69-70 (1991): 316-325.

Michel Boulet. "Semiótica de los *Cuentos de la selva*". *Deslindes* 1 (1992): 53-57.

Roberto Paoli. "El perfecto cuentista: comentario a tres textos de Horacio Quiroga". *Revista Iberoamericana* 58. 160-161 (1992): 953-974.

Teresa Porzecanski. "Quiroga: la oscura intimidad". *Deslindes* 1 (1992): 77-81.

Mercedes Ramírez. "El espesor textual de 'El almohadón de pluma'" *Deslindes* 1 (1992): 67-73.

Leónidas Morales Toro. *Figuras literarias, rupturas culturales: modernidad e identidades culturales tradicionales.* Santiago, Chile: Pehuén, 1993. [Los tres primeros ensayos de este libro se dedican a Quiroga (pp. 17-69). El primero y el tercero son inéditos; el segundo es el que anotamos anteriormente en esta bibliografía. Los otros ensayos examinan la obra de José E. Rivera, Violeta Parra y José M. Arguedas.]

Carlos J. Alonso. "Muerte y resurrecciones de Horacio Quiroga" en *El cuento Hispanoamericano.* Enrique Pupo-Walker, coordinador. Madrid: Editorial Castalia, 1995, pp. 191-210.

Pablo Rocca. *Horacio Quiroga, el escritor y el mito.* Montevideo: Banda Oriental, 1996.

REVUELTAS, JOSÉ

OBRA NARRATIVA

Novela: "El quebranto" (1937-1938, sólo se publica el primer capítulo en la colección *Dios en la tierra*); *Los muros de agua* (1941/1961/1973); *El luto humano* (1943/1967/1972); *Los días terrenales* (1949/1973/1991); *En algún valle de lágrimas* (1956/1973/1979); *Los motivos de Caín* (1957/1967/1968); *Los errores* (1964/1979); *El apando* (1969/1971).

Cuento: *Dios en la tierra* (1944/1973); *Dormir en tierra* (1960/1968/1971/1986); *Material de los sueños* (1974); *Las cenizas* (1981).

OBRA DRAMÁTICA

Israel: drama en tres actos (1949); *El cuadrante de la soledad* (1953/1971).

ENSAYO

Joven trabajador: acá está el camino (1931); *El realismo en el arte* (1956); *La disyuntiva histórica del Partido Comunista Mexicano* (1958); *México: una democracia bárbara. Posibilidades y limitaciones del mexicano* (1958/1975); *Ensayo sobre un proletariado sin cabeza* (1962); *El conocimiento cinematográfico y sus problemas* (1965/1981); *México 68: juventud y revolución* (1978); *Cuestionamientos e intenciones: ensayos* (1978, presentación, recopilación y notas de Andrea Revueltas y Philippe Cheron); *Dialéctica de la conciencia* (1982, Obras Completas); *Escritos políticos: el fracaso histórico del partido comunista en México* (1984, Obras Completas).

COMPILACIONES

Obra literaria (1967); *Antología personal* (1975, selección de nueve narraciones); *Obras completas* (1978-1989).

MEMORIAS / CORRESPONDENCIA / PROSA VARIA

Apuntes para una semblanza de Silvestre (1966); *Las evocaciones requeridas: memorias, diarios, correspondencias* (1987).

TRADUCCIONES

The Stone Knife: A Novel (1956, traducción de *El luto humano*); *The Youth Movement and the Alienation of Society* (1969/1971); *Human Mourning* (1990, introducción de Octavio Paz).

ESTUDIOS

Carlos Turón. "La iconoclastia de José Revueltas". *Cuadernos Americanos* 169.2 (1970): 97-125.

Timothy Murad. "José Revueltas in the Mexican Short Story". Tesis de doctorado, Rutgers University, 1975.

Luis Arturo Ramos. "Revueltas y el grotesco". *Texto Crítico* 1.2 (1975): 67-80.

Jorge Ruffinelli. *Conversaciones con José Revueltas*. México: Universidad Veracruzana, Centro de Investigaciones Lingüístico-Literarias, 1977.

Jorge Ruffinelli. *José Revueltas: ficción, política y verdad*. Veracruz,

México: Universidad Veracruzana, 1977.

Márgara Russotto. "Realismo, lenguaje y significado: reflexiones sobre un cuento de Revueltas". *Cuadernos Americanos* 210.1 (1977): 233-246.

Evodio Escalante. *José Revueltas, una literatura del "lado moridor"*. México: Ediciones Era, 1979.

Marilyn Frankenthaler. *José Revueltas: el solitario solidario*. Miami: Ediciones Universal, 1979.

Monique Sarfati-Arnaud. 'Dios en la tierra': lecture ideologique sur les Cristeros". *Les Langues Modernes* 75.4 (1981): 440-448.

José Ortega. "Aproximación dialéctica a *Los días terrenales* de José Revueltas" *Chasqui* 11.2-3 (1982): 28-33.

Cynthia K. Duncan. *The Fantastic and Magical Realism in the Contemporary Mexican Short Story as a Reflection of* Lo Mexicano. Tesis de doctorado, University of Illinois at Urbana-Champaign, 1983. [De Revueltas se analiza "El lenguaje de nadie" (pp. 357-375).]

José Ortega. "José Revueltas: dos aproximaciones". *La Palabra y el Hombre* 46 (1983): 9-10.

Jorge Ruffinelli. "José Revueltas: la narración oblicua". *La Palabra y el Hombre* 46 (1983): 4-8.

Sam L. Slick. *José Revueltas*. Boston: Twayne Publishers, 1983.

Arturo Azuela. "Revueltas: material de un rebelde". *Cuadernos Americanos* 257.6 (1984): 66-69.

Emmanuel Carballo. *Revueltas en la mira*. México: Universidad Autónoma Metropolitana, 1984.

Arturo Melgoza Paralizábal. *Modernizadores de la narrativa mexicana: Rulfo, Revueltas, Yáñez*. México, D.F.: Instituto Nacional de Bellas Artes/Katún, 1984.

Helia A. Sheldon. *Mito y desmitificación en dos novelas de José Revueltas*. México: Editorial Oasis, 1985.

Vicente Francisco Torres M. *Visión global de la obra literaria de José Revueltas*. México: Universidad Nacional Autónoma de México, 1985.

Rodolfo Castañón. "José Revueltas: antigüedad y tragedia". *Vuelta* 11.125 (1987): 63-64.

Evodio Escalante. "Los laberintos de la dialéctica en las novelas de José Revueltas". *Universidad de México*. 44.466 (1989): 65-68.

Edith Negrín. "El narrador José Revueltas: la tierra y la historia". *Revista Iberoamericana* 55.148-149 (1989): 879-890.

Alberto Paredes. "José Revueltas" *Figuras de la letra*. México, D. F.: Universidad Nacional Autónoma de México, 1990, pp. 141-143.

Jaime Ramírez Garrido. *Dialéctica de lo terrenal: ensayo sobre la obra de José Revueltas*. San Ángel, D. F.: Consejo Nacional para la Cultura y las Artes/Fondo Editorial Tierra, 1991.

Edith Negrín "Arte y agonía en la narrativa de José Revueltas" en *Actas del X Congreso de la Asociación Internacional de Hispanistas, Barcelona, 21-26 de agosto de 1989*. Tomo IV. Antonio Vilanova, ed. Barcelona: Promociones y Publicaciones Universitarias (PPU), 1992, pp. 853-860.

Álvaro Ruiz Abreu. *José Revueltas: los muros de la utopía*. 2.ª ed. México, D. F: Coedición de Cal y Arena y la Universidad Autónoma Metropolitana, Unidad Xochimilco, 1993.

ROA BASTOS, AUGUSTO

Obra narrativa

Novela: *Hijo de hombre* (1960); *Yo el Supremo* (1974); *Vigilia del Almirante* (1992); *El fiscal* (1993); *Contravida* (1995); *Madama Sui* (1995).

Cuento (incluyendo compilaciones): *El trueno entre las hojas* (1953); *El baldío* (1966); *Los pies sobre el agua* (1967); *Madera quemada* (1967); *Moriencia* (1969); *Cuerpo presente y otros textos* (1971); *Lucha hasta el alba* (1979); *Antología personal* (1980); *Contar un cuento y otros relatos* (1984, edición de Ana Becciú).

Cuentos para niños: *El pollito de fuego* (1974); *Los juegos 1: Carolina y Gaspar* (1979); *Los juegos 2: la casa del invierno-verano* (1981).

Obra poética

El ruiseñor de la aurora (1942); *El naranjal ardiente (nocturno paraguayo)* (1960/1983).

Ensayo

La Inglaterra que yo vi (1946, folleto); "Un pueblo que canta su muerte", *Crisis* 4 (1973): 4-9; "Algunos núcleos generadores de un texto narrativo. Reflexión autocrítica a propósito de *Yo el Supremo*, desde el ángulo sociolingüístico e ideológico. Condición del narrador", *Escritura* 4 (1977): 167-193; "Los exilios del escritor en el Paraguay", *Nueva Sociedad* 35 (1978): 29-35; *Las culturas condenadas* (1989, compilación de Roa Bastos e introducción, pp. 11-20, México: Siglo XXI, 1978); "El texto cautivo (apuntes de un narrador sobre la producción y la lectura de textos bajo el signo del poder cultural", *Hispamérica* 30 (1981): 3-28; *El tiranosaurio del Paraguay da sus últimas boqueadas* (1986); *Metaforismos* (1996).

Estudios

Helmy F. Giacoman, ed. *Homenaje a Augusto Roa Bastos. Variaciones interpretativas en torno a su obra*. New York: Las Américas Publishing Company, 1973.

Adelfo L. Aldana. *La cuentística de Augusto Roa Bastos*. Montevideo. Ediciones Géminis, 1975.

Jean L. Andreu *et al. Seminario sobre* Yo el Supremo *de Augusto Roa Bastos*. Poitiers: Centre de Recherches Latinoaméricaines, Université de Poitiers, 1976.

David William Foster. *Augusto Roa Bastos*. Boston: Twayne Publishers, 1978.

Amelia Nassi. *Bibliografía crítica de la obra de Augusto Roa Bastos*, Tesis de maestría, Université de Toulouse le Mirail, 1978.

Sharon Keefe Ugalde. "Binarisms in *Yo el Supremo*". *Hispanic Journal* 2.1 (1980): 69-77.

Texto sobre el texto. (2.º Seminario sobre *Yo el Supremo* de Augusto Roa Bastos). Poitiers: Centre de Recherches Latinoaméricaines, Université de Poitiers, 1980.

Luis M. Ferrer Aguero. *El universo narrativo de Augusto Roa Bastos*. Tesis doctoral, Madrid: Universidad Complutense, 1981.

Juan Manuel Marcos. *Roa Bastos, precursor del post-boom*. México: Editorial Katún, 1983.

Ludwig Schrader, ed. *Augusto Roa Bastos. Actas del Coloquio Franco-Alemán* (Düsseldorf, 1-3 de junio de 1982). Tübingen: Neimeyer, 1984.

Gladys Vila Barnes. *Significado y coherencia del universo narrativo de Augusto Roa Bastos*. Madrid: Orígenes, 1984.

Jorge Ruffinelli. "Roa Bastos: el origen de una gran novela" en *La escritura invisible: Arlt, Borges, García Márquez, Roa Bastos, Rulfo, Cortázar, Fuentes, Vargas Llosa*. Xalapa, México: Universidad Veracruzana, 1986, pp. 132-139.

Semana de autor: Augusto Roa Bastos (Madrid, 11-14 noviembre, 1985). Madrid: Instituto de Cooperación Iberoamericana/ Ediciones Cultura Hispánica, 1986.

Silvia Pappe. *Desconfianza e insolencia: estudio sobre la obra de Augusto Roa Bastos*. México: Universidad Nacional Autónoma de México, 1987.

Francisco Tovar. *Las historias del dictador:* Yo el Supremo *de Augusto Roa Bastos*. Barcelona: Edicions del Mall, 1987.

Fernando Burgos. *Las voces del karaí: estudios sobre Augusto Roa Bastos*. Madrid: EDELSA/ EDI 6, 1988.

Rubén Bareiro Saguier. *Augusto Roa Bastos: caídas y resurrecciones de un pueblo*. Montevideo: Ediciones Trilce, 1989.

Raúl Aceves *et al. Acercamientos críticos a* Yo el Supremo *de Augusto Roa Bastos*. Guadalajara, México: Editorial Universitaria de Guadalajara, 1990.

Anthropos. Revista de Documentación Científica de la Cultura. 115 (1990). [Número especial dedicado a Augusto Roa Bastos. Incluye estudios de José Carlos Rovira, Teresita Mauro, Paco Tovar, Mercedes Gracia Calvo, Fernando Burgos, Fernando Moreno Turner y Milagros Ezquerro.]

Fernando Burgos. "'Borrador de un informe': duplicidades de la escritura". *Anthropos. Revista de Documentación Científica de la Cultura*. 115 (1990): 51-54.

Augusto Roa Bastos. Premio Miguel de Cervantes 1989. Barcelona: Anthropos/Ministerio de Cultura, 1990.

Maria Gabriella Dionisi. *Storia e miti del Paraguay in Augusto Roa Bastos*. Roma: Bulzoni, 1990.

Fernando Burgos. "Historia e intrahistoria en la cuentística de Augusto Roa Bastos" en *Augusto Roa Bastos. Premio Miguel de*

Cervantes 1989. Barcelona: Anthropos/Ministerio de Cultura, 1990, pp. 111-123.

Sergio Infante. *El estigma de la falsedad: un estudio sobre Yo el Supremo de Augusto Roa Bastos*. Stockholm: Stockholms Universitet, 1991.

Enrique Marini Palmieri. *De la narrativa de Augusto Roa Bastos y de otros temas de literatura paraguaya*. Asunción, Paraguay: Editorial Don Bosco, 1991.

Cristina Stellini. *Escrituras y lecturas*, Yo el Supremo. Roma: Bulzoni, 1992.

Carmen Luna Sellés. *La narrativa breve de Augusto Roa Bastos*. Alicante: Instituto de Cultura "Juan Gil-Albert", Diputación de Alicante, 1993.

Eva Michel-Nagy. *La búsqueda de la "palabra real" en la obra de Augusto Roa Bastos: el testimoniar de la ficción*. Lausanne: Sociedad Suiza de Estudios Hispánicos, 1993.

José Ortega. "Verdad poética e histórica en *Vigilia del Almirante*". *Cuadernos Hispanoamericanos* 513 (1993): 108-111.

Manuel Osorio. "Conversación con Roa Bastos: *Yo el Supremo*; la contrahistoria". *Plural* 22.263 (1993): 29-31.

Paco Tovar. *Augusto Roa Bastos*. Lleida: Pagès Editors, 1993.

Helene Carol Weldt-Basson. *Augusto Roa Bastos's "I the Supreme": A Dialogic Perspective*. Columbia: University of Missouri Press, 1993.

Brent J. Carvajal. *Historia ficticia y ficción histórica: Paraguay en la obra de Augusto Roa Bastos*. Madrid: Pliegos, 1996.

RULFO, JUAN

OBRA NARRATIVA
Novela: *Pedro Páramo* (1955).

Cuento: *El llano en llamas* (1953).

OTRAS OBRAS
El gallo de oro y otros textos para cine (1980, textos orientados a la cinematografía); *Inframundo: el México de Juan Rulfo* (1980, recopila —además de trabajos sobre el autor— las composiciones fotográficas de Rulfo); *Los cuadernos de Juan Rulfo* (1994).

COMPILACIONES
Además de las numerosas reediciones de la novela y el libro de cuentos del autor, es importante mencionar la publicación de *Obras completas* (1977), *Antología personal* (1978) y *Toda la obra* (1992, edición crítica coordinada por Claude Fell).

ESTUDIOS
Marcelo Coddou. "Fundamentos para la valoración de la obra de Juan Rulfo". *Nueva Narrativa Hispanoamericana* 1.2 (1971): 139-158.

Manuel Durán. "Los cuentos de Juan Rulfo o la realidad trascendida" en *El cuento hispanoamericano ante la crítica*. Enrique Pupo-Walker, ed. Madrid: Editorial Castalia, 1973, pp. 195-214.

Helmy F. Giacoman, ed. *Homenaje a Juan Rulfo*. New York: Las Américas, 1974.

Joseph Sommers, ed. *La narrativa de Juan Rulfo: interpretaciones críticas*. México: SEP-Setenta, 1974.

Thomas Edgar Lyon. "Motivos ontológicos en los cuentos de Juan Rulfo". *Anales de Literatura Hispanoamericana* 3.4 (1975): 305-312.

Violeta Peralta y Liliana Befumo Boschi. *Rulfo: la soledad creadora*. Buenos Aires: García Cambeiro, 1975.

Ángel Rama. "Una primera lectura de "No oyes ladrar los perros". *Revista de la Universidad de México* 29.2 (1975): 1-8.

Sylvia Molloy. "Desentendimiento y socarronería en 'Anacleto Morones', de Juan Rulfo" *Escritura: Revista de Teoría y Crítica Literarias* 6.11 (1981): 163-171.

Manuel A. Serna Maytorena. *Aproximaciones y reintegros a la cuentística de Rulfo.* Guadalajara, Jalisco, México; Gobierno de Jalisco, Secretaría General, Unidad Editorial, 1981.

Luis Leal. *Juan Rulfo.* Boston: Twayne Publishers, 1983.

David Lagmanovich. "Voz y verbo en 'Es que somos muy pobres,' cuento de Juan Rulfo". *Hispamérica* 14.41 (1985): 3-15.

Silvia Lorente-Murphy. *Juan Rulfo: Realidad y mito de la revolución mexicana.* Tesis, 1985.

Mario Muñoz. "Dualidad y desencuentro en *Pedro Páramo*". *Texto Crítico* 11.33 (1985): 62-77.

William Rowe. "La ley, la culpabilidad y la indiferencia en los cuentos de Juan Rulfo". *Cuadernos Hispanoamericanos* 421-423 (1985): 243-247.

José Carlos González Boixo. "Bibliografía de Juan Rulfo: nuevas aportaciones". *Revista Iberoamericana* 52.137 (1986): 1051-1059.

Raúl Hernández Viveros. "Juan Rulfo y los lamentos". *La Palabra y el Hombre* 58 (1986): 3-7.

Alberto Ruy Sánchez. "Las muchas muertes de Juan Rulfo". *Vuelta* 10.112 (1986): 54.

William H. Katra. "'No oyes ladrar los perros': La excepcionalidad y el fracaso". *Cuadernos Americanos* 1.6 (1987): 138-154.

Ivette Jiménez de Báez. "Juan Rulfo: de la escritura al sentido". *Revista Iberoamericana* 55. 148-149 (1989): 937-952.

Dante Medina. *Homenaje a Juan Rulfo.* Guadalajara, México: Universidad de Guadalajara, 1989.

Manuel Osorio. "Juan Rulfo: última palabra". *Cuadernos Hispanoamericanos* 471 (1989): 121-124.

Julio Estrada. *El sonido de Rulfo.* México: Universidad Nacional Autónoma de México, 1990.

Emil Volek. "*Pedro Páramo* de Juan Rulfo: una obra aleatoria en busca de su texto y del género literario". *Revista Iberoamericana* 56.150 (1990): 35-47.

Samuel Gordon. "Juan Rulfo y la nueva novela de Europa y América: en torno a una conferencia olvidada". *Mundi: Filosofía/Crítica /Literatura* 5.9 (1991): 93-103.

Gabriela Mora. "El ciclo cuentístico: *El llano en llamas*; caso representativo". *Revista de Crítica Literaria Latinoamericana* 17.34 (1991): 121-134.

Ilva Reinhardt-Childers. "Sensuality, Brutality and Violence in Two of Rulfo's Stories: An Analytical Study". *Hispanic Journal* 12.1 (1991): 69-73.

Myra S. Gann. "Temporal and Spatial Shifters in *Pedro Páramo*". *Confluencia* 7.2 (1992): 157-162.

Norma Klahn. "La ficción de Juan Rulfo: nuevas formas del decir". *Juan Rulfo, Toda la obra.* México: Consejo Nacional para la Cultura y las Artes, Colección Archivos, 1992, pp. 419-427.

Oralia Preble-Niemi. "Pedro Páramo and the Anima Archetype". *Hispanic Journal* 13.2 (1992): 363-373.

José I. Uzquiza González. "Simbolismo e historia en Juan Rulfo". *Revista Iberoamericana* 58.159 (1992): 639-655.

Harry L. Rosser. "La visión fatalista de Juan Rulfo" en *El cuento hispanoamericano.* Enrique Pupo-Walker, coordinador. Madrid: Editorial Castalia, 1995, pp. 325-346.

SINÁN, ROGELIO

OBRA NARRATIVA

Novela: *Plenilunio* (1947); *La isla mágica* (1979).

Cuento: *A las orillas de las estatuas maduras* (1946); *Todo un conflicto de sangre* (1946); *Dos aventuras en el Lejano Oriente* (1947); *Los pájaros del sueño* (1954); *La boina roja y cinco cuentos* (1954); *Cuna común* (1963).

OBRA POÉTICA

Onda (1929); *Incendio* (1944); *Semana Santa en la niebla* (1949); *Saloma sin salomar* (1969).

OBRA DRAMÁTICA

La cucarachita mandinga (1937); *Chiquilinga* (1961); ambas obras correspondientes al teatro infantil.

COMPILACIONES

Cuentos de Rogelio Sinán (1971/ 1982); *El candelabro de los malos ofidios y otros cuentos* (1982); *Homenaje a Rogelio Sinán: poesía y cuentos* (1982, selección y prólogo de Enrique Jaramillo Levi).

ESTUDIOS

Teresa López de Vallarino. *Dos poetas de América: Juvencio Valle, Rogelio Sinán*. Santiago, Chile: Editorial Nascimento, 1948. [Reeditado en Panamá en 1969.]

Alicia Soto M. "Estudio analítico sobre *Onda* de Rogelio Sinán". *Revista Lotería* 201 (1972): 33-42.

Milantia Roy. *Rogelio Sinán: estudio de su obra poética y narrativa*. Tesis, University of Southern California, 1973.

Dimas Lidio Pitty. "Entrevista a Rogelio Sinán". *Revista Lotería* 222-223 (1974): 61-68.

Lola C. de Tapia. "Figuras del proscenio: Rogelio Sinán". *Revista Lotería* 216 (1974): 67-69.

Jaime García Saucedo. "Sobre una obra inédita de Rogelio Sinán". *Revista Lotería* 245 (1976): 22-27.

Alicia Soto de Cáceres. "Breve viaje a *La isla mágica* de Rogelio Sinán". *Revista Lotería* 293-294 (1980): 20-30.

Enrique Jaramillo Levi. *Homenaje a Rogelio Sinán (poesía y cuento)*. México: Editorial Signos, 1982.

Jorge Ruffinelli. "El trópico sensual de Rogelio Sinán: una conversación con el escritor". *Texto Crítico* [Universidad Veracruzana] 5.12 (1979): 128-141. [Reproducido en *Homenaje a Rogelio Sinán: poesía y cuento*. Enrique Jaramillo Levi, ed. México, D. F.: Editorial Signos, 1982, pp. 15-27).]

Rafael Ruiloba. "Rogelio Sinán o la muerte del don Juan". *Revista Lotería* 320-321 (1982): 50-55. *Maga* 5-6 (1985). [Revista panameña dirigida por Enrique Jaramillo Levi. Números dedicados a Rogelio Sinán.]

Dorothy S. Mull. "Conversación con Rogelio Sinán a la edad de 82". *Hispania* 68.3 (1985): 568-570.

Alina L. Camacho de Gingerich y Willard P. Gingerich. "Entrevista con Rogelio Sinán". *Revista Iberoamericana* 52.137 (1986): 911-927.

El mago de la isla: reflexiones críticas en torno a la obra literaria de Rogelio Sinán. Panamá: Instituto Nacional de Cultura, Dirección Nacional de Extensión Cultural, Departamento de Letras, 1992. ["Homenaje del Instituto Nacional de Cultura al celebrarse sus 90 años de vida"]

Enrique Jaramillo Levi. "El Rogelio Sinán que recordará la historia". *Confluencia. Revista Hispánica de Cultura y Literatura* 8-9 (1993): 7-11.

TÉLLEZ, HERNANDO

OBRA NARRATIVA

Cuento: *Ceniza para el viento y otras historias* (1950/1969/ 1984).

ENSAYO

Inquietud del mundo (1943); *Bagatelas* (1944); *Luces en el bosque* (1946); *Diario* (1946); *Literatura* (1951); *Literatura y sociedad: glosas precedidas de notas sobre la conciencia burguesa* (1956); *Confesión de parte: literatura, sociales, notas* (1967).

COMPILACIONES

Sus mejores prosas (1958/1968); *Selección de prosas* (1975); *Textos no recogidos en libros* (1979).

ESTUDIOS

Alberto Lleras. Prólogo a *Confesión de parte*. Bogotá: Ediciones del Banco de la República, 1967.

Marta Traba. Prólogo a *Cenizas para el viento y otras historias*. Santiago, Chile: Editorial Universitaria, 1969.

María Angélica Semilla. "El desafío de la ambigüedad" en *El realismo mágico en el cuento hispanoamericano*. Ángel Flores, ed. México: Premià, 1985, pp. 213-217.

TORRI, JULIO

OBRA NARRATIVA

Cuentos. Prosa varia y artículos: *Ensayos y poemas* (1917); *De fusilamientos* (1940).

COMPILACIONES

Tres libros (1964, volumen que añade a los dos títulos mencionados en la sección "Cuentos", la prosa dispersa del autor); *De fusilamientos y otras narraciones* (1964/1984); *Diálogo de los libros* (1980); *Julio Torri de bolsillo* (1989, Universidad de Guadalajara, México; selección de Felipe Garrido).

ESTUDIOS

Elsa Roeniger Contreras. *Julio Torri*. Tesis, Universidad Nacional Autónoma de México, 1963.

María del Carmen Millán. "La paradoja del solitario". *Revista de la Universidad de México* 24.10 (1970): 5-7.

Carmen Galindo. "Las entretelas de Julio Torri". *Revista de la Universidad de México* 24.10 (1970): 10-11.

Margarita Peña. "La realidad con cuentagotas". *Revista de la Universidad de México* 24.10 (1970): 8-9.

Ernesto Mejía Sánchez. "Anversos y reversos de Julio Torri". *Revista de Letras* [Puerto Rico] 4.14 (1972): 234-240.

Serge I. Zaïtzeff. "Julio Torri: originalidad y modernidad". *Texto Crítico* 4.11 (1978): 158-164.

Dolores M. Koch. "El micro relato en México: Torri, Arreola, Monterroso y Avilés Fabila". *Hispamérica* 10.30 (1981): 123-130.

Serge I. Zaïtzeff, comp. *Julio Torri y la crítica*. México: Universidad Nacional Autónoma, 1981.

Serge I. Zaïtzeff. *El arte de Julio Torri*. México: Editorial Oasis, 1983.

Serge I. Zaïtzeff. "Julio Torri y el cuento mexicano actual". *Tinta* [Santa Barbara, California]. 1.2 (1983): 21-25.

Serge I. Zaïtzeff. "La amistad de Julio Torri con Pedro Henríquez Ureña". *Aula* 47 (1983): 59-69.

Serge I. Zaïtzeff. "Torri y Orozco: una colaboración desconocida". *México en el Arte* 4 (1984): 70-75.

Serge I. Zaïtzeff. "Cartas parisienses de Alfonso Reyes a Julio Torri". *México en el Arte* 9 (1985): 25-31.

Beatriz Espejo. *Julio Torri, voyerista desencantado*. México: Universidad Nacional Autónoma de México, 1986.

Dolores M. Koch. *El micro-relato en México: Julio Torri, Juan José Arreola y Augusto Monterroso*. Tesis, 1986.

Serge I. Zaïtzeff. "Julio Torri, precursor de Julio Cortázar" en

Coloquio internacional: lo lúdico y lo fantástico en la obra de Cortázar. I Madrid: Fundamentos, 1986, pp. 25-31.

Serge I. Zaïtzeff. "Las cartas madrileñas de Alfonso Reyes a Julio Torri". *Revista Iberoamericana* 52.135-136 (1986): 703-739.

José Luis Martínez. "Julio Torri y los libros". *México en el Arte* 23 (1989): 36-39.

Serge I. Zaïtzeff, comp. *Julio Torri y la crítica en los años ochenta*. Guadalajara, México: Universidad de Guadalajara, 1989. [Incluye bibliografía de y sobre la obra de Torri, pp. 103-123.]

Jesse Fernández. "Julio Torri" en *El poema en prosa en Hispanoamérica. Del modernismo a la vanguardia: estudio crítico y antología*. Madrid: Hiperion, 1994, pp. 60-63. [El libro incluye selecciones de Julián del Casal, Rubén Darío, Pedro Prado, Gabriela Mistral, Juana de Ibarbourou, Ramón López Velarde, Julio Torri, Vicente Huidobro, César Vallejo, Pablo Neruda.]

ESTE LIBRO
SE TERMINÓ DE IMPRIMIR
EL DÍA 15 DE ABRIL DE 1997.

The anought
ay.

The *Khi*en Hexagram—Old Version

In the first (or lowest) NINE, undivided, (we see its subject as) the dragon lying hid (in the deep). It is not the time for active doing.

The Kh-Yen Hexagram—Modern Version

Your Yang power is still submerged and not yet ready to move out into the world of people and events. Its influence is still indirect. You cannot yet affect the action of others by your will. You will know the time is ripe for you to act when you find yourself taking action naturally, spontaneously, instinctively. Do not force anything. Do not will anything (except reserve and patience) at this point.

AS ABOVE, SO BELOW by Alan Oken
CHARIOTS OF THE GODS by Erich Von Däniken
THE CIPHER OF GENESIS by Carlo Suares
THE COMPLETE BOOK OF PALMISTRY
  by Joyce Wilson
THE COMPLETE GUIDE TO THE TAROT
  by Eden Gray
THE CONFESSIONS OF ALEISTER CROWLEY
  by John Symonds and Kenneth Grant
DOCTOR FROM LHASA by T. Lobsang Rampa
GODS FROM OUTER SPACE by Erich Von Däniken
I CHING by James Legge, translator
I CHING: A NEW INTERPRETATION FOR
  MODERN TIMES by Sam Reifler
IN SEARCH OF ANCIENT MYSTERIES
  by Alan and Sally Landsburg
MAGIC: AN OCCULT PRIMER by David Conway
NATURAL BIRTH CONTROL
  by Sheila Ostrander and Lynn Schroeder
POWER THROUGH WITCHCRAFT
  by Louise Huebner
PSYCHIC DISCOVERIES BEHIND THE IRON
  CURTAIN by Sheila Ostrander and Lynn Schroeder
THE PSYCHIC WORLD OF CALIFORNIA
  by David St. Clair
THE RAMPA STORY by T. Lobsang Rampa
THE SAFFRON ROBE by T. Lobsang Rampa
THE SPACESHIPS OF EZEKIEL by J. F. Blumrich
WE ARE NOT THE FIRST by Andrew Tomas
WITCHCRAFT AND BLACK MAGIC
  by Peter Haining

I CHING
A New Interpretation For Modern Times

SAM REIFLER

Oracles rephrased as poetry with the
help of Alan Ravage

BANTAM BOOKS · LONDON · TORONTO · NEW YORK

I CHING
A Bantam Book/published March 1974

Published simultaneously in the United States and Canada

Bantam Books are published by Bantam Books, Inc. Its trade-
mark, consisting of the words "Bantam Books" and the
portrayal of a bantam, is registered in the United States
Patent Office and in other countries. Marca Registrada. Bantam
Books, Inc., 666 Fifth Avenue, New York, New York 10019.

PRINTED IN THE UNITED STATES OF AMERICA

Contents

Contents

Introduction

Like its Western counterparts, such as astrology and tarot reading, the I Ching is most often used as a parlor game. Such parlor games are faddish popular offsprings of a genuine spiritual revival movement. This resurgence of spiritual exploration is hardly the most original aspect of the new culture. Its forerunner can be found at the turn of the century, when Yeats and Conan Doyle were seriously immersed in spiritualism, when even Boston's stodgy James brothers and pukka Kipling dabbled in it, when séances were held in the White House, and when the names of magicians, fortune-tellers and mediums, such as D. D. Home, Eusapia Paladino and the Poughkeepsie Twins were household terms. At the turn of the century there were at least as many Ouija boards and tarot decks and tapping tables among female college students as there are now. (There were few I Chings, if any, however.) The wellspring of that former spiritual revival was spiritualism: the belief that a spirit continues to exist after the death of the body. Its sources were mainly Celtic and continental Christian heresies of magic and witchcraft. An inner sanctum interest in Hinduism revolved around *amatman*, its concept of reincarnation. Do souls transmigrate? It was a moot question for some people. For most it was parlor talk that went with parlor games.

Our present spiritual revival was touched off by an idea from the East, so unlike Victorian-style spiritualism that they can hardly be compared: the Buddhist way of acceptance, of being part of all existence, without posing values and making judgments. The Beat Generation picked it up from its early American discoverers, Alan Watts, Gary Snyder, Thomas Merton, etc. and published it and it has permeated the culture and can be found in a perverted form in political dialectic and television commercials. This idea enables one to perceive a basic unity among all things—all things that are the Whole, the All, the One: the Ineffable. (As soon as "it" is named, "it" is limited and, therefore, "it" is not It anymore. The Zen

1

master felt that he could only point at "it", not name
"it".) The Taoists of ancient China, formulators of the I
Ching, called it Tao, the Way. The experience of this idea
has developed in the new generation a more neutral, less
ambitious and less neurotic attitude towards the material
world. It has also made the Victorian problems of spiritualism irrelevant, because Life and Death, as well as Time,
are now regarded as nothing more than cultural concepts:
karma, maya, excess baggage on our perpetual way in and
out of the present moment.

Concurrent with the West Coast's discovery of Zen in
the 1950's was the beginning of the present burgeoning
use and acceptance of drugs. Jazz musicians gifted poet
friends with marijuana and western states intellectuals
experimented with the Indian's magic mushroom mes-
caline. These drugs, in Huxley's phrase, "opened the doors
of perception."

Buddha says Form is Void. If we could live for a few
moments without any discrimination whatsoever, without
discriminating relative densities, without discriminating
colors, without discriminating by focusing or concentrating on particular frequencies or pitches of sound, etc.—
we would be nowhere, in a void, nothing. Everything we
experience we have been taught to experience—from the
basic operation of the senses to the perception of complicated systems changing rapidly in time. The same is true
for all we believe and all we know, from the concept of a
somewhat spheroid-shaped planet to the concept that theft
and vandalism are unethical. One should not gloss over
the importance of the drug subculture to the spiritual revival and moral reorganization taking place in the culture
as a whole. The religious/philosophical revelations of the
progenitors of the present spiritual revival went hand in
hand with the consciousness-expanding effects of their
drugs, which freed them to perceive patterns in the void
other than those generally recognized within the culture.
At first these revelations were within a strictly personal
framework as the drug pioneers moved outside the con-

2

fines of the old culture without yet being part of a new culture. As the use of drugs became more widespread certain meaningful patterns within the Western culture, lately buried by the materialistic scientific bonanza of our times, and meaningful patterns from other cultures, began to emerge. These once exotic and esoteric ideas are gradually taking their place as meaningful concepts in the American culture as a whole: priests have rediscovered Christ; middle-aged housewives study yoga at the Y. W. C. A.; computerized astrology is respectable and profitable; the wealthiest, most powerful class buy LSD therapy in a London clinic; young psychiatrists have begun again to sense the divinity of the madman; and bronze Chinese coins rattle nightly on kitchen tables from coast to coast. The coins are thrown eagerly, swiftly; bystanders comment on the lines of the forming hexagrams; there is a general discussion on interpretation. And the I Ching is a parlor game.

As a parlor game the I Ching is lots of fun. Because of the psychological and moral depth of the oracles, an I Ching session can be a significant, illuminating exercise in social interaction and self-revelation.

However, as a solitary, diurnal ritual, the I Ching can be a neurotic and ineffectual shortcut to decision for individuals whose anxious indecision leads only to inaction: our *mal de siècle*. Used in this way, the I Ching is a compulsive act, the meanings of the hexagrams are obscure and unfelt, and the ritual becomes a substitute for normal reactions to experience.

π is the symbol for Tao, the Way. It is a gateway. It is the gateway through which we are constantly passing. We are never before the gate, nor beyond it. Nothing exists except there, with us, at the moment, in the gateway. We are always on the path, we are always in the Way, we are always in Tao—even if we don't feel that we are. Any conceptualizing by Taoists beyond this (and this included, of course)—the formulation of the Yin and Yang principle itself, for example, is karma, dogma, in a sense—means

3

that it is a particular pattern chosen from the infinite number of patterns in the universe.

Anything that has meaning is restricted in this way. Meaning is an ordering of forms chosen from an absurd and formless void. Systems of meaning chosen from a point of view close to the meaningless truth will involve an enlightened and all-embracing religious concept and reflect the totality of existence more than systems devised from other meaningful systems and other forms and concepts. The Yin and Yang principle, for example, reflects the constantly changing, dying, and rejuvenating universe more perfectly than does Darwin's theory of the survival instinct. And Darwin's survival instinct and the theories of conservation of energy more perfectly reflect an undivided and entire universe than do theories of political or economic policy. By discovering the meanings of the deeper, closer systems, we discover more of the totality of experience. This is the secret behind all magic systems. They attempt to encompass in themselves all possibilities, so that the vision of existence seen *within* the system will be as perfect a reflection as possible of the All *without*. The greater arcana of the tarot, the zodiac, the palmist's chart, the I Ching, etc., are each a microcosm of the range of human experience.

None of the Eastern ways of enlightenment are strongly deterministic. But even the Zen Buddhists are sometimes reduced to using the concept of "reaction", implying *some* connection between moments. (This seemingly inevitable incapacity to sustain enlightenment into the process of verbal communication is due to the conceptual, historical base of language.) The Taoists speak of one's way through the omnipresent gate as having a direction. To accept this direction and move naturally in it was the pious desire of the Taoist. (Ideally, of course, he is without desire.) Hesitation, anxiety, dissatisfaction are to the Taoist what sin is to the Christian. To dispel them and clear the mind and heart the I Ching is devoutly, ceremoniously cast. The resultant hexagram indicates to the questioner his

Tao, his natural direction, in the case of the particular problem that is stymieing him.

Strictly speaking—metaphysically—there are, of course, an infinite number of Taos. (Or, if you wish, only one Tao.) But in order to reduce the concept to a realizable ritual experience it was necessary to divide the range of Ways into a knowable, finite number of prototypes. After a short history of trial and error, sixty-four was found to be the most convenient number. (The mathematics of the system requires a square number.) Under what can only be regarded as divine inspiration the sixty-four hexagrams were formed into sixty-four examples of different ways of life, ways of being that covered the entire range of human experience. The sixty-four hexagrams essentially represent the same totality represented by the twelve astrological signs, the twenty-two cards of the major arcana and, to the palmist, the naturally formed geometry of the human hand. These hexagrams are not determined by the counting off of sticks or the falling of coins, but are determined by the forces of Yin and Yang within the individual. These are represented in the I Ching by broken (— —) Yin and solid (———) Yang lines composed in a vertical pattern of six.

Yin and Yang only roughly correspond to the Western duality of feminine and masculine, to which they are most often compared. An examination of a few of the ways in which the Yin and Yang differ from our polar concept of feminine and masculine reveal the skeleton of another polar concept: East and West.

The Yin/Yang principle represents the constant change and motion of the universe and thus of human experience. I Ching can be translated as "The Book of Changes." Ideally, as you cast the I Ching, you meditate on a problem, a question, a concept, or even a nonverbal feeling, which you have considered at length previously. It is a question which is part of you and the answer you seek is also part of you. The question and its answer are just two adjacent steps in your Tao. As you meditate on this par-

Introduction

EAST		WEST	
Yin	*Yang*	*Feminine*	*Masculine*
feminine	masculine	feminine	masculine
negative	positive	negative	positive
yielding	strong	yielding	strong
follower	leader	follower	leader

But

dark	light	light	dark
secular	divine	divine	secular
action	inspiration	inspiration	action
rational	impulsive	impulsive	rational
square	circle	circle	square
heavy	bouyant	buoyant	heavy
body	soul	soul	body

ticular problematic aspect of your experience, as you place yourself on the path of your question, you cast the I Ching. The lines of the hexagram will fall naturally in the Tao of the casting ritual. If the casting ritual is in the Tao of the question it is also in the Tao of the answer. Ideally, the meaning of the hexagram will have the feeling that it has been on the tip of your tongue the whole time.

The rituals of casting off yarrow sticks or throwing coins are not magic, but only mechanical means whereby the pattern of the forces that shape the Tao can be determined. The coins can be thrown in less than sixty seconds. It takes between half an hour and an hour to cast off the yarrow sticks. There is much more opportunity for meditation when the sticks are cast. As the lines slowly fall into place the questioner takes them into account; he moves painstakingly, deliberately, and relentlessly in the path of the question/answer. As the questioner carefully counts off by fours his right-hand heaps he already knows what the result of the counting off will

6

be: this is a kind of check against the suspense or excitement of the divination breaking the flow of his meditation. He casts the sticks in solitude and in a spirit of religious acceptance. He may pause from time to time if he catches his mind wandering or if he is distracted. He knows that only if the sticks are cast in the spirit of the question will they indicate a hexagram that has meaning in terms of the question. If the coins are cast in the same spirit they too can indicate meaningful hexagrams.

Although the sixty-four hexagrams encompass all of human experience, the verbal formulations of this experience in current interpretations, translations from the Chinese, rely on Chinese cultural evaluations of the experience. The I Ching is a hodgepodge of Chinese culture from pre-Taoist wisdom to Confucianism and even more decadent, Machiavellian-type philosophies. The traditional final version in present use was directed at Mandarin lords and their courts, whose problems, experiences, values, and symbols were radically different from ours. This gives the modern user of the I Ching a sense of obscurity and exoticism which is directly counter to the matter-of-fact religious philosophy behind the divination and the direct, down-to-earth character of the book. "He should be a guest at court." "Assert the right by force of arms." What do these admonitions have to do with the peaceful pothead in the woods of Vermont, the lovestruck Bennington sophomore, or the small businessman in the grip of a political vise? Nothing. They are advice to the Mandarin courtier. They make a discrimination in the range of human experience which, although sensible in terms of its intended audience, is only vague and disquieting in terms of a modern audience. In interpreting the I Ching anew I have not changed the meanings of the hexagrams, but have changed the language of the interpretations so that they speak to you and me, in terms we can understand, in consideration of the realities (so to speak) of our present situation in history.

Method of the
Yarrow-Stick Oracle

A bundle of fifty sticks is used. Yarrow stalks cut to the same length are traditional for the oracle. Except for the equalizing of lengths nothing else is done to them and each retains its individual shape, size, color, and texture.

1. Hold the bundle in the left hand.
2. Remove one stick with the right hand and set it aside.
3. Divide the bundle into two random batches.
4. Set one batch on your left and one on your right.
5. Take one stick from the right-hand batch and place it between the pinkie and ring finger of your left hand.
6. Grasp the left-hand batch between the thumb and forefinger of your left hand.
7. Reduce this batch by counting off bundles of four sticks with the right hand. Set these aside in a single discard pile.
8. When four sticks or less remain, place them between the ring finger and the middle finger of the left hand.
9. Grasp the right-hand batch between the thumb and forefinger of the left hand.
10. Reduce this batch as in step 7.
11. When four sticks or less remain, place them between the middle finger and forefinger of the left hand.
12. The total number of sticks in the left hand is now either nine or five. Set them aside in a separate remainder pile.
13. Using the sticks in the discard pile as your original bundle repeat steps 3 to 11.
14. The total number of sticks in the left hand is now either eight or four. Set aside in a second remainder pile.
15. Using the sticks now in the discard pile as your original bundle repeat steps 3 to 11.
16. The total number of sticks in the left hand is again either eight or four. Set them aside in a third remainder pile.

The first line, the lowest line of the hexagram, is now determined by the number of sticks in each of the three remainder piles.

A remainder pile with a total of nine or eight sticks has a value of 2; a remainder pile with a total of five or four sticks has a value of 3.

Add together the values of the three remainder piles. The resulting line is indicated as follows:

Three 2s = 6 = —x— (a moving Yin line)
Two 2s and one 3 = 7 = ——— (a Yang line)
One 2 and two 3s = 8 = — — (a Yin Line)
Three 3s = 9 = —o— (a moving Yang line)

To determine each of the remaining lines of the hexagram, going from the lowest to the uppermost, repeat the entire ritual, steps 1 to 16, using the entire bundle (including the stick first cast off in Step 1). When the entire process has been repeated six times, once for each line of the hexagram, the hexagram stands revealed.

9

Method of
the Coin Oracle

Use three coins. Toss them together. Each toss indicates a line of the hexagram, from bottom to top. If traditional ancient Chinese coins are used they will have an inscribed side and a blank side. The inscribed side has a value of 2; the blank side has a value of 3. If western coins are used, heads is 3, tails is 2. Total the values of the three coins. The lines are determined as in the equations above (from "Three 2s to Three 3s"). The coins are thrown six times for the whole hexagram.

Moving Lines

The principle behind the I Ching is change: the inevitable change of a Yin force into a Yang force and vice versa. These changes are represented by the moving lines:

    the 6 line —x— Old Yin
    the 9 line —o— Old Yang

Most casts will reveal at least one moving line.

Moving lines indicate how the present Tao, represented by the hexagram cast, will change to another, represented by second hexagram.

Moving lines change to their opposites:

    —x— becomes ———
    —o— becomes — —

The second hexagram is formed by the stationary lines of the first hexagram and new lines resulting from the change in the moving lines. For example, hexagram 25:

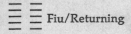 Wiu-Wang/The Simple

changes to hexagram 24:

Fiu/Returning

When divining the hexagram the questioner reads the oracles for the moving lines as well as the general oracle for the hexagram. In the above case, in the hexagram Wiu Wang, he would take into account the oracles for 4 (—o—), 5 (—o—), and 6 (—o—). (Lines are numbered from bottom to top.) As long as you understand that only the moving line cast by you applies to you, there is no stricture against reading the oracles and interpretations of the other lines of the hexagram. This will often clarify the meaning of the applicable line.

If a hexagram has no moving lines then the situation is either static or at an abrupt end and only the oracle for that particular hexagram is consulted.

11

Form of the Interpretations

For purposes of simplicity and relevance the interpretation of each hexagram is divided into three sections, making liberal and inexact use of the names of three Hindu principles: artha, kama and moksha.

The artha section deals with more than the pursuit of prosperity, which is what is implied by the Hindu term. It deals with the questioner's relationship to other people, to authorities, and to "things" in his practical life. Any problems about courses of action within society are covered by this section.

The kama section deals with more than the pursuit of sexual pleasure, which is what is implied by the Hindu term. It deals with love relationships, either sexual, familial or involving close friends. For no other reason than to avoid conscious or unconscious confusion caused by the genders of pronouns, a character, Friend, is postulated to represent the other person involved in the relationship with the questioner.

The moksha section deals with striving for liberation—the exact meaning of the Hindu term. It indicates the proper spiritual path for the questioner at this juncture and also may reveal blocks and inconsistencies in his present philosophical position.

Trigrams

The earliest means of obtaining the oracles of what later was to become the *I Ching* was the reading of a tortoise-shell. The method used by the ancient magicians is in dispute. In one version the tortoise shell was baked until it cracked and the pattern of the cracks was read to determine the oracle. In another version the configurations naturally appearing on the shell (each as distinctive as a fingerprint) were read.

The evolution of the I Ching began with a simple Yang or Yin, Yes or No, oracle:

————— Yes   — — No

With the addition of another line above the first, the yes/no oracle was modified:

═══ Yes   ═ ═ No

═ ═ Yes, but . . .   ═══ No, but . . .

With the addition of a third line there occurred eight possible oracles, eight figures of three lines each: the trigrams. Each of these eight trigrams was given a name and certain attributes were ascribed to it, relating to the position in the trigram of the Yin and Yang lines.

═══ Heaven   ═ ═ Earth

═ ═ Thunder   ═══ The Deep/Water

═ ═ Mountain   ═══ Wind/Wood

═ ═ Fire/Sun   ═══ The Marsh/Mist

The hexagram is a pair of trigrams and the course ascribed to each hexagram derives from the qualities of its trigrams and their related positions. For example, hexagram 14, ═══, is the trigram Fire/Sun ═ ═ over the trigram Heaven ═══. The sun is the greatest treasure of Heaven. The force of fire is upward and it rises naturally into heaven, which already contains the sun. And Heaven is the symbol of the spiritual as opposed to the material.

Trigrams:	☰ Heaven	☷ Earth	☳ Thunder	☵ Water/The Deep
Attributes:	Inspiration	Faithfulness	Impulsiveness	Danger
	Power	Submissiveness	Provocativeness	Labor
	Aggressiveness	Charity	Experimentation	Flexibility
	Completeness	Protectiveness	Vehemence	Melancholy
	Coldness	Evenness	Influence	Pervasiveness
Familial:	Father	Mother	Eldest Son	Middle Son
Animal:	Horse	Cow	Dragon	Pig
Anatomical:	Head	Solar Plexus	Foot	Ear
Element:	Metal	Soil	Grass	Wood
Color:	Purple	Black	Orange	Red
Season:	Early Winter	Early Autumn	Spring	Winter
Direction:	Northwest	Southwest	East	North

Trigrams:	Mountain	Wind/Wood	Fire/Sun	The Marsh/Mist
Attributes:	Inertia Perfection Inevitability Modesty Carefulness	Subtlety Fragmentation Formality Purity Transitoriness	Enlightenment Clarity Warmth Community Communication	Happiness Pleasure Magic Destruction Sensuality
Familial:	Youngest Son	Eldest Daughter	Middle Daughter	Youngest Daughter
Animal:	Dog	Cat	Bird	Sheep
Anatomical:	Hand	Thighs	Eye	Mouth
Element:	Stone	Air	Fire	Flesh
Color:	Green	White	Yellow	Blue
Season:	Early Spring	Early Summer	Summer	Autumn
Direction:	Northeast	Southeast	South	West

Thus hexagram 14 is the hexagram of wealth without greed, possession without desire.

The ancient interpreters also took into account a second pair of trigrams, the intertwining "inner trigrams" formed by lines 2, 3, and 4 and lines 3, 4, and 5 of the hexagrams.[1]

A table of the eight trigrams, a few of their attributes and their symbolic place in certain meaningful categories follows:

Use this chart for finding the number of the hexagram you have cast. Connect the upper and lower trigrams.

[1] See the works of Richard Wilhelm for more on the inner trigrams.

UPPER

Trigrams								
L	1	11	34	5	26	9	14	43
O	12	2	16	8	23	20	35	45
W	25	24	51	3	27	42	21	17
E	6	7	40	29	4	59	64	47
R	33	15	62	39	52	53	56	31
	44	46	32	48	18	57	50	28
	13	36	55	63	22	37	30	49
	10	19	54	60	41	61	38	58

Reference Hexagram Chart

1

KH-YEN ≡≡≡ YANG

≡≡ Heaven   Heaven ≡≡
below   above

ORACLE

Heaven in motion;
the strength of the dragon.
The man nerves himself
for ceaseless activity.

Creative activity.
Influence.
Improvement.
Keep to your course.

INTERPRETATION

ARTHA   The trigram *Ch'ien* is Heaven. Since there is only
one heaven, the two trigrams represent heaven in change,
heaven creating itself. This perpetual regeneration without
attrition or waste is symbolized by the dragon. You ride
the dragon of time with the primal, positive Yang force—
enlightening, inspiring, strong, and spiritual. You are the
center of activity. The positive, impelling elements of your
life emanate directly from you, yourself. You give the
direction and meaning to the Yang force of a circle of
people and events around you. You make your own
world just as the heaven below (heaven past) creates it-

self (heaven future) above. You are in constant motion
and in harmony with the universe. You are not able to
hesitate, you cannot change your direction, you cannot
reduce your force. You reflect the constancy, inflexibility,
and totality of the Yang force itself. If this hexagram,
without modification by moving lines, really represents
your Tao, then your consultation of the *I Ching* could
only have been for purposes of affirmation—not because
of indecision, hesitation, or lack of clarity on your part.

KAMA The Yin/Yang symbol takes its form from the
practice of kama: it is a symbol of sexual union. In the
practice of Artha, in one's day-to-day activities, the importance and power of the Yin force is always over-
shadowed in favor of the Yang force because of the illusions of progress, time, evolution, improvement, etc. But
in love the roles of the inspiring and inspired are equal.
The impetus of your relationship with Friend, the inspiration for its cohesive, passionate love derives from you. It
is unlikely that Friend is as totally involved in yielding to
your inspiration as you are in creating that inspiration.
Because of your overpowering, totally impelling role in
the relationship, Friend may feel put off, coerced, or frustrated in certain circumstances. Friend may have active
impulses that conflict with yours. Although this is unavoidable, it need not be disastrous. Accept such conflicts;
then give them little thought. This is the best reaction to
your persistent disharmony.

MOKSHA Your role in spiritual matters is the enlightment
of others. You see no "ors" or "buts" in your spiritual
vision. You cannot imagine an alternative to your own
spiritual path. For you, there are no paradoxes. Enlighten
others; let them see the unity in their discordant spiritual
ideas. Enlighten others, so that the alternate paths they
ponder will resolve themselves into a question of seman-
tics. Enlighten others, so that paradoxes will become symbols for them, instead of problems.

Yang

LINES

1 —o— The dragon lies hidden in the deep.
　　Take no action.
Your Yang power is still submerged and not yet ready to
move out into the world of people and events. Its influence is still indirect. You cannot yet affect the action of
others by your will. You will know the time is ripe for
you to act when you find yourself taking action naturally,
spontaneously, instinctively. Do not force anything. Do
not will anything (except reserve and patience) at this
point.

2 —o— The dragon appears in the field.
　　Confer with the great man.
Your Yang influence is beginning to manifest itself in the
world of people and events. You should seek out someone
at the center of your sphere of activity, someone who has
great influence. You will naturally combine forces with
him.

3 —o— By day he is active and vigilant.
　　By night he is careful and apprehensive.
　　Danger.
　　but no mistakes.
Although your Yang force is unlimited, its direction is
determined by certain social or cultural values that you
hold. This is the reason that you experience anxiety, even
though essentially you are so strong. If you cannot slough
off illusions of right and wrong, if you still hold to the
concept of future time, if you still imagine alternatives
to reality, then you will not be able to fully feel the unlimited power you have or fully realize it. There is danger
here of feelings of failure, unhappiness, and discontent,
and also a danger of causing harm to others. Although
such dangers are due to the coupling of your totally creative life with an unenlightened state of mind, they are not
due to any conscious meanness on your part.

4 —o— The dragon leaps up from the deep.
  No mistakes.

You feel drawn in two directions. One is the way of public service, where the influential element of your Yang force takes precedence. The other is the way of holiness, sainthood, total withdrawal from the material world, where the light-giving elements of your Yang direction take precedence. Choose your path without being influenced by other people's values and needs. Remain true to yourself. Then whatever you choose will be right.

5 —o— The dragon wings through the sky.
  Confer with the great man.

You clearly are an important person. Your influence is eagerly acknowledged by all. Your advice is universally sought. You have attained the point where you, yourself, personify for others the impelling creative Yang force that moves us all.

6 —o— The dragon overreaches.
  Guilt.

There are limits to your influence. There are boundaries to the area of activity that you control. Do not attempt to carry your influence into spheres where circumstances and events have not led you naturally.

All moving ⚏ A swarm of headless dragons.
lines ⚏ *Auspicious.*

Six moving lines indicate a perfect balance in you. Mind and body, objectivity and subjectivity, masculinity and femininity, activity and passivity, etc., all are in balance.

2

KH-WAN ☷ ☷ YIN

☷ Earth
below

Earth
above ☷

ORACLE

The earth contains and sustains;
the qualities of a mare.
The man should not take the initiative;
he should follow the initiative of another.
He should seek friends in the southwest;
he should disavow friends in the northeast.

Creative activity.
Influence.
Improvement.
Keep to your course.

INTERPRETATION

ARTHA Your course is totally Yin. It is entirely directed
by an inspiring creative force outside you. It is important
to see your relationship with this active force not as a
passive one, but as a responsive, receptive one. *K'un* in no
way implies inaction—on the contrary. The earth is dependent on the sun for its power, but it is not the sun
that bears and nourishes, grows and decays, expands and
contracts, freezes and flows. Do not confuse Yin with the
Western concept of "feminine," which is inactive, as op-

23

posed to masculine/active. Yang represents the powers that direct and impel action. Yin represents action directly. You are responsible for activity in time and space, inspired by an inactive, impelling force beyond dimension. The radiant dragon in heaven is the symbol for hexagram 1, *Kh-yen*. The mare—earthbound, in motion, docile —is the corresponding symbol of this hexagram. In moments of meditation, at times of inspiration when you open yourself to receive the impulses of the creative force that inspires you, you must be in solitude, alone with your yielding mind, without interference from others. In times of action in the material world you must join with others and attune with them to carry out the creative impulses that inspire you.

KAMA Recognize that Friend is the creative, inspiring force behind your relationship. You must respond fully and sympathetically. It is your responsibility to fulfill the relationship on a material, physical, sensual plane. Inspired by Friend's beauty, Friend's spirit or Friend's mind, you blossom and wilt, caress and withdraw, take hold and let go in an entirely selfless and sympathetic response to Friend.

MOKSHA You respond naturally and in complete sympathy with a creative spiritual force outside of you. Because of your completely yielding nature you approach Buddha's stricture to be without desire. Lose yourself in the spiritual revelations you have experienced; and follow, without compromise or equivocation, the impulses of these revelations.

LINES

1 —x— The dew has frozen.
　　　Winter approaches.

You perceive that your situation is becoming static. Steel yourself to the fact that this trend is irreversible. Face up to the fact that you are approaching a dead end. It is unavoidable.

2 —x— Straight, square and great.
  Success comes easily.
You maintain a perfect equilibrium between your Yin and Yang forces. Such an equilibrium negates all inner force, both imaginative (Yang) and pragmatic (Yin). Your life is not static, however, but flows in sympathy with the forces that surround you.

3 —x— The man is modest, but firm in his excellence.
  Like the king's mare,
  he does not take the initiative,
  but is the agent of the king's success.
You must actively repress the expression of those qualities in yourself which are most admired by others. These qualities should be revealed in your actions alone, not in your conversation or social relationships. Be secretely modest. In this way you can avoid the interference of adulation that would otherwise hamper your effectiveness.

4 —x— The sack is tied up.
  No guilt.
  No praise.
Refrain from expression of any kind. Move through the world as if in a dark, sewed-up sack. This is a time for complete detachment.

5 —x— Yellow lower garment.
  Very auspicious.
Yellow is the color of the earth. A yellow lower garment is a sign of reserve. When colors have meaning, clothes are carefully chosen. You must consciously, deliberately control your appearance with an eye to presenting an impression of modesty and reserve.

6 —x— Dragons battle in the wilderness.
      Their blood is purple and yellow.

You are resisting a natural change in your direction. An impulse to create, to inspire, has arisen in you. You regard it only as troublesome in your comfortable yielding, accepting position. By quashing it you not only weaken the potential of this new force within you, but you also undermine the ease and comfort you wish to preserve.

All lines *Keep to your course
           forever.*

You move with the rhythm of the universal flux. Your emotions can be extreme, but they remain on this side of unhappiness—ranging from exuberant joy to blasé ennui.

3

KHUN ☵☳ GROWING PAINS

☳ Thunder below   The Deep above ☵

ORACLE

The deep yawns above the thunder.
The man systematizes his life
with the care of a weaver at his loom.

Success.
Keep to your course.
Carefully consider any advances.
Seek assistance.

INTERPRETATION

ARTHA The Chinese symbol of this hexagram, *Khun*, represents a plant struggling out of the earth. The trigrams symbolize the beginning of the world, the tumultuous meeting of the heavenly power of thunder and the earthly power of the depths. The two dangerous trigrams, the danger of heaven (thunder) and the danger of earth (the deep) have met with such force that they have exchanged positions. You are in the midst of the pell-mell confusion of the beginning of something, not of your own doing, which has caught you up in it and has become the major element in your life. If you see the situation as confused, chaotic, difficult, and dangerous, then you are resisting your own Tao. If you see it as full of potential, challenging and exciting, then you are moving naturally in your Tao. Two admonitions: (1) Don't get involved in anything else outside of this situation: you must remain totally involved. (2) You cannot guide and influence a situation this involved and this far-reaching without the help of those whose goals and principles are sympathetic to yours.

KAMA The relationship between you and Friend is a new one. You've each brought to it many complications, both practical and emotional. Your chance meeting brought strong, new elements of conflict into both your lives; each of you feels he has been plunged into chaos. The sprouting plant straining against the crust of the earth and the tumult of a thunderstorm are both apt images for what is occurring. Don't panic—take things as they come, spontaneously and naturally. Don't overreact—keep a calm core throughout. Right now you are a lonely couple, although the uproar in your lives involves others beside yourselves. Together you must find mutual friends who will help you weather the storm.

MOKSHA You have just been plunged onto a new spiritual path. This is not a rational, natural outgrowth of your previous path. Some chance occurrence brought you into contact with this new metaphor of enlightenment and it was meaningful enough to you to draw you away from your previous spiritual course. Because this new revelation does not follow naturally from your previous metaphysical, religious beliefs, you may feel as though you have been uprooted—you may feel lost, confused, unsure. But there is no question that the strength with which this new spiritual system has gripped you is an indication of that path's correctness for you. Your spontaneous, welcoming reaction to it indicates that it strikes very deep chords in you, that it is a suitable way. You must search out others who are on this path; don't try to work it out alone. Consider yourself a blossoming neophyte and find yourself some mentors and guides.

LINES

1 —o— Advance is difficult.
Keep to your course.
Render assistance.

You have encountered an obstacle. It is correct to hesitate and take stock of the situation, but do not lose sight of your ultimate goal. While you are in this temporary standstill you should direct your energies toward the benefit of others.

2 —x— The horses rear, sensing ambush.
Distressed, she tries to turn back.
But the waylayer is not a marauder;
he is a suitor for her hand in marriage.
The woman keeps to her course and refuses him.
In ten years she will marry and have children.

You find yourself under great pressures from all sides. Someone new has entered the scene. Under the burden of so many problems your first reaction is pessimistic; you think he comes antagonistically. Actually, he wishes to help you. He is sincerely, unselfishly interested in your welfare. His offer is tempting. But accepting his help would involve you in new complications and difficulties. You must refuse it. When you have your own life better under control—and that will take a long, long time—then you will be in a position to benefit from an involvement with someone else.

3 —x— Whoever hunts deer without a guide
will lose his way in the depths of the forest.
The superior man is aware of the hidden dangers
and gives up the chase.
If you advance
you will regret it.

You have gotten yourself into difficulties by plunging
alone into a new and strange situation. If you have the
presence of mind to know that you lack the experience
needed to deal with the forces that oppose you, you know
that you must retreat completely or else become mired in
failure and disgrace.

4 —x— The horses of her chariot turn back.
She seeks assistance from her suitor.
Auspicious
if you advance.
Improvement.

Potential aid is nearby. You cannot solve your problems
alone, so you must swallow your pride and seek that aid.
As long as you have chosen the right source for this aid,
all will go well.

5 —o— The man should be generous,
but difficulties confront him.
Auspicious
in small things
if you keep to your course.
Ominous
in great things
if you keep to your course.

Your intentions are good, but they are misunderstood by
those whom you wish to assist. Although you have faith
in what you are doing, do not undertake any contemplated action until you have gained the trust of others
involved. You must proceed cautiously in what you do.
Be patient, conscious of difficulties and sympathetic to the

30

anxieties and fears of those you are trying to influence and aid.

6 —x— The horses of her chariot turn back.
        She weeps streams of blood.

The difficulties you encounter are too much for you. You have resigned yourself to defeat. You have become lost in chaos and disorder, not recognizing them as signs of the commencement of a new way, a new course for you.

4

MANG ䷃ YOUTHFUL
IGNORANCE

☵ The Deep
below

The Mountain
above
☶

ORACLE

From the deep at the foot of the mountain
a spring issues.
The man is resolute and takes care of himself.
I do not seek the ignorant.
The ignorant seek me.
I will instruct them.
I ask nothing but sincerity.
If they come out of habit
they become troublesome.

Success
if you are firm.

INTERPRETATION

ARTHA The attitude of the oracle to you is good-humored, patronizing. Your innocence excuses everything.
You make faux pas that would humiliate most people;
you make mistakes that would ruin others. But because
of your youthful innocence your ignorance only amuses
and refreshes those against whom you blunder. This is
the hexagram of "beginner's luck": the neophyte who
wins in card games, makes a killing in the market, wins
the heart of the reticent lady, creates primitive beauty

that speaks universally, etc. You are this kind of inexperienced, innocent person in your present situation. Ignorant of accepted stratagems and theories, you are less limited in your action. Unfamiliar with the conventions of the situation, you plunge right in and deal with people as individuals. As long as you retain this innocence everything you do will be either successful or excused—even in your repetitive demands on the I Ching.

KAMA This is the hexagram of the innocent goatherd Daphnis. Whether Friend, like Chloë, is as innocent as you or as heartily sophisticated as Daphnis's guide in the practice of love, Lycainion, your relationship will be happy and constantly renewed with sweet pleasure.

MOKSHA Your spiritual innocence, your lack of metaphysics and religious metaphor, endear you to those from whom you seek enlightenment. They may find you frustrating as well. You have the same kind of holy innocence exhibited by the cook in Po Chang's Zen monastery. In order to determine his own successor, Po Chang asked his pupils to express the essential nature of a particular pitcher. The monks gave various verbal and indirect answers. The cook approached the pitcher and kicked it to the floor, breaking it, and he was named Po Chang's successor. With the proper teacher you *can* reach enlightenment in your present state of freshness and innocence. It is more likely that you will eventually become involved in one of the systems of images, ideas, and practices that make up the longer and more conventional paths to spiritual freedom.

LINES

1 —x— The ignorant man must be dealt with severely
and encouraged to open his mind
if his ignorance is to be dispelled.

> *Some guilt*
> *if you are too firm for too long.*

You must discipline yourself if you wish to become adept. But this discipline must arise from your own need, at your own volition. Do not place yourself under the inflexible strictures of an existing system of discipline. Retain the freedom of innocence in choosing the means of your own self-discipline.

2 —o— The man puts up with the ignorant
      and has a way with women.
      but he can fill his father's shoes
      when the time comes.
      Auspicious.

With your inexperience and ignorance you are still open-minded enough to deal warmly and patiently with fools—fools who cannot claim your excuse of youthful innocence and who are generally scorned and avoided by others. Your innocence gives you a way with the opposite sex and protects you from any unpleasant complications. Although inexperienced, you have the steady character and native intelligence to be able to take on grave responsibilities when the right time comes. This is the line of Prince Hal.

3 —x— The girl embraces the marble faun
      mistaking it for the real one.
      No success.

For success, love, or enlightenment you eagerly honor and emulate someone else who seems to exemplify what you seek. But in your youthful innocence you confuse your ideal of that person with the person himself. It is transparent that all your eagerness, ardor, and interest have little to do with the intimate human nature of the person you idolize, have little to do with how he sees himself as an individual. You will put him off permanently, and do yourself no good.

4 —x— Enchained in ignorance.
  Guilt.
Although innocent, you are full of anxieties—anxieties about your lack of experience. Natural, phenomenal beginner's luck cannot develop from such an attitude. Your anxieties will gain complete control.

5 —x— The barefoot boy.
  Auspicious.
You are trusting, optimistic, and patient. Good luck.

6 —o— The man whips the barefoot boy.
  Ominous
  if you take advantage of the ignorant.
  Auspicious
  if you protect the ignorant.
You have made a foolish mistake. If you become flustered and try to rectify it, you will make other foolish, thoughtless mistakes and become embroiled in an embarrassing comedy of errors. You cannot undo what has been done. Do not bother about it any longer, except to regard it as an example of what not to do, as a warning to prevent further mistakes.

5

ZHUY ☰☰ WAITING

☰☰ Heaven   The Deep ☷☷
     below   above

ORACLE

There are clouds in the sky.
The man eats, drinks, and is merry.

Great success.
Auspicious
if you keep to your course.
You may cross the great water.

INTERPRETATION

ARTHA Waiting—not hoping, not expecting, not fearing
—just waiting. Whatever you are facing—an insoluble
problem, an overwhelming threat, or an impending conflict—is entirely out of your hands. Although the problem
is yours, its outcome is completely dependent on the actions of others. Although the threat is aimed directly at
you, only the threatener has any control over its being
carried out. If you are constantly hoping for a way out,
then you are living an unrealistic fantasy. If you are constantly expectant, guarded, watchful, then the problem
has taken over your life; instead of avoiding it, you have
let it comsume you. If you are anxious and fearful then
the problem has already done its worst. Neither hope, expect, nor fear. And do not act. Any action would be only

36

a frantic, unreasonable expression of your hope, expectation, or fear, because it is impossible for you to affect the situation in any way. But if you wait, content with yourself and your life... if you wait in the present moment, fulfilling yourself completely in it ... if you wait in the knowledge of universal perfection ... then nothing and no one can have any effect on you in any way and you will be always free.

KAMA   You and Friend are besieged by outside pressures. Your love for each other sprung up between yourselves; now, under attack from outside, it seems fragile and almost unimportant. You have conflicts now that you could never have imagined. Because your separate reactions to these outer pressures are different, you clash with and oppose each other. It is unfortunate that what is ideally a private matter has attracted the attention of others, but here is nothing you can do about it. If you love Friend, then love Friend day by day, hour by hour, minute by minute. Keep outside pressures and problems outside. When difficulties appear because of the nervousness, envy, or prejudice of others, meet them spontaneously together. If you and Friend remain tight, although you may suffer a buffeting, you will not break. If you allow circumstances to set you against each other, any major obstacle could be disastrous. This is the hexagram of Romeo and Juliet. Their marriage is a spontaneous reaction, based on love, of lovers to circumstance. Juliet's fantastic prevarication with the deadly drug is a confused and indirect act. It has no connection with Romeo. It is frantic reaction to anxiety about the future—the fear of marriage to Paris. With the love between you, you and Friend can well afford to wait things out.

MOKSHA   You dwell on death. A vision of death as an ending, a loss, a definite, inevitable, and unforestallable destruction shapes your spiritual life. Such an image of death is maya, an illusionary concept based on the illusion of the ego. Death is not destruction. It is the continuation of changes in the constantly changing physical world. Your individuality? It is only a factor of man's complicated social processes. What you consider to be yourself —almost by definition "that which dies"—is a series of momentary forms in a flux without origin and without end.

LINES

1 —o— Waiting at the distant border.
No mistakes
if you are patient.
All goes well for you. Deep down you sense vague and distant portents of impending difficulties. Worrying about them will only bring them on more swiftly. Your worrying could give them power over you that they otherwise would not possess. Remain true to your present well-being. Do not let these indistinct images of an improbable future affect you.

2 —o— Waiting on the sand beside the mountain stream.
Auspicious.
Evil rumors.
Impending difficulties have caused conflict and dissension. You and your companions, anxious about the future, have begun spitefully to blame each other. You feel that the others wrong you. You feel that they act from their own feelings of guilt. Their hysterical search for a scapegoat angers you. Thus you reveal that you feel equally guilty and are equally hysterical. No one is guilty. Your impending problems come from outside sources—forces that will overwhelm you unless everyone comes together to defeat them.

3 —o— Waiting in the river mud;
the man is vulnerable.

You act precipitously. You act from anxiety. You react to threats that are still only abstract. Wait. Wait and react spontaneously to whatever the present moment brings. By acting prematurely you force the threat to manifest itself, you bring about exactly what you wish to avoid. Caution and a sense of the seriousness of the situation may protect you.

4 —x— Waiting in a bloodied cave;
      the man will escape.

Terrible and oppressive events are in store. The way to endure them: Regard them as your fulfillment. Discover your Buddhahood.

5 —o— Waiting at the banquet.
      Auspicious
      if you keep to your course.

There has been a lapse in the outside pressures that assail you. It is only a brief respite. The situation is far from its conclusion. But give yourself a break. Forget the problem for a while. Do not get involved any further until you must. Relax. Concentrate on the pleasures of your life and your positive activities. When outside pressures begin to burgeon you will be able to react with renewed wisdom and strength gathered during your moment of peace.

6 —x— Waiting no longer.
      Three rescuers arrive at the cave.
      Auspicious
      if you treat your rescuers well.

You suffer the utmost despair in what seems to be an impossible situation. To add to your problems, another, completely unforeseen element has arisen—something strange and unfitting, confusing and disquieting. You do not know what to make of it. You feel so defeated that you are prone to treat this new thing negatively, cynically. But if you meet it respectfully, seriously, and without prejudice, it will reveal itself as a way to your own liberation.

6

SUNG ☰ CONFLICT

☵ The Deep   Heaven ☰
below   above

ORACLE

Water tends to move earthward,
away from heaven above.
In a situation where there is strife
the man knows how important first steps are.
Even though he is sincere
he will meet with opposition.

Auspicious
if you are cautiously apprehensive;
Ominous
if you let strife come to a head.
Confer with the great man.
Do not cross the great water.

INTERPRETATION

ARTHA Although your values may seem like absolutes to
someone with a strong character, from a philosophical
point of view all values are relative. You feel deeply that
what you believe and what you do are right. And, in your
terms, you are right—but, in *their* terms those with whom
you disagree are also right. From an objective point of
view, your values, your aims, and your actions are only
a few among many elements and processes of the overall

40

pattern of human reaction and interaction. As a balance to your positive, steadfast attitude you must retain this objective "other vision," whose truth you instinctively feel. Remember that your adversaries are also in the grip of personal absolutes—immovable and inflexible. Without lowering your standards or hedging on your principles, make an effort to meet them halfway. Since both sides are implacable, you must find a wise mediator with the authority, either civil or religious, magical, philosophical, or social, to decide the question once and for all. This particular conflict was formed the moment you entered into the relationship(s) involved, which indicates that you must be more judicious when initiating situations. Until the conflict is resolved, do not undertake any of your more ambitious enterprises or make any major changes in your life.

KAMA Why do you insist that Friend be like you and speak and act and breathe according to your vision of the world? It's egotistical—and obviously absurd. Your complementary personalities are what brought you together in the first place; now, instead of being the reasons for your loving they have become the reasons for hating. You must let Friend be true to Friend's self. As Friend will be, anyway—just as you are true to yourself . . . but in strife and deceit? or in love and calm reaction? Each of you has a distorted view of himself. Go to a third party with a disinterested viewpoint—not just a mutual friend, but a professional counselor, an astrologer, a psychiatrist, a yogi. Or refer together to a book or to music or to a film for which you share a common sympathy. Do not dally with other relationships until you and Friend have begun to reconcile your differences.

MOKSHA You are not spiritually free because you cling anxiously to one metaphysical image of the Universe. You feel threatened by other concepts of God. But every system is a reflection of the One and All. All beliefs and all denials of all men are only sequined mirrors on His robes.

LINES

1 —x— The man shies away from conflict.
Auspicious
after the rumors die down.

Since the conflict is still in the budding stage, the best
thing for you to do would be immediately to break completely with those involved in the troublesome relationship. You will suffer some verbal abuse, but all will end
for the best.

2 —o— The man is not equal to the contest.
He retires, disguised, to a small town.
No guilt.

You are up against great odds; perhaps you should back
down—all the way. Trust the values you place on responsible action and your own survival. Withdraw. The
humility you feel will touch all the elements of your life
so that in the end you will feel no bitterness. Treating
everyone, even enemies, with humility and compassion
you will find you have withdrawn not in rage, but in
peace.

3 —x— The man holds his ground.
He draws his reputation around him like a cloak,
and makes no major effort.
Those who depend on him
do not appreciate his sacrifice.
Auspicious
but perilous.

Most of your possessions—spiritual or material—are
yours simply because you acquired them and continue to
hold them. If they are lost, stolen, traded, or destroyed,
they no longer belong to you. There are a very few, however, which, because they were created by your own mind
or hands or because of your persevering devotion to their
attainment or through love, more than just belong to you;
they have become a part of you and will remain so. Your
expansive personality exposes these most meaningful possessions and they are always threatened. It may seem that

one of them has been taken from you—an image has been plagiarized, an idea usurped, a lucky fetish lost. But although it is in the possession of others, it is still yours, irrevocably and eternally. So remain content with that. Do not make a fool of yourself by trying to recover it or seeking retribution. Your right to it cannot be proved and it will seem to others that you are exaggerating its value, making a mountain out of a molehill. If you are in the service of another, do not undertake any new responsibilities.

4 —o— The man is not equal to the contest.
He withdraws from the contentious world
into the peace of spiritual devotion.
Auspicious
if you keep to your course.

You see a conflict with someone else looming ahead of you. You know that if you engage in the dispute you will eventually be victorious, but you still cannot bring yourself to disrupt your life in that way. Even though your cause is just and you are capable of carrying it out, you have withdrawn in favor of peace and quiet. If you remain steadfast in your decision, without regrets or recriminations, all will be for the best.

5 —o— The man in the very midst of battle.
Very auspicious.

The words and opinions of someone in your circle carry great weight. This person would be an acceptable arbitrator of your difficulties with others. If you have no moral or ethical reservations about your own aims, his judgment will be in accord with them.

6 —o— If the king honors the man with a leather belt,
before the morning is over
it will have been taken from him three times.

You may feel that you have finally triumphed in some way. But no, it is not final. This victory of yours will only lead to another reaction and you will soon find yourself in the midst of the same conflict again . . . and again . . .

7

SHUH ☷☵ SOLDIERS

☵ The Deep
below

The Earth
above ☷

ORACLE

The earth covers the deep.
The superior man nourishes and educates the people,
making soldiers of the multitude.

Auspicious
with no mistakes
if you keep to your course
guided by experience and age.

INTERPRETATION

ARTHA This is the hexagram of Mao Tse-tung. He fulfills
the oracle directly by bringing true the letter of its sym-
bolism. In a more personal sense, the hexagram indicates
that you must find support and assistance among the
many people who surround you. They are no help to you
whatever right now. You must apprise them of the oppressive situation, inculcate them with your point of view,
convince them of the need to take action, and provide
them with the strength—material and moral—to act. If
you are someone whose age and experience automatically
demand respect, then you will find it easier to be accepted
as a leader.

KAMA You and Friend are well matched but as inmates of a rarefied cultural atmosphere, with absurd ideals and ambiguous values, you are both under a constant debilitating strain. You and Friend must "get away from it all," rediscover yourselves as people; you must cut the ties that bind you and begin to live quietly, simply, and patiently. Then you will discover the essential human bonds of your love.

MOKSHA As you move on the path to enlightenment your life changes with your successive revelations; your revelations change your motivating principles and change your vision of the world. In order to live in accordance with your present religious principles, you must now become one of the people. It is not your mission to make your revelations known to others, but to broaden your own spiritual life by experiencing the basic spiritual revelations common to all human beings.

LINES

1 —x— The soldiers set forth under orders.
    Ominous
    if the orders are not good.
You have prematurely set in motion the forces you have amassed. You have neglected to double-check your strategy. And you have neglected to measure the honesty and humanity of the principles behind your actions.

2 —o— The leader is among the soldiers.
    The chief commends him three times.
    Auspicious.
    No mistakes.
You receive public awards and honors. To accept them is neither hypocritical nor unfair. You are a symbol of the success of those who honor you. Your honor is inwardly shared by everyone.

3 —x— The soldiers in the wagons are dead.
> *Ominous.*

Miscalculating your strengths, denying your weaknesses, you have set forth on a path of inevitable disaster.

4 —x— The soldiers retreat.
> *No mistakes.*

Ultimately you will overcome. Now you must withdraw and wait for a time more suited to action.

5 —x— There are birds in the field.
> It would be wise to seize and destroy them.
> The eldest son is sent to lead the soldiers;
> his officers are idle young men.
> *Ominous*
> *if you keep to your course.*

You have been given the responsibility of leadership. You have done well as a follower, but you do not have the strong qualities required in a position of authority. You have let your personal life intrude on your public life. Instead of providing yourself with experienced advisers and skillful administrators, you have surrounded yourself with friends who fill their positions as poorly as you fill yours.

6 —x— The great ruler appoints his governors of states
> and chiefs of clans.
> Small men should not be used.

You have overcome the oppressors. But have you yourself become the perpetrator of the same old oppressions? or the perpetrator of new injustices?

8

PEE ䷇ SEEKING
UNION

The Earth below   The Deep above

ORACLE

The deep covers the earth.
The ancient kings divided the land into states
and fostered friendship among their princes.

Auspicious.
Cast the oracle again to determine
whether your mind is great, unremitting, and firm.
If it is, no mistakes.

INTERPRETATION

ARTHA You are the creation of a culture, of a society, of a brotherhood of shared experience, and of a family. Even your own individuality is only a concept that—like all others—owes its existence to the community of man. You cannot "find yourself" by avoiding close association with your brothers. Join in something people are doing, if the principles behind it fit your own. It is neurotic to believe you might "lose something of yourself" if you become a member of a group. Let yourself go—the experience of being in close sympathy with others, pursuing common goals or common pleasures, will give you a better perspective on yourself and your problems.

You may feel anxious about the welfare of your fragile

47

sensibilities if you should become a true, integral member
of a group. These fears will diminish as you approach
taking the step that will unite you with others. If you
hold off indefinitely the time will come when you will
literally be incapable of closeness to others. Your shell
will have become impenetrable—from within as well as
without—and you will be irreparably cut off from your
brothers. It could be that you have the qualities to become the cohesive central force of such a group. A de-
monic personality and a sense of purpose are required. If
you feel that perhaps it is in your Tao to devote yourself
to gathering others around you in a spirit of sympathy
and community, cast the I Ching again. Then decide
whether or not you're really up to it.

KAMA There is a third entity to every pair—the myste-
rious third character on arcanum 6 of the tarot (the
Lovers): there is you and Friend and "we," i.e., both of
you together as one. This third entity—we as lovers—
gives strength and structure to your relationship. You
each have an equal responsibility to it. If you are so involved with other affiliations that you have decided to let
Friend take care of the business of loving, then you
weaken the relationship.

MOKSHA As long as you do not recognize every man as
your brother—you will not find it. As long as you do not
recognize that every table is your brother—you will not
find it. As long as you do not recognize that the midnight
sky is your brother—you will not find it.

LINES

1 —x— Sincerely seeking union.
        No mistakes.
        Improvement
        if you are filled with sincerity.
Form your relationships only on the basis of sincere sym-

pathy with others. Strength and solidarity will result. Beware of inconsiderate motivations.

2 —x— Instinctively seeking union.
>   *Auspicious*
>   *if you keep to your course.*

Respond naturally and freely to the desires of others. Do not fawn on them, trying to anticipate their desires.

3 —x— Seeking union with unworthy men.
Through habitual socializing you have become an intimate member of a group not really sympathetic to your own principles and values. You must withdraw from this group. There is no harm, however, in remaining on congenial terms with individual members of the group.

4 —x— Seeking union with a greater man.
>   *Auspicious*
>   *if you keep to your course.*

You are in close, sympathetic contact with someone at the focal point of a community, someone to whom others look for strength and guidance. Do not be embarrassed to express your feelings to him. But beware of being swayed from your own principles.

5 —o— The highest example of seeking union:
>   the king urges the hunt only on three sides;
>   the game escapes before him.
>   His people join in his example.
>   *Auspicious.*

Do not coerce anyone to become part of your group. Do not condemn those who do not wish to. This will assure that all attachments are free and sincere.

6 —x— He seeks union
>   but has not even taken the first step.
>   *Ominous.*

You are guilty of the dangerous prolonged hesitation cautioned against in the "Artha" section above.

9

ZHIAO-KHUH ☰☰ MINOR RESTRAINT

☰ Heaven below   The Wind above ☰☰

ORACLE

The winds of heaven:
the great air currents carry the weather.
They come from the west
bringing dense clouds, but no rain.
The superior man adorns himself
as an outward manifestation of his virtue.

Success.

INTERPRETATION

ARTHA   You are far behind the advance of changing times
and fashions, changing generations and changing events.
You are carried along, willy-nilly, powerless to resist or
to make any changes yourself. Any active moves you
make cause only conflict, not change. Any efforts you
make to disentangle yourself only entrap you more. Any
attempts you make to deal with the forces that direct the
course of your life only result in your being left even
farther behind. Only in your outward bearing, in your
manner, in your appearance, in your behavior, can you
freely express yourself without fear of conflicts or embarrassment.

KAMA Because of your love for Friend you acquiesce to demands made by Friend that go against the grain, that rankle, that disturb and embarrass you. These demands are so important to Friend that any resistance to them would be met by extreme anxiety and hostility on Friend's part. If your love is strong enough for you to act against your own principles, then continue to give in freely, without resistance, and with affection and good grace. If you cannot set to rest your inner opposition to Friend's impulses, then you should not have anything at all to do with Friend.

MOKSHA Powerful and far-reaching illusions have control over your Tao. They inhibit your spiritual life at every turn. If you are an artist, you are caught up in clichés. If you follow a guru, you are caught up in hero worship. If you *are* a guru you are caught up in pride. If you are a Christian, you are caught up in self-righteousness. If you are a Buddhist, you are caught up in passivity. If you are a magician, you are caught up in fantasy. If you are a Freudian, you are caught up in your ego. You must give up your spiritual ambitions. By following the other, "lower" paths of existence according to unselfish, humanitarian principles, you will eventually reach the point where you can break through the conceptual dead ends that now entrap you on the spiritual plane.

LINES

1 —o— The man turns back
to his proper course.
There can be no harm in that.
Auspicious.

You cannot accomplish what you are attempting. Forget it. Return to the way of life you had before you undertook your ill-fated project.

2 —o— The man is drawn back.
He keeps to his proper course.
Auspicious.

Those whose aims and directions have so far coincided with yours have regressed, have withdrawn, leaving you alone. You cannot see any reason for their pulling back. But unless you feel that you are definitely at the point of achieving your objective, you had better follow the example of your colleagues and withdraw as well, immediately.

3 —o— The strap that holds back the carriage has been removed.
The man and his wife avert their eyes.

Taking advantage of the mildness of others you are attempting to influence a situation forcefully. Because of your overbearing and cynical attitude, your efforts have met with indignant resistance. Even those who, until now, have been sympathetic and encouraging find fault with your aggressiveness. You bicker with your friends. There is little you can do.

4 —x— The man is sincere.
Bloodshed is avoided
and his anxieties are quelled.
No mistakes.

Contrary to the first sentence of the "Artha" section above, you are *not* far behind the vanguard of changing events. You are close to the people and institutions that direct the changing trends of values and ideas. If you wish to counter the prevalent drift, take action; it will be effective. You may be called upon to use extreme measures; no matter what they are, they are not as extreme as what would occur if you were to remain inactive.

5 —o— The man is sincere;
he attracts loyal allies.
The man is resourceful;
he has the wealth of his neighbors.

You have good friends. Between such friends there is mutual sympathy and a mutual need for each other. Recognize this as a blessing and cultivate your friendships openly and with no inhibitions.

6 —o— Rain has fallen;
        progress is delayed.
        The man appreciates
        the progress he has made until now.
        The woman is in a state of peril,
        no matter what she does.
        She is like the nearly full moon.
        Ominous
        if you take any action.
In your inoffensive, meek reaction to objectionable forces you have withdrawn to the point where those forces have hardly any influence on you at all. You must be very careful to remain passive and impassive to authority, and not to attempt to break completely free. Although the temptation has presented itself, to attempt a break for complete individual freedom would be to break the Tao, the method of mildness that has brought you to the point of being nearly free. The moon, however brilliant, is always a Yin force—receptive, reflective. Although it is able from time to time to free itself from the encroaching darkness, because of its Yin nature it cannot sustain its unfettered brightness. As soon as the moon is full it immediately begins to wane. Do not rush yourself headlong back into subjugation.

10

LIH ≡≡≡ TREADING

☱ The Marsh   Heaven ☰
   below   above

ORACLE

The sky above, the marsh below.
The man discriminates between high and low
and acts in accord with the wishes of the people.

You tread the tail of the tiger.
It does not bite you.
Success.

INTERPRETATION

ARTHA You try to be discriminating in your personal
acquaintances—in fact, you're something of a snob. Perhaps because you react deeply to other personalities, or
perhaps because you are not fortified enough to take the
pressures of social contact, you shy away from most personal confrontations. You have a few close friends who
share your values, your serious attitude toward life, and
very often your tendency toward aloofness. More mundane social contacts try your patience and disturb your
tranquillity. The circumstances of your life force you into
these disturbing contacts every day. There is nothing im-
moral or undemocratic in discriminating as you do, as
long as you understand that your judgments are based on
your own personal needs, inclination, and taste. Beware:

over a period of time you may come to regard your evaluation of others as judgments of universal principles. You may begin to feel *superior* instead of just *shy*. You will not hurt others by this attitude—to them you only will appear fatuous and impolite. But you can hurt yourself. Regarding your subjective evaluations as universal principles will harden you toward others and close you off to spontaneous social experiences. You will lose touch with the small surprises of love and friendship that can occur naturally in your daily routine. Danger: prejudice.

KAMA You have reconciled yourself to the fact that you and Friend have different opinions of each other's activities. Friend does not take seriously what you do and vice versa. You have reconciled yourself to this, so it in no way diminishes your love for Friend. However, there is a danger that you could begin to feel superior to Friend, to judge Friend as well as Friend's inclinations, and to think of Friend as frivolous or evasive. This kind of wrongheadedness can diminish love; it conceptualizes the relationship and imposes abstract ideals on a real person. Under these circumstances you no longer *see* Friend, you *observe* Friend; you no longer *touch* Friend, you examine Friend; you no longer *know* Friend, you *possess* Friend. Friend can be compared to a porcelain figurine which, although judged by its owner to be tasteless and mawkish, still holds for him a sentimental meaning that perpetuates his warm attachment. As the porcelain figurine is loved for its past associations and not for its essential form, you love Friend for similarly self-centered reasons, without giving credit to Friend for any innate attractiveness. Beware! Do not forget that the differences between yourself and Friend are complementary. Each of you brings equal value to the relationship.

MOKSHA You feel you have achieved a level of understanding beyond the reach of most people. Even those on the same path as yourself seem to be very far behind you.

You have reached out to them, but they seem to remain embroiled in matters of dogma and paradox. Do not judge them. The fact that you *desire* to elevate them is proof that you are far enough away from the enlightenment you suppose you approach for there to be little qualitative difference between you. You are right here with everyone else—on the wheel of karma.

LINES

1 —o— He treads the familiar path.
    No mistakes
    if you advance.

You have the opportunity to distinguish yourself by accepting a public responsibility. Is your desire for this honor an expression of your inner self? Or is it born of fantasies of exaltation, privilege, and power? Beware.

2 —o— A quiet, solitary man
    treads a level, easy path.
    Auspicious
    if you keep to your course.

You are not involved in the rat race. You are free of the anxieties and doubts that attend others in pursuit of their insatiable desires. You are content and never become involved in personal conflicts.

3 —x— He has one eye and thinks he can see well;
    he is lame and thinks he can walk well;
    the braggart acts the part of a great ruler.
    He treads on the tail of the tiger
    and is bitten.
    Ominous.

Considering his physical deficiencies it would be foolish for a one-eyed man or a lame man to perform such a dangerous stunt as treading on the tiger's tail. You either ignore or are blind to the fact that you bring to your situation debilitating personal liabilities which doom your efforts. Not only will you fail, but you will provoke an unfortunate reaction.

4 —o— He treads on the tail of the tiger

> with the utmost caution.
> *Auspicious*
> *in the end.*

You have taken on a seemingly impossible task. Outwardly you seem to be going at it in fits and starts, cautiously, hesitantly; inwardly you have the strength and direction of purpose to carry it through. This is the line of Abraham Lincoln.

5 —o— He treads resolutely.

> *Peril*
> *if you keep to your course.*

You are resolute and persistent in your chosen direction. You are also aware that it can lead you into conflicts with others. Try to skirt these conflicts or to mitigate them. Prepare for them.

6 —o— *Examine the course you are treading*

> *and see where you are going.*
> *Very auspicious*
> *if your goal has now been reached.*

You have completed something and now wish to know if the ultimate consequences will be what you anticipated. Look back and examine the incidental results that accompanied your past efforts. If you approve of these past results, then the ultimate consequences of your actions will also meet with your approval; if you do not approve of your methods, then it is unlikely that the end results will meet your approval either. The Tao of the work is in the Tao of the working.

11

T-HAI  PEACE

Heaven below   The Earth above

ORACLE

Heaven descends.
Earth ascends.
They join.
Heaven and earth mingle within the man.
The wise man brings this accord to the people.

Auspicious.
Success.

INTERPRETATION

ARTHA   As you cast your sticks or coins for this oracle you experienced peace of mind. While reading this you may be full of the anxieties and expectations that arise from your question, that are your problem; but while casting the hexagram, in the act of performing the ritual, you were at ease. In order to establish a correspondence between the patterns in an individual life and the patterns of the coins or sticks the questioner should concentrate on his question while casting the oracle. You, however, became so involved in the "doing" of the oracle that while casting it (before you reached for the book) you entirely forgot your problem. The ability to get totally involved in what one is doing at the time one is doing it is a rare gift. Cultivate this kind of total involvement. Extend it to all your activities. It is a path not so much of calm as of order, where your life's concerns do not overlap, where you can concentrate completely on the most immediate activity.

KAMA You are not totally involved with Friend. You do not share your entire life with Friend. You include Friend only when the situation seems to relate to Friend on an obvious level. Everyone has certain close and secret places; but you keep too much of your life hidden from Friend. Perhaps you have a tendency to keep the unpleasant, problematic things to yourself and share only the pleasant things. If Friend is not like you the different situations and problems and events in Friend's life which probably overlap yours require a response. Thus, although the meaning of this hexagram is peace it could bring about conflict.

MOKSHA Your spiritual path is the regular practice of certain rituals. These rituals will not lead directly to your enlightenment. But because of your total involvement in them, rituals symbolizing a union with the One and All will indeed unite you with the One and All as you perform them. Without enlightenment, without the usual dramatics and self-consciousness that accompany loss of ego, while performing your rituals you are in Nirvana—egoless, formless, mindless.

LINES

1 —o— He pulls up a cluster of wildflowers;
the grass comes with it.
Auspicious
if you advance.

Your ability effectively to concentrate on what you are doing attracts others who have the same goals, if not the same gift of total involvement. This can only further your efforts. Accept these friends.

2 —o— He can put up with boring men.
    If there is no boat he can swim the river.
    He has almost total recall.
    His friendships are based on love.
    He certainly keeps to the golden mean!

All things are equal. Act with consistent principles. Treat strangers like friends. Undertake difficult things as naturally and spontaneously as you undertake ordinary, workaday things. Do not make a distinction between things close to you and things distant—anything that involves you must be met with the same principles of objectivity and fairness, without evaluation or prejudice.

3 —o— No union without disruption;
    no departure without return.
    No mistakes
    if you keep to your course,
    foreseeing difficulties.
    Do not let inevitable changes distress you;
    savor the joy of the present.

The oracle is clear. To "savor the joy of the present" is to know the relativity of all joy and sorrow. Remain calm while dealing with a situation which, for the moment, overpowers you.

4 —x— He joins with his neighbors
    and does not rely on his wealth.
    His neighbors join with him
    without fearing his power.

Because you are free from persistent anxieties, you have a sincere, unprejudiced approach to whomever you meet. You are open and sincere with the most casual acquaintance. Those who know you appreciate this.

5 —x— Prince Yi made a new rule
    when his daughters were married.

Happiness.
Very auspicious.

By the decree of Prince Yi, the daughters of emperors
were to obey their husbands just like other wives, although
they were usually of a higher rank in court. Whether in
a love relationship, a business relationship, or any other
relationship, you can make a similar kind of accommoda-
tion in your life. You can successfully reconcile conflicting principles by dividing your life into different spheres
of activity, such as—in the case of Prince Yi—the world
of the court and the world of the family.

6 —x— The wall joins the moat.
　　　　The man is not aggressive;
　　　　he plots with his allies.
　　　　Some guilt
　　　　even if you keep to your course.

While following the natural course of your life from immediate present to immediate present you have been careful to separate one activity from another. You thus ignore
the possibility of interaction between them. A moat surrounding a wall should ensure double fortification. But a
moat planned without consideration of contingent factors
may be dug too close to the wall. If the wall topples it
will fill the moat. Past thoughtlessness makes you vulnerable. Do not attempt to defend yourself. Withdraw to
your inner circle. Accept your fate.

12

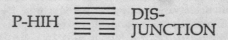

P-HIH DIS-JUNCTION

The Earth below   Heaven above

ORACLE

Heaven and earth separate from each other.
There is a lack of understanding between men.
The great ones have gone
and the small ones have come.
The superior man conceals his true qualities
and avoids calamities.
He shuns gainful employment.

*Difficulty
in keeping to your course.*

INTERPRETATION

ARTHA You live in a world informed by petty principles:
greed and possessiveness, selfishness and resentment,
competition and hatred, etc. Money is the treasured ex-
crement (using the image of N. O. Brown), the useless
waste, of this situation. Stay away from it. In your particular situation the vulgar, materialistic corruption is so
far-reaching that you can be drawn into it inadvertently
by the acceptance of money from anyone. In this hexagram the trigrams of Heaven and Earth draw away from
each other. If you are not a saint or monk practicing

62

moksha, hitched to receding heaven, you are here on earth, a madman among others delighting in their own effluvium. Your situation is without the traditional restraints of charity or humane social ideals for the future. Those with whom you are involved could be vicious. If you *have* any unselfish principles, restrain yourself from advancing them—they can do no good. They will be completely misunderstood and bring not the faintest ray of light to others. Content yourself with holding those principles intact within yourself—you will find that alone difficult enough to do.

KAMA Only in the loose terms of a confused language could your relationship with Friend be called a "love" relationship. You conflict in pettiness; you unite in pettiness; your pains are petty; so are your pleasures. Small and mean, if not demanding, resentful of each other, you have completely lost track of the basis of your relationship.

MOKSHA This is the hexagram of St. Simeon Stylites, the pillar saint who lived for thirty-five years on a small platform atop a pillar in the Syrian desert. In a culture where the very language is often confused and righteous acts are always misunderstood, only such an absurd life as St. Simeon's is recognized as being spiritually inspired. Materialism is so desperately all-consuming in your world that only a life of asceticism bordering on the absurd can free you for your spiritual path.

LINES

1 —x— He pulls up a cluster of wildflowers;
the grass comes with it.
Auspicious.
Improvement,
if you keep to your course.

You are being carried away by events that at first glance seem not to concern you directly. Do not resist or try to extricate yourself. Purely by accident you are being swept out of the reach of a danger you have not yet even recognized.

2 —x— Patience and submission.
Auspicious
for the small.
Success
amid suffering and obstruction
if you can make this your course.
You are closely involved with the greedy and mistrustful culture. You have been lucky so far just to have been able to hold your own, being constantly on the defensive. The destructive, inhumane situation expressed by this hexagram could be a blessing, if its unredeemed meanness were to impel you inward. There you can find the success of a content, accepting life.

3 —x— He is ashamed of his intentions.
The fact that everyone else is involved in the same shameful situation makes it more bearable for everyone. Unfortunately, this justification cannot mitigate your guilt. Its only effect is to prolong the situation.

4 —o— He acts with piety
and makes no mistakes.
His friends come
and share his happiness.
Although success is unlikely, if you wish to act on your principles, go ahead. To act boldly and sincerely will not cause you too much trouble at this point and by doing so you may encourage others to do so as well.

5 —o— He brings suffering and obstruction to an end.
A great and fortunate man.

"Watch out, watch out!" he cries,
tying his success
to the stump of a mulberry tree.

Within the stiffest, most static, and shapeless life there lies the potential for growth and creativity. But first—self-awareness.

6 —o— Suffering and obstruction are conquered.
From now on, happiness will increase.

Anything, no matter what, is better for you than the situation expressed by this hexagram. So be glad. You have come through.

13

T-HUNG- ☰ SOCIETY
ZHAN

☲ The Sun   Heaven ☰
below   above

ORACLE

A fire beneath the open sky.
The superior man distinguishes things
according to their kinds and classes.

Success,
if you keep to your course.
You may cross the great water.

INTERPRETATION

ARTHA The principles that underlie the social contract are
the principles that direct your own life. You agree explicitly with Aristotle's definition of man as "a political
animal." Although you recognize the existence of certain
inequities within every society, you regard them as necessary to its structure. Whatever you do is done in this context: confidence in and sympathy with the social structure.
Not confused by the prevalent ambivalence of loyalties to
one's individuality and to society, you are able to fulfill
your role in society and enjoy fully whatever benefits
accrue from the natural workings of the social mechanism.
This hexagram in no way implies any oppression on you
or brainwashing or naïveté on your part. The society of
men, their joining together for mutual good, their building of social structures that have an architectural sense of

balance, support, and finality are reflections of the gathering of the All into the One.

KAMA You and Friend see your relationship as an archtypal one. If you are lovers you see yourself as "the Man and the Woman"; if related, as "the Mother and the Daughter," "the brothers," etc.; or as "the Teacher and the Student"; or as companions, as Mind and Body, etc. Your relationship is not simply one between two individuals. You feel a natural bond to the *idea* of your type of relationship, with its set rules for each member and its traditional areas of conflict, as it has manifested itself in culture. You may be interested in the work of K. G. Jung. This way of being together makes strong and lasting bonds between yourself and Friend; you understand each other perfectly; although somewhat didactic, neither of you is selfish or dishonest. You each feel a sense of historical responsibility to fulfill your roles to each other in a way worthy of your archetypal counterparts.

MOKSHA The society of all things as it is reflected in the tumultuous society of men is the idea that illuminates your path to enlightenment. History inspires you; inspired, you begin to see history as myth; as myth it reflects divine patterns and enlightens you. Reading is your ritual, e.g., the *Bhagavad-Gita*, most inspired presentation of this spiritual idea; Homer; the *Golden Bough*. The seemingly endless lists of names in the Old Testament have a beauty and meaning for you that they do not have for others. You remain aloof from the stresses and convulsions within your own social structure and see the human condition from above, seeing man as ultimately united in the patterns of the One and All, beyond good and evil.

LINES

1 ——o—— He unites with other men
in his own doorway.
No mistakes.

Your having joined with others is not the result of a sudden heartfelt appreciation of the joys of society. A situation common to you and the others has impelled you into this group. Although your presence in it is almost inadvertent, you should remain and work in it.

2 —x— He unites with members of his own family.
   You will regret it.
Your social sphere is too limited. In a situation that requires companionship with all, you have joined only with some. This is snobbish and narrow-minded and will be regarded as such by others.

3 —o— He hides his weapons in the grass
   and crouches at the top of the hill.
   He does not make a move for three years.
You have taken the first steps toward entering a certain community, group, or organization which is an unselfish society of men with a common cause. Yet you do not fully believe in the sincerity and integrity of the group. You are suspicious. Not having fully thrown off the bonds of the idea of the individual, you cannot believe that others have done so. You hold yourself aloof from the others. You have prepared yourself to strike back if someone tries to take advantage of you. It will be a long time before you can bring yourself fully to enter this community, and a long time before you are accepted in it.

4 —o— He mounts the wall to do battle,
   then sees no need to defend himself.
   Auspicious.
You are about to let yourself go and fully enter into an unselfish, rewarding society of men. You still retain some feelings of competitiveness and wariness, but it has begun to dawn on you that these feelings are truly absurd.

5 —o— He is forced to unite.
   At first he wails and complains;
   later he laughs at his own distress
   and meets with his conqueror.

You have joined in a strong union with others. This union is highly structured and causes you many hardships at first. You are not used to the new constraints and responsibilities that accompany membership. When you do become accustomed to them you will find your life easier than before, with less anxieties, less practical difficulties, and more ease and joy.

6 —o— He unites with men in the suburbs.
    No guilt.
The suburbs of a city are a kind of Limbo. This line expresses the fellowship of those in Limbo. Without a common goal, without a common past, with nothing in common but being equally lost and cut off from other men, you have joined with others in similar straits.

14

TEH-YUH ☰ WEALTH

Heaven below The Sun above

ORACLE

Fire above heaven.
The wealthy man represses evil and honors good,
in the spirit of divine law.

Great success.

INTERPRETATION

ARTHA   This is the hexagram of wealth without greed; of
possession without desire; of material fulfillment without
an appreciation of it. *Blessed are the meek: for they shall
inherit the earth.* Your mildness, your inoffensiveness,
your lack of competitiveness, your circumspect ego, your
simple realistic values, all endear you to those who know
you. Compared with you *they* are, to one degree or
another, aggressive, competitive, and greedy. As a kind
of tribute to your meekness, as a kind of pay-off for your
not being a threat to anyone else's ambitions, material
wealth is allowed to accrue to you. But wealth isn't what
you desire. You do burn with a desire for something, although you don't generally acknowledge it to yourself. In
your meekness you cannot recognize the form of your
own fulfillment. (See "Moksha" section.) And so you become encrusted with castoffs from the material fulfillment
of others.

70

KAMA Friend is a perfect lover. Friend is beautiful, unselfish, exciting, tender—it seems as if you should be deliriously happy. But you are not. You feel that something is missing; a certain sympathy, a certain closeness of contact, a certain depth of love in your relationship. But this lack is not due to Friend's neglect—it is due to yours. You are so meek, so afraid to show your feelings, that the relationship is a one-way one, with you on the receiving end. Friend's desire towards you *is* to be a perfect lover. You must discover what your desire toward Friend is, and express it.

MOKSHA *Blessed are the meek: for they shall inherit the earth.* But what about heaven? Your material success is an incidental consequence of your spiritual meekness. A *major* consequence is that there is no chance of your experiencing religious joy. Casting this oracle may well have been your first step in the spiritual realm. You generally ignore your moksha—the spiritual side of your life. You pretend it doesn't exist. But the answer to your problem, the solution to your unhappiness, lies there. It is the form of the unrecognized fulfillment mentioned in the "Artha" section. Is it a fear of failure in this most important matter that keeps you from delving into it? But there is nothing to fear in moksha: everyone, everything in moksha is kind. It is time to discover who you are.

LINES

1 —o— *No mistakes*
      if you keep yourself from harm.
      No mistakes
      at the end
      if you see the dangers and difficulties.
Right now you are accruing possessions without impinging on your own principles. As you continue, though, you will sooner or later be called on to compromise yourself. Do not.

2 —o— The large wagon
has a full load.
No mistakes
if you advance in any direction.

Do not become attached to real property or any other kind of cumbersome possessions that could inhibit your activity. If you remain free of such binding attachments, you can undertake whatever you wish.

3 —o— A prince presents himself as an offering.
A smaller man could not do this.

If you keep what you have, your wealth will be a burden to you. If you give away what you have, your wealth will bring you joy.

4 —o— He conserves his resources.
No mistakes.

If you attempt to match the opulence of others, pride or envy will lead you to make mistake after mistake in your business and social affairs. You must live without imposing comparisons on your life.

5 —x— Mutual sincerity.
Auspicious
if you act nobly.

Because you are unselfish and humanitarian, with the means to be generous as well, you act with a certain self-assured ease and familiarity that ignores social conventions and offends some of your friends and colleagues. If you wish to avoid these conflicts, you must accept certain codes of behavior. Although of no value to you, still they have value for others.

6 —o— Heaven helps him.
Auspicious.
Improvement
in every way.

You recognize a saint. You give him help. You partake of his wisdom. Good fortune.

15

KH-YEN ䷎ MODESTY

The Mountain
below

The Earth
above

ORACLE

The mountain recedes behind the horizon.
The modest man is successful by nature.

Balance your impulses
for an objective judgment.

INTERPRETATION

ARTHA First of all, you should be modest in your behavior.
There are a few people whose immodesty is condoned and
accepted by others; you are not one of them. But there are
deeper kinds of modesty and immodesty and the latter
may be responsible for the pitfalls you are encountering.
Certain aspects of self-consciousness can be considered as
immodest. Perhaps you are so full of your most important
projects and activities that you relate *all* your experiences
and *all* your personal contacts to them. Besides the misunderstanding and even resentment on the part of others
this single-mindedness may cause, it also distracts from
your efforts to accomplish your great project. It takes
away from it the immediacy and the objectivity necessary
to a productive approach. Or perhaps you spend your
time imagining the details of the culmination of your efforts; daydreaming under the guise of "planning." This

is also immodesty. It is immodest to place yourself on a level above your activity, to feel that you can look down from above at what you are doing. When you step back to observe what you are doing, when you talk about what you are doing, when you think about what you are doing, then you are observing, talking, thinking—but not doing. What you are doing is no longer an integral part of what you are; it is only an idea. It is the dark glass through which you see yourself. If there is some activity for which you are particularly suited, do not gloat or plot or fantasize about it. It is a gift from God. Get down to it.

KAMA You feel that you understand your relationship with Friend and attempt to direct it according to your understanding. Perhaps this is a conscious activity: consciously, verbosely perhaps, you work out the different levels and changes of the relationship, putting pressures on yourself and Friend to conform to your ideal. Perhaps it is unconscious. You may pride yourself that you are "trying to work things out" while what you are doing is imposing neurotic, sentimental expectations on the relationship. Love is an absolute, but like other absolutes it loses its absolute meaning as soon as it is spoken. Love is all-embracing, but as soon as it is named, it is limited. As soon as lovers speak love, they limit their love by implying the possibility of not loving. As soon as lovers think love, they begin to see themselves as "lovers," instead of as real people. The situation is seemingly inevitable to some extent. But such immodesty should not be encouraged to overwhelm the entire relationship with a lovers' ideology.

MOKSHA If you see yourself as enlightened, then you are considered by others to be enlightened; you are both wrong. If you do not see yourself as enlightened, then you are not considered by others to be enlightened; you are both wrong. And, in either case, you are aware of the anomaly.

Modesty

LINES

1 —x— Modesty upon modesty.
Auspicious.
You may cross the great water.
If you are leading a quiet, purposeful life, in a manner
both honest and inoffensive toward others, you can successfully and happily take any great step or make any
major change in your life that you wish. If you feel a
conflict with anyone, or an ambiguity about any element
of your life, then you are not prepared to take that step.

2 —x— Modesty apparent.
Auspicious
if you keep to your course.
You are free of false or self-conscious modesty and do
not attempt to repress manifestations of your true modesty. True modesty is your major character trait. It is
evident to everyone. You are entrusted with responsibilities because of it.

3 —o— Modesty acknowledged.
Auspicious.
Continued success.
You have accomplished something, both in your own eyes
and in the eyes of the world. Along with other qualities,
the kind of modesty spoken of in the "Artha" section
above played a role in your success. Now that your
achievement has been recognized by others, you may be
modifying your view of yourself, which has been modest
up to now. There is a danger of immodesty appearing in
your contacts with friends and colleagues; or a danger of
your fruitful activity being subverted by immodest and
grandiose ideas. Just a small step in your persistent activity brought you the success you now enjoy; do not
forget that the next step you take will be just as small.

4 —x— Active modesty.
Improvement.

Modesty should not be an excuse for hesitation, for restraint, or for not fulfilling your responsibilities. You feel that you are too insignificant, too ordinary a person to assume certain responsibilities that are inherent in your role. This is only a rationalization for copping out. You live within a social system, whether you like it or not, and you have responsibilities that derive from that system. Remember, there are others who depend on your fulfilling your role.

5 —x— Modesty bringing influence.
His neighbor supports him.
Be aggressive.
Improvement
whatever you do.
You are essentially a modest person; however, it is now necessary that you act immodestly. You may be called upon to rise to leadership in some way; you may have to speak frankly and unreservedly with a friend; it may be necessary to expose part of your life to public scrutiny as you follow your Tao. Whatever principles propel you towards this immodest act are more basic and more important to you than the principle of modesty.

6 —x— Modesty bringing modesty.
Improvement,
whatever you do,
even if it seems against your best interests.
Conflicts that have arisen between you and your close friends are the result of immodesty on your part and on theirs. To hold back from exposing your mutual faults is only superficially modest and is actually irresponsible. You must make a show of humility, concentrate on your own faults, become an example for others, pointing toward a return to the love, the community feeling, and the sense of purpose that are the touchstone of your association.

16

YIH ䷏ ENTHU-
SIASM

The Earth
below

Thunder
above

ORACLE

Thunder is music to the earth.
The ancient kings composed music
in honor of their own virtue,
and presented it to God,
inviting their ancestors to be present.

*Rally your forces
and set them moving.*

INTERPRETATION

ARTHA This is the hexagram of music that moves. This
is the music that gathers together and inspires feelings of
brotherhood and common cause. It is music without pre-
tension that seeks and woos and loves those who listen.
It is not intellectual, classical music, but spontaneous music
whose forms derive from a tradition of spontaneous music.
It is music that unites those who play it and listen to it,
elevating them. If you are a musician, this is the kind of
music that you make. If you are not a musician, you still
make this kind of music in whatever you do and inspire
similar enthusiasm in those with whom you work or live
or socialize. You are an instrument on which you, yourself, play—in an intense search for common bond and

77

common mind and common breath among those around you. This is the hexagram of Adolf Hitler.

KAMA   Your personality alone generates the vibrations of love and passion that inspire your relationship; Friend swoons dizzily along. This is the hexagram of Rudolph Valentino.

MOKSHA   Music is the art of patterns in time; dance is the art of patterns in time and space. Music and dance can bring about ecstatic enlightenment as no other art forms can. There is a point when, in some forms of music, in some performances, the musician ceases to *create* patterns in time and begins to *reflect* the variety of the patterns of the universal flux. Listening to such music, becoming part of it, can bring union with the One and All. And dance enlightens through the reflection of the variety of patterns in space. In the music-dance ritual of ancient China, where ancestors were invited back to dance and sing, the music and dance, so in tune with the rhythms and shapes of the great flux, could weave itself through the barriers of Time and react into the past. Joined with their reappeared ancestors in transcendent enjoyment of the same music the participants were united with the One and All. Consider these things, with the thought that music is your path to enlightenment. This is the hexagram of the Dalai Lama.

LINES

1 —x— He dances to his own tune.
        Ominous.
You act as if the world were hanging on your words and deeds, ready to follow you anywhere. Actually, it is either trying to escape your boorishness or is preparing to pounce on you.

78

2 —x— He is as firm as a rock.
He has the gift of foresight.
Auspicious
if you keep to your course.

Although everyone else is being swept away by a new element in your situation, you yourself have not been carried along. You alone recognize that it is too early to perceive the real worth of this force; you hold back. This is the correct attitude. As soon as you sense something not exactly right, as soon as you catch a wrong note, you must immediately dissociate yourself from the source of the misled enthusiasm of the others.

3 —x— He sings for his supper.
You must understand!
Guilt
if your understanding comes too late.

Instead of giving yourself over to the fervent feelings that prevail, you are waiting for a sign from someone you consider to be your superior, a sign that he also feels this fervor. Meanwhile, you are being left behind.

4 —o— Harmony and satisfaction come from his music.
He enjoys great success in great things.
Great success.
If you do not doubt them, friends gather around.

You yourself are the source of the prevalent zeal. Everyone has been won over by your humility in the face of what seems to them the temptation to egotistically seize power.

5 —x— He is chronically ill.
He lives for a long time
on the verge of dying.

Because of certain problems and restraints you are unable to join in the prevalent fervor. But it is better to be in difficulties when everyone else is feeling good than to be

in difficulties when many other people are in the same
boat as yourself.

6 —x— He makes music mindlessly.
No mistakes
if you do not persist in your course
after its end.

You have been carried away by the success of your own
charisma. You are caught up, with ego and without reason, in the fervor that originates from you yourself. This
is a religious frenzy; it is an ecstatic dance to the music
of the spheres. As long as you have enough presence of
mind to "come down" when the trance, the communion,
is over, the experience will be a valuable, maturing one.

17

SWEE 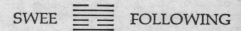 FOLLOWING

The Thunder
below

The Marsh
above

ORACLE

Thunder rests in the marsh.
In the evening the superior man
goes home to rest.

Great success.
No mistakes
if you keep to your course.

INTERPRETATION

ARTHA You are not a solitary person. The course of your
life depends on others for its accomplishment. You believe
that your failures are due to the faults of others, and you
blame your own faults on someone else's failure. This
egocentricity leads to enmity and misunderstanding. You
believe that you do your best most simply and happily to
follow your course and that you are constantly being
hindered and distracted by the actions of other people.
But they too are doing their best; they too have principles and aspirations—as do you—with differing degrees
of success and failure. Perhaps your goals and principles
are too unlike those of the people whose lives mesh with

yours. This could make you feel that your true direction, your right course, is being obstructed by the contrariness of others. If you insist on burdening yourself with set goals and static principles (see "Moksha" section), then you must at least adjust these goals and principles so that they will no longer conflict with the general goals and principles of your milieu. If you cannot accept frustration as inevitable then you must adjust your principles to more closely coincide with the values of those around you.

KAMA When it comes to your relationship with Friend, the important and decisive principle in that relationship is the relationship itself, the love between you. In matters that involve Friend—and these *could be* everything that occurs in your life—the overwhelming consideration, the value basic to them all, is the honesty and openness, closeness and love between you. However, outside the relationship you and Friend have different sets of values and principles that often conflict with one another. But where Friend is involved there is only one overwhelming consideration and you must let the other, lesser things go. You must dispel expectations that disrupt Friend's own. You must not rankle spitefully; repressing your disappointment, when Friend, motivated by Friend's own goals and principles—just as valid as yours—spoils what were fantasy plans and dashes what were vain hopes. Place little value on any of your aspirations that interfere with the love between you and Friend; the frustration of such aspirations should be regarded by you as nothing more than small nuisances compared with the importance of attaining happiness with Friend.

MOKSHA You understand the illusory nature of your goals and principles: you have liberated your mind. But you will not be enlightened until you liberate your activity, your behavior, your way of life as well. To achieve enlightenment you must completely throw off all ideologies no matter how broad, all principles no matter how humanitarian, all your values—even the highest. Once enlightened, the bodhisattva can return to the enactment of daily life based on principle because, free of his own principles and values he can unreservedly and spontaneously be receptive to the goals and principles of society.

LINES

1 —o— The man turns from his pursuit
and follows something else.
If he goes beyond his own gate
in search of followers,
he will be honored.
Auspicious
if you keep to your course.
You have a harmonious relationship with those very close to you. Everyone else you exclude, prejudging them by the values of your clique. All your conflicts occur with those outside your intimate circle of friends. However, the attainment of your goals depends on your having cordial relations with those outside this circle. Instead of disparaging them, free yourself from your parochial viewpoint and open yourself up to these outsiders. Through understanding and appreciating those you now ignore or revile you can best achieve your aims, which are also the aims of the intimate, sympathetic coterie of friends that means so much to you.

2 —x— He follows the little boy
and lets the man of age and experience go.
The principles on which you base your friendships should be the same as the principles by which you evaluate humanity. If not, danger.

3 —x— He follows the man of age and experience
and lets the little boy go.

He will find what he seeks.
Keep to your course.

Within your own life you have conflicting principles and conflicting values. You must choose one direction and stick to it, letting the other go, aware that a passing sense of loss is unavoidable, and accepting it.

4 —o— He attracts followers.
Ominous
if you keep to your course.
If you make your intentions clear,
how can you make a mistake?

Unintentionally you attract others to you. What you do and how you do it appeals to people. You are an object of emulation. Although your "Fame" is now only incidental to your life's course and the motives behind it, it will become troublesome unless you acknowledge it now. Although you are not concerned about the impression you make on others, still you are responsible to the following you have unwittingly gathered. Act freely, however you wish; just make your intentions crystal clear beforehand to your admirers.

5 —o— He encourages excellence.
Auspicious.

The true nature of your course and the constancy of your principles assure you of a happy and beautiful life.

6 —x— He holds firmly to his cause;
he clings to his cause;
he is bound fast to it.
The king presents his offerings on the western mountains.

Your life is determined by the expectations of those who follow you. It really becomes a question of who is following whom. The king in this oracle is a figurehead king bound to his role; he makes no personal choices, he has no personal motives; he acts entirely in the role of king as prescribed by tradition, the political advice of the court and the pressure of popular opinion. Modern parallels would be: the department head who cannot make decisions against the consensus of his department; a politician whose success depends on the support of his friends; a substitute seventh-grade teacher on his first day.

18

KIU ䷑ FIXING

| The Wind below | The Mountain above |

ORACLE

Wind at the foot of the mountain.
The superior man helps others
and fortifies himself.

*Success
if you keep to your course.
Cross the great water,
but for three days before doing so
consider the step carefully;
and for three days afterward
reconsider it.*

INTERPRETATION

ARTHA Disaster threatens you. At any given time any situation is part of a developing and changing larger situation that develops and changes under the influence of certain even larger, seemingly static situations: social mores, political practices, the climate, etc; and one's own personality is also a factor. When things go well you give credit to these larger factors. When trouble arises you blame them. The prime factor in your present situation, however, is neither fickle fashion, the establishment, or the weather

—it is your own personality: confused, ambiguous, and dishonest. (1) Confused in your values, you misplace your priorities. Until now you treated your troubles lightly and gave them little thought; now they "suddenly" have become hopeless and overwhelming. (2) Ambiguous in your principles, you cannot take a stand. Your judgment is always tentative, equivocal, and your actions, therefore, are unclear. (3) You are most dishonest to those closest to you. You have no one to blame for your oncoming ruin but yourself. This is the reason why this is a very auspicious hexagram. Since, outside of your own weaknesses and failures, there are no other factors that have a strong influence on the situation, it is within your power to change completely your way of life. Without worrying about disruptive adverse outside forces, you can rectify the faults in yourself that have brought on your ruin. No halfway measures, no wheedling or manipulative compromises with yourself can help. (1) Recognize how serious your problem is and how extreme the ruin that approaches. (2) Plumb yourself to discover what your true and deep principles are. Apply them, no matter how inconvenient, unconventional, or embarrassing. (3) Apply the golden rule in your relations with others. This may mean a great change in your life, an upheaval. But this is the time to start, the time to "cross the great water." Danger: impatience. Do not be impatient with yourself if for a time you seem to lapse from your new resolutions. Do not be impatient with others if for a time they seem not to react to your new relations with them. The situation had been conditioned by what went before and will not change overnight. With patience and fortitude all will turn out very well in the end.

KAMA The "Artha" section applies clearly to your emotional life as well. Friend is capable of opening up to you, of helping you to change the guarded, hypocritical, anxious atmosphere of the present relationship into one of honest, understanding love. But you are the one basically to blame for your troubles; it is up to you to take the initiative. And again, do not be impatient.

MOKSHA   You have not fully entered your chosen spiritual path. You have allowed selfish and egotistical drives to enter your spiritual practice. Not that you must be like Buddha, "without desire"—you are not ready for that yet. The paradox of a spiritual course is that the desire it is supposed to annihilate is implicit in the practice itself, which arises from a desire to eradicate desire. But there are other troublesome factors less paradoxical and more mundane, that enter into your spiritual life; you hold ideals and desires contrary to your spiritual principles. You can make no spiritual progress until you abolish these irreverent and unprincipled considerations, this bad karma. Your feelings of conflict point directly to the elements of your life that should be eliminated. If something you do makes you feel guilty—stop doing it; if something you desire causes you anguish and anxiety—banish the desire; if when you speak you feel weak and vulnerable —remain silent. The practice of moksha must always be peaceful, without conflict. Your spiritual practice depends only on yourself.

LINES

1 —x— The man fixes
         what his father ruined.
         If he is successful
         the father escapes blame.
         Auspicious
         at the end
         after peril.
You rely too much on past principles; you are not re-acting directly and honestly to the present situation. As time has passed you have changed gradually, passively, and imperceptibly. Now you must actively change. You

must refresh and reform your principles. After you establish fresh principles of action you must act. First, reform the structure of your life. It is a necessity—a highly precarious one. Danger: carelessness. The changes you make will be far-reaching. The consequences of an unsuitable, thoughtless reformation can be disastrous.

2 —o— The man fixes
what his mother ruined.
Do not go to extremes
in keeping to your course.

Some specific, very serious mistakes have led to your ruin. Besides changing your own outlook you must also undo these past mistakes. This will take time and patience. When dealing with other people you must understand their own troubles and not be too demanding. For a time yet people are liable to be suspicious of you—and understandably so.

3 —o— The man fixes
what his father ruined.
Some guilt
but no major mistakes.

The flurry of activity required to fix things may annoy others. In your haste you are bound to step on some toes. But the successful outcome of your frenetic activity will justify your thoughtlessness.

4 —x— The man overlooks
what his father ruined.
If you keep to your course
you will regret it.

Your situation has just begun to deteriorate; your troubles have just begun to form. You are not yet convinced of their gravity and are too indecisive to make the changes called for by this hexagram. Unfortunately, things will have to get much worse before you are literally forced to take some action.

5 —x— The man fixes
    the ruin bequeathed by his father.
    His efficiency in doing so
    brings him praise.

Your mistaken attitude and the mistakes you have made
that brought on your ruination are obvious to other people involved in them with you. They lay the blame for
them on you and they are correct. Since they are so sensi-
tive to you and what you do, they will react favorably,
with relief and warm praise, if you make any effort to
change the mistakes you have made.

6 —o— The man sees nothing to be fixed.
    He remains aloof
    and cultivates his own spirit.

You place little value on the situations and relationships
that have been ruined. Do not try to deal with them. Confine yourself to situations and relationships which do not
cause conflict between yourself and others.

19

LIN ☷ CONDUCT

The Marsh below — The Earth above

ORACLE

The marsh within the earth.
Fertile soil.
The superior man is always nourished,
always nourishes others.

Success
if you keep to your course.
Ominous
for the eighth month.

INTERPRETATION

ARTHA Anything from accidental happenstance to your own willful application has given you authority over other people. It could be the kind of authority that comes from controlling the funds of others or the kind that comes from a universal recognition of your wisdom and honesty. It could be authority bestowed from above or below. Act always alert to your power. Use it paternally, munificently. Whatever is the context of your authority is something new and fresh; it has only loose ties to tradition. The enterprise you lead is in its spring. Like Dionysus, after raising the full fruits of summer, you will "die" in the sense that your power will die. Afterward, you will be resurrected. In the Greek myth only Dionysus's heart was saved. His avatar after resurrection was his own living heart, ensconced and cherished in a pretentious temple. In the same way, you can expect a winter restitution—to a place of honor, this time—not to authority.

KAMA   You dominate Friend; Friend submits to you. It is not neurotic, since both of you are aware of it and enjoy it. This arrangement carries you to great heights of passion and pleasure. But Friend will tire of this game before you. The resulting conflicts are obvious. Compromises of love will lead to eventual reconciliation. But it will never, never be the same.

MOKSHA   You have been finding your own way. You have been experiencing revelations; your vision of the universe is changing. You are changing too. Every experience is like a doorway into a new room; in each new room you take your harmonious role. This is a burgeoning, a blossoming for you—a natural metamorphosis—intellectual, not biological. It is a transition from one form to another. It does not last long and after it is over all your subsequent development will take place within the confines of your new, static form.

LINES

1 —o— He shares the responsibility
with the man who follows him.
Auspicious
if you keep to your course.

You are very much in step with the times. Whatever is on your mind is soon on everyone else's mind. Things come out well for you with very little conflict. Be careful. Do not lose yourself in the momentum.

2 —o— He shares the responsibility
          with the man he follows.
          Auspicious.
          Advance.
          Improvement, whatever you do.
You lead a harmonious and successful life in the material
world while at the same time possessing an enlightened
and devout belief in the transitory nature of all earthly
things.

3 —x— He is eager to act
          but his action will be futile.
          Anxiety
          but no mistakes.
You have freed yourself from pressures and cares that
others still experience. Your easygoing attitude offends
them. Rectify it with a little friendly reserve.

4 —x— He acts well.
          No mistakes.
You are in an atmosphere of honest and sympathetic
communication.

5 —x— He acts wisely
          like a great chief.
          Auspicious.
If you include others in your life, respectfully keep in
mind that they are including you in their lives.

6 —x— He acts with honesty and generosity.
          Auspicious.
          No mistakes.
You have been in spiritual seclusion. You should now reenter the world and transmit to others the visions that
have enlightened you.

20

KWEN ☰☰ CONTEM-
PLATION

☷ The Earth
below

The Wind
above ☴

ORACLE

The wind blows above the earth.
The ancient kings matched their regulations
with the customs of the different regions.
The worshiper has washed his hands
but has not yet presented the sacrifice.

Keep to your course
with a dignified bearing
that commands respect.

INTERPRETATION

NOTE A small tonal change in the Chinese gives the
word *Kwen* a double meaning: *contemplating* and *exhibiting*. Thus the hexagram refers both to the contemplator and the contemplated. All that is not one is
the other; the hexagram is all-encompassing. The shape of
the hexagram itself has an appropriately complementary
meaning (as pointed out in the Richard Wilhelm trans-
lation) because its shape resembles a tower familiar in
ancient China which, when situated on a mountain,
could serve as a watchtower to those above and a land-
mark to those below. The shape of the hexagram, the
shape of the tower, is also the shape of the Chinese sym-

94

bol for Tao, the way: π. It is the gate of the eternal present between the future and the past, between the contemplator and the contemplated, as the man of the future surveys his past for meaningful, revelant experiences.

ARTHA   You deal with the past and future in a balanced and consistent manner. You live fully in the present—not as a saint, free of the illusion of time, but able to keep the illusions of past and future in proper perspective. You do not rely too heavily on experience. Nor do you dwell in the past. You are always prepared for changes and the unexpected does not surprise you. You are aware of your direction and acknowledge certain goals and aspirations, but you view them realistically, knowing that reality ultimately never coincides with its ideal. Neither the past nor future is as sacred to you as the present. You move freely, not blocked by the idea of time. You resemble the symbol derived from the trigrams, the wind blowing above the earth. You are a traveler—but neither on a quest nor on the run. You travel because you are not attached to static precedents, or stymied by fears, or limited by cumbersome strategies. If you do not travel geographically, you travel in the sense of moving on from experience to experience. As an ideal example to those more involved with the karma of past and future, your balanced character is a good influence.

KAMA   You have a well-balanced relationship with Friend. Selfish and unselfish, domineering and docile, aggressive and passive impulses stir you—and you see all such impulses clearly, in their proper perspective. The result, from Friend's point of view, is that you are wonderfully responsive, both in gratifying Friend's needs and in gratifying Friend's need to gratify you.

MOKSHA   It is in your Tao to be enlightened by contemplating the meaning of this hexagram.

Kwen

LINES

1 —x— He looks at things
like a barefoot boy.
No blame
if you are small;
if you are great
you will regret it.

Your balanced contemplation of the past and future is somewhat obscured by an element of fantasy which you project in both directions. If you are in a position where you must set an example for others, this element of fantasy can be troublesome and harmful. Otherwise it is of slight importance.

2 —x— She peeps out from behind the door.
Keep to your course
if you are Yin.

You have a balanced view of the past and future, but it is narrow and limited as well. If you are content with a circumscribed and simple life, there is no harm in this. If you have taken on a broader and fuller, more active way of life, this narrowness will be a drawback.

3 —x— He examines his own life
and chooses advance or retreat accordingly.

Step outside yourself and look at your life. Examine your past existence objectively, as an innocent stranger would; examine your ideals and aspirations as an objective expert consultant would. Then you will come to the right decision.

4 —x— He examines the lessons of politics.
He should try to get to know the ruler.

Your balanced view of the past and the future has given you special insights into the social processes. With this talent you should attempt to place yourself in an influential social or political position.

5 —o— He examines his own life.
　　　No mistakes.

Your thoughts are inner-directed. You see the past and future in balance, but only as reflections of yourself. For a man without illusions and aware of his own absurdity, this is all right. For a man without a sense of humor, who retains illusions about himself, this is very bad. It makes his reality dangerously irrelevant to the day-to-day world about him.

6 —o— He contemplates his character
　　　and judges himself.
　　　No mistakes.

Your thoughts are outer-directed. You see the past and future in balance, but as distant, unreal archetypes, like works of art or emanations from a distant God—wholly unrelated to yourself. You do not take into account the extent to which you have been influenced by the past. You do not recognize your function as a source of what will occur in the future. For a man without illusions and aware of his own absurdity, this is all right. For a man without a sense of humor, who retains illusions about himself, this is very bad. It makes his reality dangerously irrelevant to the day-to-day world about him.

21

SHIH-HO ☰ (hexagram) BITING THROUGH

≡ ≡ Thunder
below

The Sun ☰ (trigram)
above

ORACLE

The teeth of the lightning illuminate
the majesty of the thunder.
By fitting the penalties to the crime
the ancient kings illuminated their laws.

Success.
Follow the legally prescribed course.

INTERPRETATION

ARTHA Someone is doing you an injustice. Someone is
acting dishonestly toward you; perhaps even criminally.
It could be anything from a hypocritical deception in
an important personal relationship to fraud perpetrated
on you as buyer or seller or even to illegal discrimination against you by a government authority. You must
take advantage of the rule of law, the protection in-
corporated into our leviathan social system. If it is war-
ranted, bring criminal action against whomever or whatever is inhibiting your legal rights. If the dishonesty is
on a more personal level you must break off the relationship firmly. Be careful, however, not to act out of a
spirit of revenge; don't get carried away. Whatever you

do, do openly, either according to the letter of the law or according to your own principles of behavior. When laws are vague and their execution is arbitrary, the fabric of society weakens and comes apart. In your personal life as well, if your own principles are vague you will be more likely to tolerate a basically uncongenial and unsuitable situation.

KAMA   You or Friend or a third party is knowingly behaving dishonestly toward the other(s), causing unhappiness and grief. If it is you, you must cease immediately; if you cannot treat Friend with candor, then break off the relationship. If it is Friend who is dishonest, you must discover what the deception is and confront Friend with it. Unless Friend responds with frankness and love you must break off the relationship. If it is a third party, his dishonesty toward you and/or Friend is a conscious effort to destroy your relationship.

MOKSHA   What you see of your spiritual life is a veil, a mask. Someone—and it could be you, yourself—is deluding you about the nature of your spiritual course. You may think of yourself as being in a close union with the One and All, when in actuality a basic dishonesty has fettered you to the wheel of karma. You could be deceiving yourself by piously rationalizing a compulsive addiction to a drug, to licentiousness, or to acquisitiveness. The deception could be your mistaking a selfish, subjective attachment for a response to divine charisma. Or rituals that have become habitual may be undermining your efforts at transcendence.

LINES

1 —o— His feet are in the stocks;
        he loses his toes.
        No mistakes.

The dishonesty being perpetrated on you has not yet gone far enough to be serious and irreversible. If you act now, reconciliation is possible.

2 —x— The man bites through soft meat;
     he loses his nose.
     No mistakes.

The wrong being done to you is so blatant and unmitigated that you are liable to overreact and come down very, very hard on the offenders. Your anger is justified.

3 —x— The man bites through dry meat;
     he encounters something rotten.
     A few minor regrets.
     No major mistakes.

Time is essential. You cannot afford the time demanded by the usual channels. You have assumed more authority than you really have. At the showdown you will be powerless and embarrassed. You will not be blamed, though; the nature of the emergency makes your actions acceptable.

4 —o— The man bites through dry meat
     stuck to the bone.
     Money and weapons are pledged to him.
     Auspicious
     if you keep to your course
     and recognize the difficulties.

Your tormentor has immense power. Be hard as nails, persistent, and on your guard; in the end, you will overcome.

5 —x— The man bites through dry meat;
     he encounters gold.
     Keep to your course,
     recognizing your peril.
     No mistakes.

You have a gentle nature and incline to be lenient toward wrongdoers. If by the rule of law or according to your own principles certain harsh actions must be taken, do not let your forgiving nature dissuade you. Not fully using the law, in a legal action, undermines the fabric of society; stretching your principles, in more personal matters, undermines the fabric of your life. By assuming a role in society and assuming a personal ethos you have assumed contingent responsibilities.

6 ——o—— The man wears a yoke;
　　　　　he loses his ears.
　　　　　Ominous.
Whoever the offender is, he is incorrigible and intractable. It could be yourself.

22

PEE ☰☰ BEAUTY

☰☰ The Sun   The Mountain ☰☰
below   above

ORACLE

A fire burns at the foot of the mountain.
The superior man is brilliant as an administrator
but he does not dare act as a judge.

*Keep to your course
but do not let it overwhelm you.*

INTERPRETATION

ARTHA You are an artist. You have the ability to discover and delineate forms and patterns that have a universal meaning. Your work communicates with others through the commonly understood universality of its form—i.e., its beauty. Besides working artists, there are those whose lives are beautiful in some way: they communicate to others through the transcendent quality, the universality, of some aspect of their lives. The currently widely accepted view that the work of the artist is synonymous with "self-expression" is a misleading anomaly. In your work, in your day-to-day life, you may express your hopes, your fears, your pride, your shame, your political views, your psychological theories, a physical fact or the primacy of a certain underarm deodorant and you may be more or less successful in communicating this. However, as an artist, whatever you express, communicated with varying degrees of success, is only a medium for the beauty of the expression, which has little do with its personal meaning. There is something universal in what you express that communicates to others perfectly —clearly, directly, untransformed, and untransformable. The artist is proverbially misunderstood. Your art is not the content of your work or life, but its form. The beauty of Isadora Duncan, for example, is in what her life *was* and not its intent: her story communicates deeply—a graceful fluttering between joy and tragedy. A tintype of her in a dance pose, however, arouses twitters at least as often as awe and the dance theories and education theories that were the overwhelming effort of her life are unfamiliar to most people. You are to others something else other than what you intend. It may be that an activity of yours that seems to you to be ordinary, natural, thoughtless, easy, seems to others to be a prototype of the human condition and a reflection of universal truth: a work of art. Do not undertake any actions that you consider important or crucial. Such actions inevitably will be misunderstood by others. Do not hold back in small matters, though.

KAMA Your relationship with Friend is based on beauty you perceive in each other. There is a kind of intermediary between you, an aesthetic ether, that transforms what each of you are to yourselves into a symbol meaningful to the other. You worship Friend's physical form or enjoy the form of Friend's communication with you (as opposed to its content) or you delight in the form of your sexual congress or you thrill to the form of the tension between you; you don't worship, enjoy, delight in, or thrill to Friend. If this aesthetic appreciation is mutual and if the relationship remains on that plane, you will be a beautiful and tranquil couple. If the aesthetic appreciation is one-sided, then each of you will feel wronged and misunderstood.

MOKSHA   "Confucius felt very uncomfortable when once, on consulting the oracle, he obtained the hexagram of grace." (*The I Ching*, trans. Wilhelm/Baynes.) Wilhelm goes on to suggest that the reason for Confucius's discomfort was the transitoriness of tranquillity. Rather, it was Confucius's realization that his teachings communicated not through the literal truth of his words, but through their form. His life communicated through its inner peace, not his actions. His teachings communicated through their sentiment and aptness, not through their meanings. The familial religious system he formulated communicated not through the divine inspiration he felt, but through the system's logic, order, and circumspection. Aesthetically inspired religious experiences as a rule don't carry over after the aesthetic experience is finished. It is the transitoriness of the beautiful revelation that caused Confucius's discomfort. If the example of Confucius does not apply to you, then the example of his followers does. What you consider to be a spiritual experience is essentially an aesthetic one. The experience can be the same; what differs is the source of your ecstatic reaction. It is the beauty of the ritual or the beauty of the expression of the teachings or the beauty of the mythology that moves you; not a single, radiant revelation of your chosen path. If you cannot recognize this, you are in danger of being eventually disillusioned.

LINES

1 —o— He decorates his feet.
　　　He can dismiss his carriage
　　　and walk.

It is the easy and natural quality of your life that is especially appreciated by other people. If you were to appear motivated and willful you would lose the goodwill of your friends and colleagues. Any desires, any hopes you have will naturally take shape if your life proceeds on its admirably effortless way.

2 —x— He trims his beard.
You think you realize what it is in you that others find
aesthetically pleasing and you have tried to refine it,
cultivate it. Naturally this disrupts its form, which so far
has been pleasing because of its unforced, unconscious
quality. Your self-consciousness imposes on your art or
life changes which are personal, and meaningless to
others. Vanity, vanity!

3 —o— He is elegant
        and is favored.
        Auspicious
        if you keep to your course.
You live a life of pleasure. If you accept it without grasping, without anxieties: good fortune, continued pleasure.
If you devote yourself to sustaining it: misfortune and
frustration.

4 —x— He is elegant, all in white.
        On a white winged horse
        he seeks union,
        sending before him
        not a robber, but a serious suitor.
The beauty you create endears you to others. You are
valued by others. You have a certain brilliance that attracts
social recognition. You know how to develop this quality
and how to use your advantage for meaningful, unselfish
ends. But now you feel hesitant. You feel that if you continue to pursue social success you may lose yourself, you
may lose your freedom to make choices according to your
own principles. The fact that you feel a doubt points to
the validity of the doubt and also to its resolution: you
must withdraw from your estimable social position into a
life of simplicity and warmth, with fewer, closer friends
with whom you share a deep communication and love.

5 —x— He is elegant among those
        who live on hills and have gardens.

Pee

> The roll of silk he bears is small and slight.
> *Although you may appear to be stingy,*
> *auspicious*
> *in the end.*

Disillusioned with your former milieu, revolted by its materialistic, selfish ideology, you are trying to break away and enter a new social sphere, a new circle, whose principles you find more sympathetic. Because you are still unfamiliar with the symbols and gestures of those you wish to join, you have difficulty making contact. But the basic empathy between yourself and those you seek to know will slowly draw you into their company.

6 —o— He wears only white.
> *No mistakes.*

There is no distinction between form and content in what you do. Like St. Francis's entire life or the swift answer to a koan by a monk in satori, the beauty of the form and the revelation of its content are identical. The basic element in such a cohesion is simplicity—a unity of thought and action. Artistic genius. Happiness.

23

PO ䷖ COLLAPSE

The Earth below   The Mountain above

ORACLE

The mountain rests on the earth.
The superior man strengthens his support
in order to maintain his position.

Take no action whatsoever.

INTERPRETATION

ARTHA You are off balance. The predominant forces in your life emanate from outside you, pressing on you from many sides. They are earthbound, materialistic, self-perpetuating. Whatever imaginative, spiritual, independent force you have weakens daily. The image of the mountain on the earth symbolizes the proper response to your situation: absolute stillness. Go nowhere; do nothing. If you can assist others in realizing their own material goals, you can hold your own.

KAMA Discord caused by conflicting selfish desires has brought you and Friend to the point of parting. Only if you quell your emotions and your expectations is there any chance the relationship will continue.

MOKSHA Your spiritual path is overgrown with weeds of bad karma. All your rituals, sacrifices, meditations, and "revelations" are infused with nonspiritual desires and materialistic ideals. Cease your spiritual practice. By ceasing your spiritual practice perhaps you can rid yourself of the selfish needs that are feeding on it . . . then again, perhaps not.

LINES

1 —x— The couch is overturned
by hacking off its legs.
Ominous.
Destruction
if you keep to your course.

If you move or act you will fall and become prey to the forces that are threatening to overwhelm you. If you take no action, as the oracle recommends, you will still be prey to these self-seeking forces, because you remain approachable and defenseless. You are damned if you do and damned if you don't.

2 —x— The couch is overturned
by hacking its frame.
Ominous.
Destruction
if you keep to your course.

You have tried to advance from the hopeless situation presented in the oracle of the moving first line. You have chosen to move slightly in order to avoid the threat. You have lost your balance and are about to fall.

3 —x— He is among those
who overturn the couch.
No mistakes.

You recognize the power of the forces threatening you, and compromise with them. Considering the extent of the difficulties you were in, there is no guilt in following this propitiatory course.

Collapse

4 —x— He overturns the couch
and bruises the man who was on it.
Ominous.
Total defeat.

5 —x— He leads others along
like fish on a line
and obtains for them favors
usually reserved for the royal household.
Improvement
in every way.
You act rapaciously and materialistically. Your character
will improve as your fortunes do.

6 —o— He is like a large fruit
still uneaten.
The man finds the people
who will carry him like a chariot.
Smaller men overturn their own dwellings.
There is no finality in any situation. Even though you
have been thrown off balance and the structure of your
life has toppled, there is more to come. What happens
next is the "fruit" of the oracle for this line. It is a "large
fruit" because your downfall was extensive and much has
been changed. Be responsive to the new. Do not founder
on the ideals of the past. You can find in your own
destruction a vehicle to carry you to a new life. If you
retain the ideals and dreams of the past the only fruit of
your disaster will be unhappiness.

24

FIU ☷☳ RETURNING

☳ Thunder
below

The Earth ☷
above

ORACLE

Thunder within the earth.
At the winter solstice,
the ancient kings closed the borders,
forced the merchants to rest
and the inspectors to take a holiday.
The man comes and goes freely;
he is not at fault.
In seven days he returns;
his friends come to greet him.

Improvement, whatever you do.

INTERPRETATION

NOTE The winter solstice was regarded by the ancient
Chinese as a time of rest. The thunder of spring is still
asleep beneath the cold earth. It is the very beginning of
the yearly season of growth. It is the yearly turn for the
better—imperceptible, natural, irreversible.

ARTHA You have passed the low point of a dormant,
stagnating situation. Improvement will now come naturally, in the rhythm of the natural flux—just as the Yang
line enters the hexagram in the lowest place, in harmony

with the natural bottom-to-top movement of the lines. Along with other people, you are experiencing a change of fortune—a turn for the better that is occurring without anyone's having willed it, planned it, or arranged for it. It occurs completely on its own, in its own slow time, in its own quiet way. Very gradually you will find your life becoming more eventful. Because all the lines it approaches are receptive Yin lines, the entering Yang line meets no resistance as it moves upward. In the same way, the new forces that have entered your life, refreshingly different and more vital than previously, will cause no conflict, no strained relationships, no discomfort to anyone. They are unanimously welcomed. The widespread enthusiasm for this change will make acquaintances out of strangers and friends out of acquaintances. Do not try to accelerate this change. It must be allowed to develop in its own slow, deliberate manner. To try to force it would be as foolish as disturbing the frozen earth over dormant seeds.

KAMA This hexagram indicates a new force forming in an old relationship. In the natural course of time your relationship with Friend has become a mutually passive, unemotional one. Throughout this low-key period, throughout this stagnation of passion, you have remained relaxed, without anxiety: you have accepted the natural flow of your life. You have reached a point of such quiet, loving receptivity that you will respond naturally and healthily to this new and different blossoming of your love.

MOKSHA You have reached a turn for the better in your spiritual path. You sense it, although you cannot verbalize it nor determine its source. Although it is obviously a new, fresh, unexplored direction, it proceeds directly from the path you presently follow. Let the rhythmic waves of change move in their own time. Do not plunge into a new course—you will only find yourself thrashing helplessly

about. What will happen has begun to happen. You sense
its starting; as it proceeds you will sense its progress.
Meanwhile, remain yourself. Practice only what you fully
understand. Let it happen. Let it be.

LINES

1 —o— Return after a slight mistake.
>   *Very auspicious.*
>   *Without guilt.*

You contemplate taking a course that is contrary to your
deepest principles. Your thoughts have not yet been trans-
formed into action. Banish unprincipled ideas immediately, before they obsess you to the point of forcing you
to act on them. There is no need to feel guilty—yet.

2 —x— Proud return.
>   *Auspicious.*

You sense new ideas in the air, a new atmosphere, a new
excitement. You are almost at the point of accepting them
and enjoying them. You have been won over gradually,
as this creative force has slowly permeated society and
gradually has touched and influenced people you know.

3 —x— Return again and again.
>   *Without guilt.*
>   *Caution!*

You have a tendency, when things are going well for you,
to interrupt the flow of events and to turn away from it,
negatively. When you have slipped back far enough you
again reverse yourself and attempt to regain what you purposefully let go. This line is the line of self-defeatism—
not in extremis, but the defeatism of constant backsliding,
the defeatism of fear of climax, fear of completion, fear of
attainment. You remain guiltless because the impulse does
not stem from inhumane ideals and harms no one but
yourself.

4 —x— He leaves among others
      yet returns on his own.
You have sensed a change, a regeneration, a turn for the better in your situation. Your friends and colleagues have not felt it yet. Move with it freely and naturally, even though this will alienate you from others.

5 —x— Noble return.
      Without guilt.
You are the pivot of the changes taking place. As you move in the new direction—contrary to accepted, traditional ideas—everything and everyone will fall in behind you.

6 —x— Confusion over returning;
      he goes astray.
      If he chooses to be aggressive
      his defeat will be far-reaching.
      Its effect will be felt even after ten years.
      Ominous.
      Guilt.
      Calamities.
A turn for the better has come and gone. You have let it pass you by. Conservative and fearful, you have stuck to old, decayed ideas, a stagnant way of life, an outdated, outmoded routine. You believe you display backbone by resisting change; you mistake your fear for stubbornness. This attitude is disastrous. It denies the inevitable flow of change in the universe—a flow which will carry you along, if not buoyant and upright, then tumbled headlong and willy-nilly. But the moment has passed. You can do nothing about it now. You must patiently wait for things again to resolve themselves.

25

WIU-WANG ䷘ THE SIMPLE

☳ Thunder below   Heaven above ☰

ORACLE

Thunder rolls beneath heaven.
It is in its nature.
The ancient kings, in tune with nature,
took into account the changing seasons
when making regulations,
and nourished all things.

Success
if you keep to your course.
Mistakes
if you have strayed from it;
do as little as possible.

INTERPRETATION

ARTHA Thunder rolls beneath heaven: simple action and simple movement, in accord with the creative flux of the universe. Free and harmonious human action is also simple —free of motivation and expectation. You desire nothing, so whatever you receive is a blessing; you expect nothing so whatever occurs is fresh and unexpected. To others, bogged down in strategy and theories, expectations and anxieties, whatever you do seems brilliant and original. You are free of the limitations of desire and experience.

114

You react naturally, from an infinite range of possible action. Your spontaneous, always "right" action will never fail to surprise those who act according to vague theories and neurotic expectations. Benign monarchs, such as the ancient kings of the oracle, are always refreshing surprises in a history crammed with tyrants, yet they do nothing more than naturally fulfill traditional ideals of the proper role of the ruler. It is possible, however, to be free of any conscious purpose, to seem—even to yourself—absolutely spontaneous and natural in your actions, and yet still not be in accord with the present moment and the present world. Actions that are purely instinctive but without a clear inner vision, without a direct, uninterrupted connection with the flow of the moment, can be disastrous and can cause misfortune to yourself and others. Compulsive actions, for example, seem to be spontaneous and unplanned, but they are not true responses to true situations, only pat responses triggered by prototype situations: symbolic action, not pertinent action. Habitual responses and activities, even if unconsciously based on the highest principles, are not enough involved with the present moment to be entirely successful and—especially for you who are not consciously aware that your way of responding is set and static—habitual activities often will have unfortunate results.

KAMA   You are spontaneous and simple with Friend: or you *seem to be* spontaneous and simple. The presence of a quality of unexpectedness is a good test of the nature of your relationship with Friend. If your responses to Friend always seem new and direct, in the mood of the moment and in accord with Friend's feelings at the time, then you are fulfilling your Tao and your relationship will be a happy one. If your responses, no matter how considerate they may be or may seem, are predictable, then it is an indication that you are not fully in touch with Friend and with your entity as a living couple in the present moment. Such a subtle dishonesty will cause subtle conflicts.

MOKSHA The way of being simple in the Tao of this hexagram, as described in the first part of the "Dharma" section, indicates a perfect spiritual state. Very possibly it is a state of such simplicity that it comes from no particular spiritual path, uses none of the magic metaphors that are usually the means to the attainment of such a perfect state. But this hexagram does indicate a certain danger: the conscious cultivation of such simplicity. Your wise understanding of the freedom, the spontaneity and the simplicity that accompany the attainment of spiritual enlightenment may prompt you to emulate a state of divine spontaneity—not necessarily as a fraud, but perhaps as a sincere, but backward effort to attain Brahma. Someone who has attained perfect understanding, but not the perfect practice of it, may seem to others to be completely simple and "right" in the highest sense in whatever he does; to others his actions may seem always refreshing and unexpected. But someone who follows the way of simplicity without true spontaneity is not himself blind to this schism within him: beneath his benign exterior he still sorrows for the peace he cannot attain.

LINES

1 —o— The natural man acts naturally.
      Auspicious
      if you advance.
Trust your instincts.

2 —x— The natural man plows his field;
      not for the harvest to come,
      but just because it is time.
      The natural man cultivates his garden
      for three years;
      not for the greater beauty,
      but just because it is in the nature
      of gardens to be cultivated.

Improvement
no matter what you do.
If what you wish to undertake is a direct response to your present circumstances, then go ahead. If what you wish to do is an element in a strategy, if certain desired future results depend on it, then you had better not go ahead with it.

3 —x— A traveler steals an ox that has been tied
near the home of the natural man.
The natural man is accused and arrested.
Calamity.
In popular terms, what has befallen you is bad luck. Your simplicity makes such misfortune seem especially undeserved. You yourself accept such accidents philosophically. Free of expectations, you are free of disappointment. Free of motivation, you are free of regrets.

4 —o— *No mistakes.*
if you keep to your course.
You are under pressure to act in a particular way, because in terms of other people's values and theories, such action seems called for in your situation. Retain the natural quality of your action and expression and do not allow what you do to be influenced in any way by outside pressures.

5 —o— The natural man falls ill.
He does not resort to medicine
and recovers naturally.
You have met with accidental misfortune, much graver than such events as simple material loss or social downgrading, which do not matter deeply to you. An illness. A sudden restriction from outside. Being victimized by gratuitous criminality. Etc. Although your level-headed, philosophical attitude may change to melancholy despair, do not give up your precious simplicity in your efforts to save yourself. If you worry and plot, you will do yourself

117

more harm than good. Let nature take its course. Accept your situation as it is and react spontaneously and freely to it, without embellishing it with fantasies of dire and dreadful consequences.

6 —o— The natural man is sure to make a mistake
         if he takes action.
         No improvement.
Do not trust your instincts, do not trust any plans or expectations you may have. Keep from doing anything. Lie low.

26

TEH-KHIU ☰☰ MAJOR RESTRAINT

☰ Heaven below   The Mountain above ☶

ORACLE

Heaven within the mountain.
The superior man stores within his mind
the words and deeds of history,
in order to know what is right.

Keep to your course.
Do not hoard your rewards.
Do not begrudge your debt to society.
You may cross the great water.

INTERPRETATION

ARTHA   Your influence on others is strong and direct. You have a real, overt and authorized control over many events in the lives of many people. You have status, you have trust, you have influential friends, and—if you are typically corrupt—you have power. You achieved your position legitimately, through honest dealings, good works, and fairness. Because of your position you have the means to lead an extremely leisurely, comfortable life. But you must accept the responsibilities that accrue and daily enter vigorously into the world of men and affairs, bringing to them the influence of your principles. The danger of this course is habit. Habitual activity for someone in your position becomes more and more ineffectual as time passes. You must spend your time doing what needs most to be done, changing your sphere of activity with changing circumstances, always reacting directly and pertinently to change. Any important and far-reaching steps you wish to take at this time will meet with success.

KAMA   With Friend's love and consent you have absolute control over your relationship. Friend accedes to you in everything without question and without resentment. Thus, you also have complete responsibility as well. There is a danger that you will find a comfortable groove and settle habitually into it. You must always be responsive to Friend's and your own changing circumstances and needs.

MOKSHA   Turn to the ancient sources of whatever spiritual path you have chosen. Through all the maya of vague words and outdated concepts and all the contradictions of the past will come revelations that will open your mind and liberate you.

LINES

1 —o— *Halt!*
       You are in peril.
You must suppress your strong impulse to act immediately and vigorously. You see the obstacle that confronts you. If you recognize its strength you understand that you must halt. You must hold yourself back, frustrated but still undefeated. Take advantage of any opportunities that arise for the release of your pent-up energies.

2 —o— The strap that holds back the carriage
       has been removed.
You find yourself opposed by a power and an influence greater than your own. Submit. Remain aware of changes in the balance of forces and be ready to act as soon as the balance is in your favor.

3 —o— He has good horses and drives himself on.
> *Keep to your course,*
> *recognizing the difficulties involved.*
> *Train daily to defend yourself against them.*
> *You may advance*
> *in any direction.*

You have made contact with others of influence who have the same principles and direction as yourself. Act in concord with them. There is still danger from certain obstacles, so you must remain on your guard. While being sincere with those you have joined for common action toward a common goal, you must remain alertly and suspiciously on your guard against potential opposition. You should arrange for emergency contingencies and keep in mind a possible sanctuary in case your opposition overwhelms you.

4 —x— A piece of wood has been placed
> on the young bull's head
> where his horns will be.
> *Very auspicious.*

If a block of wood is affixed to a young bull's head, his horns will be rendered harmless. If you possess comparable foresight you can take simple and painless effective action immediately to eliminate once and for all the forces that threaten you.

5 —x— The tusks of a castrated boar.
> *Auspicious.*

The tusks of a boar are always dangerous. But if the boar is castrated he no longer has the propensity to use them. Although you cannot eliminate the power and danger of the forces that threaten you, by taking effective action now you can change their essential natures from threatening to something more benign.

6 —o— The man commands the firmament.
> *Success.*

You have achieved great success, you have great influence and occupy a lofty position in the world. You have, in fact, achieved everything you have wished.

27

IH ☶ NOURISH-MENT

☳ Thunder below ☶ The Mountain above

ORACLE

Thunder within the mountain
explodes from the volcano.
The superior man controls his mouth;
what comes out of it
and what he puts into it.

Auspicious
if you keep to your course.
Thoughtfully consider
what it is you wish to nourish;
thoughtfully consider
what will best nourish it.

INTERPRETATION

ARTHA The meaning of this hexagram is echoed by
Norman O. Brown's "We are what we eat." And so we
are—be it wurst or Ten Happiness Mandarin Suckling
Pig or organic foods, naturally prepared. This is the hexagram of eating properly. Watch the cycle of nourishment
from earth to plants, plants to animals, and from animals
back to earth again. Feel its texture. Smell its odors.
Notice its colors. See what is used and what is discarded.
Keeping in mind that you, too—intellectual, spiritual, divine though you may be—are an animal, a part of this

122

great cycle, you will instinctively know what you should eat for nourishment and you will desist from eating the kind of food that serves only to quell cravings or excite your palate. The interpreters of the *I Ching* could never have imagined how far man would wander from the source of his food. Unless you are very unusual whatever you do in order to obtain nourishment is quite unconnected with that nourishment itself. The providing of nourishment for oneself has become a commercial transaction between consumer and merchant—no longer a communion with the earth. The life-sustaining property of food is forgotten; food is just another economic success symbol. Food seems to come from nowhere and to have been grown by no one. Respect your food as you respect yourself; treat it as you treat yourself. You are what you eat. You cannot fulfill your direction, you cannot follow your Tao, if you do not naturally follow your course in the life cycle of the earth.

KAMA   You may have achieved a deep state of warmth, understanding, and stability with Friend. But you neglect your physical needs in favor of illusionary concepts and ideas of love; you neglect the essence of your relationship. It is, after all, a relationship between two whole people, not two minds. You must become as unselfish and loving with your body as you are generous and sympathetic with your mind.

MOKSHA   Your path to enlightenment calls for an ascetic life. You must eat the simplest foods in small quantities, enough to provide you with health and strength, but not for pleasure or out of habit. In the same way that you have discarded nonessential words and thoughts, you must dispose of your nonessential flesh. If a regimen does not naturally occur to you, find a given diet with a philosophical basis within an organized religious sect or congregation.[1]

[1] The popular macrobiotic diet intends to balance the Yin and Yang within the body. It is a recently developed discipline, unknown to the ancients. The diet's staple is brown rice.

LINES

1 —o— "You ignore the example of the tortoise
  and look at me with a long face."
  Ominous.

(Tortoiseshell markings were the original source of the
patterns of Yin and Yang that form the hexagrams of
the oracles.) You have everything you need, yet are filled
with resentment. You envy those who have encumbered
their lives with more than you have. These absurd covet-
ous values are so important to you that they color your
entire life, to the extent that you consult the *I Ching*
about them.

2 —x— The man seeks nourishment from below;
  unworthy.
  If the man seeks nourishment from above
  he will be involved in trouble.

You are able to provide nourishment for yourself, yet you
continue to accept it from other sources.

3 —x— The man's actions
  inhibit proper nourishment.
  Ominous
  even if you keep to your course.
  Do not take any action
  for ten years.

You completely neglect the needs of your body. You have
no real sense of your physical self. There can be no situation that warrants such neglect. Everything you do is
affected by it.

4 —x— The man seeks to provide for those below.
  Like a tiger glaring down from a tree
  he is ready to spring.
  Auspicious.
  No mistakes.

You have a strong desire to provide yourself with the
essentials of life. This is a natural desire, not based on

124

sensual cravings or the seeking of social position. If you are alert to favorable circumstances and aggressive in taking advantage of them, you are only following a natural bent and there is no guilt or wrongdoing involved in it.

5 —x— The man acts unconventionally.
> *Auspicious*
> *if you keep to your course.*
> *Do not cross the great water.*

Your concern with proper nourishment is somewhat extreme. Your diet has assumed too great a role in your life. Try to bring your values more into proportion. Do not attempt any major undertakings.

6 —o— The man is the source of nourishment.
> *Auspicious*
> *but perilous.*
> *You may cross the great water.*

You are aware that the source of all nourishment is the One and All. You accept what you have and desire nothing. As long as you do not separate your animal instincts from your transcendental ones—as long as you do not starve yourself—things will go well for you and you can take any major steps you wish.

28

TEH-KWO ☰ GREATNESS IN EXCESS

The Wind below   The Marsh above

ORACLE

The marsh above the trees.
The beam is weak;
it will collapse.
The superior man stands up,
alone and fearless.
He withdraws from the world without regret.

*Success
if you take action
in any direction.*

INTERPRETATION

ARTHA Watch out! The roof is about to cave in. The trigram The Marsh, above Wind/Wood, suggests an un-
natural weight. The most serious matters of your life have
all overtaken you at the same time. Everything seems to
be happening at once. Unusually strong pressures from
outside bear down on you. There is no way of holding
off any one situation until the others are resolved—they
are all coming to a head now. The times are momentous,
threatening, desperate. Your problems cannot be solved—

but you need not let them crush you. The tree survives the flood by standing straight beneath the floodwaters. It does not give with the water, it does not bend familiarly to accommodate it, like the reeds and grasses. It meets the water head on, taking it in all its force, as it is obscured beneath the waves. The tree outlasts the flood; the tree remains essentially tree, while the water, by rising, denies its own nature, which is to seek its own level. You cannot avoid troubles, but if you remain confident you will come through unscathed.

KAMA You have too many emotional ties, too many love relationships happening at the same time. All at once you have gotten yourself involved in a number of demanding close situations—and you cannot handle them. All your separate affairs are about to overlap and erupt. You should attempt, without anxiety or pride and with patience, to extricate yourself from all of them. You cannot resolve anything, you cannot please anyone or forestall the forthcoming conflicts and outbursts, but you can—if it is not too late—withdraw from the whole thing. It requires a spirit of resignation, bolstered by self-reliance and self-esteem.

MOKSHA You are in a spiritual crisis. You are in anguish over many contradictory impulses. They are pulling you apart. You are filled with numerous strong beliefs that seem to cancel out one another, making all seem meaningless. Your path is blocked. You must drop all your conflicting beliefs, forget your so-called understanding, dispense with any traditional, ritualistic practices. Like the tree in the flood, you must stand alone in the flood of karma, alone ,without metaphysics, among the illusions of sky and furniture. If you can renounce all the heavy, soul-searing, mind expanding revelations you have had and stand physically in the world, by yourself, without them, the attainment of enlightenment will be infinitely closer than it is now.

LINES

1 —x— The man places mats of white grass
        beneath objects set on the ground.
        No mistakes.

You should take extraordinary precautions, for these are potentially dangerous times. Although in being so careful you may inconvenience some people and meet with incredulity and aggression, you are actually doing the best thing for yourself and for everyone else concerned.

2 —o— A rotting willow produces shoots.
        The old man possesses his young wife.
        General improvement.

Rejuvenation: untimely, unexpected success in business; or a rejuvenation of passion and love; or a renaissance of your most profound spiritual revelations. Do whatever you wish.

3 —o— The beam is weak.
        Ominous.

You do not heed the warnings of others; you do not heed the clear signs of ruptures and destruction ahead; you will not believe the oracle of the *I Ching*. The consequences of your stubbornness will be unfortunate.

4 —o— The beam is braced.
        Auspicious.
        If you look for more support
        you will regret it.

Someone has come to your aid. The dangers of your situation have been mitigated through his efforts. Now you can handle things successfully. Danger: do not try to take advantage of your benefactor's brotherly affection by insinuating further demands on him.

5 —o— Flowers sprout from a rotting willow.
        The old woman possesses her young husband.

No blame.
No praise.

Flowers blossom on a dead tree; an old woman makes love. But flowers do not regenerate the tree, nor does a husband regenerate an old woman. Signs of vigor and springlike energy have entered your life. But they will not change your life, which remains repressed beneath the weight of your own essential nature.

6 —x— The man walks straight into the stream
and keeps right on going
until he finally disappears beneath the water.
Ominous
but no blame.

Blindly you have walked right into disaster. You could have avoided it, but your mind was on other things. Stand up to it the best you can, although you are helpless in a hopeless situation. At least comfort yourself with the realization that you have wronged no one but yourself and have perpetrated no evil.

29

KHAN ☵ THE DEEP

The Deep below   The Deep above

ORACLE

The deep within the deep.
The superior man is a teacher
and practices what he preaches.
Because of his sincerity
He is said to have a penetrating mind.

*Any action
is valuable.*

INTERPRETATION

ARTHA The trigram *K'an*, the Deep, represents danger.
The hexagram *Khan* indicates repeated danger: danger as
a way of life. You are at your best when your life is
fraught with danger. You choose your course and find
your strength in reacting to the dangers that beset you;
without them you would be indecisive and lax. Since you
are most effective when under pressure, the dangerous
elements of a situation enhance it for you. Since this
predilection for danger fosters excitement, a sense of challenge, and an acute awareness and not anxiety, defeatism,
and indecision, it is a positive, creative force. If it is accompanied by a compatibility between your principles
and your activity, you can successfully avoid trouble.

130

KAMA You constantly bring your relationship to a crisis state in order to renew and revive your love for Friend. Without the threat of an imminent breaking up of the relationship you cannot remain sufficiently emotionally involved for it to hold together. You repeatedly put your own love and Friend's to the test. The more difficult and dangerous the test, the more you feel, the more you desire, the more you love. Unless Friend's psychology comfortably fits in with your system of repeated crises you will face crises and conflicts *not* of your own making—less titilating and more extreme than those you yourself compulsively create.

MOKSHA Your spiritual practice is based on the constant presence of death. You achieve your spiritual revelations, your religious experiences, by confronting death—not abstractly and philosophically, but directly, bodily, in time and space. It is likely that your first important spiritual experience occurred while you were in grave physical danger—in grave illness or in a nearly fatal mishap or in battle. The spiritual experience of a confrontation with death is not necessarily tantamount in the lives of such daredevils as racing drivers, sky divers, and mercenary adventurers. But in *your* case it *is* the quest for such enlightening confrontations, your deep need for them—perhaps a kind of addiction to them—that impels you into constant danger. A confrontation with death is a confrontation with the Infinite—a brilliant, cleansing, enlightening experience. Hemingway was a well-known practitioner of the adventurous moksha.

LINES

1 —x— Already beneath the deep,
       he stumbles into a chasm.
       Ominous.

You have lived with danger for too long. You have become callous. The presence of danger no longer heightens

your awareness, keeps you on your guard, or gives you
the sense of purpose to sufficiently protect yourself. You
cannot undermine danger simply by being blasé.

2 —o— All the dangers of the deep confront him.
        Some relief.
The dangers you face are real and powerful. You should
confine your activities to whatever few small endeavors
you have well under control.

3 —x— The depths confront him on every hand.
        Everything is dangerous; he is never at rest.
        His struggles will plunge him
        into the chasm within the deep.
        Take no action.
You have gotten yourself into a position where your reaction to danger will only plunge you into other grave and unknown dangers. No matter how distasteful and precarious
inaction may seem, you must not act now. Let things take
their course and do not try either to avoid or overcome
whatever threatens you.

4 —x— The man is at a feast:
        just wine in a clay cup
        and rice in a clay bowl.
        He matches his lessons
        to the intelligence of his host.
        No mistakes
        in the end.
You have found a haven from the dangers that beset you.
It is a humble place, far below your expectations, where
you are not able to use your full talents. Although your
potential may remain unfulfilled, you can fulfill yourself
in this limited situation by giving of yourself totally to
your benefactors in whatever ways can be understood,
accepted and utilized by those who have kindly provided
you with your humble shelter.

5 —o— The waters of the deep almost overflow.
     Order must be brought about.
     No mistakes.

The dangers that you face are grave and numerous. Concentrate exclusively on overcoming them. Do not do anything more than simply to protect yourself from present dangers. Do not attempt any new activities. Do not take on any new responsibilities. Do not get involved in any situations other than those with which you are involved now. In order to react effectively to the danger you face, your powers are already taxed to their maximum. Any new activity will cause you to overreach yourself.

6 —x— He is bound with a heavy rope
     and thrown into a thicket of thorns.
     For three years he does not see the way out.
     Ominous.

All your troubles have come to a head. The time is not propitious. The dangers that beset you are too much for you to handle. You are trapped and at their mercy. Extended—but not permanent—bad luck.

30

LEE  FIRE

The Sun
below

The Sun
above

ORACLE

Fire on fire.
The superior man refines his brilliance;
his light can be seen from near and far.

Be firm.
Success
without obstruction.
Auspicious
if you cultivate your docility.

INTERPRETATION

ARTHA Like fire, you give light and warmth; like fire, you must cleave to something in order to maintain your existence. You are bright, active, outgoing; but you must hold to something dark and passive for your sustenance. Light, warmth, and its heavenward direction constitute one aspect of fire; its other aspect is its dependence on the dark dead fuel to which it clings. It is this less spectacular side of your nature that you should cultivate. Although in human terms flames are the most striking element in any fire, from the fire's point of view, its fuel, that which sustains it, is the crucial element. Fire is dependent on its dark partner for its existence; it takes its form entirely from the form and nature of its fuel. You command the respect and attention of your associates, but you are completely dependent on the principles and inspiration of someone else who commands no public interest or admiration. Do not let your own brightness blind you to the essential dependence and docility of your nature.

KAMA *Your* character, *your* emotions, *your* ideas, *your* desires dominate your relationship with Friend. To an outsider it seems that Friend is dependent on you. Between you and Friend, you know that *Friend* is the molder of *your* character, the fuel for your emotions and the source of your ideas and desires. There is no need for you to correct the views of others as long as you acknowledge to yourself Friend's essential role in the relationship and accept Friend's dominion gratefully.

MOKSHA The trigram *Li* indicates the sun's movement in the course of a day. Doubled, as it is in this hexagram, it indicates the sun's repeated movement from day to day. Your spiritual practice must be a daily ritual. You are a source of light to others. To be truly in your Tao you should be regular and persistent in your spiritual practice.

LINES

(In this hexagram, the first three lines—the *Li* trigram—represents the sun's course in a day. The last three lines —again the *Li* trigram—represent three different degrees of fire.)

1 —o— His steps are unsure
        but he moves with reverence.
        No mistakes.
The morning sun. It is a time of haste and business, and —in your case—confusion. Unsure steps indicate inefficiency and wasted time. But as long as your intentions

remain unconfused and consistent, you do nothing wrong or evil.

2 —x— Yellow.
  Very auspicious.
The midday sun. Yellow symbolizes balance and harmony; it is the color of the golden mean. The sun is poised between morning and afternoon. All is right with the world. Everything goes well.

3 —o— The setting sun.
  The old man should beat on his pot and sing.
  Instead, he worries about death.
  Ominous.
The afternoon sun. It brings thoughts of mortality and consequent melancholy. When the great man's wife died, his friends came to visit and mourn with him. They found him sitting in front of his home, beating on a wine jug and singing. They were shocked. The great man replied, "My wife has entered the realm of eternity. I sit and beat my pot and sing. What harm is there in that?"

4 —o— He comes, on fire,
  flares up, dies and is forgotten.
The flare: a flame that burns brightly, but briefly, dying quickly. It burns with too much force. To sustain its brilliance its fuel is quickly used up. You waste your resources.

5 —x— Tears flow in torrents.
  Lamentation.
  Auspicious.
The holocaust: a fire out of control. Although not willfully, you cause hardship and worry for others. However, you should not desist in your unhindered efforts to transform the world.

6 —o— The man is sent as an agent of punishment.
  Wisely, he crushes the chiefs.

He humanely discriminates between
the evil men and the good men
who have been duped.
No mistakes.

The torch: a flame under control and useful to others. You are obeisant to the selfish and often violent aims of others. Do only what is necessary to achieve the aims of your masters. Do not destroy simply because you have been given the license to. The guilt that applies to those who use you need not fall on you.

31

H-SYEN ☲ TENSION

Mountain below ☶ The Marsh Mist above ☱

ORACLE

The pond is cradled by the mountain.
The superior man feels calm and chivalrous.

Success
if you keep to your course
and remain receptive to others.

INTERPRETATION

ARTHA You alone have the ability to act, therefore you hold all the power. You must act. But your action should be to subordinate yourself and your power of action to the needs of those who cannot act. This assumes that both you and the others involved in this situation have a common bond of identical principles or goals. If the underlying motive behind your helpful attitude is a willful desire for an improved and even more powerful position in the group or community, then problems and conflicts will ensue.

KAMA The passive submits to the active; at the same time, the active subordinates its activity to the passive. This is the basic, primary social contract between man and woman. The family was the first social unit. Man could sleep alone, hunt alone, sing alone, and die alone—

138

but he could not reproduce alone. Sexual union implied a mutual subjugation to a common ideal—the sexual union itself. Neither partner could do it alone and, therefore, they had to divide the responsibility between them: the male was responsible for acting, the female was responsible for being acted upon. These responsibilities carried over into the broader ideal of the couple. The male was responsible for acting on behalf of the female; the female was responsible for inaction on behalf of the male. When the family numbered more than two the situation necessarily became more complex. However, in most cultures the family relationship, no matter how complex—in a few the male and female roles are reversed—is the most stable, respected, and accepted social institution in the culture. This was so much so in China, for example, that the Taoists—very aware of the transitoriness of most social principles and ideals—saw the family relationship as one of the basic unalterable principles and used it to exemplify and differentiate between the eternal Yin and Yang. Although the roles and relationships were complex, with different family members responsible for action or inaction in certain defined situations, the family structure was understood and accepted by all. The religious depth and inspiration of Confucius could only be felt by a people to whom principles of familial relationships were as unalterable as the points of the compass. In our own culture, especially in the United States, the family relationship has completely broken down. Not only is the traditional family relationship not accepted, it is almost universally not even known or understood. No traditional division of roles and responsibilities in the family exists for most married couples. Most of the hopeless, insoluble problems in our culture are conflicts between family members, while in most other cultures the family structure is well defined; whatever conflicts do arise among family members can always be resolved relatively easily through application of commonly accepted principles. The following dialogue probably rings a familiar bell: it is a prototype of the confusion that exists between you and Friend. Man and woman are considering whether to do something or go somewhere together. Man: "What would you like to do?" Woman: "It's entirely up to you." Man: "It makes no difference to me. I'll do whatever you want to do." Woman: Uh . . . uh . . . uh . . ." (expressing painful confusion). At the outset the man assumes a masculine, active role and takes the initiative. With his words he seems to subordinate his power to the needs of the woman. He feels he is being chivalrous. (In actuality, he is too confused about his role to assume the initiative in a constructive way.) What the man has really done is to unload his responsibilty for decision onto the woman. She ducks out by assuming a traditionally passive role. So far, the man has spoken according to principles of courtship and chivalry and the woman has spoken according to principles of male domination. These principles conflict. By saying "It makes no difference to me," the man accepts the role of lord and master proffered him by the woman's deference (*her* sloughing off of the responsibility). Now he moves forward in French history from the age of chivalry to Versailles and its noblesse oblige. He successfully parries the initiative filled with feelings of patronizing charity. They have tossed this responsibility back and forth like a hot potato. Such exchanges can continue through many phrases and courtesies culled from various mutually accepted ideals of social relationships until one of the partners is stumped and dissolves in total confusion. Whoever is stumped first accepts the blame for not making the decision and, as a punishment, relinquishes his desires in the matter to the other. For, in almost every case, each of them *has* a definite idea of what he or she would like to do. The problem is that there is no common, traditional, unspoken rule as to whose will prevails in this matter. The common acceptance of common principles of behavior by you and Friend will help end the conflicts between you. Since, unfortunately, there are no unspoken principles that you each accept unconditionally and continually, you must confer and frame your own, intellectually and verbally. You and Friend must together make the contract that has been denied you by the confusion of values and relationships that plagues our culture. You must decide together under what circumstances you are to take the initiative and when you defer the initiative to Friend. When you are called on to take the initiative you must abolish all anxieties about your responsibility for the outcome of your action—anxieties induced by the empirical framework of our culture—and accept the responsibility, not for the outcome—which is not preordained and can never be foreseen—but for the action itself at the moment you take it. You must trust the compact made between you and Friend as the ancient Chinese trusted so explicitly their well-ordered and unquestionable tradition of the family relationship. Although this hexagram was very cut-and-dried to the ancient Chinese, the accomplishment of its Tao for the modern Westerner is one of his most difficult, exasperating, and lonely problems.

MOKSHA You must subordinate your life to your spiritual practice. As things stand now, you abuse the spiritual revelations you have experienced. You use them for comfort, for power, or for love without allowing them to influence you deeply, to change you. In order to unite with the One and All in enlightenment you must *give yourself* in all your human acts of decision, will and desire as completely as you *accept* the divine gifts of freedom, acceptance, joy, and creativity.

LINES

1 —x— Wiggling the big toe.
You are willing to make some changes in yourself in order to improve your situation. But the changes you will allow are so minor and insignificant that they will not noticeably affect the situation, which is very complex and requires a

greater effort, a greater revolution in yourself, than you are willing to give.

2 —x— Flexing the calves.
    Ominous
    unless you stand still.

You wish to change, but you do not have any principles that you trust enough to use as guidelines for a new way of being. If you act now, precipitously: failure. If you subdue all your active impulses and wait quietly for things to develop, wait until you can make a congenial and acceptable change: success.

3 —o— Flexing the thighs,
    impatiently waiting in line.
    If you continue
    you will regret it.

You base your actions on principles of future rewards instead of basing them on principles of present needs. But the future is an illusion. It exists right now, as much as it ever will, in your own mind. It will never reappear in any form. In the here and now your actions are disordered and confused, their only frame of reference being the fantasies of your expectations.

4 —o— Twitching all over.
    Only people who know the man
    are influenced by him.
    Auspicious
    if you keep to your course.
    No guilt.

The deepest motivations of your heart are based on universal principles; if you were to follow them you would follow your Tao perfectly. But you do not trust your deepest motivations. You are convinced that you should be looking after yourself in a more immediate, meaner fashion and attempting to influence people and events in your favor. Although in a limited sense these attempts are successful, by ignoring your deeper impulses you have made the wheel of karma into a treadmill.

5 —o— The back is rigid.
  No guilt.
You have the power to act. And you have a strong will. Your will binds everyone together; your actions are accepted by all. Your power is legitimate.

6 —x— The tongue wags.
You are very strong when it comes to expressing principles of purposeful action; but when it comes to acting purposefully, you are weak. Nothing good will come of it; nothing bad will come of it.

 The Wind   Thunder
below   above

ORACLE

Wind and thunder,
faithful always.
The superior man remains firm
and does not change his method.

Success
and no mistakes
if you keep to your course.
You may take any action you wish.

INTERPRETATION

NOTE This hexagram expresses the continuity of experience, the bridge between moment and moment that makes
the universal flux comprehensible to us. Shiva is sometimes referred to as "the destroyer" because in his dance,
in his perpetual motion—which is the universal flux—no
instant is allowed to linger and each successive instant
can be thought of as the destroyer of the previous one.
Vishnu is sometimes referred to as "the creator" because
it is through his three great strides through time and
space that the relationships between individual instants
are established. The instants perpetually created and de-

stroyed by Shiva are brought together in a cohesive whole. The continuity of ever-changing experience, the gift of Vishnu, is the subject of this hexagram.

ARTHA If you wish your individuality to have meaning for others—if you wish it to be recognizable, identifiable, communicable, then your identity must have continuity. You exist not only as a physical being, but also as the sum of your actions and the values they express, as a reflection of your motivating principles. These aspects of you must be as consistent as your physical aspect. This is not to say that you must not change. Your body is always changing, each successive state in physical change flowing naturally from the preceding state into the next. Your actions should flow one from the other naturally, moving in a single direction, motivated by a single force. Do not stray from your set course. Do not allow yourself to be sidetracked by things that incidentally catch your attention. Do not jump from one thing to another. Such breaks in your continuity would cause conflicts with those who count on you to be consistent. If you have continuity in the total sense your relationship will be harmonious. Your changes will relate to the changes of others. There will be no mistake about who you are, so potential hostilities can be avoided at the very beginning. Continuity does not imply conservatism—on the contrary, it is the quality of moving with the times.

KAMA This hexagram represents the institution of marriage. Ideally, the married couple has the same need for continuity that the individual has. The bases of the couple's words and actions in relation to each other are consistent, not the result of whims. The husband and wife are totally predictable to each other, totally familiar. Friend requires such a familiarity in order to relate to you openly, without unexpressed reservations. Friend's love is based on the continuity of all your qualities—not just your physical constancy.

145

MOKSHA   Your spiritual life must have continuity. Instead of taking ten steps on each of ten different paths, take a hundred steps on one. An enlightened man is one who has become complete. Only with continuity, with a consistent vision of the One and All, by keeping to one, single version of the Paradox, can you attain completion.

LINES

1 —x— The man grasps at continuity.
      Continually ominous
      if you persist in your course.
      No improvement.

In attempting to achieve consistency in your life, you have precipitously, artificially changed your course. You have become even more inconsistent. You have less continuity than before.

2 —o— He keeps to the golden mean.
      Guilt disappears.

Your ambitions are somewhat grandiose. You recognize this, along with the improbability of achieving them. Turn inward, to what it is that endures in you, the basic principles of your life. Turn inward honestly and develop the being you discover there.

3 —o— The man is disgraced
      because he does not maintain continuity.
      You will regret it
      if you keep to your course.

You are prone to embarrassing situations occurring in public. You get caught between your own character and the mood, the atmosphere of the outside world. You are hesitant, awkward; consequently you are often misguided and off the mark in your reactions to others.

4 —o— A hunting preserve without game.
You think you are trying to solve your problems; actually

you are avoiding the real issue. In psychological terms, you are transferring. Face up to what is actually the source of the problem, even if it is a defect in yourself. If the source is in yourself, then it can be more easily corrected.

5 —x— The man clings to continuity.
    Auspicious
    for the wife.
    Ominous
    for the husband.
Is your life based on an allegiance, a loyalty, a fealty to someone, some idea, some organization? Then you should strongly attempt to make your character consistent. Do you exist for yourself, with all your relationships of love and loyalty based on the devotion of others to you? Then do not attempt artificially to mold yourself into a consistent, identifiable character.

6 —x— The man tries frantically to retain continuity.
    Ominous.
You are in a perpetual hurry. You are always a few steps behind and a few steps in front of yourself. You are never composed, never at rest. You are always late and you never finish. Hurry up and seek out a means to find inner composure!

33

T-HUN ≡≡ RETREAT

The Mountain
below ≡≡

Heaven
above ≡≡

ORACLE

The mountain reaches from the earth
but remains beneath the sky.
The superior man keeps lesser men at a distance,
maintaining a dignified reserve.
He does not let them know what he thinks of them.

Improvement.
Keep to your course
in minor things.

INTERPRETATION

ARTHA   You are opposed by active forces so powerful that
you must retreat before them. This reversal is not a capitulation. You remain as untouched by your enemies as
heaven is in falling back before a mountain peak. This
retreat need not be a desperate helter-skelter flight. It can
be as proud and confident as the retreat of the sandpiper
before the incoming tide. Directions are only relative. Any
reversal can be turned into an advance by reversing your
goals. The improvement predicted in the oracle can be
achieved by a calm and deliberate falling back. You cannot avoid the frustration of your present direction. Beware

of harboring hatred for those who frustrate you. Hate is a clumsy, debilitating burden. An inspired yogi can love his enemies. The natural man, the "superior man" of the oracles, simply disassociates himself from those who oppose him. He cannot love them. He refuses to hate them. He withdraws his emotions from the everyday world. He turns inward, toward himself and a circle of those whom he *can* love.

KAMA   You and Friend are in conflict. Friend willfully blocks expressions of communication and mutual activity that you feel are essential to the relationship. To continue to try to draw Friend into the situations Friend wishes to avoid will drive Friend away. Give in to Friend's inclinations—if you value the relationship—and enjoy Friend on Friend's terms. Beware of harboring negative feelings for Friend. They can never be an element in a successful readjustment. You must learn to depend on yourself for what Friend will not give you.

MOKSHA   In the practice of moksha nothing that you encounter should hinder or impede you. As your experiences change, your knowledge of the One and All changes. No matter what happens, in a manner of speaking you continue to progress. A true path to enlightenment is always flexible; never preordained; always accepting and willing —eager—to change and broaden. Your practice of moksha has become static. You refuse to accept experiences and ideas that do not fit the path you have chosen. You feel you are encountering a hostile force because your present spiritual experiences do not conform to your ideals, based on previous experiences. The opposition in this case is your own past. Your preconceptions and your rigid beliefs oppose the flow of time and events. There is only one path and you can never choose it—you can only follow it—without real progress, without real direction, without real growth—all illusions. There is only the inevitable, eternal, and constant movement of now.

LINES

1 —x— He turns tail.
Peril.
Take no action whatsoever.

You have not given yourself enough time to retreat in an orderly, rational fashion. Do not attempt any forward movement, no matter how insignificant.

2 —x— He holds to his purpose
with an unbreakable thong
of yellow oxhide.

In your recoil from hostile forces you have tied your fortunes to someone stronger than you who is also recoiling from them. His strength will carry you to safety.

3 —o— He is entangled
and withdraws in danger and distress.
Deal as generously with your oppressors
as you would with a servant or a concubine.
Auspicious.

Your falling back from a hostile force has been halted by the unlooked-for interference of a third force. You are frustrated and in danger. If you can somehow establish a community of interest with the newcomer he may, instead of hindering you, facilitate your withdrawal.

4 —o— He withdraws
although he would rather not.
Auspicious for the great;
unattainable by the small.

Fall back bravely and naturally, without hatred, without regrets, and without loss of self-esteem. Accept events as emanations of God, not as reflections on yourself. If you rankle with hatred, cringe with regrets and hate yourself, even a well-planned, well-accomplished withdrawal will harm you psychologically.

5 —o— He withdraws sensibly.
Auspicious
if you keep to your course.
All those threatened by the same hostile force recognize their common purpose and bond. With very little discussion everyone has agreed to work together for a successful withdrawal. As long as this spirit continues, all goes well.

6 —o— He withdraws nobly.
Improvement
in every way.
This is the falling back of the enlightened man who knows neither forward nor backward. It is the reversal of the whistling hobo. He approaches a river; the bridge is down; he cannot cross. He returns the way he came. Not once did his whistled song miss a beat or lose its proper pitch.

34

TEH-KHWANG ☰☰ GREAT STRENGTH

☰ Heaven below

Thunder above ☰☰

ORACLE

Thunder rages above heaven.
The superior man is especially proper,
whatever he does.

Improvement
if you keep to your course.

INTERPRETATION

ARTHA This is a time of great influence for you. Your
Tao is strong. It has an external function as well as an
internal force. Your direction is appreciated and followed
by others. Caution: do not abuse this influence. One abuse
would be consciously to take advantage of those under
your influence. This would be clearly and unequivocally
corrupt. But you can also abuse your influence by failing
to recognize it. Do not, through false modesty or neurotic
self-deprecation or for any other reason, ignore your own
power. This not only denies your own Tao, but is also
unfair to those whom you influence. Your proper position
is in the center. Everyone in your circle relates to you. If
your movement is outgoing, strong, unfettered, then you
will give strength to those around you and they in turn
will support you. But if your movement is inward, weak,
inhibited, you will only succeed in drawing others down

into the chaos of your personal life, causing disillusionment, anxieties, and conflicts. This is a strong, creative hexagram and bodes well as long as the responsibilities implied in it aren't shirked.

KAMA Friend is extremely susceptible to you. If you are glum, then Friend will soon be glum; if you are feeling silly, then Friend will soon be feeling silly; if you express an interest in a certain idea, then Friend will soon be interested in the same thing; and if you devote yourself to loving Friend, then Friend will soon be devoted to loving you. The paradox of power is evident in this situation. Friend, who is entirely under your influence, nevertheless can react freely and spontaneously to you. You, who are under no influence, must react carefully and thoughtfully because of the responsibilities placed on you by your influence on Friend. Like other paradoxes, this is the expression of the inevitable balance of the forces of Yin and Yang.

MOKSHA Your path to enlightenment lies in your ability to bring enlightenment to others. Enlightenment is the passage from an intellectual belief in an abstract, conceptual "universal" truth, to existentially *being* that truth; passage from an idea to an all-embracing, universal being. You, particularly, make this passage when you extend your intellectual, conceptual understanding to others. As your mind meets with others in common understanding, the universality of what you believe strikes you in a way beyond mind and beyond intellect and the experience of teaching becomes a religious one. Denial of this by you would be hypocritical and spiritually defeating.

LINES

1 —o— The man gathers his strength in his toes.
    Definitely ominous
    if you advance.
You feel frustrated. But do not be rash.

2 —o— *Auspicious*
　　　if you keep to your course.

You are at the beginning of something. You feel exuberant and optimistic. If you get too carried away, you will not be able to react effectively to counter any obstacles that arise, or to adjust to any changes that occur. Maintain an inner equilibrium.

3 —o— The small man uses up all his strength.
　　　The superior man conserves it.
　　　The ram butts against a fence,
　　　entangling his horns.
　　　Danger
　　　if you keep to your course.

You have been so successful in the past that you believe that the proper reaction to obstacles is simply to ignore them and to press forward. Danger: overconfidence. Remain always open to the possibility that you may have to slow down, compromise, or even retreat in order to follow your Tao.

4 —o— The ram butts against the fence.
　　　He breaks through, untangled.
　　　A large wagon
　　　depends on the strength of each wheel spoke.
　　　Auspicious
　　　if you keep to your course.
　　　Guilt disappears.

Because you can avoid the abuse of influence, mentioned in the "Artha" section above, your influence is a constructive, creative force in your environment.

5 —x— His easy life destroys his ramlike qualities.
　　　Without guilt.

Previous circumstances in your life have made you instinctively belligerent and stubborn. But the circumstances now have changed. Change your behavior as well. The

154

world is much more friendly toward you now. You have influence in it. Open up. Be sympathetic and tolerant.

6 —x— The ram is stuck in the fence.
He can neither retreat nor advance.
No improvement in any way.
Auspicious
if you accept your position.

You are in a seemingly inescapable bind. Any move you make forward, backward, or sideways will bring contention, conflict, and more complicated entanglements. Your only way out is to relinquish all ambitions, abandon all goals, and free yourself of the illusion of hope.

35

TZHIN ☰☰ ADVANCE

☷☷ The Earth   The Sun ☰☰
below   above

ORACLE

The sun shines above the earth.
The superior man polishes his brilliance.
He secures civil tranquillity
and is rewarded with many horses.
He is interviewed three times a day.

Improvement.

INTERPRETATION

ARTHA This hexagram represents the sun rising over the earth. The sun gives light while it destroys itself; the dark, receptive earth turns the sun's energy into life and growth. Two people are involved in this hexagram: one is passionate, energetic, prophetic, and self-destructive; the other is impressionable, passive, logical, and blooming. Most likely you are the latter, passive half of the pair. The passionate partner is usually not the type of person who consults the I Ching oracle. Search out the one who is your alter ego, your negative self, your opposite pole, the Yang to your Yin. Acknowledge that the force behind what you do comes from him. Working together, you will make important advances and new discoveries.

Keep in mind the relationship between the earth and the sun: set aside all petty considerations, superficial judgments based on selfish values. Love without reservation the sun that turns your darkness to light. If you do happen to be the passionate half of this pair—the radiant sun—nothing said in this oracle can make any impression on you: your demon is too strong. The advancement of this hexagram will not come from either half of the pair alone; it is the result of the interaction between them.

KAMA You and Friend are well matched. Your characters neatly compliment each other (see "Artha" section). Together you have the potential for a creative, evolving, and extended relationship. The only problems you may encounter result from your clinging to the stale concepts of a destructive tradition. The passionate partner (the sun) and the passive partner (the earth) need not be man and woman respectively. If the passionate one, the Yang force in the relationship, is the woman and the passive, Yin partner is the man, then the man is likely to feel that his role is "not normal." False pride will cause anxiety and conflict. He must forget the generally accepted concepts of roles and accept and appreciate his own character. He must base the relationship on that—not on his ideas (actually, his culture's ideas) of what the relationship should be. If the passionate one is the man and the passive one is the woman, then the danger is that the woman may impose her political principles on the relationship. Although she feels a natural resentment at society's discrimination against women generally, she must also accept and appreciate her own personal "feminine" traits of passivity and receptiveness, which are part of her own character and not solely due to her gender.

MOKSHA You must search for the one who will enlighten you. He is not a guru, not a priest, not a teacher, not a savant. He does not intend to enlighten you and, in fact, does not intend anything. He burns brightly, with passion

and without purpose. He is as lost without you as you
are without him. His light dies if you do not reflect it.
Your life is dark without his light.

LINES

1 —x— The man wishes to advance
and is held back.
Auspicious
if you keep to your course.
If you cannot inspire trust
accept it graciously.

You hesitate to make contact with the one whose creative
energy and power will improve both your fortunes. You
fear a rebuff. Because of the other's passionate and
choleric nature, a rebuff by him is certainly a possibility.
But do not let that restrain you in your efforts to reach
him. If you are rebuffed, remain calm.

2 —x— The man advances,
yet is full of sorrow.
Auspicious
if you keep to your course,
by the grace of your grandmother.

You cannot reach the one on whose creative energy and
power your mutual fortune depends. The very energy and
power of his that you are seeking are the obstacles that
keep you from reaching him. Your life is one of womanly
grief and despair. The feminine energy, the Yin force, that
radiates from your grief and despair will take the place of
the masculine power, the Yang force, that you cannot
attain. With the enfolding and comforting strength of
your own grief, you will find happiness and fulfillment
in your life, although on a different plane from what you
now envision.

3 —x— He is trusted by all.
No guilt.

Although you are personally weak and ineffectual, you have the state of mind and the intelligence to be able to participate in the activities of others, sharing mutual trust and understanding. Yin and Yang are evenly balanced in you.

4 —o— He advances like a groundhog.
　　　　Peril
　　　　if you keep to your course.
You are accustomed to moving stealthily, inconspicuously —like a rodent that moves at night. Secrecy is important to your advancement. But you are entering the sphere of someone whose perceptivity and brilliance will discover you and expose your movements. Beware.

5 —x— *Guilt disappears.*
　　　　Do not let success concern you.
　　　　Auspicious
　　　　if you advance.
　　　　Improvement
　　　　no matter what you do.
You live in complete accord with the creative forces in your life. You advance through the combination of your receptive personality with someone else's passionate personality. Your progress depends on *both of you* for its continuing existence, and for its direction. Since the direction of your progress is dependent on another as well as yourself, it may not be exactly what you envisioned. But it *is* the best way, the right way, and the only way for you. Any regrets you have are based only on illusions. They will soon disappear.

6 —o— He advances
　　　　horns first.
　　　　He uses them to punish rebels
　　　　within his own city.
　　　　Peril.
　　　　Auspicious.

*Keep to your course
despite any regrets.*

Although you are generally a passive person, you must now take positive action. The obstacles you face are the result of your own misguided activity. Only an active and energetic destruction of these obstacles will enable you to proceed. And only *you* can do it. Be careful not to extend your aggressive energies beyond what is required. Do not try to influence situations other than this particular one.

36

MING-EE 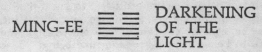 DARKENING
OF THE
LIGHT

The Sun
below

The Earth
above

ORACLE

The sun sets behind the earth.
The superior man manages others.
He proves he is intelligent
by keeping quiet about it.

Keep to your course.
Be aware of the difficulties ahead.

INTERPRETATION

ARTHA You are in the intolerable position of being under
the authority of forces that are contrary to your principles
and beliefs. Instead of just being irrelevant, on a different
plane, the underlying direction of the outside forces that
direct, shape, and limit the circumstances of your life
confront your own philosophy and ideology head on.
There is nothing you can do to change this situation. You
must, in fact, accept the continuing existence of this darkness that envelops your life. You will always see it as
darkness opposed to your light, as a lie opposed to your
truth, as evil opposed to your good. But because the scope
of this dark authority is so wide and because its influence
is so pervasive, you will be forced to accede to its impetus
on all levels of your life except the most personal. You are
alone among your acquaintances in your condemnation of

these dark forces. Other people either condone them or maintain a laissez-faire attitude. No one would be receptive to any initiatives to change or destroy the powers that be, at least at present. You must resign yourself, in fact, to being a slave—for the time being. You must not rock the boat. You must hide your real feelings. You must be blind to the evil surrounding you. This is a shameful time for you. But while being forced into all these sins of omission, you must never allow yourself to fall into a sin of commission. Don't give in to your oppressors to the extent of acting on their behalf. When it comes to your *reactions*, you must submit; but your *actions* must always be pure and correct, according to your own principles, no matter what the cost.

KAMA Your relationship with Friend seems grotesque and unhappy. It is the opposite of everything you want it to be. You don't know whether Friend is the originator of this travesty or whether you both are guilty. While the impulses and emotions that bind you together seem to *you* to be directly contrary to your principles and declarations of love, Friend sees nothing wrong at all. Any attempt to communicate the violence of your anxiety and the depth of your despair only offends Friend and leads to more unhappiness. As for a possible origin of these negative feelings: consider the fact that the reality (as you see it) is directly contrary to *your* ideals only, not to Friend's. Friend doesn't see a problem at all. Friend accepts the relationship as it is. You have a self-defeating impulse to look for whatever is not there, instead of finding what *is* there. You form your ideals not from what the relationship is, but from what it *isn't*. Successful psychoanalysis would bring to light the sources of your contrariness and assist in destroying them. Religious enlightenment would eradicate the ideals and expectations that are the cause of *all* suffering in man.

MOKSHA With enlightenment, (1) absolute freedom is realized and (2) the ego disappears. In his absolute freedom the enlightened one acts in perfect harmony with the universal flux. The deepest, darkest evil—the sin of Lucifer—is to experience the first and reject the second: to realize ultimate freedom without humility. This is the hexagram of the black magician, the exploiter of wisdom.

LINES

1 —o— The man flies,
      but his wings droop.
      If the superior man continually leaves home
      he may go three days without eating.
      Wherever he goes, people scorn him.
Blithely believing you could avoid your problems simply by ignoring them has led you into a disastrous situation. You have clashed with the efforts and ambitions of everyone else. If you insist on sticking to your principles you will be reviled and opposed, even by those closest to you. If you compromise, you will lose your own self-respect. Withdraw from everything.

2 —x— The man is wounded in the left thigh.
      He saves himself on a swift horse.
      Auspicious.
The encroachment of darkness is not yet irreversible. You can still salvage the situation. There are others besides yourself who recognize the danger. Join with them.

3 —o— Hunting on friendly ground at night,
      he shoots the lord of the dark regions.
      Do not try to rectify everything
      all at once.
Considering the dark and dangerous period you are in, you have taken a somewhat cavalier and diffident attitude toward men and events. You refuse to recognize that the prevailing darkness is relevant to you and go right on your merry way—straight into trouble. You have acci-

dentally injured someone who plays an important role in the social system you have so blithely ignored. This is more grave than just stepping on someone's toes. You have caused real injury and you must expect real retribution.

4 —x— He enters the belly of the dark regions
       through the left side;
       his brightness is dimmed
       and he slips quietly out at the gate.

You have been thrust into the midst of a repressive and tyrannical situation. But you have nothing to fear. You figure so little in the oppressor's plans that you will be ignored completely.

5 —x— The dark times of Prince Chi.
       Keep to your course.

Prince Chi played the same role in an evil court as did Hamlet. Feigning insanity, his obvious antagonism toward the king was overlooked. But while Hamlet at last became a man of action, dealing vengeance and retribution, Prince Chi remained inactive and contented himself with successfully avoiding having to compromise his principles.

6 —x— Neither dark nor light,
       only obscurity.
       He ascends above the roof of heaven;
       he will descend below the crust of the earth.

The adverse forces that rule your life have extended themselves so far, have fulfilled themselves so terribly completely, that little by little they have become meaningless. As they have accomplished their dark metamorphosis, their purposes stand revealed as meaningless and illusory, like the serpent who eats himself. Your patient suffering has also fulfilled itself and will soon be finally relieved by the natural, inevitable flux from Yin to Yang, from negative to affirmative, from dark to light.

37

KHYEH-ZHAIN ☲ THE FAMILY

☴ The Sun below   The Wind above ☴

ORACLE

Wind passes above the fire
and warms the family.
The superior man is careful to be always truthful
and consistent in his conduct.
The wife keeps to her course.

Keep to your course.

INTERPRETATION

ARTHA   In terms of the extremely patriarchal mores of ancient China are you the "husband" figure or the "wife" in the situation for which you have consulted the oracle? Do you control the circumstances? or are you controlled? Do you have authority? or are you under authority? Are you teaching? or are you learning? Do your own principles shape the situation? or do another's principles apply? If you are a "husband" then your problems stem from hypocrisy on your part: you say one thing and do another. You yourself do not act according to the principles you apply to others. You don't practice what you preach. You must either adjust your actions to fit your expressed principles or you must change your expressed principles. A dissimilarity between your demands on others and your demands on yourself confuses those who depend on you for direction. If you are a "wife," your problem is that for some reason—most likely a very good reason—you are rebelling against the authority in this particular situation. You have forgotten that the relationship between yourself and the authority is not based on power, but on a common bond. E.g., between a husband and wife, the bond is love; between business partners there is a common goal of a fair profit; among members of a service organization there is the common purpose of charitable works. Instead of rebelling destructively against an unfortunately weak or dishonest authority, you should recognize the authority's defects and adjust your notions to it so as not to weaken the other, more important bond: the original raison d'être of the relationship.

KAMA There is an ambiguity about who is responsible for making decisions affecting you and Friend as a couple. You and Friend are not in such a state of entwined bliss that your thoughts and desires always coincide. And yet you are not independent enough—either practically or psychologically—to go your own ways. You must confer and agree together which of you is responsible for making which decision in which areas of mutual activity. And when a decision is made by one, the other should not judge it—should not be resentful or deprecatory or analytical or even grateful. You must each maintain a complete and calm acceptance of the will of the other in matters for which—by mutual consent—one of you has been made responsible.

MOKSHA The Oneness of all things has been revealed to you. Everything is Buddha—yourself also. You *know* it completely, but you don't live it. When you see a flower, you pick only a flower. When you see a fly, you kill only a fly. When you meet someone else, you treat him only as if he were someone else. On your path to enlightenment you must cease making distinctions. The differences between flower, fly, someone else, and yourself are only illusions.

LINES

1 —o— The man makes rules for the family.
     Guilt disappears.

You have just begun an activity in which you hold expressed authority and heavy responsibilities. If, from the very beginning, your authority is weak and indecisive, those involved with you will always be faltering and confused. If you do not accept your responsibilities from the very outset, the relationship between you and your associates will always be one of mutual mistrust and secretiveness.

2 —x— She attends to the cooking.
     Auspicious
     if you keep to your course.

Enough responsibility has already been placed on your shoulders. You should not seek any more responsibilities, but concentrate on fulfilling those you have now.

3 —o— The man is very stern.
     If he let his wife and children chatter and giggle he would regret it.
     Auspicious,
     but with guilt
     and peril.

In some areas of your life there is a wide range of activity open to you. In other areas you are bound by strict limitations. It is easier and seems more fulfilling to restrict your activities to the sphere in which you have greater freedom. But you do have responsibilities in the more limited sphere, where action is more difficult and seems less rewarding. If you concentrate only on your broader powers you will succumb to selfish, egotistical temptations. If you cannot find a balance between the two it is better to concentrate on your sphere of limited activity and let the other go for a while. That way you can at least avoid betraying your own deepest principles.

4 —x— She enriches the family.
Very auspicious.
You have the happy ability to deal harmoniously with the material world. You are skillful and clever, fair and unselfish. You bring good things to yourself and to those close to you.

5 —o— He is a king to his own household.
No anxiety.
Auspicious.
You are so sure of yourself that others respect and follow you. You are so free of anxieties that you treat everyone with love.

6 —o— The man is sincere and clothed in glory.
Auspicious
in the end.
If your responsibilities and your relationships have increased, your character must also alter. You must take into account the new responsibility implied by your new and as yet untried influence on others.

38

KHWAY ☲ NEU-
TRALITY

☱ The Marsh   The Sun ☲
below   above

Fire over the marsh.
The superior man allows
variations within the norm.

*Success
in minor matters.*

INTERPRETATION

ARTHA Man is a mix and a flux of two opposing forces.
Yin and Yang, active and passive, optimistic and pessimistic, extroverted and introverted, beautiful and ugly are
a few of the different visions of this dualism. An individual's character and psyche are based on a unique interaction of these contrasting forces. This hexagram represents a stand-off neutrality between the counteracting
forces within you. Fire naturally rises; water naturally
settles. In their position in this hexagram (trigram *Li*,
Fire, is above trigram *Tui*, the Marsh) there is no interaction between them. The traditional interpretation of this
hexagram is that you are involved in a situation where
two opposing viewpoints, two opposing sides, irreconcil-
ably neutralize themselves into a stalemate. But since *you*
are the subject of the hexagram, it is clear that the polar-

ization indicated is not an incidental, outside phenomenon, but is basic to *your* course, the essence of *your* Tao: it is within you. You constantly feel pulled in opposite directions. Whenever you consider acting, inactivity seems just as desirable. Whatever you want you also think you'd just as well not have. Whatever you believe, its opposite seems to have just as much validity. Whatever you say, you regret. You are not in a state of neurotic indecisiveness, although it might seem so. You bear a relativistic view of things, a kind of metaphysical fairness. In small, unimportant matters this is a strong position because of its basic balance, calm and good judgment. In larger, more far-reaching undertakings, however, you lack the unfettered force that would give your activity a constant, definite direction, and you lack the spiritual depth to accept the patterns of opposites within you and flow spontaneously with them. In your dealings with other people your evenness and lack of predisposition recommend you for small tasks. In broader activities that involve deeply held principles and ideals, your lack of a definite position makes you seem unpredictable and untrustworthy—not implying dishonesty or impetuousness, but in terms of the ambitions of others. Because of your basic neutrality, however, you may be called on to judge between factions in a dispute.

KAMA Because of your inner polarity (see "Artha" section) you are unable to enter fully into your relationship with Friend. From Friend's point of view, the relationship is always unfulfilled, weighty, mired. It may seem to Friend that you are holding back, that you are reticent in your feelings and afraid to express your emotions. On whatever levels your relationship *does* function, it is free of conflict, free of turbulence, and, at least on your part, free of egoism, selfishness, and possessiveness.

MOKSHA Your spiritual life is based on the revelation of dualism. You should study the abstract polarities within the spiritual system you follow. For a Christian it is the meaning of God and the devil; for a Taoist it is the opposition of Yin and Yang; for an existentialist it is the distinction between man's essential nature and the phenomenal universe; for a Buddhist it is the state of desire as opposed to nirvana. This is a wise and thoughtful vision. When these basic opposites are reconciled and experienced as one, perfect enlightenment is possible.

LINES

1 —o— He has lost his horses.
　　　He need not search for them;
　　　they will return by themselves.
　　　If he meets bad men
　　　he can speak with them.
　　　Guilt disappears.

Your polarized state is new. You feel that you have lost something. You have. Because of your new inner neutralization, your values, your direction, and your principles, offset by the force of their opposites, have lost their traditional meaning for you. But remember, this has all happened *within you*; it is your Tao, your direction now. Do not regret these things. Do not anxiously grasp at old ideals. You are likely to come into contact with unprincipled and willful people. You cannot avoid them, nor can you—since you are neutral—hope to influence or oppose them. You can be careful and guard against thoughtless mistakes.

2 —o— He meets his master in an alley.
　　　No mistakes.

Your ambiguity about a factional dispute makes your relationship with a close friend, who is involved in the dispute, embarrassing from his point of view. It pains him, but he feels he must avoid you. Sympathize, without pride or anger. Arrange an "accidental" meeting in a secluded place. It will be welcome, pleasant, and fruitful for both of you.

3 —x— They pull back his carriage
and drive back his team of oxen.
His head is shaved;
his nose is cut off.
A bad beginning;
a good ending.

Everything goes wrong. Whatever you do is blocked and reversed. Whatever you say is misunderstood. You are conspired against, reviled, and denigrated. Just keep a grip on yourself. It will not last forever. The good fortune which will follow will be equal in degree to your present misfortune.

4 —o— The man stands alone amid conflict.
He meets good men
and together they find common cause and
sympathy.
Peril,
but no mistakes.

You have met someone who is like you in his inner neutrality. The same problems cloud his life as yours. If the relationship is kept at a low key, you can both overcome your basic isolation.

5 —x— He clings with his teeth
to his friend and relation.
Can you make a mistake
advancing with such aid?

Your noncommittal, relativistic balance of judgment generally keeps you from getting involved in the activity of others. But you are becoming emotionally involved with someone else who, with love and companionship, has cut through your isolation to your heart. If you are moved, then join the other, even if the only principle for your doing so is an emotional attachment.

172

6 —o— The man stands alone amid conflict.
　　　　Something approaches;
　　　　a pig covered with mud;
　　　　a carriage full of ghosts.
　　　　He draws his bow and then relaxes it;
　　　　it is not an assailant,
　　　　but a close relative.
　　　　Advance
　　　　into the gentle rain.
　　　　Auspicious.

You mistake the motives of someone who approaches you in friendship. You believe that it is a coldhearted, selfish effort to win you over. You put up all your defenses and ignore the other person, avoid and degrade him. But the other is sincere in his friendship. You must eventually open yourself up and accept this sincerity.

39

KHYEN ☵ DIFFICULTY

☶ The Mountain below   The Deep above ☵

ORACLE

The lake in the volcano.
The superior man looks inward
and cultivates his virtue.

Remain on friendly ground
and avoid hostile territory.
Confer with the great man.
Auspicious
if you keep to your course.

INTERPRETATION

ARTHA   You have met with difficulties. These difficulties
are inherent and unavoidable in the path you have chosen,
in your Tao. They are not a sudden, catastrophic, hostile
phenomenon. If anyone is responsible for these difficulties
it is yourself: meeting with difficulties is an inevitable,
essential hazard in the course you have chosen for yourself. These are not obstacles in their own natures. Your
reaction to them makes them obstacles. Things are difficult only because you consider them to be difficult. There
is nothing wrong in being aware of your course and per-
sisting in it; but it *is* an error to set distant goals and to
establish an ideal pattern for the future. This is the error
that makes your present situation seem difficult. You need

someone to advise you, someone who can teach you—
not how to abolish the obstacles or circumvent them or
overcome them, but how to accept them with peace of
mind.

KAMA A conflict has suddenly arisen between you and
Friend over something specific, something heretofore outside your relationship. This could be a third person to
whom you each react differently, or an event which you
view differently, or some other newly appeared aspect of
your relationship which is causing tension and contention.
Obviously some conflict was bound to appear sooner or
later, about one thing or another. Instead of trying to
overcome this specific difficulty by compromise or by one
of you assuming authority in the matter (such slapdash
solutions can cause spitefulness on one part and regrets
on the other), ignore the difficulty for a while; withdraw
from it. Return to your convivial state before the difficulty appeared. Of course you both will remain conscious
of the difficulty. But the love and pleasure and time you
share will encompass and overcome the latent difficulty
which you also share. When it arises naturally again out
of your lives together, you can meet it together and react
spontaneously, as a couple.

MOKSHA The fact that you have met with difficulties in
your spiritual path indicates that it is a path encumbered
by such unspiritual karma as goals, desires, ideologies,
and theories. Free your spiritual path of such maya and
you will achieve enlightenment; free your whole life of
them and you will achieve Brahma.

LINES

1 —x— Either the man advances
and encounters great difficulties
or he stands still
and earns praise.

Advancing is Yang; standing still is Yin. You can either advance, move out and leave behind those you love; or you can stand still, remaining where you are among those you love.

2 —x— The man encounters one difficulty after another. Still, he conscientiously pursues his mission.
If *you* alone were the only one involved in your difficulties, retreat and withdrawal would be the best course. But you have a responsibility to someone else to meet the difficulties head on. You are definitely committed to it.

3 —o— Either the man advances
            and encounters great difficulties
            or stands still
            with his former allies.
In this case your responsibility to others is the reason you must *not* meet the difficulties head on. There are others who depend on you and who would suffer with you in your attempt to overcome the difficulties that have appeared.

4 —x— Either the man advances
            and encounters great difficulties
            or stands still,
            forming alliances.
You need the support of others to overcome the difficulties that beset you. If you believe that your friends automatically will support you, you are mistaken. Hold back awhile. Talk it over with your friends and colleagues. Tell them the details and discuss the ramifications of the situation. They will support you when they feel involved enough and informed enough to do so.

5 —o— The man struggles with the greatest difficulties; his friends come to the rescue.
The problem you are facing is essentially not your problem. It is a difficulty in the life of someone you know

and you have taken it on as an act of love because of a sense of responsibility to the other. Because you are not directly involved and because of the generous spirit that has induced you to take this problem on, any efforts you make to overcome it will be successful. You should go as far as you are able; others will join you on your friend's behalf and things will be solved quickly and satisfactorily.

6 —x— Either the man advances
        and encounters great difficulties
        or stands still,
        finding fulfillment.
        Auspicious
        if you confer with the great man.

The difficulty in this case is not an element in your own life alone; the difficulty is more general—a social, cultural one. It throws a pall over your quiet and undisturbed life. You would like to ignore it, disregard it. Ironically, the objective, uninvolved course you have chosen has enabled you better to perceive general wrongs and evils. And this perception affects you emotionally and draws you back into the world of subjectivity and involvement. In this line "advancing" refers to continuing on your path of complete acceptance—retreat from the world of values and difficulties. "Standing still" refers to remaining within the world of values and difficulties. The auspiciousness of the oracle depends on the result of the enlightened, objective, and unselfish attitude with which you face your difficulties. Do not ignore the outside world. If you do, you will meet with other, inward difficulties, the results of regret and feelings of guilt that will be much harder to bear and even more tenacious than the present outward difficulties.

40

KHIEH ☳☵ RELEASE

☵ The Deep
below

Thunder ☳
above

ORACLE

The thunder rolls,
releasing a cloudburst.
The superior man stays on friendly ground.
He forgives errors
and deals gently with those who wrong him.

Auspicious
to act soon
if action is called for.
Auspicious
to return to your proper course
if no action is called for.

INTERPRETATION

ARTHA This is the hexagram of climax, of the dramatic finale, of the miraculous release. The situation you are in is similar to the hero's in the *Symphonie Fantastique* or the *Beggar's Opera*: the messenger with the king's reprieve gallops madly toward the gallows. You are saved! Or are about to be. If you are still in danger, do not, because of this favorable oracle, relax your guard. Your rescue is *almost* inevitable, but you must not change your present last-ditch stance. If you *are* safe and sound at last, do not dwell on the past—its dangers and your fears, its deliverance and your exultation. Return to the simple, uneventful life you led before the danger developed. Reassume the same proper and fitting role you played in the past. However, do not try to resume any projects which were interrupted when you were plunged into danger. Note the condemned soldier's tale in *The Idiot*. On his ride to the gallows, instead of concentrating on his (seemingly hopeless) danger and his chances for salvation, the condemned man lets himself go, gives up his ego, and slips into the brilliant vision of a religious experience. He becomes acutely aware of his surroundings, as if he is seeing the world for the first time, entering a new existential reality for the (supposedly) final five minutes of his life. He is saved from the gallows by a last-minute reprieve. In an effort to recapture that momentary vision of his trip to the gallows he turns to drink and dies of acute alcoholism five years later. Unlike the condemned soldier, you are aware of your coming release. The danger is that you may lose yourself in the extreme joy of your supposed salvation as he lost himself in his extreme despair. You must remain cool and aware at this time in order to avoid a psychological slump, a spiritual chasm after you are out of danger.

KAMA The climax of this hexagram is not a zenith, like a sexual climax, but a nadir, a low point in your relationship with Friend. You and Friend are at the end of a trying and almost disastrous time of conflicts and selfish pressures. The embrace of reconciliation, which is imminent, if not already accomplished, is the response of sincere lovers to their rising passions in times of anger and stress. It is a response full of hope. Do not fall back into the stubborn positions that sparked your conflict, but wipe the slate clean—assume you both were wrong then and that you both will be right now.

MOKSHA Enlightenment comes to some after a close brush with death. Enlightenment *is* death of a sort. The Zen

Buddhist experiencing satori "dies" as he loses his identity; the yogi abolishes his ego and thus "dies"; the LSD tripper experiences an involuntary, chemically induced illusory death. In one way or another you were so close to death that in your mind you already died and you experienced existence free of all illusions, including that of your own selfhood. This experience has provided you with a strong enough revelation to form your life's spiritual path. Remain humble in the face of this experience. If you begin to regard it egotistically, you may begin to think of it as having been a resurrection, with all the grandeur that implies: danger!

LINES

1 —x— *No mistakes.*
Feel no guilt at being singled out by fortune.

2 —o— The man bags three foxes
       and obtains the golden arrows.
       Auspicious
       if you keep to your course.
Your release has come about because someone for whom you performed a service has used his power to place you in a position of responsibility away from the danger that now threatens you. The service you performed in the first place was impulsive and spontaneously selfless. Now you must fulfill your new responsibilities with forethought and careful consideration.

3 —x— The porter transports his burden
       in a carriage.
       This will only tempt robbers.
       If you keep to your course
       you will regret it.
Although you have been released from danger you are are not able to slough off the anxieties and humiliations

of those last moments of imminent disaster. This makes you extremely vulnerable to those who are envious of your good fortune. A victor who feels defeated is easy game for the greedy.

4 —o— Let your toes go;
      friends come,
      mutual confidence arises.

In your time of need, the time of danger, you depended somewhat on a person not entirely trustworthy or sympathetic to you. Your release from danger must also be a release from this person. As soon as you relinquish his aid someone else more suitable and reliable will be able to help you.

5 —x— The man releases himself
      and earns the confidence
      of those who held him.
      Auspicious.

Release will come only if you move deeply, genuinely in the Tao of this hexagram. This moving line indicates that, contrary to the general meaning of this hexagram, your release is not at all assured and you yourself are the only means of your own release. If you can save yourself, the sincerity and presence of mind that was required on your part will be appreciated and honored by others. If it comes, release will bring you good fortune beyond just your escape from danger.

6 —x— The man shoots at a falcon high on the wall
      and hits it.
      Improvement
      in every way.

This line indicates a symbolic salvation from symbolic or abstract dangers. Catching sight of the moon on a stormy night would be such a symbolic release. The spiritual effect of this experience will infuse your life with new meaning and depth.

41

SUN DECREASE

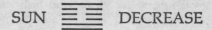 The Marsh below   The Mountain above

ORACLE

A marsh at the foot of the mountain.
The man restrains his anger
and represses his desires.

Very auspicious.
No mistakes.
You may take any action you wish.
Keep to your course.
What is your course?
Sacrifice two baskets of grain,
even if that is all you have.

INTERPRETATION

ARTHA This hexagram indicates the time of a decrease of some sort in your life. It could simply mean a loss of material possessions. It could also mean a diminishing of activity, of pleasure, or of social contacts. Whichever or whatever recently has played a large role in your life will now diminish. There is certainly nothing to worry about. For every gain—and you have just experienced a time of gain—there is a corresponding loss. This is not bad unless you cling to the great value you have learned to place on gain. Now is the time to return to more basic values.

182

Value the simplicity of your new way of life in this time of loss.

KAMA Like everything else, love relationships go through cycles of increase and decrease. For friends and lovers, such times of decrease are often times of anxiety and despondency. They try to retain the heights of love. They regret the decrease of passion in themselves and in each other. You and Friend are in such a time. You have reached your peak and now are on your way down, into the more mundane world. Other things besides *you* will regain Friend's interest. Don't become jealous or spiteful about them. Other things besides *Friend* will regain *your* interest. Don't regret this replacement. Enter fully into what you are doing. If you see signs that Friend is anxious, reassure Friend of your love. Your relationship will decrease to a simpler, more everyday state. Attune yourself to the beauties and joys of being ordinary together.

MOKSHA Even one who has been united with the One and All—the saint, the bodhisattva—must "decrease" and reenter the wheel of karma. After a time of revelations and spiritual landmarks you will now become a little more ordinary. You will find your mind wandering to mundane matters. If you truly have been enlightened you will accept and love your role in the material world. Instead of seeking union with God through your psyche, you now can be at One through simply *being*. In this time of decrease you will become one of the simpler things, which you know are in notoriously close touch with the One and All. Any anxieties about the decrease of your spiritual involvement will lead to the deepest despair.

LINES

1 —o— The man suspends his activity
and rushes to the aid of another.

No mistakes,
but consider carefully -
how far you can go.

Once very active, you have been forced to give up your work for a time. You can use your stymied energies to help others in what they are doing. But bear in mind that your motive must be truly altruistic and not just a need to use up your pent-up energies. It could be that your inclusion in their affairs could be an imposition on others, and even a hindrance to their accomplishing what they wish, in their own way.

2 —o— He can bring gain to another
without incurring loss on his own part.
Keep to your course.
Ominous
if you take any action.

You are pressed to do something against your principles. If you give in: misfortune. Your first responsibility to others is to consistently be yourself.

3 —x— Three men walk together:
one man drops out.
Walking alone, he finds a friend.

You are in an impossible triangle. One person must go. It could be you. If so, you will quickly find someone else's company.

4 —x— The man diminishes his problem
by summoning the aid
of someone who is glad to help.
No mistakes.

Fortunately, there is someone who is eager to help you. The aid you require from him gives him a chance to fulfill himself. And you are not placed under heavy obligations which, in other cases of aid rendered, can cause tension between friends.

5 —x— He is presented with ten pairs
of tortoiseshells for divination,
and is not allowed to refuse them.
Very auspicious.

This is a period of natural good luck for you. Good things
will just fall into your lap.

6 —o— He brings gain to others
without incurring loss on his own part.
He will find men to help him,
many from every clan.
No mistakes.
Auspicious
if you keep to your course.
You may take any action you wish.

You will be very successful as long as your success does
not depend on exploiting the lives of others in any way.
Do not worry about finding help—your ethical attitude
assures you of loyal friends wherever you go and whatever you do.

42

YEE ☰ INCREASE

☳ Thunder
below

The Wind ☴
above

ORACLE

The wind and thunder reinforce each other.
The superior man reinforces his good traits,
but not his bad ones.

Improvement
in every activity.
You may cross the great water.

INTERPRETATION

ARTHA   There are some people who are genuinely willing
to make real sacrifices for others. Often generosity is not
selfless; generous acts are expected to bring a certain return, recompense in some form: a tax deduction, status,
devotion, ego gratification, the assuaging of guilt are examples. In some cases charitable acts become exchanges,
trades, barters. But this is truly a time of increase for *you*
because *others* are willing to make real selfless sacrifices
for the common good; to give and not to receive; to let
go something of themselves without exacting something
to replace it. This is a favorable time for you, a good time
to carry out a major undertaking or to make a great
change in your life. Surrounded by such goodness you
should be able to detect faults in yourself and begin to
rid yourself of them.

KAMA   In love, as in everything else, the generous act is often not as generous as it appears. But Friend is truly generous toward you. Friend makes no unconscious claims on you. Friend's generous acts, Friend's affection and support, are all given without expectation of getting something in return. It may seem to you that *you* are the more generous of the two. Perhaps you even feel some sort of resentment about it. But: if you are resentful, then you are disappointed; if you are disappointed, it indicates that you maintain expectations; if you maintain expectations, your so-called generosity is nothing more than goods offered in trade. Friend refuses to make the trade—Friend does not see loving as merchandising. You feel hurt. If you can suspend your demands for long enough to get a clear view of Friend and Friend's actions and their motivation, you will, by contrast, discover how ungenerous your own neurotic claims are. Then you can begin to get rid of them.

MOKSHA   Your spiritual path is one of self-sacrifice. It may be a path of good works, a path of self-inflicted pain, or a path of unrecompensed teaching. In any case your spiritual fulfillment depends upon your own sacrifices for the enrichment of others. Enlightenment in any form is the loss of the ego. Your path is the conscious, direct, willful giving of your ego to the One and All.

LINES

1 —o— Reinforced, he makes great changes.
Very auspicious.
No guilt.

With good feeling and generosity abounding this is the time to accomplish your most important designs. Whatever great effort you most wish to make, make it now. And you should not feel at all guilty that its accomplishment was due in part to the unselfish, sincere help of others.

2 —x— He receives ten pairs of tortoiseshells
        whose oracles are irreversible.
        Even the king should use them
        at the sacrifice.
        Doubly auspicious
        if you keep to your course.

There is opposition to someone's generosity toward you. As long as your relationship with your benefactor does not change, this opposition will remain ineffectual.

3 —x— The good man is increased by what is evil.
        His goodness increases.
        He sincerely follows the golden mean:
        it is his badge.
        No guilt.

This is the line of the good Samaritan. An unfortunate occurrence that has brought great trouble to others has given you the opportunity to help—to comfort, to mitigate pain and hopelessness, to bring the incident to the notice of others who can provide further aid. Contingent to your generous act are certain rewards: tokens of gratitude and perhaps even public recognition of your generosity. Do not worry that you have taken advantage of someone else's misfortune in order to better yourself. Your original generosity was truly generous and not motivated by expectations of your subsequent good fortune.

4 —x— The man keeps to the mean.
        The prince follows his advice.
        He can be relied on for important things,
        even relocating the capital.

You have a direct and sympathetic relationship with someone both truly generous and possessed of the means to express his generosity in many places and in many ways. You have become a kind of consultant and adviser to this person. He trusts you because you recognize and appreciate his generosity, yet would never stoop to taking advantage of it. You are called on to aid him in a major undertaking. Do not be frightened by the responsibility. You must fulfill this relationship completely to fulfill the Tao of this line.

5 —o— The man sincerely seeks to benefit others.
Others sincerely appreciate him.
Very auspicious.
There is no question about it.

You are the generous benefactor of this hexagram. In the path of Artha you are the humanitarian; in the path of kama you have the generous qualities ascribed to Friend; in the path of moksha you are the inspiration for others who follow a path of self-sacrifice. Give fully, without making distinctions, without making judgments, and without reservations.

6 —o— No one will support him.
Everything goes against him.
His sympathies are fickle.
Ominous.

Although you have extremely generous principles, you consider yourself on too elevated a plane to act on them in the everyday world. By this neurotic attitude you deny your own natural impulses. You incur the resentment and wrath of others, who can detect your generous impulses and are disappointed when you do not act on them.

43

KWAY 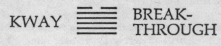 BREAK-THROUGH

Heaven below   The Marsh above

ORACLE

The marsh above heaven.
The superior man rains benefits
on those below him,
and does not let his gifts go unused.

*You must expose the matter
in the halls of government,
sincerely and earnestly.
Danger and difficulty.
Announce it to your own city,
but do not call for arms.
Improvement
whatever you do.*

INTERPRETATION

ARTHA You are threatened by forces opposed to your principles. For the moment these forces have been diverted and the threat is minimal, at an ebb. Take advantage of this weakness both to protect yourself and to exert your own influence on your adversaries. To best take advantage of this time in which for a while, the threatening force is weaker than your opposition to it: (1) Remain

190

resolute and unwavering both in your actions and principles. (2) Do not keep your anxieties to yourself; express them to your friends. (3) Do not keep your plans to yourself or prevaricate about your intentions or motives, even though this may seem to expose you somewhat to the forces threatening you. (4) Anyone who might conceivably help you should be included in your efforts. (5) Remain nonviolent. The forces you oppose are the forces of violence. If you, in turn, use violence, you may consider yourself already defeated by them, already under their sway. Be intensely, constantly active and militant in promoting whatever nonviolent plans you have made. A clearly liberal political statement is made in the oracle. In the balance of the universe, the balance between Yin and Yang, all gathering is followed by dispersion. If a man accumulates excessive wealth he must expect an equally excessive dispersion when his finances collapse. The oracle recommends a continuous, gradual dispersion of wealth as it accumulates, as a kind of political and economic safety valve.

KAMA A pernicious disruptive force has been causing conflict and many unpleasant moments for you and Friend. Because of this selfish, perhaps secret pressure you and Friend have not been completely honest with one another. But the impulse is now at its low point. With love and total sincerity you can break its hold on you. The time has come for you to abandon your separate defenses and communicate frankly to each other—and not only with words—in a mutual effort to overcome the force that threatens your relationship. With honesty and resoluteness you can take advantage of this difficult time to begin to establish a selfless, mutually responsive relationship.

MOKSHA For one seriously concerned with his spiritual progress it is relatively easy to be rid of the great majority of popular, cultural illusions: e.g., the concept of race, the value of accumulation, the concept of possession, and most dualisms, including the concepts of life and death, good and evil, and mind and body. You may well have reached this point. But your path is now blocked by illusions more difficult to destroy, illusions that have brought you to the point of self-contradiction: the illusion of the value of enlightenment; the illusion of your own selfhood; the illusion that words have meaning; the illusions of space and time, form and history; the illusion of logic. Complete enlightenment occurs when one breaks through *these* illusions. For one reason or another, these illusions are very fragile in you just now. If you apply yourself to whatever spiritual practice you have set for yourself, you may reach your sought-for goal . . . only after you have ceased seeking it, of course.

LINES

1 —o— The man walks to the flood on tiptoe.
     Guilt
     and no success
     if you advance.

Instead of efficiently taking advantage of their present weakness, you are unnecessarily mincing in your approach to the forces threatening you. This makes you as weak or weaker than they are. You are not equal to the task of holding them back. To attempt to do so would involve others, as well as yourself, in failure.

2 —o— The man is apprehensive.
     He pleads for help.
     The flood rises in the middle of the night,
     but it will be controlled.

You are wary of any infringements on you or your activities. As long as you remain on your guard, you need not fear any activities of your opponents. You are able to anticipate and effectively meet any move against you.

3 —o— The man is determined to control the flood.
He is impatient and sets off to meet it by himself.
When the flood strikes he is not there to give aid.
For a while, the man is hated;
eventually people take a more understanding
attitude.

Circumstances have made you a part and function of the threatening forces you inwardly oppose. Although your sympathies lie entirely with the opposition to these forces, others who also oppose them regard you as an enemy. This is a heartbreaking situation for you; yet you must live with it for a while. If you openly change sides you will alert the threatening force to its weakness. If you remain in your place, without tipping your hand, yet without partaking of any activity against your own principles, you can weaken the threat from within. The breakthrough to be made against the oppressive structure depends on a weakness in the structure. You yourself, are that central, telling, undetected weakness. You must grit your teeth and hold on, even though those whom you secretly support attack you and vilify you.

4 —o— The flood has flayed the skin from his buttocks.
The man can hardly walk.
If he becomes sheeplike he will be able to bear
his shame.
But he is deaf to these words.

You are obstinate and willful. You believe you are omnipotent. In reality you are weak, because you recognize no limits to your activity. You insist on pressing forward although it means getting mired more and more in difficulties. The irony is that if this oracle applies to you, you will not heed it. If you *do* heed it, it does not fit and there is no need to heed it in the first place.

5 —o— Keeping the garden weeded
requires determined vigilance.

> The man staves off mistakes and guilt
> by staying in the center.

The struggle against selfish and unprincipled social forces can be likened to the farmer's struggle against weeds. Neither struggle ever ends. In the same way that weeds are a product of noncultivated soil, evil activity is the product of nonprincipled social standards. The farmer's major effort is the cultivation of vegetables, not the destruction of weeds. He destroys weeds incidentally, only where they inhibit cultivation. Be like a farmer. Learn to live with the weeds; learn to live with evil—don't waste your psyche and strength in attacking it directly. Instead, immerse yourself in the growth and development of positive social principles. As these take hold they will isolate, overwhelm, and finally replace the evil. The phrase "staying in the center" refers to the way one must weed a garden. The farmer walks prudently between the rows of his crop, taking care not to damage its roots with his hoe. When you are ready to destroy the remains of evil, be careful not to harm any principled, benevolent elements that may be intertwined with them.

6 —x— There is no one he can call on.
    Ominous.

You thought you had effectively dispelled the oppressive forces in your life. You relaxed your guard. Now they are back in all their evil glory. Everything has come to naught.

44

KAOU  TEMP-TATION

≡ ≡ The Wind below   Heaven above ≡ ≡

ORACLE

The wind blows beneath heaven.
The prince shouts his orders
and makes his pronouncements
to the four winds.

A strong and willful woman;
do not embrace her.

INTERPRETATION

ARTHA Your attitude is generally "I can take it or leave it"
—and you usually get it without trying. What others devote
their lives to achieving often falls into your lap. You claim
that you attach no importance to these happy accidents.
But beware: you are being subtly seduced. You *have* become attached to your gratuitous success. Instead of
simply enjoying the positive aspects of your good fortune
you worry about its negative side—the threat of its non-
existence. Instead of remaining cavalier—"Easy come,
easy go"—you are haunted by fears of losing what you
have so effortlessly, undeservedly gained.

KAMA You behave as if you are a free agent. In truth
you are enslaved by Friend. This is a deception that ful-

195

fills a neurotic need in either one or both of you. Deception and dishonesty in the emotions of a relationship, even if tacitly agreed to by both people, keep the relationship from becoming a close one of love and unselfish passion. You are pretending to be your own master, easy and free of excessive attachments. Actually you live and die at Friend's subtle commands. Acknowledge the reality of your total dependence and demonstrate it, not only to Friend, but to the world, by what you say and what you do.

MOKSHA This is the hexagram of King Lear. The traditional interpretation of the hexagram is based on the idea that the prince of the oracle has the power to control his subjects from a great distance. But the prince who shouts his commands into the wind is acting absurdly—like Lear, he is mad. To be without humility toward other men is misguided and egotistical; to be without humility toward heaven is purely and simply derangement. For you to believe you can will your own enlightenment is arrogant and patently absurd. You cannot will time to cease; you can only submit and join the dance where there is no time. You cannot will the Yin processes of generation and decay to halt or reverse; you can only submit and lose yourself in the beauty of the process, in which every instance of decay is one of regeneration as well. You cannot will the happiness and peace of an enlightened mind to overwhelm you; you can only submit to the darkness; then, totally lost, you will recognize that you are already happy, at peace, and enlightened.

LINES

1 —x— The man should be stymied
       like a carriage both braked and tied.
       Otherwise he is like a lean pig
       trampling around.

Auspicious
if you keep to your course.
Ominous
if you move in any direction.

The pleasure that drives you needs a strong, consistent check. Your hunger is like the hunger of a lean pig— dangerous and difficult to restrain.

2 —o— The man has a basket of fish.
He should not approach the guests.
No mistakes.

You protect those close to you from the effects of the cruel pleasures that enslave you. Although trapped and defeated by illusions of your own mind, you need feel no guilt, for you have taken pains to ensure that no one is hurt but yourself.

3 —o— His buttocks have been flayed,
and he walks with difficulty.
Peril
but no mistakes.

You feel like completely giving in to the pleasure that is seducing you, entrapping you. Do not. You can bolster your defenses by imagining how others would see your capitulation to temptation. You can overcome your unreasonable inclinations with an acute fear of embarrassment. As long as you maintain your sense of humor, no disasters will occur.

4 —o— The man has his basket,
but there are no fish in it.
Ominous.

You have given yourself completely to the pleasures that seduced and ensnared you. Now they have begun to fade and withdraw. Having given yourself to them, when they do depart, what will be left?

5 —o— The medlar tree throws a shadow
on the gourd beneath it.

> If he keeps his brilliance concealed,
> Heaven will reward him with success.

A melon is delicious, but spoils easily: like the seductive pleasures that give this hexagram its character. You know how to keep your pleasures fresh: although a slave to them, you never tire of them, you are constantly fulfilled by them. Like *any* true and complete union, such an enslavement, such a fulfillment, such an unremitting passion can lead to enlightenment and the highest good.

6 —o— He greets everyone
with his horns.
Regrets,
but no mistakes.

You have completely vanquished the tendencies that were endangering you. To others, who saw the source of your temptation as a trifle, weak and defenseless, your violence towards it seems brutal, coarse, and unfair. To those who lack your understanding of the situation your destructive action seems uncalled for. You are despised and humiliated for what seems to be your murderous overreaction. You understand, though, that you had no other choice. You have done what had to be done.

45

TZHWEE ≡≡ ACCORD

≡≡ The Earth   The Marsh ≡≡
below   above

ORACLE

The marsh has risen over the earth.
The superior man puts his weapons in order
and prepares for unforeseen emergencies.

Confer with the great man.
Success
if you keep to your course,
as long as you are willing to pay the price.
Auspicious
no matter what you do.

INTERPRETATION

ARTHA By design or by chance, happily or unhappily,
you lead most of your life within the limits of a close-knit
social group. This could range anywhere from a close and
structured family situation to a business affiliation or to
an idealistic and demanding political organization. The
harmoniousness of the association depends on the strength
of the person at its center. The Western conceptualization
of this person is "leader"; but the Eastern conceptualization is "he at the center." Understanding the latter image
will help you readjust your relationships within the group.

You will discover the true source of the cohesive force of your association. A strong center radiates a harmonious group. A weak center is surrounded by discord. If problems have arisen in the context of a concordant group, bring them immediately to the attention of the person at the center. If problems have arisen in the context of a discordant group, the center must be strengthened before the problems can be solved. Acquaint your associates with the difference between the Western "leader" and the Eastern "center man." Associate yourself with the true central force and devote yourself to strengthening it.

KAMA Your love is based very much on both your and Friend's allegiance to a close-knit, omnipresent group. It could be a political party or a joint artistic endeavor that is the source of the sympathy between you. It could be the family you have raised. Or it could be the separate entity of the two of you together, as friends and/or lovers, that has taken on a special importance for you. Your relationship is just as much a separate, social entity as a government or a rock-and-roll band. Your own relationship will improve as you both accept your relationship to the group, whatever it is. Look to whomever is at the the center of it for guidance. If it is a group of two, look for the center among the experiences and principles you share.

MOKSHA Some ways of enlightenment encourage isolation and withdrawal as part of their methods. But the path you have chosen—or the path that is right for you —has as its basis community devotion and a communal spiritual sympathy. You are wrong if you believe that you can become spiritually enlightened and yet remain withdrawn from others who have been similarly enlightened. If you do not immediately feel sympathy for *others close to you*, you are a long way from losing your ego enough to regard *all men* as your brothers. Approach whatever is your rightful temple with humility and let yourself be carried away by the anthems of your fellow disciples.

Accord

LINES

1 —x— Accord desired but impossible to bring about;
this causes discord.
The man cries loudly;
an ally hears him;
he is soon smiling quietly.
Advance
without mistakes
if you can bear your present difficulties.

Whoever is at the center of your group is unquestionably the strongest, most principled, and most loyal member. Anything that occurs among the other members of the group, outside his knowledge, is not truly representative because he, at the center, is not involved. Everything within the group should go to him and emanate from him. Bring your problem to him and the appropriate resolution will come wisely and naturally from him.

2 —x— Accord achieved through following.
The man is led by his ally.
Auspicious
if you are straightforward.
The smallest favor is appreciated.

You feel mysteriously drawn to certain relationships and associations which puzzle, perplex, and even frighten you. You are under the influence of the force of a general cultural flux that is reorganizing roles within the society and community. Do not deny your Tao by clinging to traditional concepts of yourself and the universe. The times are changing. And you are part of them.

3 —x— Striving for accord until he is breathless.
Sighing, the man strives in vain.
Advance
without mistakes,
although you may regret it slightly.

You are an outsider and you want to be an insider. As

long as you cling to the outside you will be outside. Only by going inside—toward the center—can you be inside.

4 —o— Accord approaches.
Very auspicious.
No one will resent it.
No blame.

You are a valuable member of the group, with all the miseries and joys that entails.

5 —o— Accord achieved by leading.
It is organized by the man himself.
He changes the minds of doubters
by living continuously in its spirit.
No mistakes.
Be firm.
Guilt disappears.

You think you have friends and associates who have ulterior motives. Do not break off with them. Approach them with an honest and open display of your anxieties.

6 —x— Tearful accord.
No mistakes.

Express your sorrow. How else can your friends, who can comfort you, know you need comfort?

46

SHENG ☰☰ PUSHING UPWARD

≡≡ The Wind
below

The Earth
above ☰☰

ORACLE

The trees rise from the earth.
The superior man attends to himself
and takes advantage of minor developments
to achieve an important position.
He advances toward the warmth of friendly ground.

Success.
You may confer with the great man
without fear.

INTERPRETATION

ARTHA This is the hexagram of the intelligent, responsive
constructive use of your will: neither irrational will used
as a battering ram against closed possibilities nor a stubborn will, raised like a dam against irresistible change.
You know how to move deliberately and consciously in
accord with the movement of changes that occur around
you. Nothing you want to happen is going to happen
automatically—you must make an effort to achieve it.
You must act deliberately and deliberately make the
proper connections for your purposes. Your purposes
fortunately are in harmony with the general trends of

your immediate circle and the culture at large as well. You have an intelligent will. Whatever efforts you make fit the effortless, will-less pattern of the universal flux.

KAMA In most love relationships the presence of an active will is disruptive and dangerous. Willfullness that arises from disappointment or from pure selfishness detracts from love. But your willfullness is unselfish and in harmony with the realities of your own and Friend's personalities. Recognize the potential for love in your relationship and consciously, deliberately, dynamically apply yourself to its realization. Because of the unselfishness of your aims, Friend will not feel put upon or threatened by your strong will. Friend will feel bolstered, content, loved because of it.

MOKSHA A sign of enlightenment is the ability to be spontaneously, thoughtlessly, naturally in tune with the present moment. In order to attain such enlightenment you must apply yourself diligently and with great effort to your spiritual practice. Divine Grace will not descend and sweep *you* away in Its radiant chariot. Your spiritual path seems tedious in a culture that values economy, boring in a culture that values novelty, limiting in a culture that values personal freedom—but at the path's end all such labels lose their meaning. Your spiritual practice is most demanding, but with enlightenment all activities and difficulties resolve themselves. Your enlightenment requires an effort of will: an effort of rigorous asceticism, or an effort at self-deprecating humane and charitable activity, or an effort to communicate with the wise.

LINES

1 —x— The climber is welcome.
     Very auspicious.
Your present position is low and humble compared with

the position you wish to attain. Your efforts bring out a good-humored, paternal response from those above you. This will result in good luck far above your present expectations.

2 —o— The climber's smallest sacrifice
is appreciated.
No mistakes.

You are still far from your goal. You have only meager means and limited resources to support you in your efforts. Since your difficult position is obvious to all, those above you will condescend to accept much less from you than they are accustomed to receive.

3 —o— The man climbs up into the empty city.

You must make an effort in order to achieve your aims. But instead of applying yourself to the most direct method for that achievement, you have simply taken the line of least resistance. Instead of dealing with the obstacles that lie naturally in your way, you simply have ignored them and have taken the path that seems to present the fewest obstacles. You have made sure that you have your way in everything you do: but whatever you do gets you nowhere.

4 —x— The climber is employed by the king
to present his offerings on Mount Ch'i.
Auspicious.
No mistakes.

You are a member of an elite, honored group of people. As a member of this group you have great influence on the people and events around you. You occupy a special place recognized by all.

5 —x— The man climbs the stairs
with dignity.
Auspicious
if you keep to your course.

This is the image of coronation. You are in the position of being a few steps away from reaching crowning honors. As you approach your goal, as your success becomes more and more assured, you may feel impelled to leap the last few remaining steps and possess now what obviously soon will be yours. But it is *not yours yet*. It is yours only in the future. And the future is a figment of your imagination. Continue your normal, balanced efforts.

6 —x— The man climbs blindly.
Auspicious
if you keep to your course
without a single misstep.

You are ambitious, but without goals. You push forward compulsively, blindly. All right: as long as you remain persistent, dynamic, and responsive. All right: as long as you do not look back or wonder where you are going.

KHWEN ≡≡ REPRESSION

The Deep
below

The Marsh
above

ORACLE

The marsh drains into the deep.
The superior man will make the supreme sacrifice
in the pursuit of his purpose.

Success.
Auspicious
if you keep to your course.
No mistakes.
Make no promises.

INTERPRETATION

ARTHA The water has drained from the marsh. The
marsh is dry and dead. The water that has drained from
the marsh retains its essential nature, which is to seek
its own level. Without water, however, the marsh loses
its essential nature; it is no longer a marsh. Think of
yourself as the solid matter of the marsh, the flora and
the earth of the marsh basin, and the events of your life
as the water, which should fill your form and give it its
essential nature. However, your thoughts and actions,
your daily routine, your cares and joys are being wasted,
dissipated, as they slip through the demands of an illusionary world: the world of things to cling to and people

who cling. You are intimately involved in the acquisitive struggle, putting an absolute trust in the value of possession. When you look about you, you see an array of "things" whose most important quality—to you—is a ratio between their desirability and their obtainability. Their desirability you gauge by a system devised by their present possessors. Their obtainability is expressed in dollars and cents. When their desirability exceeds their price you buy them. When their price exceeds their desirability you struggle for them. You are ensnared and confined by this system. In rare instances a person can fully enter this world, knowing it for the illusion it is, treating all its complicated machinations and confrontations as a game. But if you are deeply, seriously, emotionally involved with this acquisitive activity and regard it as the beginning and end of your true fulfillment you will only find yourself trapped on an accelerating treadmill.

KAMA "Love is a business. If I love you, you must love me. If you do not love me, I will not love you. Here, I give you this much love, now you must give me so much in return. Thank you. Please, I have some love here for you and if you will agree to give me some in return then we can both have the pleasure of being loved. It is very nice love, very good—I can guarantee that you can not find better. I love you very, very much. How much? Not as much as that. I am unhappy because I love you this much and you love me only this much. I envy you because you get so much very nice love from me, so much more and so much better than the love I get from you. It is unfair. Love is a business. But the yogi loves selflessly and neither expects nor demands anything in return." (Paraphrased from a lecture, Swami Satchidananda, Poughkeepsie, New York, March 3, 1970.)

MOKSHA You have been cut off from all access to a spiritual life. Wherever you turn you find bad karma.

When you follow others for spiritual guidance you inevitably discover them to be corrupt and grasping. When you attempt to clear your own mind of its interest in the material world you only rearrange the myriad attachments that bind you and oppress you. There is no relief in sight.

LINES

1 —x— Confined beneath a fallen tree
         in a dark valley
         for three years.

You realize that you will never achieve what you desire in the material world. You have ceased all activity, allowing yourself to stagnate in despair, cynicism, and self-hate. You have not yet discovered that the desires unfulfilled and the achievements that seem unattainable are spurious, corrupt concepts and do not relate at all to you as an individual, or to your Tao. The powerful purveyors of a corrupt value system keep you from experiencing this liberating revelation.

2 —o— Confined at the dinner table.
         When the authorities come
         he remains pious and respectful.
         Ominous
         if you take the initiative;
         but without blame.

Although you are able to provide yourself with all the necessities of life, you have a chance to acquire more goods and power by submitting to the authority of someone rich and powerful. There are initially many drawbacks to this—competitiveness, mistrust, a lack of candor between you. These differences must be settled and the arrangement entered into in an accepting and grateful spirit by both parties.

3 —x— Confined by a rock,
      the man grasps at briers.
      In his palace,
      he does not see his wife.
      Ominous.

You deliberately search out obstacles to detain you and
complications to entangle you. If you cannot find any
you invent them. The traditional interpretation holds that
the man does not see his wife because she has died while
he is busily embroiled in his self-made entanglements.
Rather, in his palace, which should be a place of sanctuary, with his perverse tendency to make his own life
miserable, he does not recognize his one real source of
comfort and solace—his wife.

4 —o— Confined in chrome
      in a slow procession.
      Some regrets.
      Auspicious
      in the end.

Material success places you in a circle where the principles
and values of your companions inhibit your own progressive and democratic impulses. You are not completely
thwarted in your activities. They are simply complicated
by humiliating concessions you must make on every hand.

5 —o— Confined by traitors.
      His nose and feet are cut off.
      He takes it calmly
      and accepts his fate.
      He remains pious and respectful.

You are so unselfish, so generous that you are considered
as an enemy by the selfish, acquisitive forces that surround you. Those who *sell,* oppose you because your free-
handed generosity makes it look as though what they
sell is worthless. Those who *buy* oppose you because your
distaste for material goods makes it look as though what
they buy is worthless. Ordinarily you could look to the

law for relief, but in this case, those who administer the law are prejudiced against you from the start.

6 —x— Confined by ivy
on the edge of the cliff.
He tells himself, "If I move I will regret it."
Repent what has gone before,
then act.
Auspicious.

You want to make a move, make a change. But you feel entrapped and endangered by outside forces. Your fears are groundless. Your oppressors' power has been on the wane for some time. As soon as you *do* what you are determined to do, external pressures will melt and will have no hold on you.

48

TZHING ䷯ THE WELL

The Wind below   The Deep above

ORACLE

The deep has been contained with wood
and made into a well.
The plan of a town may change
but the location of its wells remains.
The water in the well never disappears
and never increases greatly.
It served those who came before;
it will serve those who come after.
The superior man comforts the people
and stimulates a sense of community.

Ominous
if the rope breaks
before the water is drawn.

INTERPRETATION

ARTHA When dealing with other people use your knowledge of human nature to discover their real needs and real prejudices. You have had much experience in different places and different social situations. The element common to all is represented by "The Well" of this hexagram: it is the well of human nature, eternal and ubiquitous in all

212

men. To be able to draw from your knowledge of essential man is to be in touch with a universal force. Trust your judgment if it is based on your previous experience with people. There are two dangers in this course. First, there is a danger that you have not followed your insights to their roots and instead have gotten caught up in generalizations on human behavior. You act on precepts, instead of reacting flexibly, appropriately to each different situation. The second danger is of getting too involved in your relations with others and losing sight of your own course. You have a bent toward intuitive sociology; you can trust your judgments about human behavior: but be careful not to get caught up in one concept or theory. Do not let your intuitions lose their still and passive, well-like nature. Draw from them when you need them, but do not let them propel you into impulsive action.

KAMA Although Friend is an individual, very special, the only one, do not be reluctant to admit that at a deep level there are similarities between Friend and Friend's predecessors. The well of human nature is omnipresent, even in lovers. It could be that in neglecting this fact and placing Friend above human nature you have been unkind and have denied what, to Friend, is a very real personal property: Friend's humanness.

MOKSHA Your vision of man is similar to Aristotle's: you see him as a political animal. The peace sought in the way of moksha is not within social bounds, but in your case the path to this peace is through a sympathetic immersion in the social process. The well of human nature is in you too. If you can intuit the truth about yourself you will realize your brotherhood with all men. This realization of brotherhood, fostered by your democratic principles, can become a religious experience. The ultimate end of the concept of brotherhood is an aware denial of the ego. Beware of dogmatism. Beware of falsifying your sympathies.

LINES

1 —x— The water is so muddy
no one will drink it.
The well is so old
no creature will use it.

You are too involved with your sympathy for others. You have lost your individuality. You feel for everyone. No one feels for you. No one notices you.

2 —o— There is a leak in the well.
The bucket is leaky.
The insects and worms are refreshed.

You are able to sympathize with others, but you do not bother. You have withdrawn and associate only with those whose feelings you can manipulate.

3 —o— The well has been cleared
but no one uses it.
Unfortunate, because the water is pure.
If the authorities came to see,
all could benefit from it.

You are available to aid someone, but he has not recognized it yet. You are a well of experience from which he could draw; instead, he ignores you. Your friends know you can help him, but they do not want to get involved.

4 —x— The well is well lined.
No mistakes.

Take care of yourself. Do nothing for others.

5 —o— The water in the well
is fresh and limpid.
The man drinks from its cool spring.

Another's mind and heart are open to you. The other needs only an invitation to come and bring about the resolution of all your confusion. But—you do not know who this other is.

6 —x— The well is not allowed to be covered.
       The man can always draw water from it.
       Very auspicious
       if you are sincere.

You do not limit yourself in your sympathies. You see the essential human nature of all men, of all types. This openness brings you joy.

49

KO 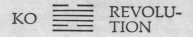 REVOLU-
TION

The Sun
below

The Marsh
above

ORACLE

A fire within the marsh
The superior man casts
the positions of the stars
and makes clear the seasons and times.

Everyone believes in it
when it is accomplished.
Success.
Keep to your course.
and guilt will disappear.

INTERPRETATION

ARTHA Change is eternal and relentless. When life seems
stable, static, and unchanging, the changes taking place
are on levels that aren't part of the structure of form and
idea that we call "the real world": such changes relate to
us and involve us, but we cannot perceive or define them.
True oracles are perceptions of these otherwise unknow-
able changes, perceptions achieved through a religious experience of the totality and unity of the One and All.
You wish freely and naturally to move with the changes
that influence you, but you are caught up in ambiguities,

paradoxes, and culs-de-sac. You feel that the real world
intrudes on your understanding of the present change.
But you do not need oracles or magic to decipher what
is going on. The flux of universal change is manifesting
itself in the level of existence that *is* the so-called "real
world." The changes you wish divulged by the I Ching
are clearly visible in the world about you. Whatever your
question is, whatever your problem, the solution can be
found in the changes occurring in the everyday world.
Do not resist these changes. Do not ignore them or consider yourself above them. Do not regard the present upheaval as only an irrelevant game. Revolution *is* a game
—of course—so is acting out every verbalized concept.
But at this time this game is not irrelevant—it is a direct,
present manifestation of the Universal flux. You must
join it, accept it, be it. Imagine a ripple in the universe
and, as a solitary cork, bobbing in the void, "the so-called
real world." The ripple has met the cork. The wave of the
future is no more; the wave is now. You are in it. If you
try to remain stable on what seems to you to be solid,
you will lose your balance. If you accept the present disruption for the valid, creative force it is, then you will
find that you naturally adapt to it and the solution to your
problem will occur spontaneously.

KAMA Conflicts between you and Friend are caused by a
change in your relationship. Both of you are resisting this
change, clinging to your roles and values of the immediate
past. It is true that the previous structure of your relationship—the balance of give and take, dominance and
submissiveness, liberties and responsibilities, that existed
until recently—was a comfortable one, in which loving
was very easy. But changes are inevitable and they have
occurred. You must go along with them. Look at your relationship with a fresh eye. Forget about past resolutions
to past conflicts. Accept these changes and the new roles
and new levels of communication they call for. You and
Friend will naturally adjust to them. If you cannot accept

them, then it is better not to cling to past joys, but realistically to accept the consequences of changes that will keep you constantly divided and in irreconcilable conflict.

MOKSHA   Although enlightenment reduces all forms and concepts to absurdity, any "way of enlightenment," any religion, any spiritual path, originally develops from some experience, some idea—some illusion. This illusion—Buddhahood, the ego, the eternal present, Christ's divinity, etc.—remains valid throughout one's spiritual life —except at the moment of total enlightenment, when even this last illusion is destroyed. In your case, the changes in "the real world," in your environment, in your society, have made themselves felt in your deepest perceptions of the universe, those with which you have formed the divine image that shapes your spiritual life. You no longer fully believe in the validity of that image. You no longer have faith. The world has changed so much that your original experience, the image that has guided you, no longer has the meaning for you that it once had. Enlightenment lies no longer on the path you follow. You must give it up. Do not begin immediately to search for a new philosophy. Let yourself move with the changes that are developing around you. The new spiritual path for you will be revealed naturally through your new conceptions and perceptions of the world, your *new* illusion of experience.

LINES

1 —o— He is bound with yellow oxhide.
Yellow is the color of the unchanging and unchangeable abiding golden mean; the ox is the symbol of docility. You are in the midst of change that you can neither anticipate, nor promote, nor influence. Do not try to participate in it. For the time being, let yourself lag behind current trends.

2 —x— In his own time he makes a radical change.
   Auspicious
   if you take action.
   No mistakes.

Consider objectively what effect current changes will have
on your personal life. Change your values to reconcile
them to the new communal values that will result from
the widespread radical change that is taking place. Submit
to the influence of a leader in the change; someone whose
values seem to be at the center of the change; someone
who is important enough to be regarded as one of its
symbols.

3 —o— When the changes he contemplates
   have been fully deliberated three times
   he will be trusted.
   Ominous
   if you take action.
   Peril
   if you keep to your course.

Besides the deep and inexorable change that is disrupting
the structures of the past there is also a false change: a
decoy revolution based on past, not future, values. It is a
snare set by those still in control to entice you, confuse
you, and exploit you. Learn to distinguish between the
real revolution and its empty mimic. Otherwise you will
remain dependent on concepts and institutions that have
no future but to fall apart. Do not participate in any aspect of change without the approval of those you trust.

4 —o— *Guilt disappears.*
   You are trusted.
   Auspicious
   if you challenge present institutions.

A successful revolution (within an individual or a group)
is one in which the professed values (as opposed to the
real values) of the old order are made the real values of
the new order.

5 ——o—— He changes boldly
           as the tiger changes his stripes.
           He is trusted
           before he consults the oracle.

You are caught up in the great change that is taking place. You have taken your position. You have committed yourself. You have so fully entered into the emerging of the new world that you have become to others a symbol of change. Your Tao is so clear and so public that it is beyond influence by oracles or by any personal decisions of your own.

6 ——x—— He changes subtly
           like the leopard changes his spots.
           Smaller men change their faces
           to show obedience.
           Ominous
           if you advance.
           Auspicious
           if you keep to your course.

You are reserved and withdrawn. Because of your quiet and uncomplicated philosophy of life, the effect on you of the great changes that are occurring throughout the world will be small and insignificant. This is the line of Marcus Aurelius.

50

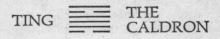

TING ≡≡ THE
CALDRON

≡≡ The Wind
below

The Sun ≡≡
above

ORACLE

Fire burns over wood.
The superior man tends the fire
and secures the success of the offering.

Great success.

INTERPRETATION

ARTHA The caldron of this hexagram is specifically a
large bronze vessel used at banquets and for sacrificial
offerings. It symbolizes double good fortune: in the *home*
it was a symbol of material prosperity; the *temple* caldron
was a symbol of a happy humility toward the One and
All. The trigram Wind/Wood, is beneath the trigram
The Sun/Fire. Wood and fire are in their proper position.
In the same way, your material life is properly subservient
to your spiritual life. You are prosperous. With the peace
of mind that prosperity brings, you can afford to place a
higher value on your spiritual path than on material considerations. You bring to your work the interest and skill
it deserves, but without emotional involvement, without
despair or jubilation, neither of which it deserves. Two
grand examples of your Tao would be: a modern Japanese industrialist who daily sits za-zen; a famous artist

221

who shuns publicity and retains his inner humility. Although your own life may not be on as public a scale, it is equally content. Your values are admirably placed. Remain unconcerned about your worldly life and you will attain the happy oracles of this hexagram.

KAMA You and Friend are content, happy with each other and honest in your love. But these pleasurable aspects of your relationship play only a small part in your life together. Together you are preoccupied with your spiritual path. Together you work to attain and maintain a peaceful and reverent way of life. Your complete, undemanding love for each other engenders many spiritual opportunities and insights. Together, you are capable of practicing the rituals of tantra.

MOKSHA You are a spiritual person who plays a role dedicated to spiritual matters. Unhappily, this combination does not often occur in our culture. A priest who lives in Christ; a guru who ignores his ego; a psychiatrist who loves his patients: these are examples of this kind of excellence.

LINES

1 —x— The caldron has been overturned
in order to cleanse it.
The concubine gives birth to a son
and improves her position.
No mistakes.
It is necessary for you to do something against established principles in order to maintain certain personal principles of your own. There is nothing wrong in this.

2 —o— A stew in the caldron.
Auspicious
if you feel safe from your enemies.

Ting

You are envied for your prosperity. Because you are a devout and moral person, without feelings of superiority, the resentment of others is harmless.

3 —o— The ears of the caldron
    are not in the right place.
    The man is stopped short.
    The pheasant will remain uneaten.
    The gentle rain will finally bring relief.
    Guilt will disappear.
    Auspicious
    in the end.
When the caldron's handles are inconveniently placed, it cannot be lifted from the fire; the meat within it burns, becoming inedible. Although you are prosperous and generous, you are in a situation where you cannot put your prosperity and good intentions to use. Maintain your inner values, even if you cannot implement them as you wish. Eventually things will change and the atmosphere will be more conducive to your principles.

4 —o— The man breaks the feet of someone else's
    caldron.
    It tips
    and everything spills out.
    Ominous.
    Guilt.
You have been given too great a responsibility. You have neither the personality, nor the experience, nor the strength to fulfill it.

5 —x— The caldron has yellow ears and gold rings.
    Keep to your course.
The caldron with golden handles, although more precious, is not as useful as it could be because it cannot be carried when it is hot. It can be used, but it must be left in its place over the fire. You are too shy to express to others

the charity and love you feel. You are generous only when approached. This is your nature. Continue in it.

6 ——o—— The caldron has handles of jade rings.
    Very auspicious.
    Success,
    whatever you do.

A caldron with jade handles is both precious and useful. The caldron can be carried and passed around among guests when it is hot. You have the ability to actively pursue your humane and generous principles.

51

KHEN 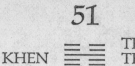 THE THUNDER-CLAP

Thunder below   Thunder above

ORACLE

Thunderclap follows thunderclap.
The superior man is fearful and apprehensive.
He cultivates his good qualities
and examines his faults.

When the thunder comes,
be on your guard,
yet smile and talk cheerfully.
When the thunder terrifies everyone
within a hundred miles,
be like the sincere worshiper
who does not spill a drop of the
sacrificial wine.

INTERPRETATION

ARTHA   This is a time of sudden catastrophic events. Remain cool. Expect a general reaction of shock and fear and then hysteria. Do not get caught up in it. If you retain a deep acceptance of the inevitability of the present moment, then you will ride out the present widespread catastrophe wiser and stronger than you were before.

KAMA   You and Friend have been struck by an unforeseen and seemingly disastrous event. If you react with selfish anxieties you will start blaming each other for whatever has occurred. If you hysterically fantasize yourselves out of seeing the reality of the catastrophe, it will overcome you. If you remain calm and meet your problems in the same warm and loving spirit with which, up till now, you have met your pleasures, then this disaster can only benefit you in the long run by deepening the bond between you.

MOKSHA   A time of catastrophic "acts of God" is a good time to examine the depth of your spiritual commitment. With an enlightened point of view you have learned to accept the bad moments of your life. You have learned not to grasp possessively at the good moments. You have lived in a state of peace and equanimity. But in the face of the present disasters you are rediscovering fears and anxieties in yourself. Thus you do *not* completely, deeply, effortlessly accept the will of God. You have not thrown off your ego so thoroughly that you can face these times with a Buddhalike calm. It is good that you have discovered this. It points to where you must now strive on your path to *complete* enlightenment.

LINES

1 —o— The thunderclap draws him to the window.
         Apprehensively he looks around.
         After that he is cheerful and congenial.
         Auspicious.
At first the threat of sudden disaster seems aimed directly at you. You fear that you will bear the brunt of it. When none of these dire consequences occur, the relief you experience will be so great and so liberating that it will put you in a state of mind to achieve great success.

2 —x— The thunderclap endangers him.
         He abandons his belongings
         and ascends to safe heights.

226

The Thunderclap

He need not worry about his possessions.
In seven days he can reclaim them.

Disaster has struck close to you. You have lost many of
your material possessions. If you regard your possessions
as so much a part of yourself that you become distraught
and hysterical, then you allow the disaster to strike *you*
and shatter *you* as well as *your things*. Remain calm in
the understanding that the material world is always
transitory and subject to sudden changes. You need not
suffer. You will soon regain possession of whatever you
need.

3 —x— The nerve-racking thunderclaps agitate him.
No mistakes
if your apprehensions cause you
to keep to your course.

In your case, a passive reaction to the sudden catastrophe
is *not* your proper course. You should not simply let fate
take its course. Retaining your presence of mind, act with
it. Go with the events. A sense of danger is good here;
it is what will spur you to action.

4 —o— The thunderclaps overtake him
flat on his back in the mud.

You are not resilient enough to ward off the effects of
disaster. You are too inflexible to change in accordance
with them. You are going to have to live with your un-
welcome, unexpected problem for a long time.

5 —x— Amid the thunderclaps
he goes about his business,
even though he is in danger;
otherwise he would suffer a loss.

You are in the midst of tumultuous times, repeated ca-
tastrophes, caused by a conflict between two powerful
opposing forces over which you have no control and
which have no concern for you. The natural reaction is
to seek shelter. That is what everyone else has done. But

you cannot afford to; there are things you must do. You are involved in affairs that require your immediate action. Brave the storm and carry them through.

6 —x— Amid the thunderclaps
       he becomes hysterical.
       If he had taken precautions
       before the thunder was directly overhead
       he would never have made a mistake,
       even though members of his family might speak
       against him.
       Ominous
       if you take action.

You recognize an oncoming catastrophe because it has hit others close to you. Withdraw completely from the area in which the disasters are occurring. Do not heed the hysterical anger, spite, and gossip against you that will accompany your withdrawal.

52

KEN ䷴ KEEPING
STILL

≡≡ The Mountain   The Mountain ≡≡
below   above

ORACLE

One mountain above another.
The superior man does not let his mind
stray from his immediate activities.
His back is at rest
and he is free from self-consciousness.
He walks about his courtyard
without noticing the people in it.

No mistakes.

INTERPRETATION

NOTE The spine is the medium between psychological
stress and the tension in the body. If the spine is totally
at rest, the body is totally relaxed. If the spine is *totally*
at rest, it indicates that the mind has overcome that first
and primal psychological stress, the illusion of ego, that
fosters man's characteristic alienation from the world
around him.

ARTHA Your direction is essentially spiritual. Whatever
material problems you have are only shadows of your
spiritual struggle. If you perceive a problem, then your
problem is that you perceive it as a problem in the first

place: you know better. You understand and have experienced the stillness of this hexagram. The "question" about which you have consulted the I Ching oracle is predicated on concepts and values which *you know* have no substance in a state of keeping still. And keeping still, at rest, at one with time and space, is your Tao.

KAMA Although you see *your own* anxieties as the absurdities they are, you have let yourself get caught up in *Friend's* anxieties. You accept Friend's seriousness about these anxieties, although they themselves are as absurd as any others. A love relationship is the most difficult illusion to deflate on the spiritual path. An enlightened businessman recognizes the absurdity of business. An enlightened student recognizes the absurdity of scholarship. An enlightened patriot recognizes the absurdity of nationalism. But an enlightened lover does not as easily recognize the absurdity of love. This is not to say that there should be no emotional, loving bond between yourself and Friend. But allow the emotions and the love to well spontaneously from what you are and what you are to each other at the moment. Don't impose a static, illusory, romantic framework on your present moments together.

MOKSHA You are in the practice of moksha. You are on the path. You will know yourself as neither alive nor dead. Do Hatha-Yoga, or the Japanese physical discipline hara, or another system that regards the body as an animal form of divine principles, instead of a beast of burden for Time.

LINES

1 —x— His toes are still.
   No mistakes.
   Keep to your course.

If you feel any hesitation as you are just beginning something, trust in your doubts and change your direction. Before an activity or a relationship has had a chance to solidify into something hard and opaque, you have your purest, truest vision of it. If something seems wrong *now*, it will remain so, even though some polished system of give-and-take eventually obscures it. Trust any negative feelings in your first judgments as a kind of reverse beginner's luck. Careful: your reaction to second thoughts should be a shift of direction, not a reversal, not a pulling back. The impetus for your direction remains valid and you do not fulfill an impetus by quelling it.

2 —x— His calves are still.
   He cannot aid the man in front of him
   and he feels frustrated.
You are frustrated in your efforts to pass your vision on to others. You know that the ultimate end of their delusions is absurdity, pettiness, and lonely misery. But let it be. There is nothing you can do about it.

3 —o— His haunches are still.
   His back is rigid.
   The situation is perilous.
   Painfully, he stifles his excitement.
You are forcing yourself to act and think in an enlightened way. But an enlightened "way of being" is only another stiff and conventional concept from which you must free yourself. Bodhidharma was irascible, rowdy, and intemperate. Be yourself.

4 —x— His trunk is still.
   No mistakes.
You are near to enlightenment. You have achieved a state of rest, physically, emotionally, temporally, but have not yet freed yourself from the thoughts and impulses that make up the structure of your ego.

5 —x— His jaw is relaxed;
        his words are orderly.
        Guilt disappears.

You have a tendency to show off your unconcern about practical problems by treating them lightly, by chattering freely about them, and by exhibiting a generally carefree attitude. This only demonstrates the great depths of your anxieties. If you were truly free of these meaningless problems, you would not adjust your manner to them.

6 —o— He devotes himself
        to remaining at rest.
        Auspicious.

Tranquillity.

53

KHYEN ䷴ PROCES-
SION

The Mountain   The Wind
below   above

ORACLE

A tree on the mountain.
The superior man maintains his good character
and sets an example for the people.
The young girl celebrates her marriage.

Auspicious.
Keep to your course.

INTERPRETATION

ARTHA Lead your life in close accord with accepted
customs and norms. Trust in the basic justice and effi-
ciency of the social mechanism. Your role in it is marked
out clearly. You can be content in it. You know what is
expected of you—the socially acceptable, the traditional,
the "normal." Do it. Although it is slow, gradual, unex-
citing, and unchallenging, it is direct, decisive, and sure.
Any wavering from your proper course, for which there
are many precedents, would be very unwise.

KAMA You and Friend are both part of a community, or
a subculture or an ethnic or religious group, or a similar
congregation of people that subscribes to its own tradi-

tional mores and customs in courtship and love. Recognize your kinship with this common culture; apply the traditional courtesies and taboos, licenses, and restrictions to your relationship with Friend—not because they have any ultimate, absolute value, but because they are best suited to your own common traditions and values. If you are impatient with these customs, bored or embarrassed by them, and attempt to avoid them, you and Friend will find yourselves in conflict with each other. Your relationship will be strengthened if you plunge together into your common background and follow whatever measures are prescribed for a loving couple within it.

MOKSHA As a spiritual person you understand that all values are pure illusion, maya, the dust on the mirror. You probably have not freed yourself from *all* such values and concepts, but you have freed yourself from most of them and believe that society could do without them as well. But, although you feel personally free from the social structure, your spiritual path lies within it. There is a place for your nonsocial principles within society. There is a structure of acceptable means of action and communication for you to use in order to slowly but surely bring about the changes you envision.

LINES

NOTE The image of the lines of this hexagram is a flight of migrating geese, an exquisite symbol of gradual progress achieved through a precise and tantamount social order. For man, a socially contradictory and ambivalent animal, the beauty of a formation of wild geese is especially poignant.

1 —x— The wild geese reach the shore.
        The young officer will encounter obstacles.

There will be talk
but no mistakes.

The shore of this oracle is the shore of the home lake; it is the point where flight begins. You are just setting out on your path. You have just entered a situation that will involve you totally and influence your activity for a long time. It is still unfamiliar. You have made some mistakes that have drawn criticism from unsympathetic people. But these not unusual, forgivable mistakes *and* the criticism of them are ultimately good. They will teach you the accepted ways of handling yourself and make you aware of the step-by-step nature of your course.

2 —x— The wild geese reach the boulders
where they can refresh themselves and rest.
Auspicious.

Boulders provide a safe resting place at the beginning of flight. Their heights provide vantage points; their irregularities provide protective crannies. But their defensive advantage is only effective for groups. For a single goose boulders would be a somewhat dangerous resting place. If you share your world with others it will be your sanctuary. If you remain alone you invite trouble.

3 —o— The wild geese reach the desert.
The husband leaves on an expedition,
but will not return.
The wife is pregnant
but will not nurse her child.
Ominous.
Defend your interests.

You have not followed the course prescribed for you and, in an attempt to act individualistically, instinctively, and aggressively, you have gotten yourself into a tight and hostile situation. What has been done has been done. It is not possible for you to retrace your steps. Accept your present conditions and fend off your enemies as best you can.

Khyen

4 —x— The wild geese reach the trees.
   They can alight
   on the broad branches.
   No mistakes.

Unavoidable but quite ordinary circumstances have placed
you in an awkward situation. You did not foresee such
an occurrence and were totally unprepared for it. You
have been thrown off balance; you feel acutely embarrassed. There may be a way you can fit in this situation so that whatever happens in it will not affect you ad-
versely. On the other hand, there may not.

5 —o— The wild geese reach the hill.
   The wife is barren for three years,
   then nothing can stop her.
   Auspicious.

You have progressed so far and so much faster than
others that you have become temporarily alienated from
your friends and colleagues. You feel lonely and misunderstood, although in your own eyes you have fulfilled
yourself. The attitudes of others have changed toward
you: some have become spiteful, some shy, some ob-
sequious, and some haughty. But this is only a passing
phase. As your new position becomes more established
and accepted, your social relationships will return to
normal.

6 —o— The wild geese reach the farthest mountains.
   Their feathers can be used as ornaments.
   Auspicious.

This line indicates reaching the ultimate end of your
course and leaving it behind for a new one. It is time to
abandon your values and change your goal. Turn from
the rewards that you have gathered on your way. Leave
them as tokens to others; your ultimate achievement and
then your transcendence of it makes them meaningful
symbols. This oracle indicates an absolute and final break
with the past, and a new existence for you.

54

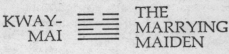

KWAY-
MAI

THE
MARRYING
MAIDEN

The Marsh
below

Thunder
above

ORACLE

Thunder over the marsh.
The man who knows the eternity of the end
knows the trials of the beginning.

Ominous.
Action brings failure.

INTERPRETATION

ARTHA You play a vital but subordinate role in your situation: similar to that of a catalyst in a chemical reaction. The image of the hexagram is (depending on the culture) the concubine, the second wife, or the young mistress of an amenable menage. Your role is not the result of *your* efforts or of *your* mistakes. You play your part by the grace of those who control the situation. You fulfill certain general requirements of theirs—outside of that, they have little concern for you. You are used, not for what you do, but for what you are. No different from the virgins sacrificed by the Aztecs, you fill your position not because of your personal qualifications, but because you best fit an already established ideal agreed upon by those who have control of the situation. Remain passively, traditionally, what you are. Any forward move, any creative or individualistic act will destroy your image and disappoint your patrons. Besides ancient Chinese concubines and Aztec virgins, this would also be the hexagram, for example, of the bright young executive promoted in order to act as a buffer between rival executives; or of the actress given a role because of her clever new name and the shape of her buttocks; or of the token black scholarship student at a traditionally white school. In all cases the advice is: Don't rock the boat. You are involved in a situation whose varied elements do not really concern you personally, and which you can influence in no way.

KAMA   You are loved by Friend not as you yourself are, but as a symbol or as a means to something else. Friend is attracted to you by something only incidentally yours and not essentially part of you. As a woman you might, for example, have an aristocratic air that attracts Friend or you might respond sexually in a way ideal for Friend or you might resemble his wife or mother. As a man you might attract Friend by your wealth or your social connections or because Friend needs a cheap short-order cook in her diner. If you wish to maintain the relationship with Friend, you need only maintain that which attracts Friend to you. You need not communicate, you need not love, and you had better not surprise.

MOKSHA   Only on the wheel of karma is there inequality; within eternity we are all the same, all One. And even in the maya that binds you the great principles of Yin and Yang create balance in all things. Your spiritual path is one of self-consolation. Trust in the just and even balance of the universe.

LINES

1 —o— The betrothed is not the first
either in time or preference.
The lame manage to get along.

*Auspicious
for an advance.*

Someone close to you occupies a position for which you
yourself are better suited. You play an inferior role to this
person. Because of your close personal relationship you
are in an impossible bind, with no hope of improvement.
However, you are free to act and move and carry out your
essential role to the best of your ability, without danger
or complications arising. The circumstances have another
favorable aspect: because all can see the bind you are in,
no one fears or envies you; in fact, everyone goes out of
his way to be helpful.

2 —o— The betrothed is blind in one eye
but she can still see.
The course she keeps to
is like that of a widow.

You are in a relationship where the other parties have
disappointed you. Since your judgment is so bad, from
now on you had better avoid similar relationships.

3 —x— The marriage does not please the maiden.
She returns home and accepts her former place.

You are willful and resilient. You have achieved your
goal, but now find that it does not satisfy you. You have
backed off. The outcome is uncertain.

4 —o— The maiden procrastinates.
Sooner or later she will marry.

You hold yourself in high esteem. You have refused offers
of various roles and positions because of the insincere
motivations behind them. It may seem that all chances
for an honest and acceptable position have passed you by.
But your perseverance was correct and the appropriate
opening for you will appear in time.

5 —x— The maiden is not as beautiful as the bridesmaids.
The moon is not yet full.
Auspicious.

By tradition and the social norms you are bound to accept a certain inconsequential role when, by logic and relevance, you are fit to play a more important one. You respect the tradition and therefore accept the minor role without regrets. Waiting will bring good luck.

6 —x— The maiden is barren.
        The groom's knife draws no blood
        from the sheep.
        No improvement.
You cannot fulfill your role as you are expected to do. There is nothing you can do about it.

55

FENG ☰ ABUN-DANCE

The Sun below

Thunder above

ORACLE

Thunder and lightning:
the height of the storm.
The superior man judges lawsuits
and declares them fairly.

When the administrator achieves prosperity,
he need not fear replacement.
Be like the sun at noon.
Improvement.

INTERPRETATION

ARTHA The trigrams represent movement (*Chen*, Thunder) and clarity (*Li*, Fire). You have a strong will and the ability to act; you retain your peace of mind and open vision. This combination of attributes has given you the ability both to judge a situation candidly, objectively, and then to act freely and purposefully on your judgment. Because of this double advantage you have easily reached your goal. You now possess what you desired and are free from what oppressed you. But you move because it is in your nature to move; because of your clear, objective vision, your goals are secondary; neither failure nor success makes you pause. The mountaineer who does not cease moving when he reaches the top of the mountain can go in only one direction: down. Do not be surprised if you move away from the goals and ideals which seemed to inspire you. You retain something from your success: material gains or the realization of personal needs—such things as honor, status, and power. But with your clear, unfettered mind you know that possession is an illusion and so is social position. You have achieved what you desired but you have not fulfilled yourself. You are not yet happy. But do not be *un*happy. It is absurd to feel sorrow and sense of loss at the successful conclusion of your worldly ambitions. Be neither happy nor unhappy, just be: be abundant, be full, be now, like the sun at its zenith, in its glory, about to descend.

KAMA Friend's love for you seems to be everything you've ever wanted from another person. And yet you are not happy. The form of the relationship seems to be a fulfillment of your imagined ideals. But your well-defined desires block Friend's love for you, refract it, filter it. You hold abstract ideals of love; Friend's love for you must pass in review before these ideals. You have set, conceptualized desires; Friend's love for you must undergo judgment in terms of these static prerequisites. The ideals seem fulfilled, the prerequisites seem fulfilled, yet you still cannot experience Friend's love directly, from person to person, from Friend to you. Stop wanting; start having. Knowing how love blossoms and then wanes, you are already experiencing anxiety about the future. Be like the midday sun, the sun at its zenith; it is highest, brightest, most glorious at that point; and it is not the sun which has just risen or the sun which will set—it is the sun now, in an infinitesimal space of time, momentarily tangent to heaven.

MOKSHA You have reached a peak in your spiritual life. You have studied, practiced rituals, and meditated. You have achieved the clear understanding you desired: you can unify the paradox. But still you wonder where enlightment is. Now is the time to enter fully into Buddha's stricture: <u>Be without desire</u>. If you desire enlightenment, you are wise enough to know that under conditions of desire enlightenment cannot be attained. It cannot be "attained" in any case; it can only occur. You have solved the paradox. Now <u>abolish the illusion of your own ego.</u> There is no paradox. There is no solution. There is no one to solve it.

LINES

1 —o— He meets his mate
    who is very much like him.
    No mistakes.
    Approval
    if you advance.

A combination of inner clarity and outward movement has brought about your success. You possess only *one* of these qualities. Someone else who possesses the complementary quality shares with you the honors for your present state of abundance. Without the other's clarity of judgment (if you are the energetic one) or without the other's authority and capability for action (if you are the thoughtful one) you could not have attained your mutual good fortune. You must go out of your way to contact this other person. Do not be shy. The other person is aware of the connection between the two of you. He will meet you with recognition and in friendship. You should have a lengthy and fruitful association.

2 —x— The screens are so huge
    he can see the Big Dipper at noon.
    If he approaches the ruler with the truth
    he will encounter suspicion and dislike.
    If he can summon up loyalty toward him
    the ruler will see the truth.
    Auspicious.

Feng

You are being willfully and successfully eclipsed by someone. Do not try actively to change this situation—you will
meet with mistrust and hatred. Instead, establish a relationship with the one who is eclipsing you. He cannot
deny either to himself or you that he has usurped your
place. With the help of his feelings of guilt, you and he
will be able to work things out—and to your advantage.

3 —o— The screens have been draped with thick cur-
        tains.
        He can see small stars at noon.
        In the darkness he breaks his right arm.
        No mistakes.
Your eclipse in this case is so complete, the darkness so
thick, that there is nothing you can do. The situation that
you brought to a successful conclusion has been taken
completely out of your hands. You have no position in it.
You have no power over it. You can taste none of the
fruits of your success.

4 —o— The tent is so heavy
        he can see the Big Dipper at noon.
        He meets his mate
        who is very much like him.
        Auspicious.
The eclipse is on the wane. You have made contact with
your counterpart. (See interpretation of line 1 above.) Together you can create abundance.

5 —x— He gathers around him brilliant men.
        Praise.
        Auspicious.
In the glow of your success the true qualities of those involved with you reveal themselves: you have chosen your
associates wisely.

6 —x— He has a large house
        that hides him from view.

Abundance

He stares at his door
but it never opens.
For three years he sees no one.
Ominous. —EVIL

You are so anxious about your newly acquired abundance that you cannot enjoy it. You cannot even see it. All you feel is fear of losing it. All you see are images of its loss. It is farther from you now than ever.

56

LIU ☲ THE STRANGER

The Mountain below   The Sun above

ORACLE

Fire on the mountain
The superior man acts
wisely and cautiously;
he has no time for lawsuits.

Some improvement.
Auspicious
if you keep to your course.

INTERPRETATION

ARTHA Your life is an odyssey. You are constantly on the move from place to place. You find comfort in your sense of yourself moving. Maybe you are a practical nomad like Hemingway; or an aesthetic nomad like Cocteau; or an intellectual nomad like Norman O. Brown; or a spiritual nomad, like Bishop Pike. You are always on your way into something or on your way out of something. This is not an aimless, chancy wandering—it is the movement of fire on a mountain which travels on an unrelenting pursuit of its own fuel, a search for its means of continuing existence. You feed on the best of the different places or ideas or roles you wander into; when that is consumed you wander out again. Because of your mercurial character you have very few acquaintances at any one time, although you have left myriads behind you. This is a bittersweet Tao: bittersweet because the joy of discovery is always paired with the hopelessness of your search. Avoid getting yourself involved in any long-term agreements. Avoid committing yourself to any action in the distant future.

KAMA Perhaps you are a sexual nomad. Perhaps you wander in and out of relationships, using them and the people involved to give your life meaning. If Friend is similarly inclined, then you will have a short, happy relationship; if Friend has a genuine and deep-set affection for you, then it will be a short, *unhappy* relationship. If Friend is a friend, Friend is bound to be hurt. As for yourself: strangers do not get hurt, they only come and go. Be careful to be honest and sincere with Friend: do not invent emotions you do not feel. If you accept your wanderlust without shame and without fear, it will reveal itself naturally in your relationship; Friend, knowing what to expect, even if eventually disappointed, will not be disillusioned. It is also possible to be an emotional nomad within the bounds of a single extended or permanent love relationship. If Friend is a fellow traveler with you on these excursions into different moods and different needs and different ways of being, then your relationship can be a happy one. If Friend is more static than you then Friend is liable to feel confused, unsure, even neglected— unable to catch up with you as you pass through phase after phase. A realistic, straightforward attitude, and a low-key passion is the best way of love for a stranger such as you.

MOKSHA Enlightenment for you is not a final revelation. It is never a complete experience. When a specific spiritual path enlightens you, you feel that you must move on. Your spiritual experiences have great meaning for you, but they are always in the past. Once you reach the top

Liu

of the mountain the only direction—for the wanderer who must keep moving—is down; and then up again, by another route. In your travels up and down the spiritual mountain you resemble Sisyphus. But while Sisyphus is bent with despair at his hopeless labor, you are erect and hopeful in your quixotic meanderings. Your fickleness may lead you into extreme, esoteric, unexplored spiritual systems.

LINES

1 —x— A petty stranger
with petty motives.
Further calamity.

Someone who is deeply and permanently involved in a situation can view it in many ways and treat it with differing degrees of seriousness and cynicism. You, however —always a transient—have no right to treat lightly what are to others serious matters. A cavalier, offhand attitude on your part is out of place and would be resented. It is an invitation to disaster.

2 —x— A well-to-do stranger
has come to town.
He stays at the inn
with his loyal retinue.

Although a wanderer, you have a clear and unvarying strong sense of yourself: a philosophical center. You are your own quiet and restful place that you bring with you wherever you go. Others, without such a center, are drawn to you.

3 —o— The stranger has burned down the inn,
and has been deserted by his friends.
Peril,
even while you keep to your course.

You have become emotionally involved in a situation. You have lost yourself in the ideas and conflicts of the mo-

248

ment. Because you are a traveler you elicit no sympathy from others. It takes time to turn acquaintances into friends.

4 —o— A wandering woodcutter has settled here.
　　　　He makes a good living
　　　　but seems uneasy about something.

The nature of your true fulfillment is wandering. But you have ceased to wander. You have found a comfortable niche and have allowed yourself to fit into it. You are involved in activities and plans that deny your restless nature.

5 —x— The stranger shoots the pheasant.
　　　　He exchanges his arrow for praise
　　　　and a position of responsibility.

Accept the forms and courtesies of whatever situation you are in. Appreciate their connection with universal principles—even though they are otherwise foreign and meaningless to you.

6 —o— The stranger kindles his fire with a bird's nest.
　　　　This gives joy to the fire
　　　　but undermines the man.
　　　　He loses his composure.
　　　　Ominous.

In your unrelenting and vigorous motion you resemble fire on a mountain. You are like such a fire brightly flaring as it engulfs the reedy, dry bird's nest. You experience great joy as you are invigorated at the expense of something rare and fragile and of value to others. By your heedless, irremediable act of destruction, you have lost what was once your most valuable quality: gentle respect for the values of others.

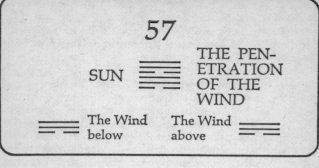

57

SUN ☴☴ THE PEN-
ETRATION
OF THE
WIND

The Wind
below

The Wind
above

ORACLE

Two winds penetrate
into every nook and cranny.
The superior man reaffirms his orders
and secures his activities.

*Some improvement
especially if you keep moving
with some direction in mind.
Confer with the great man.*

INTERPRETATION

ARTHA This is the hexagram of the subtle penetration of
the wind. Remain in the background; take no direct action. Allow the force of your character to influence the
situation, unhindered by your will and ego. To attempt
actively to force the situation would be simply to dissipate
your energies. To willfully apply your own wants and
needs to the situation would be to become dependent on
the situation instead of an influence on it—part of the
problem instead of part of the solution. These dangers
are most imminent when your personal welfare is most
at stake. Try not to get emotionally involved in what is
happening around you.

KAMA Open yourself to the quiet penetration of Friend's character. And do not try to impress your own character on Friend. Love and will are antitheses. By the open acceptance of each other's personality—peculiarities and all —you can begin to get to know each other. This is a hexagram of an unemotional way of loving. If you are neurotic, in your love life whatever emotions you feel will be egotistical, willful, perhaps even offensive—expressions of such emotions are not expressions of selfless love. Wait, instead, until you can express the emotion of egoless joy which will arise from a mutual openness and sympathy.

MOKSHA You understand that your day-to-day experiences are maya, illusion. But they seem to clutter your life. They keep you from the spiritual peace you seek. You want suddenly to break through, into the clear. You systematically try different intellectual tricks to reason your way into paradise. But it is not only the things and events in your life that are illusion, but also *the separation* you make *between yourself and them*. You *are* in the clear *already*. Trust your understanding, your deep, wordless understanding, and do not trouble about the exteriors of things any further. A quiet penetration of each other by you and "it" can take place as the illusionary boundaries that define "you" dissolve into unity and peace.

LINES

1 —x— He comes and goes
        like little gusts of wind.
        Keep to your course
        like a brave soldier.
Be careful that your quiet reticence does not lead to indecisiveness. Behind your inoffensive, withdrawn attitude should lie strong and unyielding resolution.

2 —o— There is wind beneath the couch.
        Confusion.
        Magicians and exorcists are called in.
        Auspicious.
        No mistakes.

The conflicts within you arise from obscure, esoteric forces. To find a resolution to your problems consult those who deal with such forces: yogis, psychiatrists, astrologers, parapsychologists, etc.

3 —o— Only strong gusts of wind
        beating against the house
        can penetrate it.
        You will regret it.

Although your way is to remain in the background, do not hesitate to act whenever the situation calls for action. If you hesitate you will become embroiled in binding confusion and action will become impossible. Your inability to act will be obvious. Others will take advantage of you.

4 —x— The hunter takes game
        for its threefold use.
        Guilt disappears.

The hunter nourishes himself; he loves and respects his prey; he is without pride and he communes with God as he gives thanks for his success. Like this hunter, you make full use of your resources, considering equally your material life, emotional life, and spiritual life (artha, kama, and moksha). You are able to find some good in everything.

5 —o— *Auspicious*
        if you keep to your course.
        There may have been a bad beginning,
        but there will be a good ending.
        For three days before you make any changes
        consider them carefully;
        for three days after you make any changes
        reconsider them.

Advance.
Guilt disappears.

You must somewhat modify the reticence prescribed by the oracle of this hexagram. Your situation is bad. It must be changed. You are the only one who can change it. Now is the time for a fresh start. But you must carefully consider the changes you wish to make. They must be contemplated for a while in a modest and peaceful state of mind. Once you have initiated the change in your situation, you must remain alert to the possibility that it will not work. If, in practice, your attempt at reform does not live up to your expectations be prepared to chuck it in and begin again. Identify what needs changing in your life. Plan the changes well. Do not be afraid of backtracking.

6 —o— The wind dies under the couch.
It no longer has the power to penetrate the crevice by which it entered.
Ominous
if you keep to your course.

Your quiet reticence has brought you face to face with evil. React. Draw back. Leave it. Do not try to influence it. Beware!

58

TWEE ☰ PLEASURE

The Marsh below   The Marsh above

ORACLE

The surface of the marsh is still;
the inner marsh seethes with life,
Beside it friends sit and talk,
The conversation is easy
but the communication between them is deep.

Success
if you keep to your course.

INTERPRETATION

ARTHA Every experience gives you pleasure. You are always content. Your quiet, untroubled character is open and accepting. You see no reason to defend or disguise your deepest feelings. Your imperturbable ingenuousness gives solace and hope to others. You give others the opportunity to reveal their deepest feelings, to share in your sense of pleasure.

KAMA The image of the oracle says it all. Quiet and content with each other, you and Friend share the deepest, most persistent communication, unexpressed, and unencumbered by selfish needs or competitive egos.

MOKSHA   In the balanced flux of the universe even pleasure has a dark aspect. Your capacity for pleasure could
deflect your spiritual course. Do not let pleasure pass for
enlightenment. This danger can be avoided by keeping in
touch with the serious, searching sides of your closest
friends. Remain open to those quiet revelations of deep
conversation that make lasting, intimate impressions. In
the spirit of this hexagram, a most pleasant way to avoid
danger.

LINES

1 —o— The pleasure of inner peace.
      Auspicious.
Your capacity for pleasure arises from your saintly lack
of desire. Nothing tantalizes you, nothing compels you,
nothing disappoints you—everything pleases you.

2 —o— The pleasure of sincerity.
      Auspicious
      but do not look back.
While you enjoy your pleasure, do not act in any way
that might embarrass or discourage others.

3 —x— Indulging in pleasure.
      Ominous.
Your pleasure does not arise from a total enjoyment of all
experience. It is limited to mindless delight in the sensual
world only. Your life is a spiritual vacuum that attracts
sensual pleasure—pleasure that serves to blind you to
your true emptiness, pleasure that protects you from despair.

4 —o— Anticipating pleasure.
      Auspicious,
      but be cautious.
Do not weigh one pleasure against another. When all

things are pleasurable, all pleasures are equal. You must come to realize that you cannot make a mistake. There are no mistakes.

5 —o— Misplaced trust.
    Beware!
Pleasure makes you generous, friendly, sincere, and trustful. It also makes you vulnerable to people with opposing principles. Danger! You may feel pleasure in their company. But you are under no obligation to associate with them. You can break off in a gentle and inoffensive way.

6 —x— Enticing to pleasure.
You are caught up in pleasure. You have no direction other than experiencing pleasure. You are so involved with pleasure that you have dulled your positive feelings as well as overcome your negative ones. Taking pleasure is so habitual that you no longer enjoy it. No true pleasure.

59

HWEN ☰☰ DIS-
PERSION

== = The Deep   The Wind == =
       below   above

ORACLE

The air moves above the water;
the water evaporates.
The ancient kings were pious
and dedicated themselves to serving God.
They built the temple;
the present king worships there.

Success.
Keep to your course.
You may cross the great water.

INTERPRETATION

NOTE All situations and problems in the practice of
artha and kama are only egotistical fantasies and anxieties; even the practice of moksha—which would include
the casting of the I Ching—depends on the existence of
a certain amount of egotism, a certain amount of self-consciousness that ultimately is false, illusionary. You are
fortunate—if you move with this hexagram—in being
able to resolve your difficulties, solve your problems, by
ridding yourself of the entire egotistical, self-centered
mechanism that projects them. This is a hexagram of perspective. You are within reach of realizing your existence

as a moving instant in a changing universe, of seeing your true place in the rhythm of life and death and in the patterns of men and society.

ARTHA   This is the hexagram of charity: charity given or charity received—depending on which side of the tracks you are on. Aware of the illusionary nature of the concept of possession, you give to others whatever you do not use. Or: aware of the illusionary nature of the value of possession, you receive what others give you without shame and without feelings of debasement. Your practice of artha, your day-to-day life, interests you only as an example of the warp and weft of the divine pattern. You have no selfish, egotistical interest in it. In the eyes of others this is regarded as the ultimate in daring and the ultimate in success, no matter what your position on the socioeconomic ladder.

KAMA   This is the hexagram of free and uninhibited love for all. You are in an intense and lasting relationship—with everything; you love Friend passionately and faithfully—and Friend is everyone. You are envied by those whom you love.

MOKSHA   This is the·hexagram of the brief ego-destroying religious experience. Your way is the way of religious ecstasy attained through ritual. Your way is the experience of death and then a return to life. Your way is the ultimate, eternal union with the One and All, and then a falling back into the illusory wave of time and space— but now with an enlightened perspective gained by your acts of ecstatic devotion.

LINES

1 —x— Rescue
         with the help of a strong horse.
         Auspicious.

If you act soon, your selfless, unconcerned perspective can be beneficial to others involved in the situation.

2 —o— Things fall apart;
       he seeks shelter.
       Guilt disappears.

To gain your selfless, unconcerned perspective you must pass through certain disagreeable stages: snobbishness; scorn for people who retain their illusions; even frustrated anger at what seems the pigheaded blindness of those close to you. But these stages will quickly pass. You have broken through the hypocritical facade. Your illusions have disappeared like the emperor's new clothes. Now you stand naked, like the emperor. The next step is for you, yourself to be revealed as an illusion.

3 —x— He no longer cares for his own self.
       Without guilt.

Because of your enlightened perspective in which you place no value on the "self," you do not take care of yourself. Since you possess an enlightened perspective, it is useless to say to you that by not taking care of yourself you do not follow the natural pattern of change in the universe. You know there is only one pattern and that is the pattern that is being followed. However, on examining the patterns of existence of most sentient and nonsentient beings, you must admit that not taking care of yourself is definitely one of the odder patterns.

4 —x— The man scatters all the factions.
       He is cleverer than most people.
       Now he can see who stands out.
       Auspicious.

You must temporarily suspend your involvement with friends and associates. From a distance—both in time and space—you will be better able objectively to examine them, their characters and principles. True friends will stand out. With them you will soon be able confidently to reestablish your contacts. The others will feel resentment or will be puzzled and hurt. Such feelings will not last for long.

5 —o— The man sweats as he makes his pronouncements.
He empties the royal granaries
and disperses the grain abroad.
No mistakes.

You are energetic in your efforts to help your fellow man. You are a whirlwind of generosity.

6 —o— The man avoids bloody wounds,
going until he is out of harm's way.
No mistakes.

The spontaneity and impulsiveness that accompany your enlightened perspective will carry you to the edge of personal physical danger. A Buddha nature would move calmly ahead and be destroyed. If you retain or recall an iota of the illusion of self, you can easily, safely escape the danger. Saving yourself is not backsliding into egotism. Continue on your egoless way.

60

KHIEH ☵☱ RESTRAINT

☱ The Marsh   The Deep ☵
  below   above

ORACLE

The lake within the deep.
The superior man is systematic;
he confers on points of principle.

Improvement;
but if the restraint
is· severe and difficult
it will not last.

INTERPRETATION

ARTHA   You possess an unlimited diversity of interests. You react to all events, no matter what, with an uninhibited responsiveness. It would seem as if you have achieved perfect personal freedom. But your totally indiscriminate bevy of multifarious interests and activities affords you all the freedom of an astronaut adrift. You are not an amorphous vacuum for experience; you are a human being with individual tastes, needs, capabilities; an individual personality and character. You cannot contain all human potential any more than one lake can contain all the water in the world. You will be truly free only when you fully understand your personal limitations—what you want to do, should do, can do; what you do not want to do, should not do, and cannot do—and live within them.

261

Danger: do not carry this advice too far. Beware of arresting untried personal potential.

KAMA You have in your mind an image of yourself as "the ideal lover," who can be all things to Friend. Your part in your relationship with Friend is a constant striving to live up to this ideal. But this impossible ideal is a mass-media myth. It has little to do with your true self. Look at yourself realistically. Taking into account your individual personality, with its own special limitations, you can discover how to be a perfect lover realistically, on your own terms. You will have to eradicate whatever conventional lover's mannerisms are inimical to your true self. These will be replaced by more honest and sincere and more personal ways of expressing your affection.

MOKSHA There are an infinite number of paths up the mountain—but every man can take only one. Do not be a spiritual dilettante. Discover which way is your way, which way is most sympathetic and comprehensible to you—and stay with it. Your openness to spiritual influences from all sides has led you on an erratic horizontal path. Limit yourself to a single, fitting spiritual system and discover the expansive and direct road to the top.

LINES

1 —o— He will not leave his own hallway.
   No mistakes.
Take no action. Wait until it is perfectly clear exactly what action you should take.

2 —o— He will not leave his own courtyard.
   Ominous.
The time for action has come. Act immediately, without delay—now. Anxious hesitation will bring disaster.

3 —x— The man is without restraint.
   Eventually he will lament.

And there will be no one to blame
but himself.

An extravagant life based on principles of pleasure leads to unhappiness. You blame the libertarian, amoral culture for enticing you to excesses. But you are a free agent; the fault rests entirely with yourself. Recognizing one's own limits is especially important for a hedonist such as yourself.

4 —x— Quietly and naturally
he observes the proper restraint.
Success.

The restraints you set on yourself must be realistic. If they are too strict, your life will be a constant struggle to live within them. If they are too lenient, your life will be filled with indecision, worry, and regret. Your restraints should fit you naturally and easily, be neither too severe nor too lax. They should not inhibit your proper activities. In fact, you should not notice them at all.

5 —o— His restraints are easy to bear.
Auspicious.
Honor
if you advance.

You have a responsibility to set restraints on others. You manage to fit the restraints perfectly to the requirements of the situation while infringing as little as possible on the freedom of others. This success will bring honor and advancement.

6 —x— His restraints are difficult to bear.
Ominous
if you keep to your course.
Guilt,
which eventually disappears.

You have a responsibility to set restraints on others. The restraints that are required infringe cruelly on the freedom of others. You feel a sense of guilt about the unhappiness you cause. After a time, you will see that you only did what was necessary.

61

KHUNG-FIH   ☴   UNDER-STANDING

☱ The Marsh below   The Wind above ☴

ORACLE

Wind blows across the marsh.
The superior man weighs
all litigation carefully,
and stays all executions.

Pigs and fishes.
Auspicious.
Keep to your course.
You may cross the great water.

INTERPRETATION

ARTHA Your greatest strength lies in your clear vision.
You view the world without prejudice, with an unclut-
tered, healthy mind. You deal with people humanely, unselfishly, lovingly. You understand yourself and can em-
pathize with everyone, even those who feel antipathetic
or hostile to you. The bond between you and your fellow
men goes beyond cultural differences. It is not simply a
sympathetic similarity of hopes and fears. You sense the
divine image in all men and you perceive the tragedy of
the human condition. The close attachment you feel to
your fellow man is not forced. You cannot control it. You
cannot turn it off or on. You may even not be completely

aware of it, as such. According to the values of your culture you are not an extraordinary person. But anything you undertake will be successful. The time is right for far-reaching changes and momentous activity on your part.

KAMA You are fortunate that you can love Friend as much as you love others not as close to you. This is not as cryptic as it sounds. Most people can find it in themselves to love mankind in general with a humane and unselfish love and to treat acquaintances with warmth and fairness; but many of the same people find it impossible to love those close to them without anxiety and to treat them as brotherly equals. What you may lack in the romantic graces or the popular affectations of affection, you make up many times over by the health, warmth, and humanity of your love for Friend.

MOKSHA You are not a saint. A saint, a bodhisattva, is one who has been enlightened and returns to live in the world according to his revelation. You have no need for enlightenment because you have not yet lost the self-knowledge that most people lose at an early age. A revelation is only the conceptualization of what you have understood all along, naturally, instinctively, and thoughtlessly, without revelation. Spiritual practice, the practice of moksha, for most people is like a journey from darkness into light. For you it is a simplehearted and—yes—simpleminded celebration of your constant, always unenacted, unconceptualized, union with God.

LINES

1 —o— The man rests in himself.
If he were to seek outside of himself
he could not rest.
Auspicious.

You appear to act fairly and unselfishly toward everyone. But your deep reactions to others are not fair, not selfless. You judge them on the grounds of secret knowledge. You evaluate them in terms of secret goals. Your friends are not aware of the real basis for your relationships. This is the line of the master spy, the skilled adulterer, the clandestine satanist.

2 —o— The crane among the reeds, calls
and her young respond.
"I have some delicious morsels here."
"We'll share them with you."
This indicates a joyous and meaningful relationship with a member of the same sex—possibly, but not necessarily, sexual.

3 —x— The man meets his mate.
Now he beats the drum. Now he stops.
Now he weeps. Now he sings.
Your everyday fulfillment, your passing joys, completely depend on your relationship with someone else. If things go well between the two of you, you are ecstatic; if things go badly, you are miserable. Outside of this relationship you can find no cause for either satisfaction or disappointment. Without other elements in your life to modify your feelings, you are continually buffeted between the extremes of joy and sorrow. You are totally involved in the maya of romantic love. Do not let an unromantic era impose a negative self-evaluation of your way of being. If you feel fulfilled by this all-involving, ego-consuming Tao, do not let the cynicism of sophisticated onlookers cast a pall over it.

4 —x— The moon is nearly full.
Only one horse breaks his traces;
one horse remains.
No mistakes.
A friend has suddenly turned away from you. The rela-

tionship is crumbling. You are not responsible. You have no power to change it.

5 ——o—— The man possesses self-knowledge
and joins closely with others.
No mistakes.

Your natural, uninhibited and indiscriminate affection and sympathy for others without exception has drawn together—through you—many people basically dissimilar, even antipathetic, to each other. As long as you are around you bring everyone together with your example of a generous, unprejudiced spirit. If, for one reason or another, you withdraw from the situation, all hell may break loose. This is unfortunate, but you are in no way responsible for the selfish attitudes which make men enemies of one another.

6 ——o—— Chanticleer mounts to heaven.
Ominous.

You have a verbal gift. You easily convince others of your heartfelt warmth and sympathy. Do not talk so much. Let your daily life, your way of being, speak for itself. Stop touting yourself.

62

ZHAOU-KWO ☳ SMALLNESS IN EXCESS

☶ The Mountain below   Thunder above ☳

ORACLE

Thunder high on the mountain.
The superior man is judicious in his conduct;
in a time of modesty, he is especially reserved;
in a time of mourning, he is especially sad;
in a time of economy, he is especially frugal.

Improvement.
Keep to your course.
Take on small tasks
and shy away from large ones.
Listen to the skylark
who sings most sweetly as he begins his descent.
Very auspicious.

INTERPRETATION

ARTHA The skylark is a creature of the earth—frail clay; on the wing, he is only a sojourner in heaven. Even when soaring, the skylark belongs to the earth, relates to the earth, and seeks his sanctuary there. You occupy an elevated social position, hold certain honors, account for certain important responsibilities, or are in some other way favored ... while, in fact, you are not suited for the position at all. Since you are essentially inadequate for the role, and had no ambitions for it, you can be considered extremely fortunate, which accounts for the "very auspicious" oracle. Attempt no major undertakings. Do not try to take further advantage of your luck. You can be happy and successful in your minor attempts. Maintain common, everyday attitudes, as cautioned in the oracle. Express reserve when it is expected of you, not reform or philosophy; express sorrow when it is expected of you, not fatalism or piety; express frugality when it is expected of you, not extravagance or charity. Do not let the heights you inhabit dizzy you. Be yourself. Know who you are.

KAMA Friend's involvement in your relationship is much deeper than yours. The relationship is more important to Friend that it is to you. You mean more to Friend than Friend means to you. No stigma of unfairness or insensitivity attaches to this situation; you are both free individuals. Love is not a commercial bargain, obliging you to love as much as Friend. As long as you are free of false ideals and feelings of guilt your relationship with Friend will be happy. Know who you are and be it; know what you feel and express it. Your side of the relationship is low-key, not so emotional, more casual than Friend's— but Friend does not judge you and makes no demands on you. The potential danger for you is a tendency to feel you must equal Friend's ardor, that you must somehow soar to where Friend is, that you must return Friend's passion in kind. But Friend's love for you is love for you as you are. Synthetic emotions would cause confusion— Friend would no longer be sure of you; and conflict— Friend would resent the dishonesty.

MOKSHA You have a natural gift for transcendence. Like a medium, a reader, a healer, or a water diviner, you have the innate, untutored ability to make intimate, absolute connection with the One and All. There is something within you that leaps the limits of your mind and hurtles the boundary of your body, passing through the barrier of your karma. This is no achievement of yours—it is a gift. Outside of this gift, you are not at all involved with spiritual matters. You do not struggle to resolve paradoxes with revelations. You do not devote yourself to performing incessant rituals until their absurdity brings enlightenment. You have never even simply abandoned yourself to fate. Yet you are blessed with a beautiful and charitable spiritual voice that does not come from your understanding or pass through your consciousness. This is "very auspicious." But remember Cassandra. The danger: hubris, pride.

LINES

1 —x— The skylark flies too high.
    Ominous.
You are not prepared to maintain the position into which you have been placed. You are not prepared to meet the responsibilities that have fallen on you. You are not prepared to respect the honor that has come to you.

2 —x— The woman bypasses her father
    and meets her mother.
    The man bypasses the ruler
    and meets the minister.
    No mistakes.
You have been given an important responsibility—one which was unsought by you and for which you are unprepared. It has come to you not in the usual way, but through unusual channels, perhaps in the stress of an extraordinary event: in an emergency, for example, when your single qualification was that you were the most available person. Accept your good fortune and conscientiously do your best. Feel no guilt, for you have done no wrong.

3 —o— The man has taken no precautions;
    others take advantage of this.
    Ominous.

Your position causes resentment among those who cannot accept the whims of fate. You must be extremely careful. Because of your insufficiencies, you are prey for those who consciously would do you ill.

4 —o— The man successfully plays it by ear.
  Advance
  boldly, but with caution.
You are in conflict with someone else. Hold yourself back. Try to keep from getting involved. Be wary. Do not be aggressive. Do not be conciliatory. Stand as aloof and above it all as you can. Do not indulge yourself in anger, impatience, or despair.

5 —x— Heavy clouds from the west,
  but no rain.
  The prince shoots an arrow into the cave
  and hits a bird.
You expect good fortune at any moment. Many indications point to you as the recipient of impending honors. But you may be overlooked in favor of someone else better qualified to deal with the responsibilities that attend the honors you covet.

6 —x— The skylark flies too high.
  The man exceeds his limit.
  Self-destruction.
  Ominous.
This is the misfortune of Icarus. Inadequate in the first place, you have tried to take advantage of your fortunate position. Now things are completely out of your control and are going against you. This is the line of a downfall.

63

KHEE-TZHEE COMPLETION

≡≡ The Sun below   The Deep above ≡ ≡

ORACLE

Water suspended above the fire.
The superior man considers the potential evil
and guards against it.

Success
in minor matters.
Keep to your course.
An auspicious beginning
may bring a disordered end.

INTERPRETATION

ARTHA The course of your life has been fulfilled. This hexagram represents the moment of completion, which is also the first moment of falling apart. Both the inevitable flux of the ancient Yin and Yang and the entropy theories of abstract physics acknowledge the impossibility of perfect harmony remaining inert and intact. You have been moving toward an ideal (the perfect future); you have just now attained it (the perfect present); from now on your movement will be *away* from the ideal (the perfect past). This moving away is unavoidable, at least in the realm of the concept of time. Enjoy your moment of peace and perfection now! Now, enjoy these subsequent moments of intruding chaos, without regret and without looking back. Be at peace within yourself although in conflict with outside elements. Do not value the glorious past over the difficult present or you may find you have become as brittle and immobile as Lot's wife. Don't look back!

KAMA   Your relationship with Friend is in a time of harmony, a time of fitting together and being yourselves together—although not necessarily a time of emotional climax or a sensual peak. You are wholly at peace together. Although change makes deterioration of this balanced peace inevitable, it is not inevitable that you must suffer because of it. Although you cannot retain all the elements of your present idyllic situation, you *can* retain the assured, unselfish peace that comes from it, the peace you now experience. If you meet future dissension still at peace with each other, you cannot be harmed by it. Be like the two ends of a single board tossed by the sea.

MOKSHA   An enlightened vision perceives time as flux, the flux of development and deterioration, creation and destruction. An enlightened mind conceives of time as an expression of the One and All: as Yin and Yang, the dance of Shiva, or death and resurrection. You can enjoy the beauty, balance, and justice of your own deterioration, nulling it. Now it is not deterioration; it is a function of the universe, God's inhaling. (At the moment of enlightenment there is no flux at all; only timelessness.)

LINES

1 —o— The man puts on the brakes.
The fox wets his tail.
No mistakes.
You have been swept off your feet by the progressive and

avant-garde trends of the times. The principles that generate this burgeoning cultural movement are similar to your own personal principles—but they are not identical. Before getting carried away, examine your own principles and limit yourself by them. If you blindly, indiscriminately follow these fashionable ideas you must expect major disillusionments and inner conflicts whenever the popular culture diverges from your inner principles. If you follow your inner principles first, you can deal honestly with every eventuality, even if it means once in a while bucking the trend or setting off on an unfashionable course.

2 —x— The woman in the cottage
        has lost her window screen.
        Do not seek it.
        In seven days you will find it.

Things have been going so smoothly for everyone everywhere that your capabilities and your potential have gone unnoticed by others. Knowing that you actually have a valuable contribution to make, you have a tendency to try to impose yourself. But to present yourself to others who do not accept you is to lose yourself. You must be patient. In the inevitable flux of the world and its affairs, your time will come.

3 —o— Kau Tsung invaded hell's provinces
        and after three years subdued them.
        Smaller men should not involve themselves
        in such enterprises.

The successful fulfillment of one phase of your life has led you to identify with a historical, fictional, or mythological character who has, until now, represented an ideal for you. Identifying with this idealized hero may lead you to believe that you can undertake the same tasks as he, and set the same goals. An objective comparison between yourself and the fabled hero should apprise you of the foolishness of such a conceit.

4 —x— The man carries a store of rags
      in case his boat leaks.
      He is constantly watchful.

Although you have brought things to a successful conclusion, there are still certain dangers inherent in the situation. The boat may not leak when it is launched, but a boat *can* develop a leak at any time. You must provide yourself with the means to patch up your affairs if and when the need arises. But there is a point beyond which you can become too watchful, too much on your guard, so much so that you can no longer enjoy the pleasures and rewards that accompany the fulfillment you have achieved.

5 —o— For the spring sacrifice
      the neighbor to the east slaughters an ox;
      but this is not equal to
      the small sacrifice of the neighbor to the west,
      whose sincerity is more worthy of benediction.
      Beware of being ostentatious.

6 —x— He is in over his head.
      Peril.

Instead of looking back at your past success with regret and a sense of loss, as cautioned against in the "artha" section above, you look back with self-admiration. Instead of just innocently glancing longingly over your shoulder, you have halted in your steps, turned completely around, and gaze in hypnotic rapture at your past glory. You must continue to move in your Tao or disaster will result.

64

WAY-TZHEE ☰ ALMOST THERE

☵ The Deep below   The Sun above ☲

ORACLE

Fire over the deep.
The superior man sees things as they are,
and gives each thing its allotted place.

It seems to the little fox
that he has crossed the stream;
then he gets his tail wet.
Success
if you are like the man.
Failure
if you are like the fox.

INTERPRETATION

NOTE   This little fox crossing the stream is proverbial in China. If he goes a little too boldly and confidently—unlike a wiser, older fox—he is likely to get wet. At the very end of the crossing his over-confidence reaches its peak, he feels his feet on dry ground, he relaxes his vigilance and his tail drops into the water.

ARTHA   You are trying to make sense out of a strange, unprecedented situation. You and the people involved with you are so disparate, so unsympathetic to each other,

276

so out of touch with each other, that you must exist in a constant state of alertness and readiness. Whatever you do, you have no way of knowing what the reactions of others will be. Thus it is impossible for you to predict or direct the eventual consequences of your own actions. So far you have been lucky in the steps you have blindly—as it were—taken. But do not let your erstwhile success delude you into believing that you possess some sort of sixth sense for dealing with the inconsistent, chaotic elements in your life. Watch your step. You suddenly may find yourself embroiled in what you have been trying to avoid with so much effort.

KAMA   The direction of the force of fire is upward. The direction of the force of water is downward. When the fire is *above* the water, as in this hexagram, they are unrelated and unreconcilable. Why are you and Friend together? You are so different from one another that it is impossible even to make comparisons or speak of contrasts. Examine the motives behind your attachment to Friend; it's likely they have nothing to do with Friend at all. If this is true, then there is no sense clinging to the relationship. However, there is a way that fire above water *can* create a unity. A fire can be built on ice—a bonfire for skating children, for example. In this case the antithetic fire and water are reconciled in the experience of the skaters. The water—as ice—provides a field for their activity; the fire provides the warmth, the energy, that enables them to continue. If you and Friend are part of a larger group—a religious order, a commune, or even just a family—your seemingly groundless relationship can play a fitting and meaningful role in the context of the larger group.

MOKSHA   Elements of your activity are contrary to your spiritual sensibility and to your basic principles of responsibility and action. You feel that since these other elements of your life remain on "a lower plane" than the spiritual elements, you can accordingly lower your standards and principles. But no one practice has any value over another. Artha, kama, moksha are equal and entwined in your life. To reduce the quality of one reduces them all.

LINES

1 —x— The fox gets his tail wet.
Guilt.
You are resolved to take a drastic step to end the confusion that reigns in your life. But a time of confusion is actually a time to hold back. Refrain from action until enough elements have been resolved for you to evaluate the situation.

2 —o— The man puts on the brakes.
Auspicious
if you keep to your course.
It is not yet time to act. Meanwhile, prepare. Although you are still biding your time, waiting for the right moment, your Tao should already be in the Tao of the coming action. When you do act, the act will be a natural outgrowth of all that went before.

3 —x— Almost there, the man proceeds too fast.
Ominous.
A time to cross the great water.
The time for action has arrived. But do not act. You have not had enough time to gather the resources necessary to carry out the action. Let this opportunity pass. Withdraw entirely from the situation. Take a completely new direction. Break with your old contacts. Enter a new sphere of activity.

4 —o— The man steels himself to endure in hell's
provinces,
confident that for three years
he will reap great rewards.

Auspicious
if you keep to your course.
Guilt disappears.

You must act now. Quell all misgivings. You are acting on your most basic principles. Your freedom as an individual hinges on the outcome of your action. Act now. Without doubt or hesitation, carry it through to the end.

5 —x— Sincerity and brilliance shine in the man.
Auspicious.
Without guilt
if you keep to your course.

You understand the irrational elements of your life. You sympathize with those unsympathetic to you. You find order in the clashing discord of present events.

6 —o— The man celebrates his victory.
The fox gets drunk at the celebration.
Without guilt
if you are like the man.
Guilt
if you are like the fox.

Your ability to achieve harmony in a chaotic situation (see the interpretation of line 5 above) has led you into a life of pleasurable social activity, relaxing with others in the warmth of uninhibited friendship. Good times are a natural outgrowth of well-being. Do not let them degenerate into activities contrary to the principles on which your well-being is based. Beware of foolish excesses.

ABOUT THE AUTHOR

A graduate of Columbia University, SAM REIFLER is a student of Eastern philosophy and an integrater of Eastern and Western thought. He has written fiction as well as nonfiction and recently had a graphics show near his home in upstate New York.

LOOKING IN

Books that explore Eastern and Western spirituality and examine man's concepts of God and the universe.

We Deliver!
And So Do These Bestsellers.